ANGELIKA SCHWARZHUBER

Liebesschmarrn und Erdbeerblues
Hochzeitsstrudel und Zwetschgenglück

LIEBESSCHMARRN UND ERDBEERBLUES

Michi ist ihr Traummann – bis er »Ich liebe dich« zu ihr sagt. Genauer gesagt: »I hob mi fei sakrisch in di valiabt«. Lene rennt kopflos davon und kommt zu dem Schluss: Auf Bayerisch gibt es Liebe nicht! Diese Theorie schlägt nicht nur im niederbayerischen Passau hohe Wellen und beschert Lene mehrere Männer, die ihr das Gegenteil beweisen wollen. Da ist Karl Huber, der Sprachwissenschaftler, der die bayerische Kultur durch diesen »Schmarrn« gefährdet sieht. Ernesto, der Spanier, der so schön »Te amo« sagen kann. Und immer noch oder schon wieder Michi, der zu ihr zurückwill. Doch was will Lene?

HOCHZEITSSTRUDEL UND ZWETSCHGENGLÜCK

Aufs Land ziehen und heiraten! Der letzte Wille von Oma Bertha hört sich für Hanna wie ein schlechter Scherz an. Zunächst will sie das Erbe erbost ausschlagen, doch ihrem Cousin Max mag sie es auch nicht so einfach überlassen. Hanna beschließt: Ein Ehemann muss her, und zwar schnell. Doch die Suche nach dem geeigneten Kandidaten gestaltet sich turbulenter als sie es sich je hätte träumen lassen – und dann gibt es da noch jemanden, der Hannas Pläne unbedingt vereiteln will …

Autorin

Die bayerische Autorin Angelika Schwarzhuber lebt mit ihrer Familie in einer kleinen Stadt an der Donau. Sie arbeitet auch als Drehbuchautorin für verschiedene Produktionsfirmen und Sender.

Angelika Schwarzhuber

Liebesschmarrn
und Erdbeerblues

Hochzeitsstrudel
und Zwetschgenglück

Zwei Romane in einem Band

Verlagsgruppe Random House FSC® N001967
Das für dieses Papier verwendete FSC®-zertifizierte Papier
Salzer Alpin wird produziert von UPM, Schongau
und geliefert von Salzer Papier, St. Pölten, Austria.

Sonderausgabe der Verlagsgruppe Random House GmbH
Copyright © by Blanvalet Verlag,
in der Verlagsgruppe Random House GmbH, München.
Umschlaggestaltung: Atelier Versen, Bad Aibling
Umschlagabbildung: © istockphoto/nadyatess, daneger, stocksnapper;
Gerhard Versen
Redaktion: text in form, Gerhard Seidl/Sabine Cramer
Satz: Uhl + Massopust, Aalen
Druck und Einband: GGP Media GmbH, Pößneck
Printed in Germany 2015

Inhalt

Angelika Schwarzhuber

Liebesschmarrn
und Erdbeerblues

Für meine Eltern
Elfriede und Maximilian

Lenes Kurzanleitung zum
Lesen der Geschichte:

»*Obwohl ich im Alltag normalerweise im Dialekt meiner niederbayerischen Heimat spreche, ist zum allgemeinen Verständnis die Geschichte selbstverständlich in der hochdeutschen Sprache geschrieben. Es war jedoch unumgänglich, einige Ausdrücke und Dialoge im bairischen Wortlaut wiederzugeben. Für alle Menschen jenseits des Weißwurstäquators und einheimische Nichtbayern findet sich auf Seite 353 eine alphabetische Übersetzung der bairischen Begriffe in Hochdeutsch.*«

kapitel 1

»Wenn du jetzt gehst…« Mehr hörte ich nicht mehr. Die Tür des Fahrstuhls schloss sich, und ich machte die Augen zu.

Ich muss zu Claudia! Sofort!, dachte ich aufgeregt.

»Lene? Geht's dir nicht gut?«

Erschrocken riss ich die Augen auf. Verdammt, ich hatte nicht mal bemerkt, dass noch jemand auf dem Weg zur Tiefgarage war. Dr. Heribert König. Mein Zahnarzt, seit ich denken kann. Er hatte seine Praxis gleich neben Michaels Kanzlei im vierten Stock.

»O doch, doch… Mir geht's prächtig, Herr Doktor.«

Ein Blick in den Spiegel des Aufzugs, und mir war klar: Sollte Dr. König mir tatsächlich glauben, dann würde er in Zukunft ein Sexmonster in mir sehen. Im günstigsten Fall eine sehr aufgeschlossene junge Frau.

Meine rotbraune Lockenmähne war wild zerzaust. Der rosa Lippenstift verschmiert und – o nein! Der farblich zum Lippenstift passende neue BH hing halb aus meiner Handtasche, in die ich ihn eilig gestopft hatte, bevor ich aus Michaels Büro geflüchtet war. Jetzt war es auch schon egal, dass ich die Bluse mit der Naht nach außen trug. Ich setzte mein breitestes Lächeln auf, um Dr. König von der Handtasche abzulenken. Schließlich war er immer sehr stolz auf meine prachtvollen Beißerchen, die er mit viel Draht von Zahnstellung »windschief« in ein Gebiss verwandelt hatte, für das jedes Model gestorben wäre. Puh. Es funktionierte. Dr. König sah nicht nach unten, bis der BH gänzlich in der Tasche verschwunden war. Bevor ich meine Haare so unauffällig wie möglich zurechtzupfen konnte, waren wir auch schon in der Tiefgarage angekommen.

Erleichtert verabschiedete ich mich und trippelte in den todschicken, aber völlig unbequemen neuen Sandalen zu meinem Wagen. Im Rücken spürte ich Dr. Königs Blicke. Ob ich mich jemals wieder unbefangen auf seinen Behandlungsstuhl setzen konnte? Der Gedanke an die ungewisse Zukunft meines Gebisses wurde rasch von der Erinnerung an die Erlebnisse der vergangenen halben Stunde verdrängt. Alles war schrecklich! Ich musste dringend zu Claudia.

Claudia Zanolla war meine beste Freundin. Wir arbeiteten für dieselbe Zeitung. Sie in der Lokalredaktion und ich in der Anzeigenannahme. Kennengelernt hatten wir uns auf den Tag genau am 13. Mai vor vier Jahren, als wir beide in der kleinen Kaffeeküche der Redaktion standen und jede einen Kuchen für die Kollegen anschnitt. Amüsiert stellten wir fest, dass wir Geburtstag hatten. Den fünfzigsten. Wenn wir ihre vierundzwanzig und meine sechsundzwanzig Lenze zusammenzählten. Da wir beide für den Abend nichts geplant hatten, verabredeten wir uns spontan ins Simone, eine kleine, aber feine Bar in den engen Gässchen der Passauer Altstadt, auf ein Glas Prosecco. Aus einem Gläschen wurden zwei Flaschen – für jede –, und wir hatten viel Spaß. Claudia ließ mich in diesem Zustand nicht mehr nach Hause fahren, und so verbrachte ich die Nacht auf dem grauen Ledersofa in ihrer Wohnung.

Auf genau diesem Sofa saß Claudia jetzt und schaute mir geduldig zu, wie ich, unruhig wie ein Raubtier vor der Fütterung, barfuß auf und ab tigerte. Sie kannte mich gut genug, um abzuwarten, und nippte an einer Tasse Ingwerwasser. Die kleinen Figuren, die Claudia von ihren Reisen in aller Herren Länder mit nach Hause brachte und die nahezu jeden freien Zentimeter ihrer Wohnung belagerten, schienen mich zu beobachten. Als ob die stummen kleinen Zeugen unserer Frauengeschichten es nicht erwarten konnten, den neuesten Klatsch über mein Liebesleben zu hören. Eines der Eskimofigürchen auf dem Bücherregal schaute mich so ungeduldig an, dass ich mein Schweigen endlich brach.

»Es ist was ziemlich schiefgelaufen!«

»Wie hast du es diesmal vermasselt?« Claudia war nicht überrascht. Warum auch? Es war ja nichts Neues. Ich war praktisch eine Meisterin darin, etwas zu vermasseln. Dabei war es meistens gar nicht meine Schuld, wie ich fand. Und diesmal schon gar nicht. Aber ob sie das verstand? Ich wand mich innerlich.

»Lene! Mach's nicht so spannend!«

»Also. Er hat gesagt...« Ich konnte nicht.

»Was? Dass deine Oberschenkel zu dick sind?«

»Nein!«, rief ich empört. Ich ging ja wohl nicht umsonst regelmäßig ins Fitnessstudio, seit ich mit Michi zusammen war, und hatte mir inzwischen fast fünf Kilos abgestrampelt. Meine Schenkel waren zwar nicht perfekt, aber zumindest alltagstauglich. Allerdings wirkten neben Claudias Gazellen-Beinen auch Normaloschenkel wie meine wie die eines grauen Dickhäuters.

»Hat er dich... auch... betrogen?« Claudias Ton wurde ein wenig weicher, mitfühlender. Sie hatte ja schon einiges mit mir erlebt.

»Nein! Hat er nicht.« Zumindest wusste ich nichts davon.

»Ja was denn dann?« Jetzt wurde sie schon etwas ungeduldiger, und der Blick des Eskimos war frostig geworden.

»Er hat gesagt …«

Ich holte tief Luft und sprach die Worte genau im Wortlaut und bairischen Dialekt meines Freundes Michi aus: »I hab mi sakrisch in di valiabt!«

Ich merkte genau, wie Claudias Mundwinkel zuckten. Sie verkniff sich ein Lachen.

»Das ist doch super!«

»Aber man sagt doch nicht: I hab mi sakrisch in di valiabt!«, protestierte ich.

Claudia schaute mich amüsiert an.

»Nun ja. Wir sind hier in Passau. Und Passau ist in Bayern. Und in Bayern spricht man eben bairisch!«

Das musste ausgerechnet sie sagen. Claudia war gebürtige Italienerin und als Teenager mit ihren Eltern nach Deutschland gekommen. Sie sprach inzwischen ein perfektes Hochdeutsch mit einem entzückenden sizilianischen Akzent.

»Wie soll er es denn sonst sagen?«, hakte sie nach.

»Ach, ich weiß auch nicht. Anders halt!«

Der Blick des Eskimos war inzwischen eisig. Mit so was hatte er sicher nicht gerechnet.

»Du erzählst mir jetzt, was los ist. Was wirklich los ist. Sofort!«

Ich drehte den verschnupften Eskimo mit dem Gesicht zum Buchrücken des ersten Harry-Potter-Bandes und ließ mich in den Sessel plumpsen. Und ich legte los. Mein Freund Michi und ich waren für den Abend zur Vernissage seines Mandanten Severin Bayerl eingeladen. »Kreationen in Kreditkarten«, so das etwas dümmliche Thema. Ich hatte auf die Ausstellung so viel Lust wie auf einen Besuch beim Steuerberater. Aber Michi zuliebe hatte ich zugesagt und mich dafür so richtig chic gemacht. So wie Michi das gefiel. »Zieh dich doch ein wenig femininer an«, hatte er mich in der letzten Zeit immer öfter gebeten. In Männersprache übersetzt heißt das so viel wie: »Röcke kürzer, Absätze höher und Ausschnitt tiefer.« Vor allem das mit dem Dekolleté war ihm wichtig. Sehr wichtig sogar, weil das meinen herrlichen Busen betone, meinte er. Mein Busen. Auf den konnte ich stolz sein. Das sagten die Männer immer. Denn der pralle Inhalt von Körbchengröße 75D war völlig echt!

Als ich in Michis Kanzlei kam, um ihn abzuholen, waren seine Bürodamen schon alle weg. Mein neues Outfit gefiel ihm. Richtig gut gefiel es ihm. Vor allem die neue Bluse mit dem tiefen Ausschnitt. Jedenfalls war unser Begrüßungskuss außer Kontrolle geraten, und plötzlich lag ich halb nackt auf dem Tisch im Besprechungszimmer.

Ich unterbrach meine Schilderung. Es war mir doch ein wenig peinlich, darüber zu reden. Doch Claudia ließ nicht locker.

»Und dann? Jetzt erzähl schon!«, forderte sie mich auf. Seitdem sie nach zweijähriger Jo-Jo-Beziehung mit einem Universitätsprofessor der Philosophischen Fakultät wieder Single war, nahm sie noch mehr Anteil an meinen Männergeschichten.

Die Figürchen um uns herum schienen den Atem anzuhalten. Meine Stimme wurde leiser, ich flüsterte fast.

»Er hörte auf, mich zu küssen … und schaute mich seltsam an.«

»Wie seltsam?« Sie wollte aber auch immer alles ganz genau wissen.

»Seltsam eben. Dann sagte er diese Worte.« Ich sparte es mir, sie zu wiederholen.

»Und dann?« Claudia war sichtlich gespannt.

»Was und dann? Das war es dann. Ich bin vom Tisch runter, hab mich angezogen, und jetzt bin ich hier.«

Die Sache mit Dr. König im Fahrstuhl ließ ich aus. Claudia war ohnehin bei einem anderen Zahnklempner.

»Lene! Das kann doch nicht dein Ernst sein?! Dieser Mann hat dir heute gesagt, dass er dich liebt, und du lässt ihn einfach stehen?«

»Ja, aber so sagt man das nicht!«

»Hast du sonst keine Probleme?« Claudia schüttelte den Kopf. Sie wollte mich irgendwie nicht verstehen.

»Es hat sich angehört, als ob ich einer von seinen Schafkopfbrüdern wäre«, rechtfertigte ich mich. »Sepp, des gfreit mi fei sakrisch, dass du de Oide jetzt ghaut hast«, ahmte ich in tiefer Stimmlage die Unterhaltung der Männer beim Kartenspielen nach.

Wobei es sich beim »Oide haun« nicht um einen tätlichen Übergriff auf die Ehefrau, sondern um das Einkassieren der Eichel-Sau beim inoffiziellen bayerischen Nationalspiel, dem Schafkopfen, handelte.

»Jetzt mach aber halblang, Lene. Michi ist schließlich alles andere als ein Stammtischbruder.«

Da musste ich ihr recht geben. Michi war ein wirklich gut aussehender Mann und als Anwalt für Vertragsrecht sehr erfolgreich. Warum er sich ausgerechnet mit mir eingelassen hatte, war mir heute noch ein Rätsel. Es war vor einem halben Jahr, als er lässig in seinem schicken Anzug in die Anzeigenabteilung der Zeitung geschlendert kam und eine Annonce für seine Kanzlei aufgab: »Freundliche, flexible Bürohilfe gesucht.« Mir blieb bei seinem Anblick fast die Luft weg. Und meine Konzentrationsfähigkeit glich der einer adipösen Seiltänzerin mit Gleichgewichtsstörungen, als er mich mit seinen eisblauen Augen anlächelte und sich dabei eine schwarze Haarsträhne aus dem Gesicht strich. Meine Güte, was für ein Mann! Für einen kurzen Moment überlegte ich sogar selbst, mich bei ihm zu bewerben. Ich wurde nervös, als er beim Ausfüllen des Anzeigentextes mit mir flirtete. So nervös, dass ich seine Telefonnummer mit der eines anderen Kunden verwechselte. Der suchte auch Mitarbeiterinnen. Allerdings unterschieden sich sowohl die Arbeitszeiten als auch das Tätigkeitsprofil dieser Damen mehr als deutlich. Sie durften ihre Arbeit überwiegend in horizontaler Lage ausüben – hauptsächlich nachts.

Als herauskam, dass ich das verbockt hatte, gab es von meinem Chef eine ordentliche Standpauke. Ich wollte das natürlich wiedergutmachen und fuhr zu den Inserenten, um mich persönlich zu entschuldigen. Noch immer wurde ich rot, wenn ich an das breite Grinsen des Saunaklubbetreibers dachte, als ich mit einer Flasche des guten Verlagshausweins, der gewöhnlich nur zu Weihnachten an Großkunden verschenkt wurde, bei ihm auftauchte. Dabei hatte er meinem Chef bereits drei kostenlose Anzeigen abgeschwatzt. Und dann kam der Hammer: Der Boss des Arabian Nights hatte mir doch allen Ernstes einen Job in seinem Etablissement angeboten. Er sah großes Potenzial in mir. Vor allem in meinem appetitlichen Vorbau, von dem er kaum seinen Blick wenden konnte. Falls ich jemals über eine berufliche Veränderung nachdenken sollte, genüge ein Anruf und wir wären im Geschäft, meinte er augenzwinkernd und leckte sich dabei lüstern über die Lippen.

»Meine Telefonnummer hast du ja, Schätzchen. Aber pass auf, dass du sie nicht wieder vertauschst.«

Er lachte schallend. Der Mann hatte immerhin Sinn für Humor. Vielleicht wäre er gar kein so übler Chef? Mein Abteilungsleiter war ja manchmal schon ein wenig trocken. Ob es im Klub auch Weihnachtsgeld gab? Und Mutterschutz und Erziehungsurlaub? Es hätte mich auch sehr interessiert, ob man sich an Brückentagen freinehmen durfte. Ich ersparte es mir aber dann doch, ihn danach zu fragen. Ein Blick in die abgeklärten Gesichter der Damen, die an der Theke auf Kundschaft warteten, genügte, um zu erkennen, dass es hier nicht viel zu lachen gab.

Und dann stand ich auch nicht so wirklich auf rote Ledersofas und Reizwäsche als Arbeitsbekleidung. Nein, dieser Beruf war eindeutig nicht für mich geeignet. So freundlich es mir möglich war, schlug ich sein gut gemeintes Jobangebot aus.

Rechtsanwalt Michael Sommer hatte mich erst ein wenig zappeln lassen, bis ich bemerkte, dass er mich mit seinem strengen Blick nur necken wollte. Noch für denselben Abend hatte er mich zum Essen eingeladen. Anschließend teilten wir brüderlich den guten Verlagswein. Meine Entschuldigung nahm er entgegen und erklärte mir allen Ernstes, dass ich durch meinen Fehler eine Seele vor dem Fegefeuer gerettet hatte. Die neue Bürohilfe war eine der jungen Frauen, die sich eigentlich für den unmoralischen Job im Saunaklub bewerben wollte. Michi hatte die hübsche Blondine – Sabine ihr Name – auf Anhieb sympathisch gefunden. Sie war freundlich und flexibel. Und sie war eine Hilfe im Büro. Erst gestern hatte er sie vor meinen Augen als beste Sekretärin gelobt, die er je hatte. Das beruhigte mich. Sehr sogar. Allerdings fragte ich mich, ob stattdessen im Saunaklub eine der Bürokraftanwärterinnen gelandet war. Und ob meine Seele zukünftig im Fegefeuer dafür schmoren musste.

Insgeheim beschäftigte mich auch die Frage, ob ich im Arabian Nights wirklich eine so steile Karriere gemacht hätte, wie der Boss dort es mir prophezeit hatte. Doch mir schwante, dass ich das niemals herausfinden würde.

»Wie sagst du denn einem Mann, dass du ihn liebst?«, riss Claudia mich aus meinen Gedanken.

»Ich ... also, ich sage, nun ich ...«, stotterte ich herum und starrte zur Kommode. Und erstarrte. Das konnte doch nicht möglich sein! Der kleine Eskimo stand wieder mit dem Gesicht zu uns, sein Blick unterkühlter denn je. Claudia musste ihn umgedreht haben, ohne dass ich es mitbekommen hatte.

»Was jetzt?« Claudia ließ nicht locker.

»Ich, ich ... jetzt fällt mir auf die Schnelle nichts ein.«

Sie schaute mich ungläubig an. Ich schaute ungläubig zurück. Mir fiel tatsächlich nichts ein.

»Ich weiß, dass du deine letzten Beziehungen alle verbockt hast, aber sag jetzt nicht, dass du noch nie zu einem Mann gesagt hast, dass du ihn liebst?«

»Natürlich hab ich das schon mal zu einem Mann gesagt«, protestierte ich heftig und lachte auf. Was dachte sie denn von mir?

»Zu wem?« Ihre Frage kam schnell. Und sie war sehr direkt.

»Zu ... äh ...« Ich überlegte. Vier Monate vor Michi war ich drei Monate mit Daniel zusammen. Er war ganz nett, aber irgendwie kein Mann zum Lieben. Vor allem deshalb nicht, weil er zu anderen Frauen genauso nett war wie zu mir. In jeder Hinsicht.

Davor gab es Tittengrabscher-Eugen – nein, zu ihm hatte ich es auch nicht gesagt. Und vor ihm war da Johannes. Ihm wollte ich es sagen, aber da war mir meine Cousine Tina zuvorgekommen. Und dann war noch ...

»Tim!« Ich wusste es doch! Tim hatte ich gesagt, dass ich ihn liebe. Nun, eigentlich hatte ich es nicht gesagt, sondern auf einen Zettel geschrieben. Mit mindestens neunundneunzig Herzchen drum herum. Aber das musste ich Claudia nicht unbedingt auf die Nase binden.

»Tim?« Claudia grinste amüsiert. »Du meinst jetzt aber nicht den Tim, in den du als Sechzehnjährige verschossen warst und der sich letztes Jahr für den Job in der Sportredaktion beworben hatte?«

»Äh, doch, ja, ja, doch.« Jedes Mal, wenn ich nur an ihn dachte, löste das bei mir ein unkontrollierbares Stottern aus. Tim. Er hatte damals nicht auf meine herzige Liebesnachricht reagiert. Wie ich später erfuhr, war er mit einer älteren Cabriofahrerin – sie war einundzwanzig und damit drei ganze Jahre älter als er – losgezogen.

Als er letzten Herbst mit seinem unwiderstehlichen Piratencharme das Büro in der Redaktion betrat, war ich sprachlos. Buchstäblich. Doch auch diesmal war uns Amor nicht gewogen. Nicht Tim wurde eingestellt, sondern der Sohn eines Freundes eines Onkels unseres Chefredakteurs. Und das, bevor ich die Möglichkeit hatte, überhaupt ein Wort mit Tim zu wechseln. Mein Traum von einer zweiten Chance war schneller zerplatzt, als man mit aufgespritzten Lippen einen Luftballon aufblasen konnte. Ich seufzte.

»Du musst das wieder ausbügeln, Lene. Geh sofort zu dieser Vernissage und sag Michael, dass du ihn auch liebst. Und dass du vorhin einfach nur kalte Füße bekommen hast.«

»Nein. Das mach ich nicht!« Ich schüttelte heftig den Kopf.

»Lene! Einen Mann wie ihn findest du nicht so schnell wieder.«

»Ich kann nicht …«

»Warum nicht?«

»Er war ziemlich sauer, als ich einfach so davon bin«, gestand ich kleinlaut.

»Warum wundert mich das nicht?« Claudia seufzte. Sie nahm meine Hände, sah mich streng an.

»Süße, worauf willst du eigentlich warten? Michi ist ein toller Mann, und er liebt dich. Was willst du mehr? Geh da hin und bring es wieder in Ordnung!«

»Aber ich kann doch jetzt nicht einfach so da aufkreuzen.« Allein beim Gedanken daran bekam ich Bauchgrummeln.

»Und wie du kannst!« Sie zog mich aus dem Sessel hoch und drückte mir mein Täschchen in die Hand.

»Zieh deinen Lippenstift nach, leg Parfum auf, und ich ruf inzwischen ein Taxi.« Schon hatte sie das Telefon in der Hand und wählte die Nummer. Claudia war schon immer ein Mann der Tat im Körper einer zierlichen dunkelhaarigen Frau. Der Eskimo grinste mich eiskalt an. Sobald Claudia mir den Rücken zudrehte, packte ich den kleinen Kerl und stopfte ihn in meine Handtasche.

Die Party war bereits voll im Gange, als ich den angesagten Klub Butts betrat. Im Hintergrund lief Musik von LaBrassBanda. Da stand ich normalerweise total drauf. Hierher passte der Sound jedoch so wenig wie ein Lebkuchen ins Osternest. In kleinen Gruppen unterhielten sich chic gekleidete Gäste, von denen ich die meisten aus dem Lokalteil unserer Zeitung kannte. Sie nippten an Getränken in scheckkartengroßen Plastikgefäßen, verziert mit dem Konterfei von Severin Bayerl. Vermögend, wie er war, konnte er sich solche Extravaganzen leisten.

Von Michi war nichts zu sehen. Was mich gar nicht so unglücklich machte. Da ohnehin niemand Notiz von mir nahm, beschloss ich, so schnell wie möglich wieder zu verschwinden. In dem Moment drückte mir eine der ausnahmslos blonden Bedienungen ein Getränk in die Hand. Na gut. Wenn ich schon mal hier war ... Ich bemühte mich, den stechenden Blick des Künstlers auf dem Becher zu ignorieren, und nahm einen kräftigen Schluck. Hmm. Schmeckte ungewöhnlich, aber richtig fein.

»Was ist das denn?« Ich musste fast schreien, damit die Bedienung mich verstand. Sie zuckte mit den Schultern.

»Keine Ahnung. Irgendwas mit Schampus und so Beeren aus Südamerika.«

Sie gab mir ein weiteres Becherchen, bevor sie in Richtung Theke verschwand. Ich schaute mich um. Das Licht im Raum war ziemlich heruntergedimmt. Nur die Ausstellungsstücke waren mit grellen Neonscheinwerfern beleuchtet. Etwas abseits interviewte Lissy Bormann, eine unserer freien Mitarbeiterinnen, den wie immer auf jugendlich getrimmten Künstler Severin. Sein Sohn Alwin stand neben den beiden und versuchte vergeblich, sich in die Unterhaltung einzubringen. Alwin war ein halbes Jahr mein Banknachbar in der vierten Klasse gewesen und eigentlich eine gute Seele. Wenn er nur nicht immer krampfhaft versucht hätte, in die Fußstapfen seines exzentrischen Vaters zu treten. Das war unmöglich und Alwin leider – oder glücklicherweise – nur ein müder Abklatsch des Alten. Jetzt hatte er mich entdeckt und winkte mir über die anderen Gäste hinweg zu, was bei seiner Größe von fast zwei Metern kein Problem darstellte. Ich winkte freundlich zurück. Irgendwie mochten wir uns.

Severin erklärte Lissy inzwischen seine Scheckkarten-Werke, wobei er eindrucksvoll gestikulierte. Das Plastikgeld war aufgeschlitzt und zu seltsamen Gebilden zusammengesteckt. Ich konnte nicht viel damit anfangen. Einzig die Frage, ob das einmal alle seine eigenen Kärtchen waren, fand ich spannend. Ich beneidete Lissy nicht. Kein einfacher Job, sowohl über die Werke als auch über den Künstler zu schreiben, über den ohnehin in den letzten Jahrzehnten schon alles geschrieben worden war.

Ich beschloss spontan, mir noch ein weiteres Becherchen mit dem köstlichen Getränk vom Tablett einer Bedienung zu nehmen, da zog der vertraute Duft von Michi und Davidoff Hot Water in meine Nase.

»Lene!?«

Ich drehte mich um. Michi stand hinter mir.

»Was machst du denn hier?«, fragte er verwundert. Neben ihm Sabine.

Moment! Was machte die denn hier? Scheinbar war sie noch flexibler, als ich dachte. Auch abends. Außerordentlich flexibel und freundlich. Zu Michi. In meine Richtung wirkte ihr Lächeln etwas kühl und erinnerte mich an den kleinen Eskimo, der in den Tiefen meiner Tasche schlummerte. Dabei hatte sie ihren Job nur mir zu verdanken.

Plötzlich war ich glücklich, Michi zu sehen. Sehr glücklich sogar. Er sah einfach umwerfend aus, und ich war froh, dass Claudia mich hergeschickt hatte. Ich würde alles wieder in Ordnung bringen, und Sabine durfte Feierabend machen.

»Michi, bitte, können wir kurz reden? Nur wir beide?«

»Ich weiß nicht, ob das eine so gute Idee ist.« Er lächelte zwar, aber es war die Sorte von Lächeln, die er immer dann aufsetzte, wenn er eigentlich nicht lächeln wollte.

Er war eindeutig eingeschnappt. Und ich konnte das sogar verstehen. So, wie ich ihn heute behandelt hatte, das steckt wohl kein Mann so schnell weg. Aber aufgeben kam nicht infrage! Ich überlegte krampfhaft, wie ich ihn doch noch überreden konnte, da fiel sein Blick auf meinen Ausschnitt. Oder besser gesagt, in meinen Ausschnitt. Augenblicklich wurden seine Gesichtszüge weicher. Das war die Gelegenheit! Wenn nicht jetzt, wann dann?

»Bitte. Nur eine Minute, Michi!« Er lächelte plötzlich. Sein echtes Lächeln. Mir fiel ein zentnerschwerer Stein vom Herzen. Und ich wusste, dass jetzt alles gut werden würde.

»Na gut, Lene … Sabine, entschuldige uns bitte kurz.«

»Du wolltest mir doch was zu trinken besorgen, Michael«, wandte sie schmollend ein. Sabine hatte offensichtlich etwas dagegen, dass wir eine Minute allein miteinander verbrachten.

»Hier. Nimm das. Schmeckt ausgezeichnet!« Ich drückte ihr meinen Becher in die Hand und folgte Michael. Die bösen Blicke, die sie mir hinterhersandte, spürte ich wie Messerstiche in meinem Rücken.

Wir gingen in ein Nebenzimmer und schreckten dort eine ältere Dame und einen jungen Mann auf, die wild miteinander geschmust hatten. Ich wusste, dass die beiden glücklich verheiratet waren, allerdings nicht miteinander. Mit glühenden Wangen und dem Versuch einer abstrusen Erklärung flohen sie aus dem Raum. Endlich waren Michi und ich alleine. Ich hatte Mühe, ein nervöses Kichern zu unterdrücken. Doch ein Blick in seine Augen genügte, und das Lachen blieb mir im Hals stecken.

»Ich bin gespannt, was du mir zu sagen hast, Lene.« Mit verschränkten Armen stand er vor mir und schaute mich mit strengem Anwaltsblick an, der seine Wirkung im Gerichtssaal sicherlich nicht verfehlte. Jetzt durfte ich bloß nichts Falsches sagen.

»Es tut mir leid, was heute passiert ist, Michi.« Das war doch schon mal ein guter Einstieg, fand ich. Trotzdem fiel es mir schwer, ihm in die Augen zu sehen.

»Noch nie hat mich eine Frau einfach so stehen lassen.«

Hörte ich da einen Hauch »Beleidigte Leberwurst« heraus? Und war ich tatsächlich die Erste, die ihn mit offener Hose hat stehen lassen? Oder schummelten Männer in solchen Dingen, um den Frauen ein schlechtes Gewissen zu machen? Allerdings hätte es mir auch nicht gefallen, wenn ich an seiner Stelle gewesen wäre.

»Bitte verzeih mir. Aber weißt du …«

»Was weiß ich?«

Tja, was wusste er? Genau das fragte ich mich in diesem Moment selbst.

Er sah mich mit einem Blick an, den ich nicht deuten konnte. Gott, war das schwierig! Ich hatte keinen Schimmer, wie ich ihm erklären sollte, was mit mir los war. So richtig verstand ich es ja auch nicht.

»Lene!?«

Ich musste es mit einer anderen Taktik versuchen, frei nach dem Motto: Reden ist Silber, Küssen ist Gold. Super Idee, wie ich fand, und auf die Schnelle die einzige, die ich hatte. Gedacht – getan. Ich drückte mich eng an ihn, legte meine Hände auf seinen Po und begann, ihn verführerisch zu küssen. Grandiose Strategie, wie sich sofort herausstellte. Michi packte mich und erwiderte meinen Kuss wild und voller Leidenschaft.

Wir waren wieder genau da angelangt, wo wir heute schon einmal waren. Er konnte die Finger nicht von mir lassen und … Moooment! Wir waren genau da angelangt, wo wir schon waren? Meine Nackenhaare begannen, sich um einen Stehplatz zu raufen. Das bedeutete … Ich wusste, was gleich kommen würde.

Er löste sich von mir. Sah mich an. Mit genau dem seltsamen Blick. Wie schon gehabt.

»Lene … Lene, du verruggte Hehna … Du machst mi ganz narrisch. I hab mi echt sakrisch in di valiabt.« Ich schluckte. Er liebte mich. Warum konnte er mir das nicht anders sagen, verdammt noch mal?! Michi schaute mich erwartungsvoll an.

»Jetzt reiß dich zusammen, Lene! Und pack die Gelegenheit beim Schopf«, würde Claudia nun sagen. Und sie hätte recht. Da stand der Mann, mit dem alles möglich war, was ich mir immer schon erträumt hatte. Er sah gut aus, war vermögend, und mit ihm konnte ich eine große Familie gründen. Zumindest ging ich davon aus, dass er mal viele Kinder wollte. Aber ich würde mich auch über eine kleine Familie freuen. Hauptsache, Familie. Dazu gehörten später natürlich reizende Enkelkinder, die ich total verwöhnen würde, wenn ich einmal eine rüstige Seniorin mit viel Zeit war. Ich würde mit ihnen in Freizeitparks fahren und in der Adventszeit leckere Plätzchen backen. An Weihnachten würden sich ihre strahlenden Augen in den bunten Christbaumkugeln spiegeln, und ich würde gerührt Tränen aus meinen Augen wischen. Mein Lebenstraum. Alles das lag jetzt vor mir. Ich musste nur zugreifen. Meine Knie wurden weich. Langsam öffnete ich meinen Mund.

»I … ich … I …« Verdammt! Es ging nicht. Ich brachte die Worte nicht über meine Lippen. Was war denn nur los mit mir? Die Vorstellung, »Ich liebe dich« zu sagen oder »Mei, i hab mi a so vui in di valiabt«, bereitete mir größtes Unbehagen. Das erwartungsvolle Lächeln verschwand aus seinem Gesicht. Auch er ahnte, was nun kommen würde. Und zum zweiten Mal an diesem Tag ließ ich ihn einfach stehen.

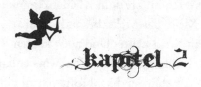

Kapitel 2

In einem traumhaft schönen weißen Kleid und mit einem Blumenstrauß aus dunkelroten Rosen stand ich in einer idyllischen kleinen Kirche irgendwo in England. Der Priester – er sah Mister Bean erstaunlich ähnlich – fragte mich, ob ich Hugh zu meinem mir anvertrauten Mann nehmen und zu ihm stehen wolle, in guten wie in schlechten Tagen, bis dass der Tod uns scheidet. »Yes«, sagte ich mit fester Stimme und machte damit Hugh Grant zum glücklichsten Mann der Welt. Mit dem Gefühl, die glücklichste Frau der Welt zu sein, wachte ich in meinem Zimmer auf. Meine Augen ließen sich allerdings nur sehr schwer öffnen. Sie waren immer noch geschwollen von den vergossenen Tränen der letzten Nacht, mit denen ich die Sahara hätte bewässern können. Mit einem Schlag war es da: das Gefühl, die unglücklichste Frau der Welt zu sein. Und ein Blick auf den Wecker verschaffte mir ein weiteres Gefühl: das erschreckende Gefühl, ordentlich verschlafen zu haben.

Mit einem Satz sprang ich aus dem Bett und mit dem linken Fuß genau auf einen kleinen harten Gegenstand. »Autsch!« Es war der kleine Eskimo, auf den ich getreten war. Scheinbar war er in der Nacht irgendwie aus der Tasche gefallen. Mann, tat das weh! Wütend kickte ich ihn mit dem heilen Fuß unter das Bett und verspürte dabei eine gewisse Genugtuung.

»Jetzt aber schnell, Lene!«, feuerte ich mich selbst an. Ich hasste es, zu spät zu kommen. Ich hinkte zum Kleiderschrank und griff nach dem hellblauen Kleid, das Michi besonders gerne ... Stopp! Kein Michi mehr. Kein Kleid heute. Und auch keinen Rock! Ich zerrte meine gute alte Lieblingsjeans aus dem wochenlang unberührten Hosenstapel. Anschließend schlüpfte ich in ein T-Shirt mit der Aufschrift: »*Das Leben ist nicht das einfachste!*« Und ich zog bequeme Sneakers an. Jetzt fühlte ich mich schon ein wenig besser. Ich war genau richtig angezogen, um den kommenden Tag einigermaßen zu überstehen.

Nachdem ich mir eilig die Zähne geputzt, ein wenig Wasser ins Gesicht geklatscht und die Haarmähne zusammengebunden hatte, fiel mir plötzlich ein, dass ich letzte Nacht nicht mit meinem Auto nach Hause gefahren war, sondern mit dem Taxi. Auch das noch! Gott sei Dank war mein Vater noch nicht draußen auf den Feldern.

»Was machst du denn noch hier?«, fragte er mich verwundert, als ich ihn im Gewächshaus fand. Mein Vater war Biobauer und bewirtschaftete den Hof nach den strengen Vorgaben eines Ökoverbands. Nahrungsmittel waren für ihn das kostbarste Gut der Menschen, und dementsprechend sorgsam und respektvoll ging er damit um.

Nachdem meine Mutter kurz nach meiner Einschulung bei einem Autounfall ums Leben gekommen war, hatte mein Vater mich ganz alleine großgezogen. Und vor ein paar Jahren hatte er den alten Pferdestall in eine schnuckelige Zweizimmerwohnung für mich umgebaut.

Unser Hof war sehr modern und hatte nicht im Geringsten etwas mit den heruntergekommenen düsteren Gebäuden zu tun, die Filmemacher so gerne zeigten, wenn ihre Geschichten in Niederbayern spielen. Allen Leuten, die aufgrund dieser Bilder denken, dass die Menschen in Niederbayern noch in Holzschlapfen über den matschigen Hof laufen oder in Häusern mit zusammengewürfelten Möbelstücken aus den Zeiten beider Weltkriege um einen Tisch sitzen und sich aus einer Schüssel die Suppe teilen, sei gesagt: Auch bei uns haben Einbauküchen, das vierundzwanzigteilige Essgeschirr und Kaffeeautomaten bereits Einzug gehalten. Und die eine oder andere Frau stolziert sogar in Manoloschuhen über den hübsch gepflasterten Hof ihres schicken Einfamilienhauses.

»Ich hab verschlafen. Fährst du mich bitte ins Büro?«

Vater nickte. Er war kein Mann der großen Worte. Und auch kein Mann der hohen Geschwindigkeiten. Die Fahrt nach Passau, normalerweise in zehn Minuten zu schaffen, dauerte mit ihm am Steuer seines nagelneuen Hybridautos mehr als doppelt so lange.

Mit eineinhalbstündiger Verspätung hetzte ich an meinen Schreibtisch, entschuldigte mich in Richtung meiner Kollegen und legte sofort los. Gott sei Dank war viel los heute, sodass ich kaum dazu kam, über Michi und mich nachzudenken. Zumindest so lange nicht, bis ein Karton auf meinen Tisch knallte und ich erschrocken hochfuhr.

»Das soll ich dir von Michi bringen!« Sabine stand vor mir und lächelte mich mit einem Blick an, der an Deutlichkeit nichts zu wünschen übrig ließ: »Ätsch, jetzt gehört er mir!«, sagte dieser Blick. Mein Mund wurde schlagartig trocken. Ich bemühte mich, Haltung zu bewahren, nahm den Karton mit meinen Habseligkeiten und stellte ihn unter den Schreibtisch. Eindeutiger hätte

Michi mir nicht sagen können, dass es zwischen uns endgültig aus war. Und das Schlimme daran: Ich hatte es ganz alleine verbockt! Trotzdem hatte es ihm wohl nicht schnell genug gehen können, sich mit seiner tüchtigen Mitarbeiterin zu trösten. So sakrisch kann die Liebe dann doch nicht gewesen sein, dachte ich bitter.

Sabine stand immer noch da. Was wollte sie denn noch? Trinkgeld vielleicht? Miterleben, wie ich einen Weinkrampf bekam? Aber darauf konnte sie lange warten, denn Tränen waren momentan aus. Die Kollegen ringsherum schauten neugierig. Auch ihnen würde ich keine Gelegenheit geben, mir beim Heulen zuzusehen. Gut, dass unser Abteilungsleiter momentan in Urlaub war. Der hätte bestimmt nachgefragt, was mit mir los war.

Ungeduldig trommelte Sabine mit ihren langen Fingernägeln auf meinem Schreibtisch. Dieser Anblick tröstete mich etwas. Michi hasste künstliche Nägel. Er legte viel Wert auf eine natürliche Maniküre. Aber das musste sie selbst rausfinden.

»Was ist jetzt mit dem Schlüssel?« Ihr frecher Ton gefiel mir gar nicht.

»Wenn du Michis Wohnungsschlüssel meinst, den hab ich zu Hause.« Das war zwar eine glatte Lüge, aber ich würde einen Teufel tun und ihn dieser Frau jetzt geben.

»Schick ihn per Einschreiben an die Kanzlei.« Mit diesen Worten verließ sie ohne Gruß das Büro. Ich konnte mich gerade noch zurückhalten, die Hacken zusammenzuschlagen und zu rufen: »Yesss, Mäm!«

»Die hätte wirklich ins Arabian Nights gepasst. Am besten als Domina«, kam Claudias bissiger Kommentar von hinten. Ich hatte gar nicht gemerkt, dass sie gekommen war. Ihr Verständnis für die Lage tat mir gut. Sie sah mich mitleidig an, und bevor ich doch noch anfing zu weinen, rettete sie mich mit den Worten: »Komm, wir machen Mittagspause!«

Die Sonne schien von einem azurblauen Frühlingshimmel, über den gemächlich eine Herde kleiner weißer Schäfchenwolken zog. Claudia und ich saßen auf einer Bank am Ufer des Inns. Um uns herum spielten Kinder, gingen verliebte Pärchen Hand in Hand die Promenade entlang. Studenten saßen im Gras, lernten oder alberten herum, und Rentner fütterten Enten und Schwäne, die gemächlich im Wasser trieben. Eigentlich alles andere als ein Tag für Liebeskummer.

Claudia war für eine Weile sprachlos, nachdem ich ihr alles erzählt hatte. Und das wollte was heißen. Jetzt schaute sie mich ratlos an.

»Was machen wir denn nur mit dir, Lene?«

Wenn ich das nur wüsste. Am besten die Rewind-Taste drücken und vierzehn Stunden zurückspulen. Dann hätte Fräulein Bürowunder Sabine nicht die Nacht mit meinem Freund verbracht. Dann würde ich einen neuen Anlauf nehmen und Michi sagen, dass ich ihn liebe. Öhm … Würde ich das? Verwirrt ob meiner rätselhaften Gefühle blickte ich hoch zum weiß-blauen Himmel. Da schoss mir ein verrückter Gedanke durch den Kopf. Ich sprang hoch.

»Es liegt gar nicht an mir, dass ich es nicht sagen konnte!«, rief ich aufgeregt.

»Was bitte meinst du damit?«, fragte Claudia ein wenig erschrocken über meinen plötzlichen Ausbruch.

Ich versuchte, mich zu beruhigen, um die richtigen Worte zu finden. Das war gar nicht so einfach, denn ich war schrecklich aufgeregt über das, was ich eben herausgefunden hatte. Ich atmete tief durch. Jetzt würde sie gleich Augen machen!

»Ich weiß jetzt, warum ich ihm nicht sagen konnte, dass ich ihn liebe. Das liegt daran, dass es in Bayern dafür keine passenden Worte gibt.«

Claudia schaute mich ungläubig an. »Das versteh ich nicht.«

»Es ist doch ganz einfach, Claudia. Ein verliebter Mensch, der Hochdeutsch spricht, kann ›Ich liebe dich‹ sagen, weil es diesen Ausdruck in seiner Sprache gibt. Ein Engländer sagt: ›I love you‹, und ihr Italiener haucht ein romantisches ›Ti amo‹. Aber für uns Bayern gibt es da nichts. Deswegen konnte ich es nicht sagen.«

Dass ich da nicht früher draufgekommen war? Dabei war es doch so offensichtlich. Ein junges Paar, das neben uns auf einer karierten Decke in der Wiese saß, hörte inzwischen interessiert meinen Ausführungen zum Thema bayerische Liebe zu.

»Lene, geht's dir noch gut?« Claudia starrte mich an, als ob ich plötzlich zu einer Blondine mutiert wäre.

Doch ich bekräftigte noch mal meine Theorie und brachte sie auf den Punkt.

»Auf Bairisch gibt es Liebe nicht, Claudia.«

»Unsinn. Natürlich gibt es Liebe auch in Bayern.«

»Dann sag mir doch mal den Satz ›Ich liebe dich‹ auf Bairisch«, forderte ich sie auf. Doch es war nicht Claudia, die darauf antwortete.

»I hab di liab.« Das kam von der jungen Frau neben uns.

»Aber das ist nicht das Gleiche wie ›Ich liebe dich‹«, stellte ihr Freund fest, dessen Wurzeln unüberhörbar am nördlichen Ende der Republik zu finden waren.

»Eben!«, sagte ich triumphierend. »I hab di liab«, sagte man auch zu seiner Omi oder zu seinen Kindern. Es hatte nichts mit der magischen Liebe zwischen Mann und Frau zu tun.

»Wie wär's mit: I lieb di?« Claudia bemühte sich, bairisch zu sprechen, was sich sehr lustig anhörte.

Aber – da waren die junge Frau und ich uns sofort einig – »I lieb di« hörte und fühlte sich furchtbar abgehackt an und war absolut nicht zu vergleichen mit der spanischen Liebeserklärung »Te amo«. Oder mit einem sinnlich gehauchten französischen »Je t'aime«.

Ich war jetzt absolut gefesselt von dem Thema. Schließlich war das endlich eine Erklärung für mich, warum ich gestern einem der attraktivsten und gefragtesten Männer Passaus einen Korb gegeben hatte.

Claudia war jedoch alles andere als überzeugt von meiner Theorie.

»Das ist dir doch nur eingefallen, damit du eine Entschuldigung hast für deine Unfähigkeit, eine Beziehung einzugehen«, beschuldigte sie mich.

Wie sie nur auf diesen Unsinn kam? Ich wollte doch eine Beziehung. Ganz bestimmt sogar! Und ich wollte eine eigene Familie. Groß oder klein, wie auch immer. Hauptsache, eine richtige Familie! Allein schon aus diesem Grund war ihr Vorwurf völlig aus der Luft gegriffen.

Um ihr zu beweisen, dass meine neu gewonnenen Erkenntnisse keine Ausreden waren, sprach ich auf dem Rückweg zum Verlagshaus weitere Leute an. Wir hörten zwar die unterschiedlichsten Ausdrücke, aber *den* bairischen Satz für »Ich liebe dich« konnte uns niemand sagen. Ich grinste triumphierend.

Claudia wollte das nicht gelten lassen. »Ich werde dir beweisen, dass es die Liebe auch auf Bairisch gibt«, sagte sie.

»Und wie?«, fragte ich. Ihre Augen leuchteten plötzlich gefährlich. Wie sonst nur, wenn sie einer brisanten Story auf der Spur war. Eigentlich hätte ich alarmiert sein müssen. Und zwar sehr alarmiert. Sie lächelte mich an.

»Das wirst du schon sehen!«

Ich sah es gleich am nächsten Morgen. Viertelseitig und mit einem Farbfoto. Meinem Farbfoto. Ich verschluckte mich an meinem Frühstückskaffee, als ich mir selbst aus dem Lokalteil unserer Zeitung zulächelte.

Die Überschrift lautete:

Wie sagt man es auf Bairisch?
Lene auf der Suche nach der weiß-blauen Liebe.

Und am Ende des Berichts die Aufforderung an die Leser, mir dabei zu helfen.

Ich war auf dem Weg zu Claudias Büro, um ihr ordentlich die Meinung zu sagen, als ein Scherzkeks aus der Redaktion es besonders lustig fand, mir den bayerischen Defiliermarsch hinterherzupfeifen. Nicht allen Kollegen gelang es, sich das Lachen zu verkneifen, und ich hörte verhaltenes Kichern und gekünsteltes Hüsteln. Meine Gesichtsfarbe wechselte innerhalb einer Dreiviertelsekunde von hellrosa zu himbeerrot. Was farblich eigentlich sehr gut mit meinem zitronengelben Pulli harmonierte, sich jedoch mit dem Rotbraun meiner Haarfarbe biss. Aber für Modefragen hatte ich jetzt keinen Nerv. Ich würde Claudia den Kopf abreißen!

Bevor ich in ihr Büro stürmte, öffnete sich die Tür, und die Frau, die ich vor Kurzem noch meine beste Freundin nannte, strahlte mich an wie ein Honigkuchenpferd.

»Was hast du dir dabei …«, fing ich an. Doch sie packte mich am Arm, zog mich in ihr Kämmerchen und schloss die Tür.

»Der Bericht über dich schlägt ein wie eine Bombe!« Sie hielt mir einen Packen Kopien unter die Nase. »Schau.«

»Was?« Ich starrte auf das oberste Blatt. Der Ausdruck einer E-Mail mit dem Betreff: »Bayerische Liebesgrüße für die bezaubernde Lene«.

»Heute sind schon über dreihundert E-Mails und Faxe aus ganz Bayern gekommen. Sogar aus Sachsen und Österreich haben die Leute geschrieben. Lauter Leserbriefe über dich und die Liebe auf Bairisch. Matthias ist begeistert. Er möchte morgen eine ganze Seite mit den Vorschlägen der Leser. Außerdem findet er dich sehr fotogen.«

Matthias Berger war der Verleger unserer Zeitung. Ein dynamischer Mann Anfang vierzig mit der unverwechselbaren Ausstrahlung von altem Geld. Erst vor Kurzem hatte er den Posten seines Vaters übernommen, und seither wehte ein neuer, frischer Wind durchs Haus. Berger war seit einem Jahr geschieden, und ich wusste nicht, ob es seither eine Neue in seinem Leben gab. Ich sah ihn nicht allzu oft und bezweifelte, dass er mich jemals wahrgenommen hatte.

»Er findet mich fotogen?«, fragte ich deshalb überrascht. Das war ja mal was ganz Neues.

Claudia nickte. »Ja. Und scheinbar nicht nur er. Ein paar Heiratsanträge sind auch gekommen.« Sie kicherte. »Cool, oder?«

Cool? Vom Heiraten war ich im Moment weiter entfernt als die Katzenberger von einem Oscar für ihr Lebenswerk. Obwohl man der kecken Blondine auch das noch zutrauen könnte. Ich riss Claudia die Blätter aus der Hand und warf sie auf den Schreibtisch.

»Wie konntest du einfach über mich schreiben, ohne zu fragen?« Ich setzte den vorwurfsvollsten Blick auf, der mir zur Verfügung stand. Doch das zeigte keine Wirkung. Absolut nicht. Claudia war resistent dagegen und hatte ein Dauergrinsen im Gesicht, als ob man sie gerade für den Pulitzerpreis nominiert hätte.

»Ich habe gesagt, ich würde dir beweisen, dass es die Liebe auf

Bairisch gibt. Oder stehst du jetzt nicht mehr dazu?«, fragte sie provokant.

»Natürlich steh ich dazu!« Ich änderte meine Meinung schließlich nicht alle fünf Minuten! Vor allem nicht so eine bedeutsame Erkenntnis.

»Dann beschwer dich nicht! Du kennst mich jetzt schon lange genug. So was mache ich auf meine Weise.«

Ja, ich hätte es eigentlich wissen müssen. Trotzdem … Während ich noch überlegte, in welche Richtung ich ihr den Hals umdrehen sollte, wählte Claudia sich in die Facebook-Seite unserer Zeitung ein und klatschte dann vor Freude in die Hände.

»Fast tausend Kommentare innerhalb weniger Stunden!«

Das machte mich jetzt doch ein wenig neugierig. Ich überflog einige der Kommentare. Und fühlte mich gleich etwas besser. Claudia schien in ihrer Euphorie noch gar nicht bemerkt zu haben, dass der Schuss für sie nach hinten losgegangen war.

»Das ist ja alles schön und gut, aber was möchtest du mir damit beweisen?«, fragte ich sie ausgesprochen freundlich.

»Nun. Dass du dich getäuscht hast und es die Liebe auf Bairisch doch gibt.« Sie fühlte sich sehr sicher.

»Und woraus schließt du das?«, bohrte ich nach.

»Schau doch, was sich die Leute alles überlegt haben.«

»Was speziell meinst du?«

Claudia setzte sich neben mich und scrollte die Beiträge auf und ab.

»Na hier.« Sie las vor: »*Du bist mei große Liab* … oder: *I steh total auf di* … oder *Du bist mei liabs Goidkäferl.*«

»Und das soll eine Entsprechung für ›Ich liebe dich‹ sein?«, fragte ich und fühlte mich zum ersten Mal seit dem Frühstück wieder richtig gut.

»Da ist ja noch viel mehr«, ereiferte sich Claudia.

»Was denn? Vielleicht *Du bist da Wahnsinn für mi* oder *I dad vor Liab für di sterbn*?«, las ich für sie weiter.

»Na ja. Das trifft es vielleicht nicht ganz, aber die Richtung stimmt doch. Und ich muss ja auch erst alles in Ruhe durchgehen.« Ihr Lächeln war nicht mehr ganz so strahlend.

»Merkst du nicht, dass diese ganzen Beiträge nur das bestätigen, was ich gestern herausgefunden habe? Auf Bairisch gibt es ›Ich liebe dich‹ nicht, Claudia!«

Meine Erkenntnis war zwar eigentlich sehr traurig, aber es fühlte sich gut an, recht zu haben. Claudia musste es nur noch zugeben.

»Gar nichts geb ich zu. Du bist auf dem völlig falschen Dampfer, Lene.« Wenn Claudia sich mal was in den Kopf gesetzt hatte, dann war sie sturer als ein sizilianischer Esel. Und sie hatte auch schon wieder eine Idee.

»Komm, wir machen ein ausführliches Interview über die Reaktionen der Leser für die morgige Ausgabe.«

Bevor ich antworten konnte, klingelte mein Handy mit der speziellen Michi-Erkennungsmelodie »Waka-Waka« von Shakira. Ich schluckte und sandte insgeheim ein Stoßgebet zum Himmel. »Lieber Gott, bitte mach, dass er heute noch keine Zeitung in die Finger bekommen hat.«

Vielleicht war die Zeitungsfrau in seiner Straße ja krank? Natürlich nichts Ernstes, nur so ein kleiner Schnupfen. Schließlich durfte sie nicht ausbaden, dass Michi und ich Probleme hatten.

Womöglich hatte sie heute Morgen auch jemand samt ihrer Tasche entführt – natürlich ein höflicher Kidnapper mit dem Aussehen eines Patrick Nuo, oder …

Ich mochte mir gar nicht ausmalen, wie ärgerlich Michi über

den Artikel sein würde. Da geh ich einfach nicht ran, beschloss ich spontan. Doch mein anderes Ich ignorierte diese Anweisung, und schon hatte ich das Handy am Ohr.

»Hallo Michi, das ist aber schön …« Weiter kam ich nicht. Schon bombardierte er mich mit Vorwürfen. Wie ich dazu käme, ihn in aller Öffentlichkeit lächerlich zu machen, wo doch viele Leute dachten, wir wären noch ein Paar. Ob ich völlig durchgeknallt sei? Oder unter Drogen stünde? Und dass er froh war, mich rechtzeitig verlassen zu haben. Als im Hintergrund Sabine auch noch ihren Senf dazugab, legte ich auf. Das musste ich mir nicht antun.

Erst jetzt bemerkte ich, dass ich die ganze Zeit die Luft angehalten hatte. Ich nahm rasch einen tiefen Atemzug, bevor ich aus Sauerstoffmangel ohnmächtig wurde. Was hatte er noch mal gesagt? Er hätte sich von mir getrennt, der Herr Rechtsanwalt? Das Wort Rechtsverdreher bekam in diesem Moment eine ganz eigene Bedeutung für mich.

Claudia sah mich mitleidig an. Auch ohne Lautsprecher hatte sie jedes Wort hören können.

»Das wollte ich nicht, Lene.« Sie war tatsächlich zerknirscht. Dass sie meinetwegen ein schlechtes Gewissen hatte, machte mir wiederum ein schlechtes Gewissen, und sie tat mir leid. Ich zuckte mit den Schultern und versuchte, einen auf cool zu machen.

»Ach, schon gut. Um den Michi schwirrt halt jetzt das fleißige Sabinchen herum«, witzelte ich wenig überzeugend und unterdrückte die aufsteigenden Tränen. Wie schnell Gefühle doch umschlagen konnten. Noch vor zwei Tagen hatten Michi und ich uns täglich mindestens fünfzig Kurznachrichten geschickt, und die Welt war in Ordnung gewesen. Inzwischen hatte ich ihn so verletzt, dass wir keinen normalen Satz mehr miteinander wechseln konnten. Dabei wollte ich ihm niemals wehtun. Wenigstens wusste ich jetzt, warum mir das passiert war. Und genau das würde ich Michi begreiflich machen. Vielleicht gab es dann doch noch eine Chance für uns…

Die halbe Nacht lag ich wach und dachte über einen Plan nach, wie ich Michi versöhnlich stimmen konnte. Gleichzeitig mit dem Sonnenaufgang ging mir endlich ein Licht auf. Auch wenn ich selbst nicht besonders stolz auf meinen Einfall war, sah ich nur eine Möglichkeit, wieder an ihn heranzukommen: Ich musste seinen Verstand ausschalten. Und das ging am besten durch den beherzten Einsatz meiner hervorragendsten Körperteile. Inzwischen war es früher Morgen, und ich stand vor der Gartentür seines Grundstücks. Wahrscheinlich hätte ich mich selbst nicht erkannt, wenn ich mir auf der Straße begegnet wäre. Meine Haare waren zu einem strengen Pferdeschwanz zusammengebunden, meine Lippen dunkelrot geschminkt. Ich trug ein extrem kurzes rotes Kleidchen, das Michi mir erst vor einigen Tagen gekauft, ich jedoch noch nicht getragen hatte. Erst kurz vor dem Haus war ich in die schwarzen High Heels geschlüpft, die mich fast einen halben Kopf größer machten. Meine Brüste drohten bei jeder Bewegung aus dem verboten tiefen Ausschnitt zu hüpfen. Um meinen Hals trug ich eine zarte Kette, und daran hing Michis Haustürschlüssel, den ich als Vorwand für mein Kommen benutzen wollte. Ein Blick auf meine Armbanduhr. Gleich war es halb acht, und Michi würde sich zu seiner täglichen Joggingrunde aufmachen. Und tatsächlich: Langsam öffnete sich die Haustür. Ich zupfte nervös am Saum meines Kleids, der sich gefühlt knapp unterhalb meines Bauchnabels befand.

Doch anstatt Michi verließ Sabine das Haus. Wohnte die schon hier, oder was? Sie sah auch nicht so aus, als ob sie vorhatte, sich sportlich zu betätigen.

Schnell, Lene, hau ab!, meldete sich mein Selbsterhaltungstrieb. Ich wollte mich unbemerkt davonschleichen, da blieb ich mit meinem Absatz im Pflaster hängen. Ausgerechnet jetzt! Bevor es mich bäuchlings auf den Bürgersteig streckte, konnte ich mich gerade noch am Gartenzaun festhalten. Mühevoll richtete ich mich wieder auf und fühlte mich miserabel. Vor allem deswegen, weil Sabine inzwischen neben mir stand und mich mit einem Blick anstarrte, mit dem man sonst nur auf Kakerlaken und sonstiges ekliges Kleingetier herabschaute.

»Was soll das? Was willst du hier?« Ihr Ton war nicht sonderlich freundlich.

Konnte sie denn nicht wenigstens mit ihrer Fragerei warten, bis ich meinen Schuh aus der Pflasterspalte befreit und wieder angezogen hatte?

Endlich stand ich wieder, wenn auch noch ein wenig wackelig, in beiden Schuhen auf beiden Beinen. Sie schaute mich abschätzig – oder war es gar ein wenig neidisch? – von oben bis unten an, und ich wäre vor Scham am liebsten im Boden versunken. Was für ein Teufel hatte mich nur geritten, dieses Outfit zu tragen, welches besser in die Domina-Abteilung des Arabian Nights gepasst hätte?

Die Ausrede, ich wäre auf dem Heimweg von einer Party und nur ganz zufällig hier vorbeigekommen, konnte ich mir sparen. Ihr kritischer Frauenblick erkannte sehr wohl, dass ich frisch zurechtgemacht und geschminkt war. Ich musste irgendwie Haltung bewahren, was unter diesen Umständen nicht die leichteste Übung war.

»Hi Sabine. Ist Michi zu Hause?«, fragte ich bemüht freundlich.

»Nein. Was willst du von ihm?«

Sie machte keinen Hehl daraus, dass sie mich nicht mochte. Das beruhte allerdings auf Gegenseitigkeit, auch wenn ich es mir nicht anmerken lassen wollte.

»Das möchte ich mit ihm selbst besprechen.« Es fiel mir schwer, höflich zu bleiben.

»Er will aber nicht mit dir reden!« Seltsam, aber Sabine erinnerte mich immer mehr an meine alte Schulfeindin Renate. Ab dem ersten Schultag hatte sie mich auf dem Kieker gehabt und mir das Leben, wo es nur ging, schwer gemacht. Das hatte sie bis zum Schluss unserer Schulzeit durchgehalten und mir zu guter Letzt noch beim Tanzkurs zum Abschlussball meinen Traumtanzpartner vor der Nase weggeschnappt. Vielleicht waren Sabine und Renate ja verwandt?

Ich holte tief Luft, was in dem engen Kleidchen alles andere als einfach war.

»Es geht um seinen Hausschlüssel. Den möchte ich Michi zurückgeben.« Bei diesen Worten griff ich an meine Halskette.

Sabine streckte die Hand aus.

»Du kannst ihn mir geben.«

Ich schüttelte den Kopf. Von wegen!

»Ich will dir keine Umstände machen, Sabine. Ich komm morgen wieder, wenn Michi da ist.«

Ich drehte mich um und machte mich auf den Weg zu meinem Auto. Da spürte ich an meinem Hals ihre Hand, die an der Kette zog.

»Spinnst du?«, fragte ich wütend und griff nach dem Schlüssel. Doch bevor ich ihn fassen konnte, riss die Kette und der Schlüssel rutschte in meinen Ausschnitt.

Gut so, dachte ich. Da war er wenigstens vor ihr sicher. Aber von wegen! Die Verrückte gab nicht auf. Sie griff zwischen meine Brüste und schnappte sich den Schlüssel, ohne dass ich es verhindern konnte. Jetzt hatte sie, was sie wollte. Ich war kurz davor, ihr eine Ohrfeige zu verpassen, da fiel mir ihr irritierter Blick auf. Keine Spur Triumph war darin zu sehen, was ich höchst merkwürdig fand.

»Deine Titten sind ja echt!«, sagte sie mit einem ungläubigen Staunen.

»Was denkst du denn?!«, zischte ich und hatte plötzlich genug. Genug von ihr und genug von Michi! Sollte sie doch mit ihm glücklich werden. Ich würde mich nicht mehr zum Deppen machen. Ich zog die Schuhe aus und ging barfuß zu meinem Auto. Am liebsten hätte ich das Kleid auch noch ausgezogen und es ihr hinterhergeworfen.

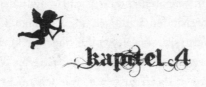

kapitel 4

Zwei Stunden später saß ich wieder an meinem Schreibtisch und machte mich daran, einen riesigen Stapel wegzuarbeiten. Meine Haare trug ich wieder offen, Lippenstift und Mascara waren abgewischt und das rote Kleid gegen eine bequeme Hose samt einem weißen Top ausgetauscht. Ich war so vertieft in meine Arbeit, dass ich nicht bemerkte, wie still es plötzlich um mich herum war. Nur das leise Klackern der Tastaturen war zu hören, als ich die Nähe eines Menschen spürte und mir der Duft eines mir bislang unbekannten Rasierwassers in die Nase zog. Ich hob meinen Kopf und blickte in die aufregendsten grünen Augen, die mich jemals aus so einer Nähe angeschaut haben. Es waren die Augen von Matthias Berger, meinem obersten Boss.

»Hallo Frau Koller! Freut mich.« Er streckte mir seine Hand entgegen.

Zögernd nahm ich sie und war überrascht, wie warm, kräftig und angenehm sie sich anfühlte. Am liebsten hätte ich sie gar nicht mehr losgelassen. Ich sollte was sagen, aber wie immer, wenn mir ein so attraktiver Mann gegenüberstand, brachte ich keinen Ton über meine Lippen. Neugier sprach aus seinen Augen, als er mich mit einem dezenten Lächeln musterte.

»Wie wär's mit einer Tasse Kaffee in meinem Büro?«

Noch während wir mit dem Fahrstuhl nach oben fuhren, bot er mir das Du an. Inzwischen hatte sich auch mein Sprachvermögen wieder eingestellt, was Matthias sehr zu freuen schien. So eine Unterhaltung profitierte halt doch sehr davon, wenn beide Gesprächsteilnehmer etwas dazu beitrugen.

Es war erst das zweite Mal, dass ich das Chefbüro im obersten Stockwerk des Verlagsgebäudes betrat. Vor sechs Jahren war ich an meinem ersten Arbeitstag hier gewesen. Im Hause war es seit jeher Tradition, dass der Verlagschef jeden neuen Mitarbeiter per Handschlag begrüßte und mit einem Glas Sekt auf eine gute Zusammenarbeit anstieß. Ein sehr schöner Brauch, wie ich fand, den auch Matthias Berger übernommen hatte.

Nachdem der »alte Berger«, wie wir ihn insgeheim nannten, an seinen Sohn übergeben hatte, hatte Matthias das Büro komplett neu gestalten lassen. Die alten Eichenschränke waren hellen, modernen Designermöbeln gewichen, und an den Wänden hingen Bilder zeitgenössischer Künstler. Einzig vom schweren Schreibtisch, an dem schon sein Großvater die Geschicke des Hauses gelenkt hatte, hatte Matthias sich nicht trennen können. Das Möbelstück fügte sich jedoch als zentraler Punkt harmonisch in das Gesamtbild des Raums, der eine behagliche Eleganz ausstrahlte.

Durch die riesige Fensterfront fiel freundliches Sonnenlicht herein, und die Aussicht auf Donau und die Burganlage der Veste Oberhaus war fantastisch. Sicher gab es schlechtere Arbeitsplätze als diesen.

Ich hatte gar nicht mitbekommen, dass die Sekretärin Kaffee gebracht hatte. Matthias bat mich, auf einem der bequemen Ledersessel Platz zu nehmen.

Ich fragte mich, warum ich hier war.

»Du fragst dich wahrscheinlich, warum du hier bist?«

Wow. Er konnte Gedanken lesen.

»Geht es um den Artikel?«

Es fiel mir schwer, in seine Augen zu schauen, die wie Smaragde leuchteten und mich aufmerksam musterten. Womöglich konnte er noch mehr meiner Gedanken erraten, und das wäre mir doch peinlich gewesen. Ging mir doch vor ein paar Sekunden zu meinem Entsetzen die Frage durch den Kopf, wie wohl die Küsse eines Verlagschefs schmecken würden.

»Als ich gestern Morgen den Bericht über dich las, war ich amüsiert über deine Feststellung, dass es keinen Ausdruck für ›Ich liebe dich‹ auf Bairisch gibt. Inzwischen hat mich das sehr nachdenklich gemacht, Lene.«

»Wirklich?« Meine mündliche Kommunikationsfähigkeit war immer noch auf ein Minimum beschränkt.

»Ja. Ich frage mich, warum das so ist.« Sein Blick war jetzt ernst. Erwartete er eine Antwort von mir?

»Wenn ich das nur wüsste«, mehr konnte ich dazu zum jetzigen Zeitpunkt leider auch nicht sagen.

»Es ist sehr schade, dass Paare keinen eindeutigen Ausdruck dafür haben, sich im bairischen Dialekt die Liebe zu gestehen, und auf Umschreibungen oder andere Sprachen ausweichen müssen.«

Dieser Mann brachte es auf den Punkt.

»Das ist genau das, was ich meine. Und ich finde das ganz schrecklich«, stimmte ich ihm zu.

Mann, was redete ich für einen Unsinn? Warum fiel mir denn nicht ein geistreicher Satz ein, mit dem ich ihn beeindrucken konnte? Ein Satz wie: *Yes, we can* vom amerikanischen Präsidenten Obama oder *Schau ma mal, dann sehn mas scho* vom deutschen Kaiser Beckenbauer.

Matthias stand auf, ging zum Fenster und schaute hinaus. Mir fiel auf, dass er in seiner Hose einen unglaublich knackigen Hintern hatte. Huch. Schnell etwas anderes denken, Lene, ging mir durch den Kopf.

Er drehte sich zu mir um und lächelte wieder.

»Wollen wir das Rätsel um die Liebe auf Bairisch gemeinsam lösen, Lene?«, fragte er.

Ich schluckte. Was meinte er damit? Wollte er mich anbaggern? Wir kannten uns doch erst seit einer Viertelstunde. Also, zumindest er mich. Er wartete auf meine Antwort.

»Wir können es ja versuchen.« Meine Antwort war unverfänglich und schien ihn zu freuen.

»Sehr schön. Wir werden die Geschichte weiter in unserer Zeitung verfolgen und mit deinen Gedanken und Erkenntnissen dazu später über unseren Schwesterverlag einen bayerischen Beziehungsratgeber herausgeben.«

»Beziehungsratgeber?« Hatte ich das jetzt richtig verstanden? Ich prustete innerlich los. Ausgerechnet ich sollte einen Beziehungsratgeber schreiben? Meinte er das wirklich ernst? Aber andererseits, wer außer mir konnte denn besser darüber berichten, was man als bayerische Frau alles verbocken konnte? Das jüngste Beispiel dafür war meine wenig glorreiche Aktion heute früh vor Michis Haus. Wenn ich nur eine Frau davor bewahren konnte, einen ähnlich bescheuerten Auftritt hinzulegen, dann hätte so ein Beziehungsratgeber eine Daseinsberechtigung.

»Ich könnte es versuchen«, meinte ich noch ein wenig zurückhaltend.

»Frau Zanolla würde dich dabei unterstützen, was das Schreiben betrifft. Allerdings habe ich erfahren, dass du schon ab und zu Berichte für den Lokalteil geschrieben hast, wenn Not am

Mann war. Und die waren gar nicht mal schlecht. Ebenso wenig wie deine Noten in Deutsch.«

Meine Güte, was der alles über mich wusste! Und mir dann auch noch so direkt sagte. Ich war beeindruckt.

Ich sollte also ein Buch schreiben. Einen Ratgeber über das Thema, das mich momentan so beschäftigte. Autorin Lene Koller. Das klang doch gut, oder? Michi würde Augen machen! Und Sabine erst!

»Traust du dir das zu, Lene?«, fragte er.

Ich nickte entschieden. »Ja. Das tue ich.« Man musste die Gelegenheit beim Schopf packen, wenn sie gerade an einem vorbeiflitzte.

»Sehr gut. Ich hoffe, du hast heute Abend noch nichts vor.«

»Äh. Eigentlich nicht.« Ich war baff über das Tempo, in dem er mir sein Interesse zeigte, und erwartete gleich eine Einladung zum Abendessen.

»Das freut mich. Ich weiß, es kommt ein wenig überraschend, aber Radio Passau möchte dich heute gemeinsam mit Karl Huber zur ›Bayerischen Plauderstunde‹ haben.«

Plauderstunde? Karl Huber? Ich verstand im Moment gar nichts.

Matthias klärte mich auf. Jeden Freitag um acht Uhr abends lief eine Stunde lang die Sendung »Bayerische Plauderstunde«, in die der beliebte Moderator Franz Grindler Gäste einlud, die etwas zum Thema »Bayern« zu sagen hatten. Jetzt erinnerte ich mich auch wieder daran. Es war die Sendung, die sich mein Vater so gerne anhörte. Er war sogar ein richtiger Fan von Franz Grindler. Da würde Papa aber Augen machen, wenn er mich heute Abend hörte, wie ich mit dem bayerischen Sprachforscher Karl Huber über meine Liebesthese diskutierte!

Da die Zeit nach Büroschluss etwas knapp war, beschloss ich, gar nicht mehr nach Hause zu fahren, sondern mich bei Claudia ein wenig frisch zu machen. Über meine Abendgarderobe machte ich mir keine allzu großen Gedanken. Schließlich kam es beim Radio nicht auf eine tolle Optik an. Ich ging davon aus, dass Karl Huber ein Mann diesseits oder jenseits der sechzig war und wahrscheinlich in einem feschen Trachtenanzug beim Radiosender erscheinen würde. Das würde auf jeden Fall zu seinem Beruf passen.

Ich traf um einiges zu früh beim Radiosender ein. Die nette Praktikantin mit einer schwarz glänzenden Uhura-Frisur führte mich in einen gemütlichen Aufenthaltsraum. Sie schenkte mir ein Glas Orangensaft ein und bat mich um Geduld, bis der Moderator zur Vorbesprechung kam. Ich ließ mich in einem der bequemen Sessel nieder.

Auf dem Tisch lag die heutige Ausgabe unserer Zeitung. Ich nahm sie und schlug die Seite mit den Leserbriefen auf. Wie Claudia schon prophezeit hatte, gab es tatsächlich eine ganze Seite davon zu meinem Bericht. Die meisten waren sehr amüsant und wohlgesonnen mit lustigen Vorschlägen für bairische Liebesworte. Aber einige wenige Schreiber gab es, die nicht so freundlich waren. Die würde ich jetzt bestimmt nicht lesen. Stimmungsverderber waren heute nicht erwünscht.

Ich legte die Zeitung zurück auf den Tisch. Ganz plötzlich überkam mich eine ausgewachsene Müdigkeit. Mein Schlafmangel der letzten Nächte machte sich bemerkbar. Ein paar Sekunden die Augen zu schließen, konnte ja nicht schaden. Ich hatte den Satz noch nicht mal zu Ende gedacht, da döste ich schon hinüber in einen traumlosen Kurzschlaf.

Wortfetzen drangen plötzlich an mein Ohr: »Gscheider

Schmarrn, Weib mit am solchen Grampf … had doch koa Ahnung, des hätts ned braucht, Pfiffkas …« Die Worte wurden immer lauter, und ich schreckte hoch. Zwei Männer betraten den Raum. Ich stand auf und bemühte mich, mir mein eben gehaltenes Nickerchen nicht anmerken zu lassen.

»Guten Abend.« Ich räusperte mich fröhlich.

In dem kleineren der beiden Männer erkannte ich den Moderator Franz Grindler. Er wirkte ziemlich gedrungen und blass und hatte schütteres Haar, was jedoch hinter seinem Mikrofon niemanden störte. Rein von der Optik her betrachtet, hatte er genau den richtigen Beruf gewählt. Doch Grindlers Lächeln war überraschend charmant und sehr gewinnend, als er mich begrüßte.

»Hallo Frau Koller. Ich freue mich, dass Sie so kurzfristig kommen konnten«, sagte er mit einer wundervoll klingenden, warmen Stimme.

Ich fand das ziemlich gerecht vom lieben Gott, dass er Franz Grindler als Ausgleich zu seinem nicht unbedingt schönen Äußeren diese wohltönende Stimme geschenkt hatte. Scheinbar zog das auch bei Frauen, denn er trug einen Ehering und wirkte insgesamt sehr glücklich und ausgeglichen. Ganz im Gegensatz zu dem anderen Mann. Der machte ein Gesicht, als ob ihm jemand absichtlich eine Delle ins Auto gefahren hätte. Seine fast schwarzen Augen blitzten böse unter dunkelbraunen Locken hervor, die ihm ins Gesicht hingen. Vielleicht einer der Tontechniker, der Überstunden machen musste und deswegen etwas übellaunig war, überlegte ich. Trotzdem nickte ich ihm freundlich zu. Wo blieb eigentlich Karl Huber? Sollte der nicht auch langsam mal kommen?

»Frau Koller, das ist Karl Huber, mit dem Sie heute gemeinsam die Sendung bestreiten werden«, stellte Grindler mir den alles andere als nett dreinblickenden Mann an seiner Seite vor.

Was? Dieser unfreundliche Typ in T-Shirt und ausgewaschener Jeans sollte Karl Huber sein? Wo war bitte schön der Trachtenjanker? Na gut, vielleicht hatte Huber ja ähnlich wie ich gedacht, dass er im Radio nicht zu sehen war.

»Hi.« Für einen bayerischen Sprachforscher eine eher ungewöhnliche Wortwahl zur Begrüßung.

Wenn er kein so verdrossenes Gesicht gemacht, sich rasiert hätte und beim Friseur gewesen wäre, würde er noch gar nicht mal so übel aussehen. Ich beschloss, trotz allem freundlich zu sein, und streckte ihm die Hand entgegen.

»Freut mich, Herr Huber.«

Er ignorierte meine Hand, drehte sich um und nahm sich vom Tisch eine Flasche Wasser. Prinz Charming in Person!

»Denken Sie sich nichts, Frau Koller. Karl kann manchmal ein wenig grantig sein. Nehmen Sie es nicht persönlich.« Grindler versuchte, die Situation etwas aufzulockern.

»Wir werden uns schon nicht gegenseitig an den Hals gehen«, witzelte ich und lächelte in Hubers Richtung. Doch er warf mir einen Blick zu, der mich an seinen guten Absichten zweifeln ließ.

»Fangen wir dann endlich an?«, fragte Huber ungeduldig, und jetzt erkannte ich die Stimme wieder, die ich vorhin im Halbschlaf gehört hatte. Worüber der Mann nur so aufgebracht war? Hatte er Liebeskummer? Vielleicht war er aber auch nur nervös. Auch ich bekam langsam Herzklopfen, wenn ich an das Interview dachte.

Kurz darauf waren wir im Studio, und die Stimmung hatte sich nicht wirklich gebessert. Das konnte ja heiter werden.

Eben lief noch der Titel »Love is in the air«. Danach sollte es losgehen. Ich hatte absolut keine Ahnung, was jetzt auf mich zukommen würde. Huber und ich saßen gegenüber von Grindler, der uns nun seinen Hörern vorstellte. Wir waren auf Sendung.

»Frau Koller, Sie haben uns gestern mit der These überrascht, dass es in Bayern keinen Ausdruck für ›Ich liebe dich‹ gibt«, sprach er mich an und lächelte mir dabei aufmunternd zu.

»Das ist richtig. Es gibt zwar viele...« Weiter kam ich nicht, da fiel mir Karl Huber bereits ins Wort.

»Das ist natürlich ein ausgemachter Schmarrn, was Frau Koller da sagt!«, ereiferte er sich. So ein unhöflicher Kerl! Was dachte er sich eigentlich?

»Von wegen Schmarrn«, protestierte ich. »Es gibt keine Entsprechung dafür.«

»Wahrscheinlich wissen Sie einfach nicht, was Liebe ist.« Langsam dämmerte es mir, dass die schlechte Laune dieses Mannes mit mir zu tun hatte. Aber warum nur? Ich hatte ihm doch nichts getan. Zumindest wusste ich nichts davon. Am liebsten hätte ich ihn gleich gefragt, warum er mich so angiftete. Stattdessen holte ich Luft und versuchte, mich nicht aus der Ruhe bringen zu lassen.

»Das werden Sie bestimmt nicht beurteilen können, Herr Huber«, flötete ich bemüht freundlich mit der Betonung auf das Wort »Sie«. Trotz meines Vorsatzes, ruhig zu bleiben, spürte ich, wie die Zornesröte mir ins Gesicht stieg.

»Wie sind Sie denn auf diese These gekommen?«, wandte sich Grindler an mich. Das war natürlich eine sehr persönliche Frage. Und ich wollte schließlich nicht mein ganzes Gefühls- und Liebesleben im Radio ausbreiten. Michi würde mir außerdem die Hölle heiß machen, wenn ich ihn hier ins Spiel brachte.

»Das war eher so ein ganz spontaner Gedanke, als ich mich mit meiner Freundin über die Liebe generell unterhalten habe«, versuchte ich mich um eine genauere Antwort zu drücken. Es ging ja wohl nicht darum, wie ich darauf gekommen war, sondern worauf ich gekommen war!

»Wahrscheinlich wurde sie von einem Mann abserviert, und deswegen hat sie sich diesen Unsinn einfallen lassen«, säuselte Huber mit einem bösen Grinsen im Gesicht.

Bevor ich ihn verbal attackieren konnte, unterbrach uns Grindler und spielte das nächste Lied ein: »Tragedy« von den Bee Gees. Während der knapp dreiminütigen musikalischen Pause redete Grindler mit Engelszungen auf mich ein, die Sendung nicht zu verlassen, und ermahnte Huber, der scheinbar zu seinem engeren Freundeskreis gehörte, endlich sachlich zu werden.

Dieser versprach halbherzig, sich zusammenzureißen. Als wir wieder auf Sendung waren, gelang es ihm sogar, in gemäßigtem Ton einige Sätze zur bairischen Sprachkultur zu sagen, ohne mich anzugreifen. Was für eine wundervolle, erhaltenswerte Sprache Bairisch doch sei und wie wichtig es wäre, dieses einzigartige Gut zu erhalten.

»Da bin ich ganz Ihrer Meinung, Herr Huber«, bemühte ich mich, einen gemeinsamen Nenner zu finden, »aber leider haben es die Bayern in den letzten Jahrhunderten versäumt, einen eigenen Ausdruck für ›Ich liebe dich‹ zu finden.«

Huber sah aus, als ob er mich gleich teeren und federn und anschließend aus Bayern jagen wollte. Empörung pur stand ihm ins Gesicht geschrieben.

»Menschen wie Sie tragen dazu bei, unsere bayerische Kultur und Sprache in Verruf zu bringen und alles lächerlich zu machen, was den Leuten hier wichtig ist«, griff er mich direkt an.

Grindler schritt ein. »Liebe Zuhörer, Sie bemerken, dass es hier heftig zur Sache geht und…« Doch das wollte ich nicht auf mir sitzen lassen! Ich sollte unsere Kultur in Verruf bringen? Tickte der Mann noch richtig?

»Moooment. Tut mir leid, Herr Grindler, wenn ich Sie unterbreche, aber das geht ja jetzt ein wenig zu weit hier. Ich liebe meine Heimat, und ich bin stolz auf unsere Kultur!«, stellte ich unmissverständlich klar.

»Wenn Sie das tatsächlich wären, dann würden Sie keine solchen abstrusen Behauptungen aufstellen«, giftete Huber mich an.

»Ich weiß nicht, warum Sie sich so aufmandln, Sie aufgeblasener Gschaftlhuaba Sie, aber das lass ich mir von Ihnen nicht gefallen!« Ich konnte mich einfach nicht mehr zurückhalten.

»Sie ausgstopfte Mamsen möchten sich doch nur wichtig machen! Leute wie Sie tun ja wirklich alles, um mal in die Zeitung zu kommen. Dafür unterstellen Sie den Menschen sogar, dass sie keine Ahnung von der Liebe hätten! Sie sind eine Schande für Bayern!« Er sprang auf und zog seinen Kopfhörer herunter.

»Was? Hören Sie überhaupt zu, was ich sage, Sie Moosbummerl? Ich habe nie gesagt, dass die Bayern keine Ahnung von der Liebe haben, sondern nur, dass es keinen bairischen Ausdruck dafür gibt. Und wenn Sie als selbst ernannter Guru bairischer Sprachkultur es nicht schaffen, mir wenigstens ein gutes Beispiel zu nennen, um mich vom Gegenteil zu überzeugen, sondern mich nur grundlos beschimpfen, dann werde ich meine Behauptung auch nicht zurücknehmen!«

Auch ich riss den Kopfhörer herunter, und wir beide standen uns wie erbitterte Kampfhähne gegenüber.

Grindler legte rasch ein weiteres Lied auf: »Dieser Weg wird kein leichter sein.« An eine Fortsetzung des Gesprächs war natürlich nicht mehr zu denken. Es war das erste Mal in der Geschichte des Senders, dass die Studiogäste während einer Livesendung zerstritten das Studio verließen. Grindler rettete den Abend professionell mithilfe der Anrufe von zahlreichen Zuhörern, die zum Thema Liebe auf Bairisch ebenfalls eine Meinung hatten.

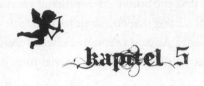

Kapitel 5

Ich lief lange durch die kleinen Gassen Passaus und zerbrach mir den Kopf darüber, warum dieser Karl Huber so aggressiv auf mich reagiert hatte. Klar, ich hatte eine andere Meinung als er, aber wir hätten doch wenigstens einigermaßen gesittet darüber diskutieren können. Ich machte mir auch Vorwürfe, weil ich trotz seiner unhöflichen Art nicht sachlich geblieben war. Aber dieser Mann hatte etwas an sich, das mich richtig in Rage brachte.

Vergeblich versuchte ich, Claudia am Handy zu erreichen. Wo war sie denn nur? Sie würde sich über meinen verpatzten Radioauftritt bestimmt amüsieren und mich aufmuntern. Darüber, was Michi, Matthias und vor allem mein Vater dazu sagen würden, mochte ich lieber nicht nachdenken.

Ich überlegte, auf ein Glas Wein ins Simone zu gehen. Vielleicht wäre ja Claudia dort. Andererseits war der Tag aufregend genug gewesen, und ich brauchte endlich mal wieder eine Mütze Schlaf. So beschloss ich, nach Hause zu fahren.

Ich lag in meinem Bett und versuchte einzuschlafen. Tausend Gedanken kreisten in meinem Kopf, und obwohl ich völlig erledigt war, kam ich einfach nicht zur Ruhe. Da tat ich etwas, was ich schon seit meiner Kindheit nicht mehr gemacht hatte. Ich stand auf und ging ins Haupthaus. Dort schlief unser Kater Fritzi gemütlich auf der Eckbank im Esszimmer. Ich schnalzte mit der Zunge und lockte ihn. Er war sofort wach und lief schnurrend und mit erhobenem Schwanz auf mich zu. Ich hob den kleinen schwarzen Kerl hoch und ging mit ihm zurück in mein Schlafzimmer.

»So, Fritzi, du darfst heute bei mir kuscheln, mein kleiner süßer Kater«, flötete ich in der speziellen Tonlage, in der man auch mit Babys und Kleinkindern sprach. Wobei das Wort »klein« auf Fritzi nicht so ganz zutraf. Er war ein ausgesprochen wuchtiges Exemplar seiner Gattung und schleifte beim Laufen seinen dicken Bauch fast am Boden. Sanft kraulte ich ihn hinter den Ohren. Fritzi schien sein Glück kaum zu fassen, denn normalerweise waren die Schlafräume für unsere Katzen absolutes Sperrgebiet. Aber heute wollte ich nicht alleine sein. Und wenn schon kein zweibeiniges Wesen mein Bett mit mir teilte, dann wenigstens ein vierbeiniges.

Ich deckte mich zu und zog Fritzi ganz nah zu mir. Geschäftig putzte er mit seiner rauen Zunge über sein glänzendes Fell. Als ich ihm dabei zuschaute, wurden meine Augen schwer. Und genau so, wie es in meiner Kindheit funktioniert hatte, trug mich das beruhigende Schnurren des Tieres in einen tiefen, erholsamen Schlaf.

Klack! Bing! Zong! Ich schreckte im Bett hoch. Was war das? Ich schaute mich um. Da sah ich den Verursacher des Lärms durch das Zimmer jagen. Fritzi spielte mit irgendeinem kleinen Ding, das er mit seinen Pfoten über den Boden schubste. Da war doch wohl hoffentlich keine Maus im Zimmer! Ich sprang aus dem Bett und ging zum Kater.

»Was hast du denn da? Zeig mal her!«

Jetzt sah ich, was Fritzi kurzerhand zu seinem Spielzeug gemacht hatte: die Eskimofigur aus Claudias Wohnung. Offenbar hatte er sie unter dem Bett gefunden. Ich nahm den kleinen Mann und stellte ihn auf meinen Nachttisch. Sein Blick schien heute viel weicher, und ich vermeinte Erleichterung darin zu lesen, dass ich ihn vor Fritzi gerettet hatte. Bei nächster Gelegenheit würde ich ihn wieder zurück zu Claudia bringen.

Gut, dass heute Samstag war und das Wochenende vor mir lag. Ich hatte nach dem missglückten Radioauftritt keinen Nerv, den sicherlich schon wieder spöttischen Blicken der Kollegen zu begegnen. Und ich war auch froh, dass ich Matthias erst am Montag Rede und Antwort stehen musste. Er hatte sich nicht bei mir gemeldet. Womöglich war das Projekt Beziehungsratgeber inzwischen gar auf Eis gelegt?

Claudia wusste vielleicht mehr. Ich würde sie heute Abend auf der Geburtstagsfeier unserer gemeinsamen Freundin Eva treffen. Wobei ich momentan überhaupt keine Lust verspürte, dorthin zu gehen. Es ließ mir keine Ruhe, dass Huber so aggressiv auf mich reagiert hatte. Denn im Grunde meines Herzens war ich so harmoniesüchtig wie eine Gruppe Feng-Shui-Berater auf ihrem ersten Fortbildungskurs.

Ich griff nach meinem Handy und schaltete es ein. Ups! Neun verpasste Anrufe und siebzehn Kurznachrichten! Es dauerte fast eine halbe Stunde, bis ich auf dem Laufenden war. Claudia war gestern zusammen mit Matthias auf einer Vortragsveranstaltung gewesen. Beide hatten die Radiosendung zwar nicht gehört, aber bereits von Hubers und meinem Streit erfahren. Genauso wie einige meiner Freunde, die das natürlich nicht unkommentiert lassen wollten.

Franz Grindler hatte auch eine Nachricht auf der Mailbox hinterlassen:

»Hallo Frau Koller. Es tut mir leid wegen heute Abend. Das Benehmen von Karl war unmöglich. Er hat… Wissen Sie, seine… Ach, das würde jetzt zu weit führen. Es wäre schön, wenn Sie bald noch einmal als Gast ins Studio kämen… Natürlich ohne Karl. Am besten telefonieren wir in der kommenden Woche mal. Schönen Tag noch.« Seine Stimme war wirklich ganz außergewöhnlich. Ich hörte mir die Nachricht noch dreimal an.

Ob ich da wirklich noch mal hinwollte, musste ich jedoch erst in Ruhe überdenken.

Die meisten verpassten Anrufe und Kurznachrichten waren von Michi. Er schien ernsthaft sauer auf mich zu sein.

»Langsam könnte er sich wieder beruhigen«, murmelte ich. Schließlich hatte ich ihn gestern mit keinem Wort erwähnt. Und außerdem hatte er ein honigsüßes Trostpflaster: Sabine.

Die letzte Kurznachricht kam von einer mir unbekannten Nummer, und sie machte ihrem Namen wahrlich alle Ehre, kurz, wie sie war: »Aussprache?«, stand da nur.

Aussprache? Ich dachte sofort an Karl Huber. Ob er diese SMS geschickt hatte? Grindler könnte ihm meine Nummer gegeben haben. Aber was meinte er mit Aussprache? Dass er sich mit mir aussprechen wollte? Oder hatte er etwas an meiner Aussprache zu kritisieren? Und war die SMS überhaupt von ihm? Aber von wem sollte sie sonst sein? Von Sabine? Nein! Instinktiv wusste ich, dass der grantige Sprachforscher der Verfasser dieser kryptischen Nachricht war.

Jäh schoss mir abermals die Zornesröte ins Gesicht. Was dachte dieser Kerl sich eigentlich? Meinte er, ein Wort genügte, und ich würde sofort antworten und mich mit ihm aussprechen?

So wie er sich gestern aufgeführt hatte? Von wegen! Der konnte lange auf eine Rückmeldung warten. So lange, bis die technologische Entwicklung so weit war, dass man Kurznachrichten per Gedankenübertragung schicken konnte.

Ich hatte meinem Vater versprochen, ihm heute im Gewächshaus beim Sortieren der Tomatenpflänzchen zu helfen, die jetzt, Anfang Mai, kurz vor dem Aussetzen ins Freie standen. Das war die richtige Arbeit für mich, denn sie hatte etwas Beruhigendes und Erdendes. Genau das brauchte ich heute.

Als ich in die große Wohnküche kam, um mir Kaffee zu machen, sah ich überrascht, dass Vater noch da war. Normalerweise war er um diese Zeit schon draußen, denn irgendetwas gab es auf einem Hof immer zu tun.

Er stand am Herd und erhitzte Milch in einem Topf. Natürlich frische Milch von unseren eigenen Kühen! Der Tisch war hübsch gedeckt. Vater hatte sogar das besondere Geschirr mit den blauen Punkten aus der Vitrine geholt, das sich meine Eltern zu ihrer Hochzeit extra hatten anfertigen lassen. Normalerweise kam es nur an Feiertagen zum Einsatz. Der Anblick des liebevoll gedeckten Frühstückstischs rührte mich. Für meinen Vater war offenbar heute ein besonderer Tag.

»Guten Morgen, Papa«, begrüßte ich ihn. Er war immer noch ein sehr fescher Mann mit seinen achtundfünfzig Jahren, das volle braune Haar kaum ergraut. Sein schlanker Körper war von der vielen Arbeit beneidenswert in Schuss.

Einmal mehr fragte ich mich, warum er noch nicht mal jetzt, so viele Jahre nach dem Tod meiner Mutter, eine neue Partnerin hatte. Dabei hatte es ihm sicher nicht an Gelegenheiten gemangelt. Bertl Koller war eindeutig einer der begehrtesten Alleinstehenden in unserem kleinen Ort. Doch er selbst nahm das kaum zur Kenntnis.

Eine der wenigen Frauen, mit denen er einen freundschaftlichen Kontakt pflegte, war unsere Nachbarin Julia. Sie war auch die Einzige, der mein Vater mich als Kind anvertraut hatte, wenn er einmal wegmusste. Ich mochte Julia sehr gerne. Sie war eine unglaublich warmherzige Frau, die ich um ihr Schicksal nicht beneidete. Seit zehn Jahren pflegte sie klaglos ihren Mann Hans, der nach einem Schlaganfall ans Bett gefesselt war, und bewirtschaftete alleine den kleinen Hof. Mein Vater half ihr bei den schweren Arbeiten, so oft er konnte. Die beiden wären sicher ein wunderbares Paar, wenn Julia frei wäre, dachte ich nicht zum ersten Mal.

»Guten Morgen, Lene. Magst du auch ein Frühstücksei?« Vater hantierte geschäftig herum.

»Gerne. Aber lass mich das machen«, bot ich an.

Er schüttelte den Kopf.

»Schon fertig.« Er holte zwei warme Eier aus einem Kochhandschuh im Fliegenpilzdesign heraus. Ich lächelte. Mein Vater hatte nach dem Tod meiner Mutter ganz automatisch ihre Küchentricks übernommen, von denen sicher meine Mutter am allerwenigsten gedacht hätte, dass sie ihm überhaupt aufgefallen waren.

Ich setzte mich und schenkte uns Kaffee ein. Vater nahm die heiße Milch vom Herd und goss davon in unsere Tassen. Dann stellte er die gepunkteten Eierbecher auf den Tisch und setzte sich.

»Hat Michi sich von dir getrennt, Lene?« Er sprach nicht lange um den heißen Brei herum.

»Nein. Hat er nicht.«

»Ich habe ihn gestern Nachmittag mit einer anderen Frau in der Stadt gesehen.«

Sabine ließ Michi wohl keine Sekunde mehr aus den Augen. Mit einem beherzten Schlag köpfte ich mit dem Messer das Ei.

»Wir sind nicht mehr zusammen, Papa. Aber eigentlich hab ich mich von ihm getrennt.«

»Wegen dieser Frau?«, fragte er.

»Nein. Ja. Nein. Ich weiß auch nicht. Es ist alles ziemlich kompliziert.« Ich seufzte. Wie sollte ich meinem Vater dieses ganze Chaos erklären?

»Deswegen dieser Zeitungsbericht und der Radioauftritt?«, hakte er nach. Er war heute ungewöhnlich redselig.

»Das hat alles was damit zu tun, ja.«

Er nickte nachdenklich. Langsam löffelte ich mein Ei.

»War ich gestern sehr peinlich im Radio, Papa?«, fragte ich nach einer Weile kleinlaut.

Er zögerte kurz mit seiner Antwort.

»Ein wenig. Aber dieser Karl Huber hätte nicht so respektlos mit dir reden dürfen.«

Es tat mir unglaublich gut, dass Papa das so sah. Ich stand auf und umarmte ihn.

»Danke.« Er strich mir kurz über den Kopf. Einer der seltenen Momente von körperlicher Nähe zwischen uns beiden. Doch er war schnell vorüber. Vater löste sich von mir und sah mich ernst an.

»Ich möchte, dass es dir gut geht, Lene.« Seine Stimme klang belegt.

So etwas hatte er noch nie zu mir gesagt. Ich schluckte gerührt.

»Es geht mir gut. Mach dir keine Sorgen um mich.«

Die körperliche Arbeit am Hof hatte mir so richtig gutgetan. Nachdem ich über die Ereignisse der letzten Tage noch mal gründlich nachgedacht hatte, kam ich zu dem Ergebnis, dass ich mir viel zu viele unnötige Gedanken über alles machte.

Es war schade, dass meine Beziehung mit Michi auseinandergegangen war, und es tat auch weh. Aber ich konnte es nun mal nicht mehr ändern. Vielleicht, wenn Sabine nicht gewesen wäre...

Und was die Sache mit der Liebe auf Bairisch anging, war ich mehr denn je davon überzeugt, dass ich recht hatte.

Ich würde Matthias am Montag meine ersten Ideen für den Ratgeber unterbreiten. Wenn ich schon einmal die Chance auf so ein besonderes Projekt hatte, durfte ich sie nicht so ohne Weiteres aufgeben. Und diesen Herrn Huber würde ich einfach aus meinen Gedanken streichen.

Evas Party fand im Simone statt. Bei meinem Eintreffen begannen einige Leute zu tuscheln. Sollten sie ruhig. Schließlich hatte ich ja nichts Unrechtes getan. Ich gratulierte Eva und schenkte ihr einen Einkaufsgutschein für unseren kleinen Hofladen, der an zwei Nachmittagen in der Woche geöffnet hatte.

»Vielen Dank, Lene.« Eva freute sich ganz offensichtlich.

Auf die biologischen Produkte unseres Hofes waren meine Bekannten immer ganz besonders scharf. Mein Gutschein war inzwischen zu einer festen Geburtstagseinrichtung geworden. Ich fand das ja auf Dauer schon fast peinlich. Aber als ich kürzlich etwas anderes verschenkt hatte, war das Geburtstagskind so sichtlich enttäuscht gewesen, dass ich mündlich noch einen Gutschein dazu versprach.

Claudia wartete schon auf mich und umarmte mich herzlich.

»Hallo Lene. Geht's dir gut?« Sie schien ein wenig besorgt zu sein um mich.

»Ja. Alles okay«, beruhigte ich sie.

Wie immer, wenn sie ausging, war ihr Outfit geschmackvoll gewählt. Das schwarze Kleid war schlicht und gerade deswegen umso wirkungsvoller. Sie sah fantastisch aus. Wenn sie nicht meine beste Freundin gewesen wäre, hätte ich fast neidisch werden können auf ihre langen schlanken Beine, die in schwarzen Wildlederboots steckten.

Doch auch ich hatte mich heute herausgeputzt und fühlte mich in meiner knackig engen Jeans mit weißem Top und hellbrauner Lederjacke gut angezogen.

Wir unterhielten uns eine Weile über den Radioauftritt. Claudia war amüsiert, welche fantasievollen Schimpfwörter mir dabei für Karl Huber einfielen. Dass ich mir erst vor Kurzem vorgenommen hatte, diesen Mann aus meinem Gedächtnis zu streichen, hatte ich in diesem Moment glatt vergessen!

»Scheint ein interessanter Mann zu sein«, bemerkte Claudia und schmunzelte. Interessant? Huber?

»Dieser Typ ist so interessant wie ein eitriger Pickel auf dem Po!«, polterte ich empört.

Die kleine Bar war sehr schnell gut gefüllt, und es herrschte eine ausgelassene Stimmung. Natürlich sprachen mich die Leute wegen des Zeitungsartikels an. Das Hauptthema dieses Abends war meine ausgefallene Theorie und das gestrige Streitgespräch im Radio. Ich war ungefragt zum Mittelpunkt der Party geworden.

Überall hörte man die Leute verschiedene Ausdrücke für »Ich liebe dich« auf Bairisch sagen, und das Thema mit den unterschiedlichen Ansichten der Gäste dazu trug wesentlich zu einem kurzweiligen Abend bei.

Erstaunt bemerkte ich, dass Claudia nicht mehr ganz so vehement anderer Meinung war als ich. Vielleicht hatte das mit Matthias zu tun? Schließlich wollte er, dass sie mich bei meinem Ratgeber unterstützte, und das ging ja wohl nicht so gut, wenn sie einen völlig anderen Standpunkt vertrat als ich.

Einer der Geburtstagsgäste hatte schon ziemlich tief ins Glas geschaut und meinte, mich ähnlich wie tags zuvor Karl Huber verbal attackieren zu müssen. Aber der kam mir gerade recht!

»Wenn du dich mit mir nicht normal unterhalten kannst, dann lassen wir es«, fauchte ich ihn an und stand auf. Ich war so in Schwung, dass ich mit einem gut aussehenden Mann hinter mir zusammenstieß.

»Hoppala!«, sagte ich.

»Perdón …«, kam es gleichzeitig. Wir schauten uns an, und ich war erstaunt, dass er mir bisher noch nicht aufgefallen war. Holla!, schoss es mir durch den Kopf.

Ich schätzte ihn etwa auf Anfang dreißig. Er gehörte definitiv zum seltenen Typ Mann, den eine rasierte Glatze richtig attraktiv machte. Sein verwegener Dreitagebart ließ ihn zudem sehr sexy aussehen. Heiß, heiß, heiß!

»Ich kenne dich! Aus der Zeitung«, rief er aus und lächelte erfreut. Sein Akzent deutete sehr auf eine spanische Abstammung hin.

»Du bist doch Lene auf der Suche nach der bayerischen Liebe?!«

Ich errötete leicht. Meine neu gewonnene Bekanntheit machte mich doch etwas verlegen. Außerdem wusste ich wieder einmal nicht, was ich sagen sollte.

»Na ja … das stimmt wohl«, brachte ich dann doch noch heraus.

»Mein Name ist Ernesto. Ernesto Morales. Darf ich dich auf

ein Glas Wein einladen, Lene?« Sein Akzent war genauso entzückend wie das kleine Grübchen an seiner rechten Wange.

»Si, por favor, Ernesto«, kramte ich stolz meine mageren Spanischkenntnisse aus dem zweiwöchigen Urlaub auf Fuerteventura im letzten Jahr hervor. Er strahlte mich an. Claudia bemerkte uns beide und zwinkerte mir aufmunternd zu. Sie selbst unterhielt sich mit einem Bekannten und machte einen etwas gelangweilten Eindruck. Ich wusste, dass der androgyne Frauenversteher mächtig auf sie stand, er aber absolut nicht Claudias Typ war.

Ernesto und ich kämpften uns zur Theke vor, und er bestellte für uns Wein.

Es schien ihm überhaupt nichts auszumachen, dass ich nur sehr wenig redete. Dafür sprudelte es nur so aus ihm heraus, und schon nach zehn Minuten kannte ich seine halbe Lebensgeschichte. Er war, wie er ausdrücklich betonte, weniger Spanier als Katalane und mütterlicherseits halber Österreicher, was seine guten deutschen Sprachkenntnisse erklärte. Tatsächlich war er genauso alt wie ich, Single und Unternehmer aus Barcelona. Er liebte Katzen, konnte aber wegen seiner häufigen Reisen kein eigenes Tier haben und war ein begeisterter Motorradfahrer.

Seit einem halben Jahr war er regelmäßig immer wieder in Passau, um gemeinsam mit seinen deutschen Geschäftspartnern eine neue Fertigungsanlage für besonders geformte Glasbehälter für Obst- und Gemüsekonserven zu entwickeln.

»Morgen muss ich leider für eine Woche nach Barcelona, aber ich würde mich sehr freuen, nach meiner Rückkehr mit dir essen zu gehen. Was magst du denn gerne? Italienisch? Indisch? Mexikanisch oder lieber Chinesisch?«

»Mexikanisch!«, entschied ich mich. Aber er hatte eine so erfrischende Art, dass ich überall mit ihm hingegangen wäre.

Plötzlich taute ich auf wie ein Eisberg in der Südsee, und aus meinem Mund kamen deutlich mehr als zwei Wörter am Stück heraus. Ich erzählte von Fritzi, meinen Reisen nach Spanien, und wir plauderten über Gemüseanbau. Was ihn sehr interessierte. Er amüsierte mich mit seiner blumigen Sprache auf eine ganz besondere Weise und brachte mich immer wieder zum Lachen.

»Du bist bezaubernd, wenn du lachst, Lene«, schmeichelte er mir mit glutvollen Augen.

»Du auch, Ernesto«, gab ich das Kompliment postwendend zurück. Der Wein war mir schon deutlich zu Kopf gestiegen, und nach den schwierigen Tagen mit Michi und Karl Huber tat es mir gut, unbefangen mit einem Mann zu flirten.

Er beugte sich nah zu mir und flüsterte mir ins Ohr: »Ich kann dir zwar keine Liebeserklärung auf Bairisch machen, aber ich werde dir die richtigen Worte in meiner Sprache sagen, sollte es sich dazu entwickeln.«

Seine Aussprache erinnerte mich an die des wunderbaren gestiefelten Katers bei den Shrek-Filmen. Und damit an Antonio Banderas. Und damit wiederum an Zorro. Und Zorro hatte mich schon als Kind fasziniert.

Bei seinen heiser geflüsterten Worten zog eine Gänsehaut über meinen Rücken. Ich musste hier schleunigst einen Gang zurückschalten. Doch das übernahm ein anderer für mich.

»Du hast dir ja schnell einen Tröster gesucht!« Ich schreckte hoch. Michi stand neben mir, ausnahmsweise mal ohne sein neues Anhängsel Sabine, und sah mich böse an. Was machte er denn hier?

»Sehen Sie nicht, dass wir uns unterhalten?«, fragte Ernesto ein wenig genervt über die unfreundliche Störung. Ich legte meine Hand auf seinen Arm.

»Ist schon gut, Ernesto. Er will nur Guten Tag sagen und dann wieder gehen.«

»So? Will ich das?«, fragte Michi.

»Ja, das willst du«, sagte ich bestimmt. »Sabine wird schon auf dich warten.«

Michi schaute mich eindringlich an. Unter seinen Blicken fühlte ich mich schuldig, obwohl ich doch nichts gemacht hatte, außer ein wenig mit Ernesto geflirtet. Außerdem war ich ein frischgebackener Single! Und durfte tun und lassen, was ich wollte.

»Können wir reden, Lene?« Der zornige Ausdruck in seinem Blick war plötzlich verschwunden. Er wirkte fast ein wenig erschöpft.

Was sollte das denn jetzt? Weil Sabine mal ein paar Sekunden nicht an seiner Seite klebte, wollte er wieder mit mir reden?

»Nein! Können wir nicht«, sagte ich bestimmt. Doch eigentlich hätte ich gewollt. Sehr sogar. Verdammt. Ich fühlte mich gerade gar nicht gut. Ernesto schien mir das anzusehen.

»Möchtest du, dass wir woanders hingehen, Lene?«, fragte er. Mit einem Schlag war ich ernüchtert und fühlte mich müde und ausgelaugt.

»Nein. Das möchte ich nicht, Ernesto. Ich werde nach Hause gehen. Alleine!«, stellte ich für alle beiden Männer unmissverständlich klar.

Keine fünf Minuten später saß ich in einem Taxi nach Hause. In meiner Hand hielt ich die Visitenkarte, die Ernesto mir gegeben hatte mit der eindringlichen Bitte, mich nach seiner Rückkehr zu melden.

kapitel 6

Ich saß auf einem großen Stein an meinem Lieblingsplatz an der Ortsspitze, die als Halbinsel in die Donau ragte. Von beiden Seiten flossen der grüne Inn und die dunkle Ilz dazu und verbreiteten die Donau auf ihrem Weg nach Wien und weiter bis zum Schwarzen Meer. Ein herrlicher Flecken Erde, vor allem wenn wie heute die Frühlingssonne von einem wolkenlosen Himmel schien. Doch nicht nur deswegen trug ich eine große Sonnenbrille. Ich hoffte, dass mich damit niemand erkannte, denn ich brauchte ein wenig Zeit, um nachzudenken.

Das abgebrochene Radiointerview mit Karl Huber war natürlich nicht ohne Folgen geblieben. Nicht nur unsere Zeitung berichtete darüber, sondern auch die Konkurrenzblätter hatten das Thema jetzt aufgegriffen und Karl Huber die Gelegenheit gegeben, sich zur Sache zu äußern. Der ließ sich weiterhin darüber aus, wie falsch ich mit meiner These lag und wie sehr ich den Bayern damit schaden würde.

An den vielen Leserbriefen und Facebook-Einträgen erkannte ich, dass der Sprachwissenschaftler eine große Fangemeinde hatte. Die Kommentare zu meiner Theorie waren inzwischen sehr emotional und in beide Richtungen teilweise verletzend. Es hatten sich zwei Fronten aufgetan. Für die Medien natürlich ein gefundenes Fressen.

Heute Morgen war in der Redaktion einiges los gewesen, und ich musste gleich zu Matthias ins Büro. Ich hatte damit gerechnet, dass er nicht erfreut über mein verpatztes Gespräch mit Huber war. Doch das Gegenteil war der Fall gewesen. Er gratulierte mir zu meinem Erfolg und war begeistert, wie sehr ich die Menschen durch meine Ansicht über die Liebe auf Bairisch polarisierte.

Er wollte den Rummel um mich natürlich ausnutzen und ließ mir von seiner Sekretärin eine Liste mit Terminen geben. Ich war sprachlos. Nicht nur verschiedene Interviews und Fototermine standen auf dem Programm, es gab auch eine Einladung zu einem über die bayerischen Grenzen hinaus bekannten Radiosender. Dazu Besprechungen mit Matthias und Claudia. Dass ich mal für ein Gespräch mit Claudia einen Termin bräuchte, hätte ich im Leben nicht gedacht.

Schließlich stand ich auf. Meine Mittagspause war fast vorüber. Ich warf noch einen letzten Blick übers Wasser und rüstete mich innerlich. In einer halben Stunde sollte ich ein Telefoninterview geben und danach mit Claudia und einem Fotografen zu mir nach Hause fahren für eine Homestory. Auch wenn ich es immer noch nicht glauben konnte, wie sehr sich mein Leben innerhalb weniger Tage auf den Kopf gestellt hatte, so begann ich neugierig zu werden, wie es weitergehen würde. Ich war froh, dass mich der ganze Rummel von Michi ablenkte. An den schwer deutbaren Blick, den er mir zum Abschied im Simone zugeworfen hatte, wollte ich nicht denken.

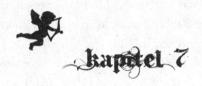

Kapitel 7

Die nächsten Tage war ich völlig ausgelastet mit meiner Arbeit und den zusätzlichen Terminen in Sachen »Liebe auf Bairisch«. Kaum dass ich noch Zeit hatte, meinem Vater auf dem Hof zu helfen. Das Interesse an mir hatte nicht nachgelassen. Ganz im Gegenteil. Ich wurde auf Veranstaltungen eingeladen, sollte Interviews geben und wurde sogar zur Vorsitzenden des »1. Vereins zur Findung der bairischen Liebesworte« gewählt, der im Eilverfahren von meinen Anhängern gegründet wurde.

Auch Lissy Bormann, unsere freie Mitarbeiterin, war eine glühende Anhängerin meiner Theorie und übernahm im Verein die Rolle der Schriftführerin.

Auf meiner neuen Facebook-Seite gab es bereits über viertausend Fans! Ich hatte einiges zu tun, um täglich meine E-Mails zu beantworten.

Und das Allerbeste: Ich stand tatsächlich vor dem Vertragsabschluss für mein erstes Buch, das den Titel *Auf der Suche nach der weiß-blauen Liebe – Ein Ratgeber* tragen sollte.

Matthias nannte mich amüsiert »ein bayerisches Phänomen« und war sehr erfreut über die Popularität, die ich inzwischen gewonnen hatte und mit der niemand gerechnet hätte. Am wenigsten ich selbst.

Ich war auch über mich selbst erstaunt, wie sehr mir das alles Spaß machte. Dabei war ich nie ein Mensch gewesen, der gerne im Mittelpunkt stand. Zumindest nicht freiwillig, wenn ich so an meine Schul- und Jugendzeit dachte.

Als einziges Kind an der Grundschule, das keine Mutter hatte, wurde ich von vielen Mitschülern und Lehrern voll Mitleid angesehen. Es war wie ein Stempel, der mir mit Mamas Tod aufgedrückt worden war. Ich hatte diese Blicke gehasst und alles getan, um nicht auf dieses Halbwaisentum reduziert zu werden. Dabei überschätzte ich mich wohl ab und zu etwas.

Wie bei einem Wanderausflug in der zweiten Klasse. Bei dem Versuch, für meine Freundin Wasser aus einem Bach zu holen, purzelte ich einen Abhang hinunter und konnte mich gerade noch an einer kleinen Tanne festhalten, um nicht weiter abzurutschen und in eine Schlucht zu stürzen. Die Lehrer hatten ihre liebe Not, mich da wieder heil hochzuholen.

Mit zweistündiger Verspätung kamen wir in einem Ausflugslokal an. Nur um festzustellen, dass unser vorbestelltes Essen inzwischen an andere Gäste ausgegeben worden war. Ich rutschte noch ein zweites Mal an diesem Tag. Und zwar ziemlich weit nach unten auf der Beliebtheitsskala meiner Mitschüler, die alle mit hungrigen Mägen den Rückweg zum Bus antreten mussten.

Ein Jahr später hatten wir mit der Schulklasse den Münchner Tierpark besucht. Ausgerechnet an diesem Tag war eines der Mandrilläffchen ausgebrochen. Das süße, schnuckelige Tier kam geradewegs auf mich zugerannt. Mutig wollte ich den kleinen Ausreißer aufhalten, doch da biss mich das hinterhältige Biest in den Finger. Meine Lehrerin bestand auf einen sofortigen Arztbesuch, und wieder hatte ich meinen Klassenkameraden einen Ausflug verpatzt.

Die Skitage in Österreich wurden ebenfalls zu einem unvergesslichen Erlebnis für mich und die ganze sechste Klasse. Noch heute war ich überzeugt davon, dass die Aushilfslehrerin Frau Stark dafür verantwortlich war, indem sie mir eine falsche Anweisung gegeben hatte. Ich hatte nämlich ganz brav die Flasche Kirschsaft zum Kinderpunsch geschüttet, den wir in unseren Thermoskannen für eine nächtliche Winterwanderung dabeihatten. Genau so, wie Frau Stark es gesagt hatte. Der Punsch hatte lecker geschmeckt. Wir hatten Spaß wie nie. Bis einige Kinder sich plötzlich übergeben mussten. Hinterher hieß es, ich hätte den Kirschlikör absichtlich hineingeschüttet. Aber ich schwöre, dass ich dachte, es sei Saft.

Sonst war da nichts mehr gewesen, na ja, bis auf das fünfundzwanzigjährige Jubiläum unseres Bürgermeisters. Papa hatte mir für diesen Tag ein besonderes Kleid gekauft. Es war rosa mit weißen Tupfen, und dazu gab es ein passendes Haarband. Kurz vor der Rede unseres Gemeindeoberhaupts hatte ich mich zu den Pferden des Vierspänners geschlichen, mit dem der Bürgermeister und seine Frau vorgefahren waren.

Ohne dass es jemand bemerkte, setzte ich mich auf den Kutschbock und nahm die Zügel in die Hand. Der Kutscher hatte vergessen, die Bremse zu ziehen, und bevor ich wusste, wie mir geschah, rannten die Pferde los. Das halbe Dorf war hinter mir her gewesen, bis die Kutsche endlich gestoppt war. Anstatt mich zu schimpfen, hatte Papa mich nur ganz fest an sich gedrückt und war mit mir nach Hause gegangen. Der Zeitungsartikel mit dem Absatz über meine wilde Fahrt klebte seitdem in unserem Fotoalbum.

So wie es aussah, schien ich tatsächlich ein Talent zu haben, die Leute auf unterschiedliche Weise mitzureißen und auch zu unterhalten. Und laut Claudia und Matthias war ich sehr foto- und telegen. Ich kam bei den Leuten an.

Doch natürlich wuchs mit meiner Beliebtheit auch die Zahl der Neider und Verständnislosen, die mit mir und meiner Behauptung gar nichts anfangen konnten und mich sogar offen anfeindeten. Allen voran mein Spezialfeind Karl Huber, der keine Gelegenheit ausließ, über mich zu wettern. In den Medien wurden wir inzwischen wenig schmeichelhaft, aber zur Erheiterung aller als Mamsen und Moosbummerl tituliert. Begegnet waren wir uns seit dem Radioauftritt nicht mehr. Und das war auch gut so.

Es war Samstagabend, und ich stand im kleinen Badezimmer und tuschte sorgfältig meine Wimpern. Dann zog ich mit einem hellrosa Lipgloss die Lippen nach und lächelte mir zufrieden im Spiegel zu. Meine Haare waren asymmetrisch zu einer lockeren Frisur hochgesteckt, ein paar vereinzelte Locken umspielten meine Wangen.

Ich hatte gute Laune, die von mitreißender Musik aus dem kleinen Radiogerät noch angeheizt wurde. Mit mehr Inbrunst als musikalischem Talent trällerte ich zusammen mit Bruce Springsteen: »Everybody's got a hungry heart …«

Wie recht er doch hatte, der gute alte Bruce: Jeder hatte ein hungriges Herz. Auch ich hatte Hunger nach einer neuen Liebe, allerdings auch Angst, mir damit gleich wieder den Liebesmagen zu verderben. Vielleicht wäre es besser, noch ein wenig bei einer moderaten Gefühlsschonkost zu bleiben.

Kaum dachte ich über Hunger und Essen nach, kamen mir die glutvollen Augen von Ernesto und seine Einladung zum Mexikaner in den Sinn. Ich wusste, dass er seit ein paar Tagen aus Barcelona zurück war, aber ich hatte ihn bis jetzt noch nicht angerufen. »Vielleicht morgen«, überlegte ich laut.

Auf der Ablage neben dem Make-up stand der kleine Eskimo, der inzwischen fast so etwas wie ein Talisman geworden war, und es schien, als ob er mich wieder mal genau beobachten würde. Ich schlüpfte in ein anthrazitfarbenes Kleid, das ich mir extra für diesen Abend gekauft hatte. Noch nie hatte ich für so wenig Kleid so viel Geld ausgegeben. Doch es war für einen besonderen Anlass. Denn heute war ein besonderer Abend. Die letzten Stunden vor meinem dreißigsten Geburtstag, und ich war auf die legendäre Maienparty von Severin und Alwin Bayerl eingeladen.

Es war das erste Mal, dass ich auf der Einladungsliste für eines der exklusivsten Events in Passau stand. Scheinbar hatte mir meine plötzliche Popularität den gewünschten Promistatus verschafft.

Alwin hatte mich persönlich angerufen und mir zusätzlich ein Einladungsschreiben durch einen sogenannten »Maienboten« überbringen lassen. Diesen Job übernahm jedes Jahr einer von Severins Kunstschülern, die er als Privatdozent unterrichtete. Die kunstvoll gestalteten Karten waren mindestens genauso begehrt wie die Einladung selbst. Severin Bayerl kreierte für jedes Maifest nur eine begrenzte Anzahl für besondere Gäste. Alle anderen erhielten einfache gedruckte Einladungen. In diesem Jahr waren es zwölf handgefertigte Karten, die alle einem der Tierkreiszeichen gewidmet waren. Mein Sternzeichen war eine sehr eigenwillige und nicht ganz jugendfreie Interpretation des Minotaurus.

Noch vor ein paar Wochen hätte ich mir nicht träumen lassen, auf ein Maienfest der Bayerls eingeladen zu sein. Jetzt war ich sogar einer der Ehrengäste. Es war unglaublich!

»Gefalle ich dir, Eisi?« Inzwischen hatte ich dem kleinen Eskimo sogar schon einen Namen gegeben. Auch wenn ich keine Antwort erwartete, so schien in seinem Blick eine Spur von Bewunderung zu sein. Er würde mir fehlen, wenn er einmal nicht mehr da war. Immer wieder schob ich es deshalb hinaus, ihn Claudia zurückzugeben. Ich war schon am Gehen, da drehte ich mich noch mal um.

»Du darfst auch mit auf die Party!« So eine Gelegenheit würde er ohne mich nie wieder bekommen.

Kapitel 8

Dutzende Fackeln beleuchteten den Weg zum Zentrum des Maienfestes im riesigen Garten der Jugendstilvilla der Bayerls. Der Duft von Blüten und dem jungen Grün der ausschlagenden Bäume war so berauschend, wie er nur in einer sternenklaren Mainacht sein konnte.

Alwin und Severin, beide überraschend schlicht gekleidet in klassischen schwarzen Smokings, standen am Ende des Weges und begrüßten mich wie eine Königin. Severin, der mich bis vor Kurzem gewiss nie wahrgenommen hatte, machte mir Komplimente, dir mir die Röte ins Gesicht trieben.

»Lene! Du bist ja auch da!« Ich drehte mich um. Lissy stand hinter mir und war sichtlich erfreut, mich zu sehen.

Sie konnte heute nur als Gast hier sein, denn Presse war auf dem Maienfest strengstens verboten. Genauso wie Fotografieren, geschweige denn Filmen. Severin Bayerl bestand darauf, und erstaunlicherweise hielten sich die Gäste daran. Es gab keine Bilder vom Maienfest, und so heizten die Erzählungen darüber die Fantasien der Leute an, die bisher noch nicht das Vergnügen hatten, dabei gewesen zu sein. Das verschaffte dem Maienfest der Bayerls im Laufe der Jahre einen geheimnisvollen Mythos.

»Hallo Lissy«, begrüßte ich die alleinerziehende Mutter mit einem Küsschen auf die Wange. »Wo hast du denn Pauli?«, fragte ich. Pauli war ihr achtjähriger Sohn, und ich wusste, wie schwierig es immer für sie war, einen Babysitter zu organisieren. Auch ich war ab und zu schon mal eingesprungen.

»Bei einer Freundin. Ach Lene, ist es nicht aufregend hier? Ich kann es immer noch nicht fassen, dass ich eingeladen bin.« Es ging ihr wie mir.

Trotz einiger Pfunde zu viel um ihre Hüften stand ihr das dunkelblaue Abendkleid ausgezeichnet, und sie strahlte glücklich. Eine auf den zweiten Blick schöne Frau, die seit Jahren vergeblich auf der Suche nach einem Partner war.

Lissy brachte mich gleich auf den neuesten Stand der Mitgliederzahlen unseres Vereines. Seit gestern hatte es beachtliche siebenundzwanzig Neuzugänge gegeben.

Immer mehr Gäste trafen auf der Feier ein, doch es waren weit weniger, als ich angenommen hatte. Ich war nicht überrascht, als ich Michi sah, selbstverständlich mit blondiertem Anhang. Ich wusste, dass es auch für ihn die erste Maienfesteinladung war. Für einen kurzen Moment erlaubte ich mir die Vorstellung, wie es gewesen wäre, gemeinsam mit ihm herzukommen.

Michi suchte meinen Blick, aber ich tat so, als ob ich ihn nicht bemerkt hätte, und unterhielt mich mit einem jungen Kabarettisten, der am nächsten Abend seinen ersten Auftritt im legendären Passauer Kulturlokal »Scharfrichterhaus« haben würde. Er war ziemlich nervös und zuckte ständig unkontrolliert mit den Schultern, was mich auch bald nervös werden ließ. Ich musste es krampfhaft unterdrücken, ebenfalls mit den Schultern zu zucken. Wenn der junge Mann seine Aufregung bis morgen nicht ablegen würde, tat mir das Publikum heute schon leid. Die Zuschauer würden dann sicherlich alle mit Verspannungen nach Hause gehen.

Von Anfang an war die Stimmung auf der Party weitgehend ungezwungen, und das Ambiente hatte etwas Märchenhaftes. Zwischen den Bäumen, beleuchtet von Fackellichtern, posierten junge Männer und Frauen als Sternzeichen. Es dauerte eine Weile, bis ich feststellte, dass die farbenprächtigen »Kostüme« auf die Körper aufgemalt waren.

Als ich das Sternzeichen Stier entdeckte, zögerte ich, unter die imaginäre Gürtellinie zu blicken. Doch anders als auf der Einladungskarte schützte ein knapper Lendenschurz die Männlichkeit des Minotaurus. Er zwinkerte mir frech zu, und beim Anblick seines muskulösen Körpers wurde mir tatsächlich ein wenig heiß. Besonders gefiel mir jedoch die Darstellung des Fisches, mit Hunderten von Schuppen, die bei jeder Bewegung des Körpers schillerten wie flüssiges Silber. Severins Bodypainting-Schüler hatten wirklich großartige Arbeit geleistet.

Begleitet von einem Gitarristen und einem Kontrabassspieler interpretierte eine junge Sängerin aus der Gegend Lieder von Nina Simone. Ihre Stimme war weich wie ein Karamellbonbon. Es war zum Dahinschmelzen.

Man konnte über Vater und Sohn denken, was man wollte, aber »die Bayerls« scheuten weder Geld noch Mühen, um ihren Gästen etwas ganz Besonderes zu bieten. Wo der Reichtum der beiden Männer eigentlich herkam, konnte niemand so genau sagen. Höchstens der Bankberater, und der hüllte sich natürlich in Schweigen.

Ich sah mich um. Wo Claudia nur blieb? Sie sollte doch schon lange hier sein.

Eine Bedienung in goldenem Kostüm reichte Getränke, und ich entschied mich für ein Glas eiskaltes Bier aus einer hiesigen Brauerei. Ich nahm einen großen Schluck und seufzte wohlig. An das Maienfest könnte ich mich gewöhnen. Ich spazierte ein wenig im Garten herum, genoss die lauwarme Abendbrise auf meiner Haut und plauderte mit anderen Gästen. Im hinteren Teil des Gartens führte ein grüner Tunnel aus Weiden zu einer kleinen Bar. Schon jetzt drängten sich die Gäste dicht an dicht um die Theke.

Matthias stand ebenfalls dort neben Severin Bayerl und unterhielt sich mit ihm. Als er mich bemerkte, prostete er mir zu und lächelte. Ich erwiderte sein Lächeln, war jedoch im Moment nicht so ganz bei der Sache. Denn ich hatte ein kleines, aber unangenehmes Problem. Meine Pospalte hatte gerade den Slip gefressen. Ein Gefühl, das ich hasste. Das musste ich dringend wieder in Ordnung bringen. Ich verließ die Bar wieder und huschte hinter einen gelb leuchtenden Goldregenbusch. Doch gerade als ich mir beherzt unter mein Kleid greifen wollte, um alles wieder an die rechte Stelle zu ziehen, tauchte Alwin auf.

»Da bist du ja! Komm tanzen, Lene.«

»Jetzt?« Mit dem eingezwickten Slip? Nie! »Können wir nicht später tanzen, Alwin?« Ich versuchte, Zeit zu gewinnen und dabei höflich zu bleiben.

»Es ist der offizielle Maientanz mit den Ehrengästen. Und du bist meine Partnerin. Jetzt komm. Wir warten nur noch auf Vater, dann geht es los.«

Er streckte die Hand nach mir aus. Es blieb mir nichts anderes übrig, als mitzugehen. Ich hoffte vergeblich, dass sich der Slip beim Gehen wieder lösen würde, und fragte mich nicht zum ersten Mal, wie andere Frauen es einen ganzen Abend lang in einem Tanga aushalten konnten. Für mich undenkbar. Ein Tanga war für mich eigentlich nur da, um kurz an- und schnell wieder ausgezogen zu werden.

Insgesamt waren sieben Paare auf der Tanzfläche, bestehend aus zwölf Ehrengästen und den beiden Gastgebern. Die übrigen Gäste bildeten einen Kreis und schauten uns zu. Severin würde mit Lissy tanzen, und so erfuhr ich erst jetzt, dass auch sie einer der Ehrengäste war. Ob sie das dem halbseitigen Artikel über die Kreditkartenvernissage zu verdanken hatte?

Statt der jungen Sängerin spielte jetzt eine fünfköpfige Band, und los ging es mit einem Song von Queen: »Pretender«.

Der lange Alwin war ein schrecklicher Tänzer, aber wir zogen es beide tapfer durch. Wenigstens lenkten mich die Schmerzen an meinen Zehen, auf die er mehrmals trat, von meinem Problem mit dem Slip ab. Und außerdem gab es mir ein gewisses Gefühl der Genugtuung, als ich Michi bemerkte, der neben Sabine stand. Er schaute ziemlich grimmig. Täuschte ich mich oder bedeutete ich ihm doch noch etwas?

»Du siehst bezaubernd aus, Lene.« Alwins Augen ruhten bei diesen Worten auf meinem Dekolleté. Von ihm hätte ich am wenigsten ein Kompliment erwartet. Ich musste grinsen.

»Danke … Du, Alwin?«

»Ja?« Jetzt hob er den Blick und sah mir in die Augen.

»Warum versuchst du es nicht einmal mit einem Tanzkurs?«, schlug ich freundlich vor.

»Zwecklos. Ich hab schon drei hinter mir.« Er sagte es mit einem entwaffnenden Lächeln. Ein hoffnungsloser Fall also. Doch bald würde das Lied zu Ende sein, und wir wären beide erlöst.

»Hast du schon deine weiß-blaue Liebe gefunden?«, wollte er wissen.

Ich schüttelte den Kopf.

»Nein. Bis jetzt noch nicht«, gab ich zu.

»Wie wär's mit mir?« Er zwinkerte mir absichtlich übertrieben zu.

»Alwin? Du baggerst mich doch nicht etwa an?« Ich tat empört.

Alwin zuckte mit den Schultern.

»Warum nicht? Mein Vater nervt mich ständig, dass ich endlich eine Familie gründen soll. Er will einen Enkel.«

Ich lachte.

»Ausgerechnet mit mir?«, platzte ich heraus.

Er hörte auf zu tanzen und schaute mich an.

»Warum nicht? Ich mag dich. Du warst immer schon ein wenig anders als die anderen. Und du siehst sehr gut aus.« Er grinste breit.

Ich konnte es nicht glauben. Alwin wollte mit mir eine Familie gründen? Ich vermutete, dass Severin ihn auf mich angesetzt hatte. Trotzdem war ich insgeheim gerührt von seinem etwas ungeschickten Annäherungsversuch.

»Ich fühle mich echt geschmeichelt. Aber mögen allein reicht nicht, Alwin. Ich will einen Mann, der mich liebt«, versuchte ich, ihm zu erklären.

»Und der dir auf Bairisch sagt: I liab di fei.« Seine Augen blitzten schelmisch, und wir lachten beide.

»So ungefähr.«

»Dann wünsch ich dir viel Glück dabei!«

»Ich dir auch, Alwin.« Und das kam von Herzen.

Er entschuldigte sich, um seinen Gastgeberpflichten nachzukommen. Die Ehrengäste verließen die Tanzfläche und machten Platz für andere Tanzwütige.

Ich musste mich unbedingt bald zurückziehen, sonst würde

mich der Slip noch verrückt machen. Doch scheinbar hatten sich alle gegen mich verschworen. Lissy kam mit gerötetem Gesicht auf mich zu und bat mich um ein Gespräch unter vier Augen. Und zwar dringend. Ich seufzte. Wir setzten uns auf eine kleine Bank unter einem Fliederbusch.

»Stell dir vor, Lene. Severin Bayerl hat mich gefragt, ob ich mir nicht vorstellen könnte, mit Alwin auszugehen.«

Wie? Ich musste mir das Lachen verkneifen. Der alte Künstler wollte seinen Sprössling tatsächlich dringend unter die Haube bringen. So langsam bekam ich eine Ahnung, warum Lissy und ich eingeladen waren.

»Und? Kannst du es dir vorstellen?«, fragte ich sie.

»Warum nicht?« Sie lächelte verschmitzt.

Ich konnte mir die beiden zwar nicht als Paar vorstellen, aber ich hätte auch nie gedacht, dass Michi sich mit Sabine einlassen würde. Kaum dachte ich an diese Frau, steuerte sie auch schon auf mich zu.

Auf die hatte ich jetzt so gar keine Lust, und ich verschwand mit einer Entschuldigung in die andere Richtung, wo ich geradewegs Matthias in die Arme lief.

»Darf ich um einen Tanz bitten, bayerische Maid?«, bat er mich mit einem charmanten Lächeln, dem ich nicht widerstehen konnte. Es war mir nicht gegönnt, mein Slip-Problem zu lösen.

»Gerne.«

Die Band spielte eine mitreißende, rockige Version von »Mack The Knive«. Schon bei den ersten Schritten war klar, dass Matthias es konnte. Richtig gut konnte. Es fühlte sich toll an, in seinen Armen über die Tanzfläche zu schweben. Wir plauderten dabei über den Ratgeber. Matthias wollte wissen, wie ich vorankam.

»Gut«, sagte ich. Was nicht so ganz der Wahrheit entsprach.

Die vielen Termine nahmen mich so in Beschlag, dass ich kaum die nötige Ruhe fand, mich auf das Schreiben zu konzentrieren.

»Wenn du mehr Zeit brauchst, dann sag Bescheid.« Schon wieder schien er meine Gedanken erraten zu haben. Langsam wurde er mir unheimlich.

»Kein Problem, ich schaffe das«, sagte ich zuversichtlich.

Als der Tanz vorüber war, nutzte ich die Pause, um die Toiletten im Haus aufzusuchen. Endlich! Ich zupfte alles zurecht und fühlte mich wieder wohl.

Da dieses Problem jetzt endlich beseitigt war, meldete sich mein Magen mit einem deutlichen Knurren. Bisher hatte ich noch nichts gegessen. Ich machte mich auf in Richtung Büfett, das unter einem großen Pavillon angerichtet war. Es gab buchstäblich alles, was das Herz begehrte. Von bayerischen Schmankerln bis zu ausgefallenen Spezialitäten aus aller Herren Länder. Ich stand vor all den warmen und kalten Köstlichkeiten und konnte mich nicht entscheiden.

»Ich hatte es fast befürchtet, Sie hier zu sehen.« Die spöttische Stimme würde ich noch mit fünfundneunzig und ohne Hörgerät erkennen: Karl Huber! Er stand leibhaftig neben mir und schaufelte sich hauchdünn geschnittenen Rindfleischsalat auf den Teller, als ob in Passau bald die Hungersnot ausbrechen würde.

»Dass es Sie gibt, hatte ich fast schon vergessen«, sagte ich bemüht gleichgültig. Dabei hätte ich ihm am liebsten eine Garnele in den Mund gestopft.

»So hat sich das aber beim gestrigen Facebook-Posting nicht angehört. Ich zitiere: ›Karl Huber hat sich bei der krampfhaften Suche nach einer bayerischen Liebeserklärung die kaum vorhandenen Gehirnwindungen verhakelt‹.«

Stimmt. Das hatte ich letzte Nacht geschrieben. Aber erst,

nachdem er mich eine liebesunfähige Vaterlandsverräterin genannt hatte.

»Ach ja. Jetzt, wo Sie es sagen ...«, tat ich überrascht.

»Schön, dass das Kurzzeitgedächtnis noch funktioniert. Bei übrig gebliebenen älteren Frauen ist das ja nicht immer der Fall.«

Ältere Frau? Übrig geblieben? Dieser Kerl machte mich rasend. Tausende Schimpfwörter lagen mir auf der Zunge, und es kostete mich einige Überwindung, sie ihm nicht alle einzeln an den Kopf zu werfen. Aber diesmal wollte ich mich nicht von ihm provozieren lassen. Nicht auf diesem Fest. Nicht vor all den Leuten.

Mir war der Appetit vergangen, und ich stellte den Teller unbenutzt wieder zurück.

»Nicht genug Auswahl für die Mamsen?«, fragte er mit einem hämischen Grinsen.

»Die Auswahl ist super, nur die Gesellschaft momentan ziemlich geschmacklos.«

Ich drehte mich um und ging.

So schnell wollte ich mir nicht die Stimmung verderben lassen und suchte nach Ablenkung. Da fiel mein Blick auf Michi, der mich ebenfalls anschaute. Von Sabine war weit und breit nichts zu sehen. Wie schön! Meine Füße setzten sich wie von selbst in Bewegung. Ohne es eigentlich geplant zu haben, stand ich plötzlich vor ihm.

»Hallo Michi. Es ist schön hier, nicht wahr?« Meine Stimme klang etwas unsicher.

»Ja. Sehr schön.« Er nahm einen Schluck Wein.

Ich wusste nicht, was ich noch sagen sollte. Und er sagte auch nichts. Da kam mir ein Gedanke.

»Ich bräuchte deinen Rat in einer vertraglichen Angelegenheit.«

»Um was geht es denn?«, fragte er interessiert. Er schien froh, dass mir etwas eingefallen war, über das wir uns unterhalten konnten.

»Nun ja, in den nächsten Tagen erwarte ich meinen Buchvertrag. Ich gehe zwar davon aus, dass alles in Ordnung ist, aber ich wäre sehr froh, wenn du mal einen Blick darauf werfen könntest, bevor ich unterschreibe.« Ich sagte es mit einem gewissen Stolz in der Stimme.

»Schau, schau. Ein Buchvertrag. Gratuliere, Lene. Es hat sich ja einiges bei dir getan, seit ... wir auseinander sind.«

»Genau wie bei dir, Michi.«

Ich sah Sabine auf uns zusteuern. Auch er bemerkte seine neue Freundin, und ich spürte sein Unbehagen.

»Lass dir nächste Woche einen Termin geben.« Damit drehte er sich um, fing Sabine ab und ging mit ihr auf die Tanzfläche. Ich beobachtete sie eine Weile beim Tanzen. Sabine drückte sich fest an ihn und blickte dabei bewusst in meine Richtung. Was sich gar nicht gut anfühlte. Ich wollte mich gerade wegdrehen, da hörte ich plötzlich ein sympathisches Brummen über mir. Ich schaute hoch. Ein dicker Maikäfer steuerte behäbig in Richtung einer Laterne in der Nähe. Bei seinem Anblick musste ich lächeln. Jetzt erst verdiente das Maienfest wirklich seinen Namen. Ich freute mich, wie ich mich immer als Kind gefreut hatte, wenn ich einen Maikäfer sah. Vergessen waren Sabine und ihr boshafter Blick. Und ich kam zu der Erkenntnis, dass Mutter Natur stets unendlich viele Glücklich-Macher für uns bereithielt, wenn wir sie brauchten. Und die waren sicherlich besser als jede Droge und noch dazu ohne Nebenwirkungen. Wir mussten nur unsere Augen dafür offen halten. Und unser Herz.

Die Zeit bis Mitternacht verging wie im Flug, mit viel Musik, kabarettistischen Einlagen und einem faszinierenden Feuerwerk.

Ich hatte mich mit einem Glas Wasser auf die Bank unter dem Flieder gesetzt. Nur noch ein paar Minuten und ich wäre dreißig. Bisher hatte ich mir über diese Zahl und was das so mit sich brachte keine Gedanken gemacht. Und sosehr ich mich auch bemühte, auch jetzt fand ich den Gedanken weniger erschreckend als die Vorstellung, bis zum Rest meines Lebens einen Tanga tragen zu müssen. Ich konnte gar nicht verstehen, warum viele meiner Bekannten so eine Panik wegen einer runden Zahl hatten.

Vielleicht sollte ich aber auch langsam damit anfangen, vor dem Spiegel die Elastizität meiner Haut zu prüfen? Oder Krafttraining zu machen, damit ich die Fettverbrennung meines Körpers ankurbelte, die angeblich ab dreißig nachließ? Aber das hörte sich alles viel zu anstrengend an. Ich beschloss, vorerst einfach so weiterzumachen wie bisher. Mit meiner Fettverbrennung war ich derzeit noch zufrieden. Und an meinem Gesicht herumzupfen konnte ich später immer noch.

Gleich war es Mitternacht. Ich fand es sehr schade, dass Claudia nicht gekommen war. Auch am Handy war sie nicht zu erreichen. Die letzten Jahre hatten wir immer zusammen in unser neues Lebensjahr reingefeiert. Ich griff in meine Handtasche und holte Eisi heraus. Er zumindest würde bei mir sein. Sozusagen als Claudias Stellvertreter.

So in meine Gedanken versunken hatte ich gar nicht bemerkt, wie ruhig es plötzlich geworden war. Die Musik war aus, und die Gäste standen alle auf und neben der Tanzfläche. War etwas passiert? Ich sprang von der Bank hoch. Da kam der Minotaurus auf mich zu und bat mich lächelnd, ihn zu begleiten. Was sollte das denn jetzt werden?

Ich steckte Eisi wieder in die Tasche und folgte meinem Sternzeichen.

Auf der Tanzfläche standen alle Ehrengäste, und auch Claudia war endlich da. Pünktlich zu Mitternacht.

»Wo warst du denn?«, fragte ich sie leise.

»Meine Eltern sind überraschend zu Besuch gekommen. Ich konnte nicht früher weg«, flüsterte sie mir zu.

So war meine beste Freundin. Familie ging Claudia immer über alles. Dafür verspätete sie sich sogar zur angesagtesten Party des Jahres.

Severin Bayerl nahm ein Mikrofon und bat die Gäste um Ruhe.

»Liebe Freunde, liebe Maiengäste. Es ist mir wieder einmal ein außerordentliches Vergnügen, euch um mich zu haben. Heute will ich euch aber nicht mit einer langen Rede beglücken. Denn jetzt ist Mitternacht und zwei unserer Gäste haben Geburtstag. Claudia Zanolla und Lene Koller! Das Alter verrate ich natürlich nicht... Herzlichen Glückwunsch, ihr beiden.« Er drückte zuerst Claudia an sich und küsste sie auf die Wange, dann mich. Allerdings viel länger als Claudia. Was er mir dabei ins Ohr flüsterte, hätte ihm fast eine Ohrfeige eingebracht. Endlich ließ er mich los.

Die Gäste klatschten, Musik begann zu spielen, und gleichzeitig stiegen weiße und blaue Raketen in den Abendhimmel. Vier junge Männer schritten den beleuchteten Weg entlang und trugen unter dem Applaus der Gäste eine riesige Torte heraus, die mit weiß-blauen Zucker-Rauten verziert war. Ich war total baff. So gigantisch hatten Claudia und ich unseren Geburtstag noch nie gefeiert...

Drei Gläser Champagner und unzählige Geburtstagsküsse später brauchte ich dringend ein paar Minuten Auszeit. Im Badezimmer kühlte ich mein vom Tanz erhitztes Gesicht mit kaltem Wasser, schaute mich im Spiegel an und lächelte. Es war eine aufregende Nacht. Zu diesem Zeitpunkt wusste ich noch nicht, dass sie gleich noch viel aufregender werden würde.

Ich war auf dem Weg zurück in den Garten, da kam Michi mir im Flur entgegen. Er sagte nichts, nahm mich nur an der Hand und zog mich ins leer stehende Wohnzimmer der Bayerls. Der Raum auf zwei Ebenen hatte die Ausmaße eines Ballsaals. Überall standen Severins Kunstwerke herum, zwischen bequem aussehenden Sesseln völlig unterschiedlicher Stilrichtungen und einer gewaltigen Ledergarnitur.

»Michi? Du hast mich entführt!« Ich kicherte. Der Alkohol war mir doch schon ein wenig zu Kopf gestiegen.

»Ich hatte noch keine Gelegenheit, dir zu gratulieren«, sagte er, und seine Stimme war leise.

»Stimmt! Du hast mir noch keinen Geburtstagskuss gegeben.« Ich tat empört. Das Schrillen der Alarmglocken in meinem Kopf wollte ich nicht zur Kenntnis nehmen.

»Alles Gute zum Geburtstag, Kleines.« Er sagte tatsächlich Kleines zu mir. Ein Kosewort, das mein Herz wild zum Pochen brachte.

Er legte seine Hände an meine Wangen und küsste mich zärtlich. So zärtlich, wie er mich bisher noch nie geküsst hatte. Es fühlte sich vertraut und richtig an und gleichzeitig fremd und falsch. Das war doch nur ein harmloser Geburtstagskuss, oder?

Mach dir nichts vor, Lene. Der Kuss ist genauso wenig harmlos, wie die Geburtstagstorte zur Diätkost zählt, widersprach der nüchterne Teil meines Gewissens mit schneidendem Unterton.

Aber ein kleines Stück Torte macht doch nicht gleich dick, versuchte ich zu verhandeln.

Tu, was du nicht lassen kannst, aber beschwer dich hinterher nicht, wenn du dich nicht gut fühlst! Mein Gewissen war eingeschnappt.

Michis Kuss wurde intensiver, und seine Hände kneteten sinnlich meine Pobacken.

Doch mein Gewissen gab nicht auf und fuhr schweres Geschütz auf. In meiner Vorstellung stand plötzlich eine wütende Sabine vor mir. Das wirkte. Ich löste mich rasch von Michi und atmete schwer.

»Danke für den … äh, Geburtstagskuss«, versuchte ich, die Situation zu verharmlosen und zu entschärfen.

Michi zog mich noch mal fest an sich. Er war spürbar noch nicht entschärft.

»Wir könnten uns morgen treffen. Sabine ist am Nachmittag bei ihrer Mutter, und ich …«, murmelte er mir ins Ohr.

Wie bitte? Er spekulierte darauf, dass meine Nachfolgerin, mit der er kürzer zusammen war, als ein weiblicher Monatszyklus dauerte, zu ihrer Mutter fuhr, damit wir sturmfreie Bude hatten?

Es war wie eine kalte Dusche. Und zwar eine eiskalte. Ich rückte von ihm weg.

Er bemerkte seinen Fehler sofort, aber es war zu spät.

»Geh!« Ich drehte ihm den Rücken zu.

»Lene, bitte, so hab ich das nicht gemeint, ich …«

»Geh!« Ich versuchte krampfhaft, die Tränen zurückzuhalten.

Er sah mich zerknirscht an. »Kleines …«

»Verschwinde, verdammt noch mal!«

Endlich verließ er das Zimmer.

O Gott! Wie konnte ich nur so dumm sein? So unendlich naiv? Ein weiteres Paradebeispiel für meinen Beziehungsratgeber, wie man sich absolut nicht verhalten sollte.

Zwei dicke Tränen kullerten über meine Wangen. Ich griff nach meiner Handtasche, um Taschentücher herauszuholen. Sie rutschte mir aus der Hand, und der ganze Inhalt verteilte sich am Boden.

»Tolle Vorstellung!« Ich erschrak fast zu Tode, als Karl Huber von einem Sessel aufstand und mir applaudierte. Er war doch nicht etwa die ganze Zeit hier gewesen? O nein! Auch das noch. Was würde denn heute noch kommen? Vielleicht ein Blitzeinschlag oder eine Lebensmittelvergiftung?

»Was machen Sie denn hier?«, fragte ich aufgebracht.

»Nachdenken. Zumindest so lange, bis ich unfreiwillig Zeuge davon wurde, wie Sie sich ziemlich blamiert haben.«

Eigentlich hatte er ja recht, aber ich wäre ihm am liebsten ins Gesicht gesprungen.

»Wenn Sie sich rechtzeitig bemerkbar gemacht hätten, wär es gar nicht so weit gekommen«, giftete ich. Ich brauchte jetzt irgendeinen Schuldigen, und da kam Huber genau richtig.

»Es geschieht Ihnen ganz recht. Warum machen Sie sich auch an die Männer anderer Frauen ran«, warf er mir vor.

»Was? Ich habe mich nicht...« Ich holte tief Luft. Es war zwecklos, ihm das zu erklären. »Ach, lassen Sie mich einfach in Ruhe!« Ich würde gar nichts mehr dazu sagen. Ich ging in die Hocke und suchte hektisch den Inhalt meiner Tasche zusammen.

Er bückte sich.

»Finger weg von meinen Sachen!«, fauchte ich.

Er stand wieder auf und sah mich buchstäblich von oben herab an.

»Kein Wunder, dass Sie alleine sind. Mit Ihnen würde ich keinen halben Tag gemeinsam aushalten.«

»Dem Himmel sei auf ewig Dank dafür!«

Endlich hatte ich alles wieder in die Tasche gepackt und stand auf.

»Muss hart sein, wenn man keinen Mann findet. Da weiß man natürlich auch nicht, wie man ein Liebesgeständnis auf Bairisch macht.«

Er gab einfach keine Ruhe. Jetzt reichte es! Ich warf meinen Vorsatz, mich nicht provozieren zu lassen, über den Haufen. »Jetzt hör mir mal zu, du aufgeblasener Gschaftler. Ich habe Michi verlassen und nicht umgekehrt. Und schreib es dir zukünftig hinter die Ohren: Ich bin durchaus in der Lage, einen Mann zu finden, der mich liebt. Und nicht nur einen!«

Gleich morgen würde ich Ernesto anrufen! Jawohl!

»Und ich sage dir, dass du nicht in der Lage bist, einen Mann zu finden, den du liebst!«, konterte er.

»Das wirst du schon sehen!«

Unbemerkt waren wir beide auf ein vertrautes »Du« verfallen. »Per Sie« zu streiten, war einfach nicht so wirkungsvoll.

Huber grinste plötzlich. »Gut. Ich schlage einen Handel vor: Wenn du dich tatsächlich in einen Mann verliebst, nehme ich alles zurück, was ich gesagt habe.«

Ich lachte auf. »Und davon soll ich was haben? Kümmere du dich lieber um dein eigenes Liebesleben. Oder gibt es da keines und du hackst deswegen so auf mir herum?«

Das saß. Er war sichtlich getroffen.

»Das tut hier nichts zu Sache«, sagte er kühl.

»Dann lass mich in Zukunft in Ruhe!«, forderte ich aufgebracht.

»Ich werde es nicht hinnehmen, dass du mit deinen persönlichen Problemen die bairische Sprache als Plattform benutzt und missbrauchst.« Sein Ton war drohend geworden.

»Das wirst du aber müssen, weil ich an meiner Theorie festhalten werde, bis mich jemand vom Gegenteil überzeugt!«

»Lene?« Claudia rief nach mir. »Ach, da bist du.«

Sie kam ins Wohnzimmer und bemerkte sofort die dicke Luft, die zwischen mir und Huber herrschte.

»Kommst du bitte? Wir beide sollen das Nachspeisenbüfett eröffnen.«

Huber lächelte plötzlich sehr freundlich und reichte Claudia die Hand.

»Ich hatte bisher noch keine Gelegenheit zu gratulieren. Herzlichen Glückwunsch zum Geburtstag!«

Und ich hatte wohl nicht Geburtstag, oder wie?

»Danke, äh … Herr Huber? Der sind Sie doch, oder?«, fragte Claudia scheinheilig.

»Richtig. Ich nehme an, Lene hat schon von mir erzählt.«

Mein Gott, wie nett er plötzlich sein konnte.

»Ja. Das hat sie allerdings. Ich bin Claudia. Lenes Freundin«, stellte sie sich vor. Claudia flirtete doch nicht etwa mit ihm? Von diesem Typen musste sie unbedingt die Finger lassen.

»Ich dachte, wir sollen raus zum Büfett?«, meldete ich mich zu Wort, um zu zeigen, dass ich auch noch da war.

»Lasst euch von mir nicht aufhalten«, flötete Huber zuckersüß.

Das Fest dauerte noch bis in die frühen Morgenstunden. Michi und Sabine waren noch vor dem nächtlichen Nachtisch verschwunden, genauso wie Karl Huber. Was ich ein wenig bedauerte. Denn so konnte er nicht sehen, wie viele Männer mir noch den Hof machten. Allen voran Severin Bayerl, der alte Lust-molch, der mich in sein Atelier lockte, um mich auf die Lein-wand zu bannen. Es schien ihm in diesem Moment völlig egal zu sein, dass noch zahlreiche Gäste anwesend waren, um die er sich als Gastgeber kümmern sollte. Ein Aktbild nach einem Liebesakt mit geröteten Wangen wollte er malen. Und es mir zum Geburts-tag schenken. Er war richtig begeistert von dieser Idee. Ich eher weniger. So für alle Nachwelt verewigt zu werden, stand nicht wirklich auf meiner Wunschliste. Vor allem nicht, da er mir die zarte Röte vorher ins Gesicht zaubern wollte. Da würde ich mich eher mit meinem muskulösen Sternzeichen einlassen. Der junge Mann verfolgte mich ohnehin auf Schritt und Tritt, und ich wunderte mich, dass er noch nicht im Atelier aufgetaucht war.

Als Severin im Abstellraum nach einer geeigneten Leinwand suchte, machte ich mich rasch davon.

Ich kam gerade recht zum letzten Tanz des Maienfestes, und Matthias forderte mich auf. Als ich eng an ihn geschmiegt lang-sam im Takt hin und her wiegte, kam mir Karl Huber wieder in den Sinn.

Ich werde ihm schon zeigen, dass ich durchaus in der Lage bin, eine Liebesbeziehung zu führen, dachte ich trotzig...

Kapitel 9

Das muntere Zwitschern der Vögel, das ich normalerweise so liebte, fühlte sich an diesem Morgen an wie das Hämmern eines Buntspechts gegen meinen Kopf. Oder klopfte es tatsächlich irgendwo? Ich öffnete die Augen, blinzelte und war zunächst beruhigt. Ich lag in meinem Bett – und ich war alleine. Vorsichtig hob ich die Bettdecke. Gut so: Ich trug auch ein Nachthemd.

Mein Kleid hing ordentlich an einem Bügel an der Schranktür. Also hatte mich eindeutig jemand nach Hause gebracht. Wenn ich mich alleine ausgezogen hätte, läge es jetzt vermutlich achtlos auf dem Hocker oder sonst wo. Ich versuchte, mich zu erinnern, wie ich nach Hause gekommen war. Aber vergeblich. Woran ich mich noch erinnerte, war der Tanz mit Matthias. Ein ungutes Gefühl rumorte in meinem Bauch.

»Lene? Bist du wach?«, ertönte von draußen die Stimme meines Vaters. Er war es, der mich wachgeklopft hatte.

Ich stemmte mich im Bett hoch. Und bereute das gleich darauf wieder. Alles drehte sich wild um mich herum.

»Ja, bin ich.« Zumindest vermutete ich, dass es sich um keinen Traum handelte. Und wenn, dann war es kein schöner.

»Darf ich reinkommen?«

»Natürlich.«

Mit einem großen Tablett kam er ins Zimmer. Darauf Frühstück – natürlich im schönen Tupfengeschirr –, ein Blumenstrauß mit Frühlingsblumen aus dem Garten und ein kleiner Geburtstagskuchen mit Kerze. Vor Rührung schossen mir Tränen in die Augen. Er stellte das Tablett auf meinen Nachttisch.

»Alles Gute zu deinem Geburtstag, Lene.« Er sah mich liebevoll an.

»Danke, Papa.«

Er umarmte mich zögerlich. Ich drückte mich fest an ihn.

»Hast du Hunger?«, fragte er und löste sich von mir.

Hunger? In meinem Magen tanzte gerade eine Horde Hunnen den Säbeltanz. Ich konnte mir im Moment nicht vorstellen, überhaupt jemals wieder einen Bissen runterzubekommen.

»Später, Papa. Aber vielen Dank, dass du alles so schön hergerichtet hast.«

Es tat mir so leid, dass er sich die ganze Mühe umsonst gemacht hatte.

»Du hast wohl ziemlich gefeiert gestern.« Es war keine Frage, sondern eine Feststellung.

»Ja. Ziemlich.«

Meine Güte, war mir das peinlich! So viel wie gestern hatte ich schon lange nicht mehr getrunken. Vor allem nicht so durcheinander.

»Du weißt, dass dir das nicht guttut«, sagte er mahnend. Scheinbar war man auch mit dreißig nicht zu alt für eine väterliche Standpauke. Na gut. Verdient hatte ich es ja.

Aber etwas anderes lag mir noch mehr auf der Seele.

»Äh … Papa … Hast du vielleicht mitbekommen, wer mich nach Hause gebracht hat?«, fragte ich vorsichtig.

Vater nickte.

»Claudia. Sie hat dir auch dein Nachthemd angezogen.«

Uff. War ich froh. Insgeheim hatte ich schon befürchtet, dass Matthias das erledigt hatte, und allein der Gedanke daran trieb mir die Schamesröte ins Gesicht.

»Dein Chef war auch dabei. Nachdem wir dich nach oben gebracht haben, hat er im Taxi gewartet. Ein sehr netter Mann übrigens.«

Na wunderbar! Mein Chef hatte mich zusammen mit meinem Vater und meiner besten Freundin ins Schlafzimmer verfrachtet. Ich würde mir einen neuen Arbeitsplatz suchen müssen, das bayerische Liebesprojekt aufgeben und auf eine Insel ziehen, auf der es keinen Alkohol gab.

»Das ist für dich.« Papa zog ein kleines Päckchen aus seiner Hosentasche. Ich öffnete es und holte einen kunstvoll geschmiedeten Silberring hervor.

»Der ist wunderschön«, flüsterte ich mit enger Kehle und steckte den Ring an meinen Finger. Er passte wie angegossen.

»Es ist der Freundschaftsring, den ich deiner Mutter an ihrem sechzehnten Geburtstag geschenkt habe. Vielleicht bringt er dir Glück und du findest endlich einen Mann, mit dem du dir eine Zukunft aufbauen kannst.«

»Vielen Dank, Papa.« Es war ein wunderbares Geschenk. Aber seine Worte trafen mich doch etwas. Es war ja nicht so, dass ich eine alte Jungfrau war, vor der die Männer Reißaus nahmen. Vergaßen denn alle, dass ich mit Michi Schluss gemacht hatte? Obwohl, an ihn wollte ich jetzt überhaupt nicht denken.

»Ruh dich noch ein wenig aus. Julia kommt später zum Kaffee, und zum Friedhof können wir danach auch noch fahren.«

An jedem Geburtstag oder Feiertag besuchten Papa und ich mit Blumen und Kerzen das Grab meiner Mama. Das gab uns das Gefühl, dass sie immer noch ein wichtiger Teil in unserem Leben war.

Als Papa gegangen war, zog ich den Ring wieder ab und legte ihn auf den Nachttisch. Da fiel mir auf, dass Eisi nicht dort stand.

Der muss noch in der Handtasche sein, dachte ich und stand langsam auf. Himmel, meine Beine waren total wackelig. Auf der Kommode lag meine Tasche. Aber Eisi war nicht drin.

O nein! Ich hab ihn verloren!, dachte ich betrübt. Oder hatte Claudia ihn gefunden, als sie in der Tasche nach meinem Haustürschlüssel gesucht hatte? Der Verlust der kleinen Figur bedrückte mich irgendwie. Ich legte mich noch mal ins Bett und schlief mit dem festen Vorhaben ein, Eisi unbedingt wiederzufinden.

Drei Stunden später, nach einer ausgiebigen Dusche und zwei Tassen schwarzem Kaffee, war ich einigermaßen bereit, der Welt gegenüberzutreten. Ich ging nach draußen und suchte nach meinem Vater. Er saß zusammen mit Julia hinter dem Haus unter den Obstbäumen.

Der Tisch war hübsch gedeckt, und die beiden schienen mit Kaffee und Kuchen auf mich gewartet zu haben. Sie wären wirklich ein schönes Paar, dachte ich. Julia stand auf und umarmte mich herzlich.

»Alles Gute, Lene.«

»Danke, Julia!«

Sie gab mir ein Geschenk, das sich wie ein Buch anfühlte.

»Hautpflege für die Frau ab dreißig«, verriet sie mir mit ernstem Gesicht.

O nein! Musste das sein? Ohne es mir anmerken zu lassen, wickelte ich eher lustlos das Geschenk aus. Als ich es ausgepackt hatte, lachte ich erleichtert auf. Es war zwar ein Ratgeber, aber es ging darum, wie man einen Bestseller schreibt.

»Dein Papa hat mir erzählt, dass du ein Buch schreibst. Vielleicht kannst du damit was anfangen«, sagte sie und lächelte.

»Vielen Dank.« Ich freute mich wirklich darüber. Und vor allem auch, dass sie es mir zutraute.

»Du hast wirklich gedacht, ich schenke dir einen Ratgeber zur Hautpflege, oder?!« Julia lachte. Sie war wirklich eine unglaubliche Frau. Trotz ihres pflegebedürftigen Mannes und der vielen Arbeit auf dem Hof war immer ein Lächeln um ihre Lippen. Sie strahlte eine Wärme und Energie aus, die einfach ansteckend war. Es war ein Glücksfall, dass Julia nach dem Tod meiner Mutter ein Auge auf mich und Papa gehabt hatte.

»Na ja…« Ich kicherte. »Gewundert hätte ich mich schon sehr, Julia.«

»Ihre Haut ist gut. Sie bräuchte vielmehr einen Ratgeber, wie man mit Männern umgeht«, warf Papa ein.

»Ach, das kriegt Lene schon auf die Reihe, Bertl.«

Julia war anscheinend der einzige Mensch in meiner Umgebung, der mir das zutraute. Das tat mal richtig gut.

Doch Papa gab nicht auf.

»Der Anwalt hat sie auch wegen einer anderen sitzenlassen«, brummte er.

Ich wollte eben zum x-ten mal darauf hinweisen, dass es umgekehrt war, als ich vor Schreck beinahe erstarrte. Da kam ein Mann anmarschiert, der aussah wie Karl Huber. Das musste eine Halluzination sein! War ich immer noch nicht nüchtern? Aber nein. Er war es tatsächlich. Ich war sprachlos. Was machte der denn hier?

Er grüßte freundlich meinen Vater und Julia und stellte sich kurz vor. Dann wandte er sich an mich.

»Können wir reden?«

Was wollte er denn von mir? Und woher wusste er überhaupt, wo ich wohnte?

»Wir haben hier gerade eine kleine Familienfeier«, sagte ich bemüht unfreundlich.

»Es dauert nicht lange.«

»Geh ruhig, Lene«, ermunterte mich Julia.

Er machte den Eindruck, als ob er sich nicht vom Fleck rühren würde, bis ich mit ihm redete. Ich seufzte. Am besten brachte ich es schnell hinter mich. Ich ging mit ihm zu seinem Wagen, der im Hof geparkt war.

»Und was ist jetzt?«, fragte ich ungeduldig. Am besten er kam gleich zur Sache.

Karl holte aus dem Wagen ein großes Kuvert und zog einen Schnellhefter heraus.

»Hier habe ich was für dich.«

»Was ist das denn?«, fragte ich misstrauisch.

»Eine Liste mit den unterschiedlichsten Ausdrücken für das bairische ›Ich liebe dich‹. Ich hab sie aus heimischer Literatur herausgesucht und auch von überallher bekommen und für dich gesammelt.«

Er hielt mir den Schnellhefter entgegen. Ich schaute ihn an und schüttelte den Kopf.

»Du hast überhaupt nichts verstanden. Ich suche nicht eine Liste von Ausdrücken, sondern den *einen* bairischen Ausdruck.«

»Den *einen* findest du sicher auf dieser Liste.«

Langsam zweifelte ich ein wenig an seiner Auffassungsgabe.

»Ich will mir nicht irgendeinen Ausdruck heraussuchen. Sag mal, verstehst du das nicht?«

»Ich versteh nur, dass du dich total lächerlich machst. Hauptsache auffallen um jeden Preis!« Er war wieder mal wütend. Nichts Neues.

»Nur weil ich anderer Meinung bin als du, mach ich mich noch lange nicht lächerlich. Es gibt genügend Leute, die derselben Ansicht sind wie ich«, konterte ich.

»Da sieht man mal, wie ansteckend Dummheit sein kann.« Falls er mich damit provozieren wollte, gelang ihm das heute nicht. Ich war diese ständigen Streitereien leid. Sie brachten ja doch nichts.

»Bitte fahr mit deiner Liste nach Hause oder sonst wo hin, und lass mich in Ruhe.«

Er blickte mich ärgerlich an. »Du willst es dir noch nicht mal anschauen?«, fragte er empört.

Ich nickte heftig, was mir jedoch nicht so wirklich guttat. »Genau richtig erfasst, Herr Sprachforscher.«

»Na gut!«

Wortlos stieg er in sein Auto und fuhr los. Nach ein paar Metern bremste er und fuhr noch mal zurück. Was kam denn jetzt noch?

Er öffnete das Fenster auf der Fahrerseite.

»Hast du das verloren?« Er hielt seine Hand aus dem Fenster und darin war: Eisi! Bei seinem Anblick hüpfte mein Herz vor Freude.

»Ja. Er gehört mir.« Zumindest, bis ich ihn wieder zurück zu Claudia gebracht hatte. Und jetzt fiel mir auch ein, wo ich ihn verloren hatte. Im Wohnzimmer der Bayerls, als meine Tasche zu Boden gefallen war.

Ich nahm den kleinen Kerl und sah Karl dankbar an. Das erste Mal, dass ich ein freundschaftliches Gefühl ihm gegenüber empfand.

»Vielen Dank, Karl!« Das erste Mal, dass ich ihn mit seinem Vornamen ansprach.

»Bitte.« Und das erste Mal, dass sein Blick mit einem freundlichen Erstaunen auf mich gerichtet war.

»Und, Lene?«

»Ja?«

»Alles Gute zum Geburtstag!«

Mit Eisi in der Hosentasche ging ich zurück zu Papa und Julia und schenkte mir Kaffee ein.

»Was wollte er denn?«, fragte Papa.

»Nichts Wichtiges!« Ich hatte keine Lust, jetzt darüber zu reden.

»Sah aber sehr nett aus, der junge Mann«, fand Julia.

»Der Schein trügt oftmals«, bemerkte ich.

Auch wenn mir noch vor Kurzem der Gedanke an etwas zu essen den Magen umgedreht hatte, verspürte ich jetzt großen Appetit.

Ich genoss ein Stück Erdbeerkuchen mit Früchten aus unserem Gewächshaus und wollte mir gerade ein weiteres Stück einverleiben, da klingelte mein Handy. Es war Claudia.

»Sag mal, Lene, wie konntest du nur die Fotos veröffentlichen?«, fragte sie in vorwurfsvollem Ton und ohne mich zu begrüßen.

»Welche Fotos?« Ich wusste nicht, wovon sie redete.

»Jetzt tu nicht so. Die Fotos vom Maienfest auf deiner neuen Facebook-Seite.« Claudia klang ziemlich aufgelöst.

»Claudia, ich habe weder irgendwelche Fotos veröffentlicht noch habe ich eine neue Facebook-Seite.« Ich versuchte, ruhig mit ihr zu reden. Da lag wohl ein Irrtum vor.

Vater und Julia sahen mich fragend an.

»Warst du heute noch nicht online?«, fragte meine Freundin.

»Nein. Bis jetzt noch nicht.«

»Dann mach das mal.« Peng. Weg war sie. Was war da nur wieder los? Claudia war eher nicht bekannt dafür, dass sie sich grundlos aufregte. Langsam bekam ich ein ziemlich ungutes Gefühl in der Bauchgegend. Und das kam weder vom Alkohol noch vom Erdbeerkuchen.

Ich entschuldigte mich bei den beiden und eilte in mein Zimmer.

Schnell loggte ich mich auf meiner Facebook-Seite ein. Was sie nur hatte? Da war doch alles in Ordnung! Oder …? Kurz darauf blieb mir beinahe die Luft weg. Es gab tatsächlich einen zweiten Account mit meinem Namen, und auf dieser Seite waren zahlreiche Fotos vom Maienfest der Bayerls gepostet. Mit Beschreibungen vom Fest, die unter meinem Namen geschrieben waren. Unzählige Kommentare dazu gab es auch. Mir wurde mit einem Schlag übel.

Auf den meisten Fotos war ich zu sehen. Beim Tanzen, an der Bar, beim Anschneiden des Geburtstagskuchens, im Gespräch mit Alwin und Severin. Sogar hinter dem Goldregenbusch, als ich mir den Slip zurechtziehen wollte. Im Stillen dankte ich Alwin, der mich genau zur rechten Zeit davor gerettet hatte, dass mein Hinterteil jetzt für alle Welt zu sehen war. Und dann gab es noch eines – die Farbe meines Gesichtes wechselte schlagartig von schneeweiß zu radieschenrot und wieder zurück –, wie Michi und ich uns im Wohnzimmer küssten.

Ich nahm mein Handy und wählte mit zitternden Fingern Claudias Nummer.

»Das war ich nicht, Claudia. Wirklich nicht!«, sagte ich aufgeregt.

»Wer soll es denn sonst gewesen sein?«

»Keine Ahnung. Ich hab auch nicht mitbekommen, dass mich da die ganze Zeit jemand fotografiert hat.«

O Himmel! Alwin und Severin würden mich teeren und federn, wenn sie das sahen. Wie sollte ich denen klarmachen, dass ich damit absolut nichts zu tun hatte?

»Bei allem, was mir heilig ist: Ich hab keinen blassen Schimmer, wer das war.« Ich flehte sie förmlich an, mir zu glauben. Und Claudia glaubte mir schließlich auch.

»Ich komme zu dir.«

Kaum hatte sie aufgelegt, spielte mein Handy die Waka-Waka-Melodie. Michi! O Gott. Ich konnte mir genau vorstellen, was er wollte. Tapfer ignorierte ich den Anruf und starrte auf mein Notebook. Wer konnte das nur getan haben?

»Bestimmt war es dieser verdammte Huber«, sagte ich jetzt mindestens zum zehnten Mal. Claudia war gekommen, und wir beratschlagten in meinem Zimmer, wie ich mit dem Fotoschlamassel umgehen sollte. Mein Handy klingelte inzwischen fast ununterbrochen.

»Schalt es doch einfach aus, Lene!«, sagte Claudia irgendwann genervt. Sie konnte Waka Waka einfach nicht mehr hören. Und ich auch nicht.

Meine neue Facebook-Seite hatte inzwischen schon halb so viele Fans wie meine richtige. Eine beachtliche Leistung in so kurzer Zeit. Und ich hatte absolut keine Möglichkeit, die Fotos aus dem Netz zu nehmen.

»Ich muss zu Severin und Alwin«, beschloss ich. »Sie müssen wissen, dass ich nichts damit zu tun habe.«

»Ruf lieber vorher an. Wer weiß, was bei denen grad los ist.«

»Ja, du hast recht.« Ich nahm das Telefon und wählte Severins Nummer. Schon nach dem zweiten Klingeln sprang der Anrufbeantworter an.

»Severin Bayerl hier. Wie jedes Jahr nach dem Maienfest brauchen Alwin und ich ein paar Wochen Urlaub. Deswegen bringt es auch nichts, eine Nachricht zu hinterlassen. Auf Wiederhören.«

»Sie sind weg.«

»Wie weg?«, fragte Claudia.

»In Urlaub. Ich glaube, die haben gar nicht mitbekommen, was da los ist.«

Ein gewisses Gefühl der Erleichterung machte sich breit.

»Vielleicht finden wir heraus, wer es war, bevor sie wieder zurück sind«, hoffte ich.

»Ich versuche, Matthias zu erreichen. Vielleicht hat er eine Idee, was wir jetzt machen sollen«, bot Claudia an.

Gute Idee, fand ich. Matthias würde sicher was einfallen.

Und es fiel ihm auch etwas ein. Claudia sollte für die Montagsausgabe ein Interview mit mir machen, um klarzustellen, dass nicht ich es war, die für diese Seite und die Fotos verantwortlich war. Auch wenn die Sache eigentlich keine weltbewegende Angelegenheit war, so barg sie doch einen gewissen Zündstoff. Noch nie hatte jemand in den vielen Jahren gegen das Bayerl'sche Gebot verstoßen und Fotos vom Maienfest gemacht.

Claudia lieh sich meine Kamera aus und machte Bilder von mir, wie ich am Notebook saß. Das Interview war schnell erledigt. Sie tippte es schwindelerregend schnell und schickte alles per E-Mail an die Redaktion.

Ich grübelte inzwischen, wer sich unter meinem Namen diese Gemeinheit erlaubt hatte. Und da stand nach wie vor einer ganz oben auf der Liste: Karl Huber. Womöglich war er deswegen kurz zuvor bei mir gewesen, um von sich abzulenken. Aber mir konnte er nichts vormachen. Er war der Einzige, dem ich das zutraute. Aber das würde er mir büßen. Ich nahm mein Handy, und bevor ich es mir anders überlegte, rief ich die Nummer an, unter der er mir nach dem Radioauftritt eine SMS geschickt hatte.

Er war schneller dran, als ich erwartet hätte.

»Huber?« Noch war er freundlich.

Ohne mich vorzustellen, legte ich los: »Wenn du meinst, dass du mich mit so einer Aktion fertigmachen kannst, dann hast du dich aber geschnitten!«

»Hallo? Wer bitte schön ist da am Telefon?«, fragte er irritiert. Entweder erkannte er mich wirklich nicht oder er war ein begnadeter Schauspieler.

»Du weißt genau, wer dran ist, Mister Moosbummerl. Kannst du mir sagen, welcher Teufel dich geritten hat?«, giftete ich durchs Telefon.

Claudia schüttelte mahnend den Kopf, aber ich war gerade so in Fahrt, da half alles Bremsen nicht.

»Das kann nur die sture Mamsen sein.«

Hörte ich da einen amüsierten Unterton heraus?

»Das ist absolut nicht lustig. Sich als Lene Koller auszugeben und Fotos zu veröffentlichen. Das geht einfach nicht.«

»Moment mal. Wovon redest du überhaupt?« Er tat wirklich so, als ob er keinen blassen Schimmer hätte, worüber ich redete.

»Von den Facebook-Einträgen unter meinem Namen!«, erklärte ich aufgebracht.

»Ich weiß wirklich nicht, was du meinst…«

»Schau ins Internet. Dann siehst du, was ich meine.«

»Ich kann nicht ins Internet gehen, weil ich im Moment im Seniorenheim bei meinem Opa bin«, erklärte er.

»Willst du mich jetzt verarschen?« Das konnte doch nicht wahr sein! Der glaubte wohl wirklich, ich wäre total blöd?

»Nein, hör mal …«, redete er weiter. Aber ich hatte genug und legte auf.

»Blöder Kerl«, schimpfte ich. »Will mir weismachen, dass er keine Ahnung hat und bei seinem Opa ist.«

»Und was, wenn er tatsächlich nichts gemacht hat?«, fragte Claudia.

»Wer außer ihm sollte es denn sonst gewesen sein?«

Mir fiel niemand anderer ein, der mir so übel mitspielen wollte. Bis auf …

»Sabine!«, rief ich aufgeregt. Warum war sie mir nicht gleich eingefallen?

»Ich weiß nicht, Lene«, überlegte Claudia. »So schöne Fotos trau ich ihr eigentlich nicht zu.«

Das stimmte schon. Die veröffentlichten Bilder waren sehr gut fotografiert. Aber vielleicht hatte Sabine irgendwann mal einen Fotokurs gemacht? Flexibel war sie ja. Und was wussten wir denn auch über sie? Nur dass ihre Haare blondiert, ihre Fingernägel künstlich waren und sie sich ehemals im Arabian Nights als Mitarbeiterin bewerben wollte.

»Also, einer der beiden war es bestimmt«, war ich überzeugt.

»Aber zugeben wird das freiwillig niemand«, meinte Claudia. »Weißt du was, Lene? Wir können jetzt ohnehin nichts tun. Bayerls sind in Urlaub, und heute ist unser Geburtstag. Wollen wir uns wirklich den restlichen Tag den Kopf darüber zerbrechen?« Nein. Das wollten wir nicht. Vor allem nicht, wenn selbiger vom gestrigen Feiern sich ohnehin noch so zerbrechlich anfühlte.

Doch bevor ich antwortete, kam eine SMS von Karl: »Ich war es nicht!!!!!« Ja klar. Was sollte er auch sonst dazu sagen?

»Schau mal, Lene!«, rief Claudia plötzlich aufgeregt. »Die Seite ist weg.« Und tatsächlich. Die Fake-Seite war verschwunden. Ein weiteres Indiz für mich, dass doch Karl der Übeltäter war. Da ich ihm so schnell auf die Spur gekommen war, war es ihm wohl doch zu heiß geworden. Aber natürlich war der Schaden schon angerichtet. Jeder, der es wollte, hatte sich die Fotos herunterladen können. Wie das die Bayerls aufnehmen würden? Eine zukünftige Einladung würde es für mich wohl nicht mehr geben!

Ich seufzte. Claudia hatte recht. Wir konnten jetzt ohnehin nichts tun. Und ich wollte meinen dreißigsten Geburtstag nicht mehr weiter damit verbringen, mir Gedanken über etwas zu machen, das ich nicht getan hatte. Ich brauchte eine Ablenkung.

In einem spontanen Entschluss nahm ich mein Handy und rief Ernesto an. Er freute sich sehr, von mir zu hören, und da Claudia den Abend mit ihren Eltern verbringen würde, verabredeten Ernesto und ich uns ins Simone. Er bestand darauf, mich zu Hause abzuholen.

Ich sah auf die Uhr. Mit der ganzen Aufregung um die Facebook-Seite war es schon fast sieben Uhr abends geworden. Wenn ich mich noch duschen und etwas hübsch machen wollte, würde die Zeit knapp werden. Dabei wollte ich eigentlich noch zum Friedhof fahren. Nein, das schaffte ich nicht mehr.

Ich sagte Papa Bescheid, dass ich morgen hinfahren würde. Er war sichtlich enttäuscht und fuhr alleine. Ich fühlte mich gar nicht wohl dabei. Warum lief denn zurzeit alles so durcheinander? Eisi sah mich von der Kommode aus vorwurfsvoll an.

»Jetzt schau du nicht auch noch so. Ich weiß ja, dass es nicht okay ist.« Gut, dass niemand meine Gespräche mit Eisi mitbekam.

Vater war immer noch nicht zurück, als Ernesto mich eine Stunde später abholte. Der Halbkatalane sah noch besser aus, als ich ihn in Erinnerung hatte. Ich war vollkommen überrascht, dass er von meinem Geburtstag wusste. Er schenkte mir einen hauchzarten korallenfarbenen Seidenschal. Der passte wunderbar zu dem hellblauen Kleid, das ich heute trug.

Im Simone warteten bereits einige meiner Freunde, die davon ausgegangen waren, dass ich kam. Sie hatten zusammengelegt und mir ein weiß-blaues Dirndl gekauft.

Wie toll!, dachte ich nicht wirklich erfreut. Ich fand so ein Dirndl bei anderen ja ganz hübsch, aber ich selbst fühlte mich darin wie verkleidet.

Trotz meiner üppigen Oberweite, die geradezu prädestiniert für einen tiefen Dirndlausschnitt war, konnte ich mich nicht mit dieser bayerischen Tracht anfreunden.

Aber ich machte gute Miene zum weiß-blauen Spiel, bedankte mich für ihren Einfallsreichtum und gab eine Runde aus. Ich selbst ließ heute die Finger vom Alkohol.

Alle sprachen mich auf die Fotos vom Fest der Bayerls an, und ich musste viel erklären. Kaum dass es Gelegenheit gab, ein paar Sätze mit Ernesto zu plaudern. Zudem klingelte ständig mein Handy. Auch Michi gab nicht auf. Doch so hartnäckig wie er war ich schon lange und ignorierte seine Anrufe mit stoischer Gelassenheit. Inzwischen hatte ich ihm eine andere Handymelodie verpasst: Monty Pythons »Always look on the bright side of life«, die mich stets aufmunterte, wenn sie losging.

»Vielleicht hätten wir uns doch besser an einem anderen Tag

verabreden sollen«, entschuldigte ich mich bei Ernesto für die ständigen Störungen.

»Ach, das macht doch nichts. Schließlich hast du heute Geburtstag«, sagte er verständnisvoll.

Irgendwie kam mir dieser Geburtstag viel länger vor, als sonst ein Geburtstag war. So als hätte man ihn gepackt und auseinandergezogen wie ein Gummiband. Dabei hieß es doch immer, dass die Zeit schneller verginge, je älter man wurde. Noch nicht mal auf die alten Weisheiten konnte man sich mehr verlassen.

Meine Freunde stimmten erneut ein Geburtstagslied an, und die anderen Gäste im Lokal schlossen sich dem fröhlichen Gesang an. Das war zwar nett gemeint, aber plötzlich wurde mir alles zu viel. Vor allem, als ein etwas angetrunkener Gast mich aufforderte, ich solle das Dirndl anziehen. Schnell wurden auch andere Stimmen laut, die mich in mein Geburtstagsgeschenk stecken wollten. Da beugte ich mich zu Ernesto und flüsterte ihm ins Ohr: »Hast du Lust auf einen Spaziergang?«

Er nickte und strahlte übers ganze Gesicht.

Ohne dass die anderen es bemerkten, handelte ich an der Theke einen Spezialtarif für eine Lokalrunde aus, um mich für die stimmgewaltige Gesangseinlage zu bedanken. Ich bezahlte die Rechnung und machte mich mit Ernesto aus dem Staub. Ein paar Minuten später gingen wir durch das nächtliche Passau, und ich zeigte ihm meinen Lieblingsplatz an der Ortsspitze.

Auch in der Nacht war es dort wunderschön. Das Kloster Mariahilf über dem Inn und die Burg auf der Donauseite waren geheimnisvoll beleuchtet. Mit sanftem Rauschen floss das Wasser an beiden Seiten an uns vorbei, fast so, als ob wir auf einer Insel wären. Über uns strahlten unzählige Sterne am Nachthimmel.

Wir saßen auf einer kleinen Bank, und endlich fand ich ein

wenig zur Ruhe. Es war kurz vor Mitternacht, und bald würde der Geburtstag zu Ende sein.

»Ist das nicht ein herrliches Fleckchen Erde?«, fragte ich verträumt.

»Si. Auch meine Heimatstadt ist wunderschön und würde dir bestimmt gefallen.«

Erst hier in der Stille der Nacht fiel mir auf, wie samtig und melodisch seine Stimme war.

»Ich war mal als kleines Mädchen in Barcelona. Mit meinen Eltern. Aber ich kann mich leider kaum noch daran erinnern«, sagte ich leise. Es war der letzte Urlaub mit Mama, kurz vor meiner Einschulung.

»Vielleicht sind wir uns damals ja irgendwo über den Weg gelaufen? In einem Park vielleicht?«, überlegte Ernesto.

»Ja. Oder beim Eisessen am Strand«, spann ich seine Überlegung weiter.

»Oder auf einem Spielplatz wie hier.« Auf der Ortsspitze gab es eine Schaukel, ein Minikarussell, einen Kletterturm, eine Seilbahn und eine Rutschbahn.

»Du warst das kleine Mädchen, das Angst davor hatte, auf die Rutschbahn zu steigen«, neckte er mich.

»Von wegen Angst!«, rief ich. »Mir konnte als Kind nichts zu hoch oder zu schnell sein.«

»Das will ich sehen.« Er stand auf. »Komm!«, forderte er mich auf. Ich war sofort dabei. Wir liefen zu dem kleinen Karussell, das man fortbewegen konnte, indem man mit den Füßen anstieß. Es war herrlich. Wie lange war ich schon nicht mehr auf einem Karussell gesessen.

»Schneller!«, feuerte ich ihn an.

»Halt! Lene! Mir wird schwindlig«, rief er nach einer Weile.

»Ach komm, stell dich nicht so an!«

»Lass uns lieber rutschen«, schlug er vor.

Wir benahmen uns wie Vorschulkinder, als wir in der Dunkelheit die Leiter hochstiegen und dann runtersausten. Mit meinem Kleid war das gar nicht so einfach. Dafür ging es bei Ernesto umso schneller, sodass er am Ende auf allen vier Buchstaben im Sand landete.

»Oh. Hat's wehgetan?«, fragte ich ohne allzu viel Mitleid.

»Ja. Ich kann nicht mehr aufstehen«, jammerte er übertrieben. Ich stieg vorsichtig die Leiter wieder hinunter und wollte ihm auf die Beine helfen. Da packte er mich plötzlich und zog mich auf seinen Schoß.

»Jetzt hab ich dich!« Er lachte.

»Hey! Was machst du da?«

»Das wirst du gleich merken.«

In der Dunkelheit konnte ich ihn kaum sehen. Aber ich spürte seinen warmen Atem an meiner Wange und atmete den Duft seines Rasierwassers ein. Es war ein prickelndes Gefühl.

Gerade in diesem Augenblick musste ich an Karl Huber denken. Von wegen ich hätte Probleme mit Männern! Wenn das hier ein Problem war, dann wollte ich zukünftig nicht mehr ohne Probleme sein.

Ich spürte es mehr, als ich es sah, dass Ernestos Lippen meinen ganz nah kamen. Schnell drehte ich meinen Kopf zur Seite.

»Was ist denn?«, fragte er.

Ich löste mich und stand auf. Irgendwie war es doch nicht so ganz unproblematisch.

»Es geht zu schnell, Ernesto.« Ich konnte das nicht. Noch nicht.

Er stand ebenfalls auf.

»Es tut mir leid.«

»Es liegt ja nicht an dir.«

»Möchtest du lieber gehen?«, fragte er.

»Ja. Bitte bring mich nach Hause.«

kapitel 10

Am nächsten Morgen wachte ich früher auf als der Kater, den ich mir letzte Nacht mal wieder ins Bett geholt hatte. Ein Zeichen dafür, dass es wirklich noch sehr früh war. Normalerweise war es Fritzi, der mich morgens weckte, indem er mich in die Zehen biss, auf meinem Bauch herumstieg oder hungrig maunzte. Jetzt sah er mich ein wenig verschlafen an, folgte mir dann aber mehr als bereitwillig in die Küche.

Vater war schon auf dem Feld, als ich vom Hof fuhr. Auf dem Beifahrersitz lag ein wunderschöner Blumenstrauß, den ich am Tag zuvor geschenkt bekommen hatte. Noch vor der Arbeit steuerte ich den Friedhof an. Am Grab meiner Mutter brannte die Kerze, die Vater am gestrigen Abend ohne mich angezündet hatte. Ich stellte den bunten Frühlingsstrauß in einer Vase daneben.

»Tut mir leid wegen gestern, Mama. Aber zurzeit geht alles ein wenig rund bei mir.« Ich sprach leise. Irgendwie wollte ich die Ruhe der anderen nicht stören. Es war ja auch noch sehr früh am Morgen.

Ich stand eine Weile am Grab und hielt Zwiesprache mit meiner Mutter. Über Michi, Ernesto, das Buchprojekt und natürlich auch Karl Huber, den ich hoffentlich so schnell nicht wiedersehen musste. So ganz wohl war mir nicht, wenn ich an Huber dachte, und in Gedanken hörte ich plötzlich meine Mutter fragen: »Warum hast du ihm gestern eine E-Mail geschickt und ihn einen hinterfotzigen Beidl genannt, Lene?«

Tja, Mama, das wusste ich auch nicht so genau.

Als Ernesto mich in der Nacht nach Hause gebracht hatte, war der Ärger über die falsche Facebook-Seite wieder so in mir hochgekocht, dass ich Huber eine gepfefferte E-Mail geschickt hatte. Erst dann war mir wohler gewesen. Trotzdem schlief ich danach sehr schlecht. Und als ich im Morgengrauen wach wurde, fand ich meine Aktion gar nicht mehr so gut, auch wenn er sie sicher verdient hatte.

»Mama, ich sag's dir. Heutzutage ist es gar nicht mehr so einfach mit den Männern.« Ich seufzte. Vielleicht war es aber auch für die Männer nicht so einfach mit uns?

Es hatte sich in den letzten Jahren tatsächlich sehr viel verändert. Während ein großer Teil der Generation meiner Eltern in meinem Alter schon längst eine Familie gegründet hatte, waren viele meiner Freundinnen genauso wie ich noch nicht mal in einer stabilen Beziehung, geschweige denn verheiratet. Erst vier meiner ehemaligen Mitschülerinnen waren Mütter. Zwei von ihnen bereits wieder geschieden und somit alleinerziehend. Warum hatte sich das alles so rasant geändert? Waren Beruf und Karriere wirklich der Altar, auf dem wir ein Familienleben opferten? Zugegebenermaßen mit all seinen Höhen und Tiefen. Stand Selbstbestimmung so weit über partnerschaftlichen Kompromissen, dass wir einem Singleleben den Vorzug gaben?

Dabei wollte ich eine Familie. Sogar sehr. Und zum ersten Mal hatte mein Alter etwas Erschreckendes für mich. Nicht die nachlassende Spannkraft meiner Haut und auch nicht das Fett, das ich vielleicht bald ansetzen würde, waren beängstigend. Es ging um etwas anderes. Wenn ich meinen Traum von einer großen Familie erfüllen wollte, dann hatte ich tatsächlich nicht mehr alle Zeit der Welt.

Ich blickte nach oben zum Himmel. Dorthin, wo ich meine Mutter vermutete. Als Kind hatte ich mir immer vorgestellt, dass meine Mama gemütlich in einem knallroten Schaukelstuhl auf einer dicken Wolke saß und mich durch ein Fernrohr betrachtete. Sie konnte genau sehen, was ich tat, und war immer bei mir. Ich fühlte mich auch heute noch meiner Mutter näher, wenn ich den Himmel sehen konnte. Das war auch der Grund, warum mein Bett direkt unter einem großen Dachfenster stand.

Im Laufe der Jahre hatten sich weitere Angehörige auf der Wolke niedergelassen. Neben dem Schaukelstuhl meiner Mama spielten mein Großonkel Toni, Opi Peter und Opa Sepp sowie der alte Pfarrer Hirzinger an einem Biertisch Schafkopf. Oma Hannerl war stets damit beschäftigt, die Wolke sauber zu halten, Omi Elfi backte Topfentaschen und Cousin Didi hockte im Schneidersitz ein wenig abseits und spielte auf seiner Gitarre Hits aus längst vergangenen Tagen.

Diese kindliche Vorstellung war zwar inzwischen ein wenig verblasst wie ein altes Foto, aber trotzdem immer noch da.

Jetzt sah ich die ganze Bande im Geiste da oben diskutieren, ob sie ein gutes Wort für mich einlegen sollten, damit ich endlich mal eine Beziehung auf die Reihe bekam. Ich hoffte, dass sie nicht zu lange auf einen Termin beim großen Boss warten mussten, um das Anliegen vorzutragen.

»Bitte, lass dir was einfallen!«, sandte ich ein Stoßgebet nach oben und ging zu meinem Auto.

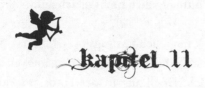

kapitel 11

Als ich im Verlag ankam, wartete Claudia schon auf mich.

»Komm, wir sollen gleich zu Matthias!«, drängte sie.

Im Fahrstuhl nach oben sah sie mich neugierig an. »Was war denn gestern eigentlich mit Ernesto?«

»Nichts. Was soll denn gewesen sein?«, fragte ich. Ich wollte über unseren Spielplatzbesuch jetzt nicht reden.

»Ich war noch im Simone, aber da warst du schon mit ihm weg. Jetzt erzähl schon. Läuft da was?«, hakte sie nach.

»Nein. Noch nicht«, antwortete ich wahrheitsgemäß.

»So, noch nicht.« Sie lächelte, schaute dabei jedoch an einen für mich nicht sichtbaren Punkt an der Wand.

»Er ist wirklich sehr nett, aber er ist mir etwas zu forsch. Auf der anderen Seite, worauf soll ich warten?«, überlegte ich laut.

»Wenn du noch Zeit brauchst, lass dir Zeit. Und wenn nicht, dann gönn ihn dir.« Darauf wär ich auch selbst gekommen. Sie war nicht mehr so ganz bei der Sache, hatte ich den Eindruck.

»Ja, so mache ich das«, sagte ich und grinste.

»Tolle Idee … Du hast die Zeitung heut noch nicht gelesen, oder?« Ihre Tonlage war beim letzten Satz etwas höher geworden.

Ich verneinte und war gleichzeitig auf der Hut. Irgendwas war nicht in Ordnung.

»Du wirst dich … äh … vielleicht ein wenig wundern.« Sie grinste schief. »Aber bitte reg dich nicht gleich auf!«

»Ihr habt was getan?«, fragte ich fassungslos.

Vor mir lag der Lokalteil der Zeitung mit einem weiteren großen Bericht über mich. Doch anstatt des Fotos am Notebook, das Claudia von mir gemacht hatte, waren Bilder von Bayerls Fest abgedruckt. Und auf jedem Bild war ich zu sehen. Mit Michi, mit Alwin und Severin und sogar mit Karl Huber!

Im Bericht wurde darauf hingewiesen, dass nicht ich diese Fotos gemacht und veröffentlicht hatte und man noch auf der Suche nach dem heimlichen Fotografen war. Aber das war längst noch nicht alles. Zwischen den Zeilen stand die Frage, ob einer der Männer auf den Bildern mein weiß-blaues Herz zum Schmelzen gebracht hatte.

Ich schnaubte wütend.

»Lene, bitte, ich erkläre es dir«, versuchte Matthias, mich zu beruhigen.

»Ich bitte darum!« Ich verschränkte meine Arme.

»Severin Bayerl ist nicht in Urlaub, sondern bereitet zurzeit ein besonderes Kunst-Theater-Projekt vor. Dafür braucht er Publicity, und er hat mit mir darüber gesprochen, wie wir das einfädeln könnten. Da kamst du ins Spiel. Denn auch du brauchst weiterhin Aufmerksamkeit für dein Projekt. Und es ist uns gelungen, alles unter einen Hut zu bringen«, begann er mit seiner Erklärung.

Was wollte er mir damit sagen? Ich sah ihn verständnislos an.

»Severin hat schon lange darauf gewartet, dass einer der Gäste sein Verbot ignoriert und Fotos vom Maienfest in Umlauf bringt«, fuhr er fort.

»Warum hat er es dann überhaupt verboten?«, fragte ich verwirrt.

»Verstehst du nicht? Damit sollte zunächst der Reiz erhöht werden. Aber Severin hätte nie damit gerechnet, dass all die Jahre tatsächlich niemand fotografieren würde. Scheinbar hatte jeder Angst, danach nie wieder eingeladen zu werden. Deswegen hat er in diesem Jahr selber ein wenig nachgeholfen.«

Es war unglaublich! Severin und Matthias steckten hinter dieser Sache! Ich warf Claudia einen eindringlichen Blick zu.

»Sag bitte, dass du das nicht gewusst hast!«

»Bis gestern Abend nicht«, sagte sie ein wenig kleinlaut.

»Du weißt das seit gestern Abend und hast mir nichts gesagt?« Ich war empört. Und das sollte meine beste Freundin sein? Na, danke schön!

»Deswegen bin ich doch gestern ins Simone gegangen. Aber du warst schon weg«, erklärte sie wenig überzeugend.

»Hast du schon mal was von Handys gehört? Das sind so kleine Kästchen, wenn man da hineinspricht, kann man sich mit einem Menschen unterhalten, der auch so ein kleines Kästchen hat.«

»Jetzt sei nicht albern. Ich wollte es dir nicht am Telefon sagen, Lene. Außerdem hast du inzwischen auf deiner richtigen Facebook-Seite fast doppelt so viele Fans wie gestern früh.«

»Was hat das jetzt damit zu tun?«, blaffte ich sie an.

»Die Leute gehen auf deine Seite, weil sie über dich in der Zeitung lesen und darauf warten, dass irgendwas Neues kommt«, erklärte sie.

»Unser Konkurrenzblatt hat das Thema natürlich auch aufgegriffen, aber durch dich sind unsere Leser viel näher an der Geschichte dran«, sagte Matthias und lächelte zufrieden.

»Und wer bitte schön soll dieser Mann sein, der mich zum Schmelzen bringt?«, wollte ich wissen und trommelte ungeduldig mit meinen Fingernägeln auf die Tischplatte. Leider waren sie zu kurz, um nennenswerte Geräusche zu machen.

»Den gibt es natürlich nicht wirklich. Also Lene, du müsstest doch inzwischen wissen, wie das funktioniert.« Claudia wurde langsam ungeduldig mit mir.

Matthias schaute mich aufmunternd an. »Jeder profitiert davon. Es ist doch niemand zu Schaden gekommen«, sagte er versöhnlich.

Was hieß hier »niemand zu Schaden gekommen«? Ich hätte mir an meinem Geburtstag jede Menge Aufregung sparen können. Außerdem hatte ich Huber verdächtigt und ihn einen hinterfotzigen Beidl genannt. Dabei war er völlig unschuldig. Gewiss würde er deswegen keinen Schaden davontragen, aber in Ordnung war es trotzdem nicht.

»Warum habt ihr es mir nicht gleich gesagt?«, fragte ich, noch immer ärgerlich. Dann hätte ich die nächtliche E-Mail sicherlich nicht abgeschickt und mich nicht schon wieder blamiert.

»Das war Severins Vorschlag. Er bezweifelte, dass du das auch wirklich überzeugend hättest spielen können«, erklärte Matthias.

Der alte Bayerl traute mir ja gar nichts zu. Höchstens mit roten Wangen Aktmodell zu stehen. Oder zu liegen. Oder was auch immer. Ob es eigentlich auch Fotos gab von ihm und mir im Atelier?

»Wer hat denn jetzt fotografiert?« Darauf waren sie mir eine Antwort schuldig.

»Jemand, der meist in deiner Nähe war«, verriet Matthias kleinlaut.

In meiner Nähe? Wer soll denn das gewesen sein? Plötzlich ging mir ein Licht auf.

»Der Minotaurus?«

Matthias nickte. Ich war enttäuscht. Das hätte ich von meinem Sternzeichen nicht erwartet. Wo er die Kamera nur versteckt hatte? Unter seinem Lendenschurz? Ich dachte besser nicht weiter darüber nach.

»Lene, es tut mir leid, wenn wir dich mit der ganzen Sache überfahren haben. Das war nicht unsere Absicht. – Aber vielleicht kann ich dich damit wieder etwas versöhnlich stimmen?«

Matthias reichte mir einen Vertrag. Meinen ersten Buchvertrag. Sollte ich jetzt lachen oder weinen? Mir war klar, dass er mich damit besänftigen wollte. Und es gelang ihm auch. Wenn ich so recht überlegte, war ja wirklich nichts Schlimmes passiert. Severin und ich hatten unsere Publicity, Matthias eine gute Auflage, und so wie Huber schon vorher mit mir umgesprungen war, dürfte das mit dem hinterfotzigen Beidl auch nicht so schlimm sein.

Wahrscheinlich würde er jetzt zwar kein Wort mehr mit mir reden, doch das konnte mir eigentlich nur recht sein.

»Aber Lene«, jetzt klang Matthias' Stimme ernst, »dieses Gespräch hier muss unbedingt unter uns bleiben!«

Klar. Ich war auch nicht sonderlich erpicht darauf, jemandem davon zu erzählen.

Ich verließ das Büro mit dem Versprechen, zu schweigen wie ein Grab und außerdem in den nächsten zwei Wochen endlich die ersten fünfzig Seiten meines Ratgebers abzuliefern. Eine große Aufgabe lag vor mir.

Kapitel 12

Den Rest der Woche hatte Matthias mir Sonderurlaub gegeben, damit ich Zeit zu schreiben hatte. Er wollte wohl auch ein wenig sein schlechtes Gewissen beruhigen. Mir sollte es recht sein.

Von Karl Huber hörte ich nach meiner E-Mail tatsächlich erst einmal nichts mehr. Was mich einerseits beruhigte, mir aber auf der anderen Seite ein seltsames Gefühl bereitete, das sehr einer Achterbahnfahrt des schlechten Gewissens glich.

Ernesto war geschäftlich in Frankfurt und schickte jeden Tag süße Kurznachrichten, die mich zum Lachen brachten. Nach seiner Rückkehr wollten wir endlich unseren Abend beim Mexikaner verbringen.

Ich saß mit meinem Notebook hinter dem Haus im Schatten eines alten Walnussbaums und warnte jede zukünftige Leserin davor, sich wegen eines Mannes zum weiblichen Deppen zu machen.

Als Beispiel schilderte ich gerade – natürlich etwas abgewandelt – eine Kussszene mit dem Ex, der eine neue Freundin hatte. Da fuhr genau der Mann, dem ich diese Inspiration verdankte, in seinem Sportwagen auf den Hof. Ich war versucht, mich mitsamt meinem Computer hinter dem Baumstamm zu verstecken, aber

Michi hatte mich schon gesehen. Er kam schnurstracks auf mich zu und blieb dann etwa einen Meter vor mir stehen.

»Hallo Lene.«

»Hallo Michi.« Einen Platz konnte ich ihm nicht anbieten, denn ich saß auf einem einzelnen Gartenstuhl.

»Geht's dir gut?«

Ich nickte. »Ja. Danke.« So weit es einer Frau gut gehen konnte, die in einer alten Schlabberhose mit einem etwas zu engen Bikinioberteil ungeschminkt vor einem gut aussehenden Mann in einem Anzug saß, der unheimlich viel Wert auf das Äußere legte. Aber in diesem Fall half mir wohl mein Oberteil. Und wenn ich seinen Blick richtig interpretierte, nahm er die Schlabberhose gar nicht zur Kenntnis.

»Du warst nicht in meiner Kanzlei wegen deines Vertrags«, sagte er schließlich.

Ach, deswegen war er gekommen!

»Es … es hat sich nicht mehr ergeben. Der Vertrag ist sicher in Ordnung. Und ich wusste nicht …«

Er unterbrach mich.

»Es tut mir leid, Lene, was ich zu dir gesagt habe, nachdem wir uns … geküsst hatten.«

Ich stand auf.

»Ach Michi. Lassen wir das jetzt.«

Ich wollte mir unbedingt etwas anderes anziehen.

»Nein, hör zu. Ich muss dir was Wichtiges sagen. Ich … Also, ich habe mit Sabine Schluss gemacht.« Er sagte es in einem Ton, als ob er eben einen dreiköpfigen Drachen besiegt hätte.

Wie? Die beiden waren nicht mehr zusammen? So schnell jetzt? Hatte sie sich etwa geweigert, die künstlichen Fingernägel abzunehmen?

»Ach ja?« Mehr fiel mir im Moment dazu nicht ein.

»Ich wollte dich fragen, ob wir … also ob wir nicht vielleicht alles vergessen könnten und …«

»Wie stellst du dir das vor?«, unterbrach ich ihn.

»Lene, wir hatten doch eine tolle Zeit zusammen. Können wir es nicht noch mal miteinander versuchen?« Sein Blick senkte sich auf mein Oberteil. Er schluckte.

»Bitte … Kleines. Denk darüber nach.«

»Michi, ich weiß nicht, ob das so eine gute Idee wäre. Es ist so viel passiert«, wich ich aus. Ich wusste wirklich nicht, ob ich das wollte.

Er schaute mich mit einem so sehnsuchtsvollen Blick an, dass ich versucht war nachzugeben.

»Wir können ja mal gemeinsam essen gehen«, machte ich einen halbherzigen Vorschlag.

»Wie wär's mit heute Mittag?«, schlug er vor.

»Ja Michi! Dass du dich auch mal wieder sehen lässt!« Mein Vater kam mit einem Eimer voller Erdbeeren vom Feld.

Ich merkte ihm an, dass er nicht wusste, was er davon halten sollte, den Exfreund seiner Tochter hier zu sehen.

»Grüß dich, Bertl. Ich möchte Lene überreden, heut mit mir essen zu gehen.«

Vater sah mich an und hielt mir den Eimer hin.

»Sei so gut und bring die Erdbeeren in die Küche. Dann kannst du dir auch was … äh … Vernünftiges anziehen«, sagte er mit einem Hauch von Vorwurf in der Stimme.

Doch ich war ihm nicht böse, ganz im Gegenteil. Ich nahm den Eimer und mein Notebook und ging ins Haus. Später wollten Vater und ich aus den Erdbeeren Marmelade machen. Nach einem Rezept aus der Rezeptsammlung meiner Oma, oder besser gesagt meines Opas. Denn ursprünglich hatte er es mit nach Hause gebracht, als er aus der russischen Gefangenschaft zurückgekommen war. Die Marmelade schmeckte am besten, wenn man die ersten Beeren des Sommers einkochte und mit einem ordentlichen Schuss Wodka verfeinerte. Opa liebte diese Marmelade. Mein Papa auch. Und seitdem ich alt genug war, sie essen zu dürfen, war sie auch mein Lieblingsbrotaufstrich geworden.

Ich ging in mein Zimmer, zog ein leichtes Sommerkleid an und kämmte rasch meine Haare. Komisch. Jedes Mal, wenn Michi in meiner Nähe war, hatte ich das dringende Bedürfnis, mich besonders weiblich zurechtzumachen.

»Denkst du, es ist eine gute Idee, mit ihm essen zu gehen?«, fragte ich in Richtung meines kleinen Freundes. Doch Eisi schaute mich nur mit einem unergründlichen Blick an, der alles bedeuten konnte.

Michi und Vater saßen inzwischen auf der Bank vor dem Haus. Als ich kam, unterhielten sie sich über Fußball. Auch wenn Michi kein so großer Fan war, wusste er genau, wie sehr mein Vater für den 1. FC Passau schwärmte.

Michi hatte zwei Karten für Vater mitgebracht, für das letzte Spiel vor dem Saisonende. Mit einem Schwiegersohn wie ihm könnte Vater bestimmt viel anfangen, ging mir durch den Kopf. Als Michi mich sah, stand er auf und lächelte mich an.

»Ich bin so weit«, sagte ich.

»Viel Spaß euch beiden«, wünschte mein Vater.

»Servus, Bertl. Und nächsten Sonntag hol ich dich zum Spiel ab.«

Wir gingen zu Michis Wagen.

»Fahr nicht zu damisch!«, rief Papa uns nach. Er wusste, dass

Michi gerne Gas gab, und das machte Vater jedes Mal Sorgen, wenn wir unterwegs waren.

Michi versprach, moderat zu fahren. Und hatte das Versprechen in dem Moment vergessen, als er den Zündschlüssel umdrehte.

»Ich freue mich, dass du mitkommst, Lene. Sehr sogar«, sagte er, während wir mit hundertdreißig auf der Landstraße unterwegs waren. Ich hatte ganz vergessen, wie nervenaufreibend es war, bei Michi Beifahrerin zu sein.

»Aber nach dem Essen müssen wir bald zurück. Ich hab noch viel zu tun heute«, baute ich schon mal vor. Verlängern konnte ich im Notfall immer noch.

»Natürlich. Ich hab beim Mexikaner einen Tisch bestellt«, sagte Michi gut gelaunt. Aha. Der war sich seiner Sache ja ganz schön sicher gewesen. War ich denn so leicht zu überreden?

Ich griff in meine Tasche und umfasste kurz Eisi, den ich als moralische Unterstützung mitgenommen hatte.

Kapitel 13

Das Lokal in einem der kleinen verträumten Gässchen der Stadt war gut besucht, wenn auch zur Mittagszeit nicht überfüllt. Ich mochte das schlichte Ambiente dunkler Tische, weiß getünchter Wände und sparsam dosierter mexikanischer Dekoration. Joe's Cantina wirkte einfach, doch die Küche war fantastisch, und ich hatte hier schon zahlreiche sehr lange und lustige Abende mit Claudia verbracht. Das war jedoch noch vor der Zeit mit Michi gewesen.

»Guten Tag. Hallo Lene. Schön, dich wieder mal zu sehen«, begrüßte uns Dimitri, mit dem ich in nächtlichen Stunden schon einige Tequilas gekippt hatte. Der ewige Student aus Weißrussland war inoffizieller Freund des homosexuellen Lokalbesitzers Josef Meier alias Joe. Doch so wie Dimi jedes Mal in meinen Ausschnitt blickte, vermutete ich bei dem hageren jungen Mann, dass er sich ab und zu auch mal gerne an einen weichen warmen Busen kuschelte.

»Ich freu mich auch, Dimi. Was gibt es als Mittagsgericht?« Ich hatte tatsächlich schon einen anständigen Appetit. Es war erstaunlich. Seit ich mit dem Ratgeber beschäftigt war, hatte ich festgestellt, dass Schreiben ganz schön hungrig machen konnte.

»Burritos … mit Huhn oder mit Chili.«

»Für mich mit Chili«, sagte ich, und mir lief bereits das Wasser im Mund zusammen.

»Ich hätte gerne ein Steak mit Pfefferkruste, medium und Salat dazu«, bestellte Michi. Dazu ein Bier und für mich Wasser.

»Jetzt erzähl mal, warum ist zwischen dir und Sabine Schluss?«, packte ich den Stier gleich bei den Hörnern. Wenn wir wirklich noch mal eine neue Chance wollten, dann mussten wir jetzt ehrlich zueinander sein.

»Ach weißt du, Lene, ich habe einfach erkannt, dass Sabine und ich nicht zusammenpassen und …« Sein Handy klingelte.

»Geh ruhig ran«, sagte ich. Er würde sonst doch nur wieder nervös werden.

Michi war irgendwie handysüchtig. Oder besser gesagt smartphonesüchtig. Einmal war er sogar rangegangen, während wir miteinander schliefen. Da wir uns bei jener Stellung nicht in die Augen sahen, hatte ich es zuerst gar nicht bemerkt, dass er telefonierte. Ich dachte, er würde mit mir reden, und kam völlig aus dem Rhythmus, als er anbot, mich später auf den Friedhof zu fahren.

Von so einer Art Dirty Talk hatte ich bis dato noch nicht gehört.

»Was meinst du?«, hatte ich gefragt und mich zu ihm umgedreht.

Ich wäre vor Scham am liebsten im Boden versunken, als ich bemerkte, dass er telefonierte. Und vor allem mit wem: Seine Mutter Thea war am anderen Ende der Leitung! Die hätte mit ihrem schwachen Herzen sicher einen Herzkasperl bekommen, wenn sie gesehen hätte, womit sich ihr Sohn neben dem Telefonieren gerade die Zeit vertrieb. Trotzdem war ich hinterher heilfroh, dass sie sein Gesprächspartner war und unser Liebesjargon nicht in eine morbide Richtung abglitt.

»Michael Sommer… Ach du bist es… Kann ich dich später zurückrufen? Ja, ich bin in einer Besprechung. Ja, bis dann. Tschüss.«

So, er war also in einer Besprechung? Wem musste er bitte schön vormachen, dass er in einer Besprechung war? Ich spürte einen leichten Anflug von Ärger in mir aufsteigen.

»Entschuldige, Lene. Nur ein Kollege… Aber jetzt erzähl mal: Stimmen die Gerüchte, dass einer der Männer auf Bayerls Fest dir den Kopf verdreht hat?«, fragte er etwas angespannt. Der Zeitungsartikel hatte seinen Zweck erfüllt. Schon wurde über mein Liebesleben gerätselt.

»Ach wo! Alles nur Gerüchte. Du weißt ja, wie das ist…« Ich winkte ab.

»Freut mich zu hören.« Michi schien erleichtert.

Nun klingelte mein Handy. Ich ließ es klingeln.

»Geh doch ran«, forderte Michi mich auf. Es machte ihn auch nervös, wenn ein anderes Handy klingelte.

»Wenn du meinst.« Ich sah auf das Display. Ernesto. Ob es so gut war, das Gespräch jetzt anzunehmen? Aber Michi würde keine Ruhe finden.

»Lene Koller«, meldete ich mich unverbindlich und mit einem Lächeln in Michis Richtung. Dimi servierte währenddessen unser Essen. Somit war Michi ein wenig abgelenkt.

»Hallo wunderschöne Traumfrau. Ich bin eben auf dem Rückweg von Frankfurt. Leider muss ich morgen gleich wieder für eine Woche nach Barcelona. Wie wär's, wenn ich dich heute Abend zum Essen abhole?«, schlug er vor.

Michi beäugte mich neugierig. Ich überlegte blitzschnell eine Antwort. Wenn ich Ernesto absagte, würde er nachfragen, warum. Das wäre zu auffällig. Es blieb nur eine Möglichkeit.

»Ja, das können wir gerne machen«, stimmte ich zu. Michi musste das ja nicht wissen. Und überhaupt, wir waren schließlich nicht zusammen.

»Super. Ich bin um acht Uhr bei dir. Bis später, meine Schöne«, flötete er ins Telefon und legte auf.

»Entschuldige, Michi, das war ein Kollege.« Ich hasste mich dafür, ihn anzulügen. Aber ich hatte keine Lust, jetzt mit ihm über Ernesto zu reden. Die beiden waren sich ohnehin nicht gerade freundlich gesonnen.

»Hmm. Das sieht aber lecker aus«, schwärmte ich und machte mich über meine Burritos her. Michi schnitt ein großes Stück von seinem Steak ab. Sein Handy meldete eine SMS. Er legte die Gabel samt aufgespießtem Fleisch wieder auf den Teller und nahm sein Handy.

»Terminänderung. Ich musste nur bestätigen«, entschuldigte er sich und tippte eine Antwort.

»Kein Problem.«

Doch Sabine ging mir nicht aus dem Kopf.

»Du, sag mal, wenn du mit Sabine nicht mehr zusammen bist, stellst du eine neue Bürokraft für sie ein?«, fragte ich interessiert.

Es war ihm sichtlich unangenehm, über das Thema zu sprechen. Er nahm einen kräftigen Schluck Bier.

»Sie hat ein paar Tage Urlaub genommen. Das müssen wir noch klären, wenn sie wieder da ist.«

Nicht die Antwort, die ich hören wollte. Aber die Burritos waren himmlisch. Während ich das leckere Gericht genoss, überlegte ich, was ich denn eigentlich für eine Antwort von ihm hören wollte. Dass er Sabine rauswerfen würde aus seiner Kanzlei? Schließlich wollte ich nicht für ihre Arbeitslosigkeit verantwortlich sein. Obwohl, der Club Arabian Nights suchte laufend nach gutem Personal, wie ich aus sicherer Quelle wusste. Ich hatte die Nummer sogar noch irgendwo in meiner Schreibtischschublade.

Michi würde Sabine bestimmt ein ausgezeichnetes Zeugnis schreiben. Zuverlässige Mitarbeiterinnen waren auch in einem Puff nicht verkehrt.

»Mit deinem Boss verstehst du dich aber seit Neuestem sehr gut, oder?«, wollte Michi wissen. War da ein wenig Eifersucht zu hören? Warum auch nicht? Matthias war ein sehr interessanter Mann.

»Durch mein Buchprojekt sehen wir uns häufiger. Und ja, wir verstehen uns gut.« Mein Handy meldete eine SMS. Ich seufzte. Ein entspanntes Mittagessen sah anders aus. Als ich den Absender der Mail las, schluckte ich. Karl Huber hatte geschrieben.

»Wir müssen etwas klären!« Die Kürze seiner Nachrichten war stets beeindruckend. Ich schaltete das Handy aus und steckte es zu Eisi in die Tasche. Das schlechte Gewissen nagte an mir. Auch wenn ich Karl Huber am liebsten in den hintersten Winkel des Bayerischen Waldes verbannen würde, so wusste ich selbst, dass ich ihm Unrecht getan hatte mit meiner Beschuldigung. Ich hatte nur keine Ahnung, wie ich das ausbügeln konnte, ohne mein Gesicht zu verlieren. Ich sollte mit Claudia darüber reden. Vielleicht konnte sie mir einen Rat geben.

»Und was sagst du dazu?« Michi sah mich eindringlich an.

Oh, ich hatte ihm gar nicht zugehört. »Entschuldige. Was meintest du?«, fragte ich nach.

»Ich schlug dir vor, mal eines deiner Interviews in meinem Büro zu geben.«

Ich war irritiert. Warum sollte ich das machen wollen? »Äh, aus welchem Grund in deiner Kanzlei?«, fragte ich nach.

Michi schaute mich etwas überrascht an. »Na, vielleicht wollen die Leute auch mal sehen, was dein Freund macht«, antwortete er und lächelte.

Mein Freund? Ich wusste gar nicht, dass wir schon wieder so weit waren. Ich wusste ehrlich gesagt überhaupt nicht, ob es jemals wieder so weit kommen würde. Seit dem Kuss auf dem Fest, oder besser gesagt seit dem, was gleich darauf passiert war, konnte ich meine Gefühle ihm gegenüber gar nicht mehr definieren. Klar, ich mochte ihn, und irgendwie wäre er immer noch ein toller Kandidat für meinen Traum von Familie... Ach, vielleicht war ich einfach nur ein wenig verwirrt. Kein Wunder nach alldem, was in der letzten Zeit alles passiert war.

»Michi, hör zu. Es geht mir alles ein wenig zu schnell. Ich weiß nicht, ob ich das schon wieder möchte. Bitte lass mir noch ein wenig Zeit«, bat ich ihn.

Er schien enttäuscht, aber sein Gespür für das weibliche Geschlecht war gut genug, um zu wissen, dass er es jetzt erst einmal darauf beruhen lassen musste.

»Du kannst alle Zeit der Welt haben, Lene. Aber du sollst wissen, dass ich bereit für dich bin.« Dabei fasste er mir unter dem Tisch an meinen Oberschenkel. Da klingelte sein Handy erneut. Und ich war froh darüber...

Wir verzichteten beide auf ein Dessert, und Michi brachte mich nach Hause. Ich setzte mich an mein Notebook und arbeitete so konzentriert an meinem Buch, dass ich völlig vergaß, meinem Vater mit der Erdbeermarmelade zu helfen. Als es mir plötzlich siedend heiß einfiel, eilte ich sofort ins Haupthaus.

Schon bevor ich die Küche betrat, zog ein verbrannter Duft durch meine Nase. Vater stand am Spülbecken und scheuerte einen dicken schwarzen Belag vom Boden des Kochtopfs. Auf dem Tisch standen leere Einmachgläser. Überall waren die Fenster geöffnet.

»Warum hast du mir nicht Bescheid gesagt, Vater?«, fragte ich.

Er drehte sich kurz zu mir um und sagte: »Du hast ja momentan keine Zeit.« Der vorwurfsvolle Unterton war nicht zu überhören.

»Es tut mir leid, aber du weißt, dass ich an meinem Buch arbeiten muss«, versuchte ich mich zu entschuldigen.

»Eben. Deswegen wollte ich die Marmelade alleine machen. Aber dann kam Kundschaft für den Hofladen. Als ich zurückkam, qualmte es schon.« Die schönen Erdbeeren.

Jetzt hatte ich ein schlechtes Gewissen. Aber er hätte ja auch was sagen können. Manchmal war er eigensinnig wie ein kleines Kind. Trotzdem hätte ich ihn am liebsten umarmt, wie er da so stand und den Topf schrubbte. Ich kannte ihn gut genug, um zu wissen, dass es ihm in der Seele wehtat, wenn Lebensmittel unnötig verschwendet wurden.

»Lass mich dir helfen«, bot ich an.

Er reagierte gar nicht darauf.

»Was ist jetzt eigentlich mit dir und Michi?«, fragte er stattdessen.

»Keine Ahnung, Papa.« Ich seufzte.

»Kind, langsam wird es Zeit, dass du dich mal auf was Längerfristiges einlässt.«

Wem sagte er das?

Papa war nicht sonderlich begeistert, als er mitbekam, dass Ernesto mich am Abend abholte. Trotzdem blieb er dem Spanier gegenüber höflich. Ernesto versprach, gut auf mich aufzupassen und wohlbehalten wieder zurückzubringen. Das und Ernestos sicherlich nicht auf Tempo getrimmter Kleinwagen, den er in Passau fuhr, schienen Vater ein wenig zu versöhnen. Ich nahm mir fest vor, ihm die nächsten Tage mehr zu helfen.

Kapitel 14

Zum zweiten Mal an diesem Tag betrat ich Joe's Cantina, das am Abend bis auf den letzten Platz voll war. Gut, dass auch Ernesto reserviert hatte. Dimi schaute etwas verblüfft, ließ sich jedoch nicht anmerken, dass ich heute schon einmal mit einem anderen Mann hier Gast gewesen war. Im Gegensatz zum Mittagessen mit Michi war die Stimmung mit Ernesto total locker und ungezwungen. Er brachte mich immer wieder zum Lachen, und nachdem wir zwei Tequilas getrunken hatten, war ich in Partylaune. Mein Handy hatte ich sicherheitshalber ausgeschaltet.

Doch Michi und Ernesto waren sich ähnlicher als gedacht. Auch er wollte wissen, was es mit dem Zeitungsartikel auf sich hatte. Ich erklärte ihm, dass der Bericht überhaupt nichts bedeutete. Er lächelte beruhigt, und ich spürte gleich darauf seine warme Hand an meinem Oberschenkel. Wie gesagt: Sie waren sich ähnlich.

Plötzlich begann an dem Tisch hinter uns eine Diskussion. Es ging um mein Thema. Die Suche nach der weiß-blauen Liebe. Ich drehte mich um und erstarrte. Huber saß genau hinter mir. Das konnte doch nicht wahr sein! Ja hatten denn in Passau heute alle Lokale außer Joe's Cantina Ruhetag? Als ob er meine Anwesenheit ebenfalls spürte, drehte er sich um.

»Lene!«

»Hallo Karl!«

»Was für ein Zufall! Kaum spricht man vom Teufel … Das ist die Dame, die denkt, wir Bayern könnten nicht richtig lieben«, erklärte er in Richtung seiner Freunde am Tisch.

»Das habe ich nie behauptet«, korrigierte ich ihn sofort. »Es wird Zeit, dass mein Buch erscheint, damit du endlich verstehst, was ich meine.«

»Ich sehe, du bist noch bei den Recherchen«, bemerkte er mit Blick auf meinen Begleiter.

»Ernesto Morales. Ein guter Freund von Lene«, stellte er sich selbst vor.

»Karl Huber! Eher kein guter Freund von Lene.«

Ernesto kannte ihn natürlich bereits aus den Zeitungsberichten. Er war auf der Hut. Schließlich waren Karl und ich inzwischen in der Öffentlichkeit als ziemliche Streithammel bekannt.

An Karls Tisch saßen noch ein Paar und eine Frau mit einem hübschen naturblonden Kurzhaarschnitt. Seine Freundin?

Das wollte ich jetzt doch genauer wissen.

»Und welchen Fanklub hast du heute dabei?«, fragte ich neugierig.

»Meine Schwester Corina mit ihrem Mann Chris, und das ist Hilly.«

Hilly? Mehr nicht? Hilly, seine Sekretärin? Oder Hilly, seine Cousine? Oder Hilly, seine Freundin?

Ich spürte es so sicher wie das Drücken meiner Blase, dass Karl immer noch ärgerlich auf mich war, sich aber erstaunlich höflich – man konnte es für seine Verhältnisse fast schon freundlich nennen – mir gegenüber verhielt.

»Ich finde Ihre Theorie bemerkenswert«, meinte die hübsche Hilly mit einem Lächeln, das bewusst eine Reihe weißer Zähne zeigen sollte. Das wiederum fand ich bemerkenswert. Sollte ich eine Fürsprecherin aus den Reihen meines ärgsten Widersachers haben?

»Bemerkenswert dumm«, ergänzte sie und erstickte damit jegliche Illusion auf eine freundliche Gesinnung ihrerseits im Keim. Ihr Lächeln wurde noch breiter und erinnerte jetzt an das Zähnefletschen eines Schimpansen, dem man seine Banane wegnehmen möchte. Karl konnte sich ein zufriedenes Grinsen kaum verkneifen.

Dies war wieder einmal eine der Situationen, in der ich verzweifelt nach richtigen Worten suchte. Worte, die dieser Frau mit einem Schlag das falsche Lächeln aus dem Gesicht wischen würden. Aber mein Gehirn war wie leer gesaugt.

»Ich halte es keinesfalls für dumm, eine eigene Meinung zu einem Thema zu haben«, sprang mein spanischer Freund für mich ein. »Lenes Theorie, eigentlich ist es ja mehr eine Frage, fasziniert mich. In meiner Heimat gibt es das spanische ›Te amo‹ und das katalanische ›T'estimo‹. Warum gibt es nicht auch in Bayern einen festen Ausdruck für ›Ich liebe dich‹?«

Ich wartete keine Antwort ab, weder von Hilly noch von Karl, sondern entschuldigte mich kurz und ging auf die Toilette.

Vor der Tür standen bereits einige Frauen. Oje! Warum musste ich immer so lange warten, wenn es eilte?

»Willst du vor?«, fragte plötzlich eine junge Frau freundlich und handelte sich damit unfreundliche Blicke der übrigen Wartenden ein. Doch manchmal im Leben musste man es ertragen können, dass nicht alle Leute einen mochten. Und jetzt war ganz eindeutig so ein Moment.

»Das ist sehr nett«, bedankte ich mich und huschte schnell an ihr vorbei. Als ich wieder herauskam, wartete sie auf mich.

»Toll, dass wir uns heute sehen«, freute sie sich, »ich hab nämlich deine Handynummer verloren.«

Ich schaute sie genauer an. Ich hatte die Frau noch nie gesehen.

»Meine Handynummer?«, fragte ich nach.

»Ja, wir wollten doch mal einen Ausflug machen in das Aquarium nach Jaging?« Jetzt war ich mir eindeutig sicher, dass es sich um eine Verwechslung handelte. Oder? Plötzlich tauchten Bilder von Fischen auf mit den Augen dieser Frau. Ob ich jetzt anfing zu halluzinieren?

Mein Gesichtsausdruck musste meine Befürchtungen deutlich widergespiegelt haben, denn plötzlich begann sie, herzlich zu lachen.

»Du weißt nicht mehr, wer ich bin, oder?«, stellte sie fest.

»Ehrlich gesagt, nein!«, gab ich zu. Was mir schrecklich leidtat, denn die hübsche Rothaarige hatte mir vor ein paar Minuten einen großen Gefallen getan.

»Ich bin Anne, der Fisch!«

»Aha! Hallo Anne.« Wurde ich hier veralbert? Ich blickte mich vorsichtig um. Keine Kamera in Sicht. Und ich hatte immer noch keinen blassen Schimmer, wer sie war.

»Das Sternzeichen. Auf dem Maienfest! Du hast mir ständig Komplimente gemacht und mir von einem Fisch in diesem Aquarium in Jaging erzählt, der angeblich genauso aussieht wie ich!«

Bingo! Jetzt fiel es mir wie Schuppen von den Augen. Der wunderhübsche Fisch auf dem Fest.

Es musste schon ziemlich spät gewesen sein, als wir uns unterhalten hatten. Ich durfte in Zukunft wirklich nicht mehr so viel trinken.

»Ja klar! Jetzt erinnere ich mich wieder.« Ich freute mich tatsächlich, sie zu sehen. Hoffte jedoch insgeheim, dass ich damals nicht zu viel Unsinn dahergeredet hatte.

»Ich fand die Geschichte so schön, wie du als kleines Kind oft einen Ausflug zu den Fischen gemacht hast«, schwärmte sie und fragte: »Gilt denn das Angebot mit dem Aquarium noch?«

»Ja, aber sicher!« Wenn ich was versprach, hielt ich das natürlich auch. Wir tauschten unsere Handynummern und vereinbarten, in den nächsten Tagen zu telefonieren.

Bevor ich wieder ins Lokal ging, schnappte ich im Hinterhof des Gebäudes ein wenig frische Luft. Es war kühler geworden als in den vergangenen Tagen, und Regen lag in der Luft. Ich hörte Schritte und drehte mich um. Irgendwie war ich nicht überrascht, Karl zu sehen.

»Traust du dich nicht mehr hinein?«, fragte er spöttisch.

Jetzt war genau der richtige Moment da.

»Hör mal, Karl. Ich … ich muss dir was sagen«, begann ich und nahm all meinen Mut zusammen.

»Das glaub ich aber auch. Also, leg los.« Er verschränkte die Arme, sah mich an und wartete ab.

Grrrr. Eine Wurzelbehandlung beim Zahnarzt würde ich jetzt eindeutig vorziehen, als mich bei ihm zu entschuldigen. Aber ich wusste, dass es sein musste. Ich streckte die Schultern durch, und das Motto meiner Oma väterlicherseits kam mir in den Sinn: »Kopf hoch, auch wenn der Hals noch so dreckig ist.« Danke, Oma Elfi! Solche Ermunterungen aus der Vergangenheit taten auch noch in der Gegenwart ihre Dienste.

»Es tut mir leid. Das mit den Fotos und so … Dass ich dich beschuldigt habe, war nicht okay«, sagte ich mit fester Stimme.

»Und woher weißt du, dass ich es nicht doch gewesen bin?«

Was sollte diese Frage denn jetzt? Natürlich war er es nicht gewesen. Aber ich konnte ihm nicht sagen, warum ich das wusste. Ich hatte es hoch und heilig versprochen.

»Du magst zwar ein gscherter Gloife sein, aber hinterfotzig bist du nicht. Das würdest du nicht tun«, sagte ich im Brustton der Überzeugung.

»Ist es nicht eher so, dass du jemanden beauftragt hast, diese Bilder zu machen, damit du wieder ordentlich in die Schlagzeilen kommst?«, unterstellte er nun mir mit einem bösen Lächeln.

»Ich? Also das ist die Höhe!«, protestierte ich. Klar wurden die Bilder unter anderem genau zu dem Zweck gemacht, aber ich hatte damit nichts zu tun. Blöd nur, dass ich das nicht sagen konnte.

»Vielleicht war es ja dieser spanische Gigolo?«

»Ernesto? Er ist kein Gigolo, sondern ein seriöser Geschäftsmann. Und wie, bitte, soll er das gemacht haben, wenn er gar nicht auf dem Fest war?«

»Woher soll ich denn wissen, dass er nicht auf dem Fest war? Vielleicht ist er ja eines dieser Sternzeichen gewesen und konnte sich so unbemerkt überall bewegen.« Damit war er der Wahrheit so nahe gekommen, wie es nur ging. Nur dass es nicht Ernesto war.

»Er war es nicht. Wie kommst du denn auf diesen Unsinn?«, fragte ich, und meine Stimme überschlug sich fast.

»Ich seh dir doch an, dass du was zu verbergen hast. Dabei hatte ich wirklich gehofft, es wäre nicht so. Und dann auch noch mich beschuldigen. Dass du dich nicht schämst?« Er war jetzt richtig wütend.

»Ich wusste von den Fotos nichts. Aber Ernesto war es ganz bestimmt nicht. Der hat anderes zu tun, als heimlich zu fotografieren. Das musst du mir glauben!«

»Ich muss gar nichts«, sagte er kalt.

Mich fröstelte. Dann sollte er es eben bleiben lassen. Ich hatte zumindest mein Gewissen erleichtert, und wenn er jetzt den Spieß umdrehte, konnte ich es auch nicht ändern. Trotzdem gärte es in mir, dass ich die Sache nicht aufklären konnte.

»Ach, lass mich doch in Ruhe und geh rein zu deiner … Freundin Hilly!«

»Sie ist nicht meine Freundin. Hilly ist meine Frau …« Damit drehte er sich um und ging hinein. Seine Frau? Warum war ich eigentlich immer davon ausgegangen, dass er ledig war? Und warum schnürte mir der Gedanke daran ganz plötzlich die Kehle zu? War ich neidisch, weil er verheiratet war und ich nicht?

Ich hatte absolut keine Lust mehr, ins Lokal zu gehen. Trotzdem konnte ich Ernesto nicht so einfach sitzenlassen. Ich ging in die Küche und fing dort Dimi ab, um die Rechnung zu bezahlen. Dann schickte ich Ernesto eine SMS, dass ich vor dem Lokal auf ihn warten würde. Keine Minute später war er auch schon da.

»Eigentlich hatte ich dich heute eingeladen«, erinnerte er mich.

»Scheinbar ist es uns nicht gegönnt, mal einen ruhigen Abend miteinander zu verbringen.« Es tat mir wirklich leid.

»Ich muss dich doch bald mal nach Barcelona mitnehmen, da kennt dich keiner und ich habe dich für mich ganz alleine.«

»Das ist eine tolle Idee, Ernesto. Sobald mein Buch fertig ist, machen wir das.« Die Vorstellung, am Strand in der Sonne zu liegen oder in einem kleinen Straßencafé einen Espresso zu trinken, war in diesem Moment unglaublich verlockend.

»Ich nehme dich beim Wort. Es war trotzdem ein schöner

Abend mit dir«, schnurrte er mir ins Ohr. Ich bekam Gänsehaut. Bevor er mir jedoch näher kam, fielen dicke schwere Regentropfen auf uns. Innerhalb weniger Sekunden standen wir inmitten eines ausgewachsenen Wolkenbruchs. Rasch liefen wir zu seinem Wagen und stiegen ein. Das kurze Stück hatte gereicht, dass wir pitschnass waren.

»Wenn ich nicht morgen so früh zum Flughafen müsste, würde ich dich mit zu mir nehmen und nach einem heißen gemeinsamen Bad trocken rubbeln.«

Sein Blick sagte mir ganz deutlich, dass er mir bei Weitem nicht seinen ganzen Plan verraten hatte.

»Du kommst ja bald zurück. Und es gibt bestimmt wieder Regentage«, munterte ich ihn auf, während er mich nach Hause fuhr.

Kapitel 15

Am nächsten Vormittag stand eine Besprechung mit Matthias auf dem Programm. Claudia war auch dabei. In den letzten Tagen hatten wir uns kaum gesehen. Bevor wir gemeinsam ins Büro gingen, fragte ich sie, ob alles in Ordnung mit ihr sei.

»Ja, klar.« Ein unergründliches Strahlen lag in ihren Augen. Sofort hatte ich einen Verdacht.

»Du bist verliebt!«, rutschte es mir heraus.

»Wie kommst du denn darauf?«

»Ich kenne dich. Doch, du bist verliebt. Sag mir sofort, in wen«, forderte ich sie auf. Doch Claudia blockte ab. Das würde sie mir später erzählen, jetzt hatte die Besprechung Vorrang.

Matthias wartete bereits auf uns. Mit ihm ein etwas rundlicher Mann mit Halbglatze und Schnauzer, der mich sehr an den Vater aus den Geschichten um *Vater und Sohn* erinnerte.

»Darf ich vorstellen, die Autorin Lene Koller, unsere Redakteurin Claudia Zanolla. Und das ist Klaus Böttgen, der den Ratgeber illustrieren wird.«

Klaus Böttgen schien mir ein lustiger Mann zu sein, mit dem ich mir die zukünftige Zusammenarbeit gut vorstellen konnte. Er würde für meine Texte Zeichnungen anfertigen. Das Hauptmotiv sollte ich sein.

»Ich brauche Fotos von Ihnen, Frau Koller. In verschiedenen Situationen und mit unterschiedlichsten Gesichtsausdrücken«, bat Böttgen.

»Haben wir bereits hier.« Matthias legte eine dick gefüllte Gummizugmappe vor den Illustrator. Der öffnete sie gleich, und ich staunte nicht schlecht. Alles Fotos von mir! Ich wusste sofort, wo sie herkamen.

»Du kannst doch nicht einfach so meine Fotos weitergeben, Claudia!«, zischte ich in ihre Richtung. Ich zog die Mappe an mich und schloss sie energisch. Egal, ob bei gemeinsamen Urlauben, Partys oder Wochenendtrips, Claudia hatte meist eine Kamera dabei und knipste wild drauflos. Nicht immer waren die Bilder für die Allgemeinheit geeignet.

»Ich habe Claudia um die Fotos gebeten, Lene«, stellte Matthias richtig.

»Jetzt mach kein Theater! Da sind keine Bilder dabei, die man nicht sehen dürfte«, sagte Claudia.

Das musste sie schon mir überlassen. Ich öffnete die Mappe und blätterte die Fotos durch. Vertrauen ist gut, Kontrolle ist besser, dachte ich. Ha! Und schon hatte ich eines gefunden.

»Was bitte macht ein Bikinifoto dabei?«, fragte ich gereizt. Ich mochte es gar nicht, wenn Außenstehende so in meine Privatsphäre eindrangen. Und Bikinifotos gehörten für mich eindeutig in meine Privatsphäre!

»Es ging mir nur um den Gesichtsausdruck, Lene«, erklärte Claudia. Gesichtsausdruck bei einem Ganzkörper-Bikinifoto mit Sonnenbrille? Also bitte!

»Frau Koller, Sie brauchen sich keine Gedanken zu machen. Ihre Fotos sind bei mir in den besten Händen«, versuchte Böttgen mich zu beruhigen.

In den besten Händen? Dabei bemerkte ich jetzt schon Schweißperlen auf seiner Stirn. Doch nicht nur er, sondern auch Matthias schaute sehr viel länger als nötig auf den Schnappschuss vom letzten Urlaub. Das schien auch Claudia zu bemerken.

»Na gut. Wir können ja später noch mal alle Fotos sortieren«, bot sie rasch an.

»Ach, macht das doch hier, dann kann Klaus die Mappe gleich mitnehmen«, schlug Matthias vor. »Er fährt heute wieder zurück nach München.«

Ich nahm den Packen in die Hand und sortierte alleine aus. Nur die wirklich ganz harmlosen gab ich dem Zeichner. Alle mit tiefem Ausschnitt kamen heraus und weitere Bikinifotos sowieso. Ich konnte mich ja täuschen, aber ich befürchtete, dass der erste Eindruck von Böttgen doch etwas falsch war. Die Vorstellung, dass er meine Fotos länger anstarrte, als das nötig war, behagte mir gar nicht.

Während ich auswählte, unterhielten Matthias und Claudia sich über das Layout. Böttgen kritzelte auf einem Block herum. Dann schob er ihn zu mir.

»Damit Sie sehen, was auf Sie zukommt«, sagte er und lächelte.

Ich war verblüfft. Mit einigen wenigen Strichen hatte er meinen missgelaunten Gesichtsausdruck so gut getroffen, dass ich lachen musste. Und damit hatte er mich wieder versöhnlich gestimmt.

Claudia sah auf ihre Uhr.

»Es tut mir leid, aber ich muss dann gleich los. Einweihung des neuen Jugendzentrums«, entschuldigte sie sich.

»Ich komm auch gleich mit … Herr Böttgen, ich bin schon gespannt, was Sie alles aus mir machen«, sagte ich.

Wir verabschiedeten uns.

»Lene? Hast du heute Mittag schon was vor?«, fragte Matthias.

»Äh, nein. Noch nicht.« Ich war ja gespannt, was er diesmal geplant hatte. Wahrscheinlich wieder einen Interviewtermin oder ein Gespräch mit einem Brauchtumsverein.

»Da wir dich mit den Fotos so überrumpelt haben, lade ich dich als Wiedergutmachung zum Essen ein.« Jetzt war ich aber mal wirklich überrascht.

»Gerne«, sagte ich zu.

»Um halb eins in Joe's Cantina?«

Wo bitte? Das war jetzt nicht sein Ernst, oder? Konnte das denn wahr sein?

»In Joe's Cantina?«, fragte ich sicherheitshalber nach.

»Ja. Oder magst du kein mexikanisches Essen?«

»Doch, doch.« Und wie ich es mochte! Fragte sich nur, wie lange noch.

»Gut, dann bis später.«

Ich stopfte die aussortierten Fotos in meine Handtasche, holte sie dann aber wieder heraus und reichte sie dem überraschten Böttgen.

»Vielleicht ist bei denen ja doch der eine oder andere Gesichtsausdruck zu sehen«, sagte ich.

»Bestimmt«, sagte der Zeichner und lächelte freundlich.

Ich nickte ihm zu und folgte Claudia. Sie hatte es scheinbar wirklich eilig.

Als ich sie noch mal nach dem Namen des Mannes fragen wollte, in den sie verliebt war, stand sie bereits im Fahrstuhl, und die Türe schloss sich vor meiner Nase.

Dimi zwinkerte mir verschwörerisch zu, als ich das Lokal betrat. Nun war ich innerhalb der letzten vierundzwanzig Stunden das dritte Mal beim Mexikaner. Und jedes Mal mit einem anderen Mann.

Doch anders als mit Michi und Ernesto handelte es sich heute um ein reines Arbeitsessen. Ohne dass ich mir vorstellen konnte, warum, schien dieses Buchprojekt für Matthias eine ganz besondere Bedeutung zu haben. Vielleicht wollte er mit dem Ausbau der Buchlinie, die sich bisher nur auf einige wenige Werke regionaler Autoren beschränkte, einen neuen Weg einschlagen. Sein Vater und Großvater hatten die Zeitung aufgebaut, Matthias hatte wohl noch Größeres vor. Wobei ich mir wiederum nicht vorstellen konnte, dass er das mit meinem kleinen Liebesratgeber einleiten wollte.

»Kommst du gut voran?«, fragte er mich, während er auf seinem Smartphone eine Seite im Internet aufrief.

»Ja. Sogar besser, als ich dachte. Die ersten Probekapitel schicke ich dir nächste Woche. Ich bin gespannt, was du dazu sagst.«

»Sehr schön. Schau mal«, er zeigte mir eine Internetseite mit besonderen Trachten. Er wollte doch hoffentlich nicht etwa, dass ich ein Dirndl anzog? Außerdem hatte ich erst kürzlich eines bekommen, das sicherlich die nächsten hundert Jahre ungetragen in meinem Schrank hängen würde.

»Wir müssen das Bayerische mit dem Sex-Appeal einer modernen jungen Frau verbinden.«

Und das sollte ich in einem Dirndl darstellen? Ausgerechnet ich?

»Wenn du meinst.« Er schien gar nicht zu bemerken, dass ich nicht sonderlich begeistert war. Auch wenn die Kleider zugegebenermaßen nichts mit den traditionellen Dirndlgewändern aus meiner Kindheit zu tun hatten.

»Schau mal, das hier würde dir bestimmt gut stehen.« Er zeigte auf ein schwarz-weißes Minidirndl, sehr trendig, sehr sexy.

Es war eine seltsame Situation, mit ihm hier zu sitzen und über Modefragen zu sprechen.

»Die alte Werberegel ›Sex sells‹ wird auch unserem Projekt einen Schub geben«, sagte er. »Und nachdem ich deine Bikinifotos gesehen habe, bin ich mehr denn je davon überzeugt, dass du einen Bombenerfolg haben wirst.«

Ich wurde rot. Matthias hatte wirklich eine sehr direkte Art, etwas anzusprechen.

»Äh ... danke!«

Und dann kam es ohne Vorwarnung noch direkter: »Lene, ich möchte mit dir schlafen!«

Vor lauter Schreck traf ich mit der Gabel meine Unterlippe. Autsch.

Hatte ich mir das jetzt eingebildet? Oder mich verhört? Vielleicht hatte er ja was anderes gesagt wie zum Beispiel: »Lene, ich möchte zu den Schafen.« Oder: »Lene, wir müssen dann zum Hafen.«

Ich schluckte. Was sollte ich denn jetzt tun? Nachfragen? So tun, als ob er gar nichts gesagt hatte? Ich könnte auch einen Allergieschock vortäuschen. Es gab viele Menschen, die auf Schalentiere allergisch waren. Dumm nur, dass ich keine Scampi oder Muscheln gegessen hatte, sondern Hühnchen-Enchiladas.

»Lene?«

Ich räusperte mich.

»Natürlich können wir zum Hafen fahren«, sagte ich und lächelte freundlich. Einen Versuch war es wert. Zumindest konnte ich Zeit gewinnen. Vielleicht fiel mir noch was Besseres ein.

»Zum Hafen?« Er zog eine Augenbraue hoch.

»Ja, wenn du dorthin musst, begleite ich dich selbstverständlich gerne«, bot ich an.

Er lachte leise.

»Das war nicht die Frage, die ich dir gestellt habe, oder?«

»Nicht? Dann habe ich das wohl falsch verstanden.« Ich spürte, wie mir das Blut schon wieder ins Gesicht schoss und meine Wangen heiß wurden.

O Gott. Was sollte ich denn nur machen? Ich konnte doch nicht mit meinem Chef schlafen!

»Möchtest du nicht?«, fragte er, und sein Lächeln war plötzlich verschwunden.

»Was jetzt? Du meinst ... äh ... Also, du willst nicht mit mir zum Hafen, sondern ...«, meine Stimme wurde leise, »... mit mir schlafen?«

Er nickte und sah mir fest in die Augen. Dieses Grün müsste eigentlich verboten werden! Ich schluckte.

»Nun. Doch. Schon.« Er war ja eindeutig ein attraktiver Mann, wenn auch nicht so gut aussehend wie Michi oder Ernesto. Keine gute Idee, jetzt an die beiden zu denken.

»Schön! Zahlen bitte.« Er winkte Dimi zu. Und in meinem Magen breitete sich ein Gefühl aus, das glatt eine Cousine der Angst sein könnte.

Hatte ich tatsächlich Ja gesagt? Aber warum auch nicht? Was stellte ich mich eigentlich so an? Ich war schließlich eine moderne junge Frau und ich war Single.

Ich griff in meine Handtasche, um ein Papiertaschentuch herauszuholen. Da zwickte mich etwas in den Finger. Ich sah in die Tasche und blickte in die wütend blitzenden Augen von Eisi. Wäre er nicht eine Plastikfigur, hätte ich geschworen, dass er mich in den Finger gebissen hatte. Aber da das unmöglich war, konnte ich mich nur an einem der anderen tausend Dinge gepikst haben, die in den Tiefen meiner Tasche schlummerten.

»Kommst du?« Matthias war bereits aufgestanden und wartete auf mich.

Ich folgte ihm zu seinem Wagen in der Nähe des Lokals. Wie in einem seltsamen Traum ließ ich mich in die Ledersitze seines Luxusgefährts sinken.

Was tat ich da? Wollte ich wirklich mit ihm schlafen? Ich verdrängte die Frage, auf die ich mir selbst keine eindeutige Antwort geben konnte.

Fünf Minuten später schloss sich hinter uns das elektronische Garagentor. Keiner hatte ein Wort gesagt, seit wir ins Auto gestiegen waren. Matthias stieg aus, ging um das Auto herum und öffnete mir die Wagentüre. Mein Herz trommelte inzwischen so wild, dass mich jede Percussionformation mit Freuden als neues Bandmitglied aufgenommen hätte.

Ich folgte ihm mit wackligen Beinen über eine Treppe in den Wohnbereich, der wenig überraschend dieselbe edle Eleganz wie sein Büro hatte und trotzdem Behaglichkeit ausstrahlte. Allerdings hatte ich ein viel größeres Haus erwartet.

Matthias verschwendete keine Zeit, mir die übrigen Räume zu zeigen, und führte mich gleich in sein Schlafzimmer. Es war, ungewöhnlich für einen Mann, völlig in Weiß gehalten. Kein farbiges Bild, keine bunte Lampe. Noch nicht mal eine klitzekleine Grünpflanze. Nur Weiß um mich herum! Warum das denn?

»Beim Sex sollte man von nichts abgelenkt werden. Weiß ist ein wunderbarer Rahmen für Körper, die sich im Liebesspiel bewegen«, erklärte er mit rauer Stimme, so als hätte er wieder einmal meine Gedanken erraten.

Eigentlich wäre ich am liebsten sofort aus dem Haus gerannt. Doch das Verhalten von Matthias war so ungewöhnlich, dass meine Neugierde mich zurückhielt. Dieser Mann war ein absolutes Rätsel für mich.

Zudem hörte ich in meinem Hinterkopf die vom Rauchen kratzige Stimme meiner Tante Josefine, deren Credo war: »Das, was du im Leben am meisten bereust, sind die Dinge, die du nicht ausprobiert hast.«

Demnach hätte Tante Josefine sicherlich nicht viel zu bereuen. Sie hatte ziemlich viel ausprobiert in ihrem Leben. War viermal verheiratet und im zarten Alter von dreiundsechzig mit einem zwanzig Jahre jüngeren indischen Sänger nach Schweden ausgewandert. Allerdings dachte sie jetzt schon wieder öffentlich auf Facebook über eine Ortsveränderung in südlichere Gefilde nach. Und so wie ich das verstand, auch über einen neuen Mann.

»Lene?« Matthias' dunkle Stimme in der Stille seines Zimmers riss mich los von Tante Josefine. Er saß, immer noch voll bekleidet, auf dem Bett und beobachtete mich.

»Ja?«

»Komm her!« Er sprach leise, aber bestimmt.

Und in diesem Moment wurde mir klar, dass ich nicht mit ihm schlafen konnte. Nicht so. Tut mir leid, Tantchen, aber in dem Fall nahm ich die Reue gerne in Kauf!

Würde mich das jetzt meinen Job und den Buchvertrag kosten? Und wenn, dann hatte ich es mir selbst eingebrockt. Ich hätte mir gleich im Lokal eine vernünftige Ausrede einfallen lassen können. Zum Beispiel eine Blasenentzündung. Ja, genau. Kein Mann hatte Lust auf eine Frau mit Blasenentzündung! Warum war ich nicht früher darauf gekommen? Das musste ich mir auf alle Fälle fürs nächste Mal merken. Ich sah ihn an.

»Matthias, es tut mir leid … Es liegt nicht an dir, aber ich … ich kann nicht.«

Ohne ein Wort stand er langsam auf.

»Rufst du mir bitte ein Taxi?«, bat ich verlegen.

»Ich bringe dich zu deinem Wagen.«

»Nein, das ist nicht nötig, ich kann …«

»Ich bringe dich zu deinem Wagen«, wiederholte er bestimmt. Und dann tat er etwas, mit dem ich nicht gerechnet hätte. Er lächelte.

»Keine Sorge. Ich werfe dich nicht aus dem Verlag.« Wieder mal hatte er meine Gedanken erraten. Mir fiel ein ganzes Gebirge vom Herzen. Er gehörte eindeutig nicht zu den Männern, die eingeschnappt waren, wenn sie einen Korb bekamen. Aber da war ja noch was.

»Und der Buchvertrag?«

»Bleibt natürlich auch. Aber ich habe eine Bedingung.«

»Ja?«

»Du schickst mir noch dieses Wochenende die ersten Kapitel.«

Puh. Damit konnte ich leben. Wenn ich Gas gab, dann würde ich das schaffen. Hauptsache, zwischen Matthias und mir stimmte wieder alles. Es wäre traurig für mich gewesen, wenn Sex – ob er nun stattgefunden hatte oder nicht – unser gutes Verhältnis zerstört hätte. Denn ich mochte Matthias. Eigentlich sogar sehr. Er war ein ganz besonderer Mann, und ich fühlte mich auf eine verrückte Weise zu ihm hingezogen. Dieser Gedanke zauberte mir unbewusst ein Lächeln auf mein Gesicht.

»Versprochen!«

Er griff in seine Hosentasche und holte einen Schlüssel an einem x-förmigen Anhänger heraus.

»Das ist der Schlüssel für dieses Haus. Ich benutze es kaum. Wenn du Ruhe brauchst zum Schreiben, kannst du jederzeit hierherkommen.«

Ich war baff. Nicht nur, dass er nicht beleidigt war, jetzt gab er mir auch noch seinen Haustürschlüssel. Auch wenn er für ein Haus war, das er kaum benutzte, wie ich inzwischen erkannt hatte.

»Warum tust du das?«, fragte ich leise.

»Ich möchte, dass du dieses Buch so bald wie möglich zu Ende bringst«, antwortete er ruhig.

Doch da gab es noch etwas, das ich wissen wollte.

»Warum wolltest du mit mir schlafen?«

»Weil du einen absolut aufregenden Körper hast.« Tja. So einfach war das.

kapitel 16

Ich recherchierte und schrieb die nächsten Tage von morgens bis tief in die Nacht. Inzwischen war ich richtig in Fahrt gekommen. Der Ratgeber hatte viele autobiografische Züge, die ich jedoch so geschickt verpackte, dass nur diejenigen, die es direkt betraf, ahnen konnten, dass sie gemeint waren. Trotzdem war ich noch nicht zufrieden. Irgendwas fehlte.

Michi, der sich seit unserem Essen jeden Tag mehrmals per SMS meldete, hatte Verständnis, dass der Abgabetermin für das Buch momentan für mich im Vordergrund stand.

Mit Ernesto unterhielt ich mich jeden Abend per Skype. Auch er war momentan beruflich ziemlich eingespannt. Und ich war froh darüber.

Matthias gab sich mir gegenüber seit unserem Gespräch im weißen Schlafzimmer freundschaftlich sachlich. Alles war wieder im grünen Bereich.

Nur von einem hatte ich nichts mehr gehört. Karl Huber. Noch nicht mal einen Eintrag auf der Facebook-Seite hatte er die letzten Tage geschrieben.

Claudia hatte sich spontan ein paar Tage freigenommen und war zu ihrer Cousine Carla nach Siena geflogen. In der letzten Zeit war sie etwas seltsam, und sie rückte auch nicht heraus, wer der neue Mann in ihrem Leben war. Wir mussten unbedingt wieder einen Mädchenabend machen, wenn sie zurück war. Das war schon längst überfällig.

Es war noch früh am Morgen. Eigentlich sollte ich meinem Vater auf dem Feld beim Erdbeerpflücken helfen. Aber ich musste noch das Kapitel »Der bayerische Heiratsantrag« durchgehen, das ich letzte Nacht geschrieben hatte. Danach war der erste Teil fertig, und ich konnte ihn wie versprochen Matthias schicken. Da klingelte mein Handy.

»Hallo Lene, hier ist Anne. Anne, der Fisch«, meldete sie sich fröhlich.

»Hallo Anne. Schön, dich zu hören.«

»Wie steht's mit unserem Ausflug zum Aquarium? Hast du heute Zeit und Lust?«, fragte sie.

»Lust schon, Zeit weniger. Ich arbeite an meinem Buch und muss meinen Vater am Hof helfen.«

»Ach komm. So eine kleine Pause musst du dir doch auch mal gönnen. Heut ist Samstag«, versuchte sie, mich zu überreden.

Eigentlich hatte sie recht. Ich arbeitete so viel, dass ich mir wirklich eine kleine Auszeit verdiente. Und mit Anne ins nicht weit entfernte Jaging zu fahren, wäre sicher eine schöne Abwechslung.

»Überredet. Aber ich kann erst am Nachmittag, so gegen drei Uhr«, schlug ich vor.

»Kein Problem. Dann um drei Uhr vor dem Eingang? Ich freu mich«, sagte Anne.

»Ich mich auch. Bis dann.«

Als ich aufs Erdbeerfeld kam, war schon später Vormittag. Vater pflückte mit zwei Frauen aus unserer Ortschaft, die regelmäßig bei der Feldarbeit aushalfen. Am Nachmittag würde er die Ernte zu verschiedenen Abnehmern ausfahren, darunter auch Supermärkte, Gaststätten und Konditoreien in Passau. Unsere Bio-Erdbeeren waren sehr gefragt.

Durch den ungewöhnlich warmen Frühling konnten wir heuer schon früher mit der Ernte der Freilanderdbeeren beginnen.

»Auch schon da?«, fragte Vater.

»Tut mir leid, aber ich musste noch die ersten Kapitel überarbeiten und wegschicken«, entschuldigte ich mich.

»Buchstaben verderben nicht, aber Erdbeeren, wenn sie nicht rechtzeitig abgenommen werden«, brummte er. Das war ja schon fast ein philosophischer Satz …

»Jetzt bin ich ja da.« Routiniert pflückte ich die Erdbeeren und legte sie in die Kiste. Natürlich konnte ich es nicht lassen, während der Arbeit zu naschen. Das Aroma war durch die Sonne besonders intensiv, und die Erdbeeren schmeckten süß und saftig.

Während Vater und die Frauen am Mittag eine längere Pause machten, pflückte ich flott weiter. Es war eine Arbeit, bei der ich gut nachdenken konnte. Ich grübelte über meinen Ratgeber nach. Irgendwas Besonderes wollte ich in mein Konzept noch reinbringen. Aber was? Plötzlich kam mir ein Gedanke. Ein Kapitel mit Rezepten bayerischer Köstlichkeiten, mit denen man das Herz seines Traumpartners erobern konnte. Das könnte ich doch einbauen?! Schließlich ging Liebe auch in Bayern durch den Magen.

Motiviert durch meine neue Idee ging mir die Arbeit noch leichter von der Hand. Papa konnte sich nicht beschweren, als er zurückkam. Ich half ihm noch beim Aufladen der Kisten und radelte dann zurück zum Haus, um zu duschen und mich umzuziehen.

Bevor ich ins Auto stieg, sortierte ich noch ein paar besonders schöne Erdbeeren in eine Schachtel, die ich Anne mitbringen wollte.

»Fährst du weg?«, fragte mein Vater, der gerade in den Lieferwagen stieg.

»Ja, ich treff mich mit einer Freundin. Am Abend bin ich wieder da.«

»Du wolltest dich doch um die Buchführungsunterlagen kümmern, Lene. Der Steuerberater hat schon zweimal angerufen und nachgefragt, wo die Sachen bleiben.«

Ach Gott! Das hatte ich ganz vergessen. Oder verdrängt.

»Mach ich morgen, ganz bestimmt«, vertröstete ich Vater.

»Aber vergiss es nicht wieder«, ermahnte er mich.

»Nein, nein! Du kannst dich auf mich verlassen. Bis später.«

Als ich beim Aquarium ankam, wartete Anne schon auf mich. Doch aus unserer Fischbesichtigung wurde nichts. Das Aquarium hatte wegen Sanierungsmaßnahmen geschlossen. Wir waren aber auch Glückspilze.

»Was hältst du von einem ausgedehnten Spaziergang?«, schlug Anne vor. Das war zwar nicht so spannend, wie Fische anzuschauen, aber Bewegung bei dem herrlichen Wetter machte auch Spaß und war gesund.

Während wir unterwegs zu einem nahe gelegenen Wald waren, erfuhr ich einiges von Anne. Sie studierte im letzten Semester Medien und Kommunikation und wollte im nächsten Jahr nach Berlin ziehen. Ihre Eltern waren geschieden, und zurzeit war sie Single.

Von mir brauchte ich gar nicht viel zu erzählen, das hatte ich scheinbar schon am Maienfest gemacht. Außerdem hatte Anne in der Presse verfolgt, was über mich berichtet wurde. Doch alles stand natürlich auch nicht in der Zeitung.

»War dein Begleiter beim Mexikaner neulich Abend dein neuer Freund?«, fragte sie.

Mit welchem der Männer sie mich wohl gesehen hatte? Es kamen ja drei infrage. Ich überlegte kurz. Nur mit einem war ich abends dort. Also meinte sie Ernesto.

»Ob er mein neuer Freund ist, das kann ich noch nicht sagen, aber er ist ein neuer Freund«, verriet ich, und Anne schien schon zu verstehen, was ich meinte.

Wir machten Rast an einer kleinen Lichtung, von der aus wir einen herrlichen Blick auf eine blühende Frühlingswiese hatten. Ein umgeschlagener Baumstamm diente uns als Sitzgelegenheit. Ich holte die Schachtel mit Erdbeeren vorsichtig aus meiner Tasche, und wir genossen die saftigen Früchte.

»Bist du verliebt in ihn?« Anne war ja noch neugieriger als Claudia. Aber ich hatte ihr gegenüber seltsamerweise keine Scheu, von meinem Gefühlsleben zu erzählen, obwohl ich sie ja gar nicht kannte.

»Ich finde ihn sehr amüsant, und er schaut toll aus. Und es prickelt auch, wenn ich mit ihm zusammen bin. Aber verliebt? Ich weiß nicht«, gestand ich ehrlich.

»Dann also noch in deinen Ex?«, vermutete sie.

Woher wusste sie von meinem Ex? Die Antwort kam postwendend.

»Du warst ja auf dem Fest ganz schön sauer auf ihn. Und auf seine Freundin. Das ist man meist nur, wenn noch Gefühle da sind.« War das so?

»Inzwischen sind sie getrennt. Aber ob das mit uns noch mal eine Chance hat. Ich weiß nicht«, überlegte ich, mehr für mich selbst.

»Entschuldige, Lene. Ich bin viel zu neugierig. Dabei geht mich das ja gar nichts an.«

Sie stand auf und pflückte Blumen.

»Ach. Das macht mir nichts aus. Es tut sogar gut, mal darüber zu reden, dann kann ich es selber auch wieder ein wenig besser für mich sortieren.«

»Dann hast du also deine weiß-blaue Liebe doch noch nicht gefunden?«

Ich zögerte mit einer Antwort.

»Ich weiß es nicht.« Die letzten Tage hatte ich mein wie auch immer vorhandenes Liebesleben eher wie eine Außenstehende betrachtet und dabei keine Gefühle zugelassen. Zweifellos mochten Michi, Ernesto und Matthias mich – jeder auf seine Weise. Aber was bedeutete jeder einzelne der Männer für mich?

Karl kam mir in den Sinn. Entgegen seiner Prophezeiung, dass ich keinen Mann finden würde, standen sogar mehrere Prachtexemplare zur Auswahl. Warum konnte ich mich dann nicht auf einen Mann so richtig einlassen? Und genauso wie Karl Huber mit seiner Hilly glücklich werden. Sicher war er mit ihr sehr glücklich. Oder?

»Hier, für dich!« Anne reichte mir einen bunten Blumenstrauß.

»Damit du nicht mehr so grantig schaust.« Sie lachte.

»Ich schau grantig? Oje … Tut mir leid. Die Blumen sind wunderschön. Danke!« Ich seufzte. »Irgendwie ist das alles nicht so einfach mit dem Liebesleben.«

»Wem sagst du das«, stimmte sie mir zu.

»Hast du auch Probleme mit den Männern?«, wollte ich wissen.

»Nein. Mit Männern habe ich keine Probleme«, sagte sie und legte den Kopf schief.

»Du hast es gut«, beneidete ich sie.

»Ich habe deswegen mit Männern keine Probleme, weil sie mich nicht interessieren, Lene.«

Erst mit ein paar Sekunden Verzögerung erfasste ich die Bedeutung dieses Satzes, und sofort rutschte mir heraus: »Du bist eine… Lesbe?… Oh, entschuldige, so wollte ich das nicht sagen.«

Sie lachte.

»Macht doch nichts. Und keine Angst, ich beiße nicht und falle auch nicht gleich über dich her.«

»Da bin ich aber sehr beruhigt«, witzelte ich, um meine Verlegenheit zu überspielen, die mir peinlich war. Ich war bisher noch nie wissentlich alleine mit einer lesbischen Frau unterwegs gewesen. Gab es da bestimmte Verhaltensregeln? Wie merkte ich, ob sie was von mir wollte? Warum wurde man nicht in der Schule auf solche Situationen vorbereitet?

»Weißt du, ich verfolge das ja schon eine Weile mit dir und frage mich, ob du vielleicht deshalb deinen Traummann nicht findest, weil es gar keinen für dich gibt«, gab sie zu bedenken.

»Keinen Traummann für mich?« Sie meinte doch nicht etwa…? O nein! Ausgeschlossen. Ich stand nicht auf Frauen. Und das stellte ich auch gleich so freundlich wie möglich klar. Ich wollte Anne ja nicht in ihrer Sexualität beleidigen.

»Bei mir hatte es auch eine Weile gedauert, bis ich verstand, was mit mir los war«, verriet sie mir. »Beziehungen hielten immer nur kurz. Ich zog jedes Mal die Notbremse, wenn es ernster wurde. Bis ich mich bei einer Freundin ausweinte. Sie tröstete mich. Anders, als mich bisher jemand getröstet hatte. Wir verbrachten eine wundervolle Nacht zusammen. Und danach wusste ich, warum ich mit keinem Mann richtig glücklich wurde.«

Ich starrte sie an. Der erste Teil der Geschichte hätte von mir sein können. Aber dass ich auf Frauen stand? Nein. Das hätte ich doch merken müssen. Oder etwa nicht?

Jetzt hatte sie mich ganz konfus gemacht. Ich stand auf.

»Gehen wir wieder zurück? Ich hab noch viel zu erledigen.« Es kam ruppiger, als ich eigentlich wollte.

»Jetzt bist du sauer auf mich.«

»Nein, bin ich nicht!«

»Ich wollte dich nicht erschrecken.« Anne war zerknirscht. Das musste jetzt auch nicht sein. Sie hatte es ja nicht böse gemeint.

»Es ist ein ganz ungewohnter Gedanke für mich. Aber du hast nichts falsch gemacht, Anne. Magst du noch eine Erdbeere?«

Sie schüttelte den Kopf.

Während wir zurückgingen, sah ich sie mit anderen Augen. Erstaunlich, wie eine neue Information über einen Menschen seine Wirkung so schlagartig verändern konnte. Dabei war Anne dieselbe, die sie auch vor einer halben Stunde war.

Sie war zweifellos eine sehr attraktive Frau mit einem hübschen runden Hinterteil und süßen Grübchen in den Wangen.

Aber mit ihr ins Bett gehen? Allein die Vorstellung war ziemlich gewöhnungsbedürftig für mich. Trotzdem dachte ich über das nach, was sie gesagt hatte.

Als wir zurück bei unseren Autos waren, entschuldigte sie sich noch mal, dass sie mich so durcheinandergebracht hatte.

»Vielleicht ist es ganz gut, mal darüber nachzudenken«, beruhigte ich sie.

Sie gab mir zum Abschied einen Kuss auf die Wange.

»Sorry, das musste jetzt sein«, sagte sie und lächelte.

»Ich hab schon weitaus Schlimmeres erlebt«, erwiderte ich und grinste. Und das meinte ich völlig ernst. Es fühlte sich gar nicht mal schlecht an, von ihr umarmt zu werden.

Ob Lesbe oder nicht, ich fand sie sehr sympathisch. Es wäre schön, sie zur Freundin zu haben. Eine Freundin wie Claudia es war.

Aber wahrscheinlich war das genauso schwierig wie eine Freundschaft zwischen Mann und Frau?

»Falls du es herausfinden möchtest, stehe ich gerne zur Verfügung«, sagte sie zum Abschied und zwinkerte mir zu. Und sie musste nicht weiter erklären, was sie damit meinte.

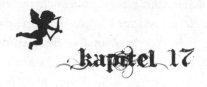

kapitel 17

Ich stand mit verbundenen Augen auf einer Wiese. Jemand packte mich am Arm und drehte mich im Kreis. Es musste Claudia sein, denn gleich darauf hörte ich ihre Stimme neben mir in einem kindlichen Singsang: »Dreh dich, dreh dich, Blinde Kuh, geh und such uns, Blinde Kuh!« Ein doofer Reim, das hatte ich mir schon als Kind immer gedacht.

Abrupt ließ sie mich los, und ich tappte orientierungslos herum. Ab und zu hörte ich ein Kichern, dem ich folgte. Doch ich griff ständig ins Leere.

»Wo seid ihr denn alle?«, fragte ich ängstlich.

Plötzlich hörte ich ein Flüstern. Ganz nah an meinem Ohr.

»Du musst nicht mehr suchen, Lene.«

Ich kannte diese Stimme nicht. Sie war nicht von einem Mann, aber auch nicht von einer Frau. Mein Herz klopfte wie wild. Ich hatte keine Lust mehr auf dieses Spiel und riss mir das Tuch von den Augen. Niemand stand neben mir. Doch vom Wald her kamen Männer und Frauen mit Gesichtsmasken langsam auf mich zu. Ich wollte weglaufen, aber meine Füße waren wie Blei.

Ich wachte mit Herzrasen auf. Was war das für ein seltsamer Traum gewesen? Ich sah auf die Uhr. Es war fast ein Uhr früh.

Eine ziemlich ungünstige Zeit aufzuwachen. Vergeblich versuchte ich, wieder einzuschlafen, und gab es schließlich auf. Bevor ich mich sinnlos hin und her wälzte, könnte ich auch ein wenig schreiben. Ich holte mein Notebook und setzte mich damit ins Bett. Zuerst wählte ich mich in Facebook ein. Es gab zahlreiche neue Kommentare und wie immer weitere Vorschläge für Liebeserklärungen auf Bairisch.

Und es gab zahlreiche Freundschaftsanfragen. Unter anderem eine von Karl Huber – ich traute meinen Augen kaum. Ausgerechnet er wollte mit mir befreundet sein? Und zwar auf seiner Privatseite! Bevor ich es mir anders überlegte, nahm ich ebenfalls mit meiner privaten Facebook-Seite seine Anfrage an. Es hatte etwas Genüssliches, zumindest online mit Karl befreundet zu sein. Ich wollte mich schon wieder abmelden, da öffnete sich plötzlich ein Chatfenster: Karl Huber.

Karl: Klingeling!

Er schrieb mich tatsächlich an. Lag er denn nicht im Bett mit seiner Hilly?

Lene: Hallo Karl. Auch noch wach?
Karl: Wie du siehst!
Lene: Lässt dich das schlechte Gewissen nicht schlafen?
Karl: Schlechtes Gewissen?
Lene: Weil du mir zu Unrecht unterstellt hast, dass ich die Fotos vom Maienfest online gestellt habe.
Karl: Zu Unrecht?

Lene: Ja! Ich wusste nichts davon. Wirklich!
Karl: Schwörst du es?
Lene: Ja!
Karl: Auf was?
Lene: Auf das Leben von Fritzi.

Es dauerte eine Weile, bis er erneut schrieb.

Karl: Fritzi?
Lene: Das ist mein Kater.

Der übrigens mal wieder am Fußende meines Betts lag und ungerührt von meiner nächtlichen Aktion schlief.
Ich wartete auf eine Antwort. Aber er schrieb nicht zurück. Eine gute Gelegenheit, mal sein privates Profil genauer anzuschauen. Er hatte im September Geburtstag. Eine Jungfrau! Wie war das noch mal mit Stieren und Jungfrauen? Irgendwas hatte ich da im Hinterkopf. Die passten entweder überhaupt nicht oder richtig gut zusammen. Das galt natürlich nur, wenn man an Astrologie glaubte! Was ich natürlich nicht tat. Trotzdem konnte es nicht schaden, das mal zu recherchieren. Rein hypothetisch natürlich. Bevor ich mir darüber weitere Gedanken machte, gab mir sein Beziehungsstatus ein Rätsel auf. Da stand ganz eindeutig, er sei Single. Hatte er das falsch eingestellt?

Karl: Noch da?
Lene: Ich schon. Wo warst du?
Karl: Hab mir ein Glas Wein geholt.

Lene: Hätte ich jetzt auch gerne.
Karl: Prost!
Lene: Haha! Prost!
Karl: Ich glaube dir das mit den Fotos.
Lene: Echt? Wieso die Sinneswandlung?
Karl: Wegen Fritzi.

Ich lachte. Der Kerl war wirklich für Überraschungen gut.

Lene: Wieso steht in deinem Profil Single?

Ein paar Sekunden später hatte er sich ohne ein weiteres Wort abgemeldet. So ein Depp!

Ich meldete mich ebenfalls ab, fuhr den Rechner runter und stellte ihn auf den Nachttisch. Dass ich eigentlich arbeiten wollte, hatte ich total vergessen. Und kaum hatte ich die Augen geschlossen, segelte ich schon in einen neuen Traum hinüber.

kapitel 18.

Es gab sicherlich weitaus schönere Aktivitäten, als am Sonntagvormittag Steuerunterlagen zusammenzusuchen. Ich saß in Vaters Büro und war mehr als verärgert. So sorgfältig und zuverlässig mein Vater seine Arbeit am Hof erledigte, so schlampig war er mit seinen Bürounterlagen. Tausend Quittungen und Zettelchen lagen herum, und ich hätte am liebsten alles gepackt und in die Papiertonne gekippt.

Vater ahnte wohl, dass ich nicht sonderlich gut auf ihn zu sprechen war. Nach der Kirche war er seit Langem wieder mal zu einem sonntäglichen Frühschoppen gegangen. In der Wirtschaft wollte er auch gleich zu Mittag essen und anschließend mit Michi zum Fußballspiel fahren. Ich gönnte Vater ja mal einen freien Tag. Er arbeitete wirklich hart genug. Aber ich hätte lieber mit einer Sense die große Wiese hinter dem Haus gemäht, als diese verflixten Belege zu sortieren.

Es war ein ziemlich heißer Tag heute, und ich hatte die Fenster im Büro weit geöffnet. So überhörte ich auch nicht, dass ein Wagen in den Hof fuhr.

Ich ging hinaus. Matthias stieg aus dem Wagen.

»Hallo Matthias«, begrüßte ich ihn überrascht.

»Ich hoffe, ich störe dich nicht?«

»Was heißt stören? Ganz im Gegenteil! Du bist sogar eine willkommene Ablenkung.« Alles war besser, als Belege zu sortieren.

»Ich möchte dir gerne was zeigen. Hast du eine halbe Stunde Zeit?«, fragte er.

»Klar.« Ich war heilfroh, mal eine Weile von den Kontoauszügen wegzukommen. Er öffnete die Beifahrertüre seines Wagens.

»Steig ein.«

Wir fuhren ungefähr die halbe Strecke bis Passau. Dann bog er ab in eine kleine Landstraße, bis er an einem Hang neben einem Wald anhielt. Was wollte er mir zeigen? Um in die Schwammerl zu gehen, war es noch zu früh. Ich war etwas ratlos.

»Wie gefällt es dir hier?«, fragte er.

»Es ist sehr schön«, antwortete ich wahrheitsgemäß. Ich schaute mich um. Es war tatsächlich ein traumhaft schönes Plätzchen mitten im Grünen mit herrlicher Aussicht auf Wälder und Wiesen ringsherum.

»Hier werde ich mein neues Haus bauen«, sagte er begeistert.

»Wirklich? Toll.« Auch wenn es mir persönlich ein wenig zu abgelegen wäre. Was ich ihm aber nicht sagte. Jeder sollte dort glücklich werden, wo es ihm gefiel. Warum er allerdings noch ein Haus brauchte, verstand ich nicht so ganz. Wie ich inzwischen erfahren hatte, gab es neben seiner Villa, dem kleinen Haus mit dem weißen Schlafzimmer noch eine schicke Terrassenwohnung im angrenzenden Österreich. Und jetzt hier noch eines? Ob er Häuser sammelte wie andere Leute Oldtimer?

Ich fand es auch verwunderlich, dass er gerade mir an einem Sonntagnachmittag dieses Grundstück zeigte.

»Ich dachte, da wir ja bald, natürlich großzügig betrachtet, fast

Nachbarn sein werden, interessiert es dich«, meinte er mit einem Lächeln.

Nachbarn? Aus ländlicher Sicht betrachtet stimmte das wohl. Was waren da schon ein paar Kilometer Abstand? Ich musste lachen.

»Mein Chef als Nachbar? Da kann ich ja gar nicht mehr blaumachen und in der Sonne liegen«, witzelte ich.

»Kommt drauf an, wie knapp dein Bikini ist. Kann sein, dass ich da mal ein Auge zudrücken würde«, sagte er und zwinkerte.

Er holte aus dem Auto eine Mappe und eine große Decke. Er breitete sie aus und sagte: »Hier wird einmal die Terrasse sein. Komm, setz dich.«

Ich machte es mir bequem, und leise beschlich mich ein mulmiges Gefühl. Er wollte doch nicht schon wieder mit mir schlafen?!

»Keine Sorge, Lene, ich würde zwar gerne mit dir schlafen, aber ich ahne, dass du mir wieder einen Korb geben würdest«, sagte er. Matthias sollte sich mal in einer dieser Mentalshows melden. Seine Fähigkeit, meine Gedanken zu erraten, war schon richtig unheimlich.

»Aber es gibt etwas, das ich genauso gerne mit dir mache. Und ich bin überzeugt, dass du das auch willst.« Er legte mir die Mappe auf den Schoß. Und jetzt sah ich, dass es der Ausdruck der Probekapitel war. »Wir arbeiten an deinem Buch.«

»Hast du schon alles gelesen?«, fragte ich überrascht.

»Ja. Letzte Nacht. Ich habe da einige Anmerkungen.«

Da saßen wir nun auf dem Boden seiner zukünftigen Terrasse mit herrlichem Ausblick und redeten über das Manuskript. Er sparte dabei nicht mit Kritik, allerdings mit konstruktiver, die ich gut annehmen konnte.

Wir machten Notizen und spannen weitere Ideen. Darüber hatte ich völlig vergessen, dass zu Hause eine andere Arbeit auf mich wartete.

Mein Vorschlag mit den bayerischen Rezepten kam gut bei ihm an. Und wir überlegten uns beide verschiedene Gerichte, die ins Buch kommen sollten.

Plötzlich riss ein Windstoß einige Blätter aus meiner Hand davon. Ich stand auf, um sie einzusammeln, und erschrak. Hinter uns hatte sich der Himmel schwefelgelb gefärbt. Es sah nach einem heftigen Gewitter aus.

»Schnell. Wir müssen weg hier«, rief ich.

Matthias nahm die Decke und das Manuskript, und wir eilten zum Wagen. Kaum saßen wir darin, zuckte auch schon der erste Blitz am Himmel. Kräftiger Donner grollte nur wenige Sekunden später. Normalerweise hatte ich keine Angst vor einem Gewitter. Aber das hier würde sicherlich kein Spaß werden. Wie hatten wir es nur übersehen können?

Matthias fuhr los. Der Wind wurde stärker, und immer häufiger zuckten grelle Blitze über uns. Innerhalb weniger Sekunden war es dunkel geworden.

»Keine Sorge, Lene. Ich bring dich sicher nach Hause«, sagte Matthias in dem Versuch, mir die Angst zu nehmen, die wohl deutlich in meinem Gesicht geschrieben stand. Doch ich merkte, dass auch er sich Sorgen machte.

Plötzlich setzte ohrenbetäubender Lärm ein. Es begann zu hageln und Eiskugeln, fast so groß wie Tischtennisbälle, krachten auf den Wagen. Matthias fuhr an den Straßenrand und blieb stehen. An eine Weiterfahrt war nicht zu denken. Hoffentlich würden die Hagelkörner nicht die Windschutzscheibe durchschlagen.

»Klettern wir lieber nach hinten«, schrie Matthias in den Lärm. Wir stiegen auf die Rückbank und hielten uns die Ohren zu. Chef oder nicht – ich lehnte mich ängstlich an ihn, und er zog mich fest an seine Brust. Sein Körper war warm und fest, und ich fühlte mich sofort geborgen.

So verrückt das auch sein mochte: Jetzt, genau in diesem Moment wollte ich plötzlich mit ihm schlafen. Er sah mich an und lächelte. Und ich wusste, dass er wieder mal meine Gedanken erraten hatte.

Der Lärm war fast unerträglich und der Wind zu einem ausgewachsenen Sturm geworden, als wir uns wild küssten. Während Äste durch die Gegend flogen und kleine Eisbälle mächtige Dellen in den Wagen schlugen, waren seine Hände überall an meinem Körper. Ich hatte Angst, und so drängte ich mich noch mehr an ihn. Doch es wäre gelogen, wenn ich das Gewitter als alleinige Ausrede dafür benutzt hätte, seine Küsse zu genießen. Sein Körper, sein Duft, seine Stimme erregten mich. Ich wusste nicht, wie er es geschafft hatte, aber plötzlich war meine Hose offen und er schob sie mitsamt dem Slip nach unten. Ich ließ mich auf den Rücksitz sinken und zog ihn zu mir. Plötzlich hielt er inne. Er sah mich an mit einem Blick, der mir noch mehr Angst machte als das Unwetter. Doch der Augenblick war so schnell vorbei, dass ich hinterher nicht mehr wusste, ob ich mir das eingebildet hatte.

Der Hagel hörte so plötzlich auf, wie er angefangen hatte, und ging in einen starken Regen über. Ich zog meine Hose hoch und setzte mich aufrecht hin.

Mein Kopf war völlig leer.

Matthias sah mich an. »Es ist nicht der richtige Zeitpunkt«, sagte er leise.

Ich nickte wortlos. Er hatte völlig recht! Ich fühlte mich, als ob mich jemand einen Schritt vor dem Abgrund festgehalten hätte.

Als wir eine halbe Stunde später in den Hof fuhren, war mein Vater schon da. Er war noch vor dem Gewitter zurückgekommen, aber nicht rechtzeitig genug, um das Fenster im Büro zu schließen. Der Wind hatte die Belege, die auf dem Schreibtisch lagen, im ganzen Zimmer verstreut. Das war jedoch harmlos gegen den Schaden, den das Unwetter am Hof und auf den Feldern angerichtet hatte.

»Wo warst du?«, fragte er mich, als ich aus dem Auto stieg.

»Wir sind unterwegs vom Gewitter überrascht worden«, erklärte Matthias ruhig.

Doch Vater achtete gar nicht auf ihn. Er sah mich von oben bis unten an und zog wohl seine eigenen Schlüsse.

»Kann ich mich auf dich überhaupt nicht mehr verlassen?«, fragte er aufgebracht.

»Ich konnte doch nicht ahnen, dass so ein Gewitter kommen würde. Wir hatten etwas zu besprechen wegen des Buchs…«, versuchte ich zu erklären.

»Dich interessiert doch nichts anderes mehr als dieser Schwachsinn mit der bayerischen Liebe! Und jeden Tag ist hier schon bald ein anderer Mann, der dich abholt. Wer weiß, was du mit denen alles machst! Ich schäme mich für dich!«, wütete er.

Es war, als hätte er mir eine Ohrfeige gegeben. Wie konnte er nur so was sagen?

»Bitte, Herr Koller, Ihre Tochter…«, versuchte Matthias, mir beizustehen.

Vater unterbrach ihn.

»Ich glaube nicht, dass Sie das etwas angeht. Auch wenn Sie

ihr Chef sind. Hier ist womöglich gerade die Arbeit eines ganzen Jahres zerstört worden. Aber meine Tochter beschäftigt sich nur mit einem Buch, das die Welt nicht braucht.«

»Vater, das stimmt doch gar nicht.« Inzwischen konnte ich meine Tränen kaum mehr zurückhalten.

»Ich glaube, es ist besser, du suchst dir eine eigene Wohnung.« Damit drehte er sich um und ging in den Stall. Ich war wie vom Donner gerührt. Was sagte er da?

»Vater, bitte! Lass uns reden!«, rief ich ihm nach. Doch er reagierte gar nicht auf meine Worte.

Ich sah ihm nach und war verletzt. Und unglücklich. Matthias legte seinen Arm um mich und zog mich tröstend an sich.

»Du kannst für eine Weile in das Haus ziehen, Lene. Den Schlüssel hast du ja«, bot er mir an. Viel lieber würde ich zu Claudia gehen. Aber da sie noch nicht aus Italien zurück war, konnte ich nicht bei ihr unterkommen. Ich nahm sein Angebot an.

Wie betäubt ging ich in mein Zimmer, packte eine Tasche voller Sachen und nahm meinen Laptop. Zuletzt steckte ich Eisi ein.

Vater ließ sich nicht mehr blicken, bis ich in meinem Wagen hinter Matthias her aus dem Hof fuhr. Im Rückspiegel sah ich, wie er aus der Scheune kam, mir kurz nachsah und sich dann umdrehte.

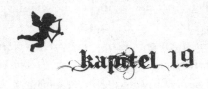

kapitel 19

Matthias begleitete mich in meine neue vorübergehende Unterkunft. Er zeigte mir alles und fuhr dann wieder.

Ich vermied es, an meinen Vater zu denken, denn das tat mir zu weh. Planlos lief ich durch das Haus. Es war tatsächlich nicht besonders groß, aber sehr wohnlich. Neben dem Schlaf- und Badezimmer gab es eine kleine, aber sehr funktionale Küche, ein Wohnzimmer mit Essbereich und eine angrenzende Sonnenterrasse.

Im Schlafzimmer räumte ich meine Kleider in die leere Seite des Schranks. Auf der anderen Seite waren einige wenige Sachen von Matthias. Zwei Anzüge und Hemden, ein Paar Jeans, T-Shirts, Unterwäsche und Socken. Ob das hier sein Liebesnest war, in dem er sich regelmäßig mit diversen Frauen traf? Ein Blick auf das weiß bezogene Bett und die Erinnerung an seine Worte bestärkten mich in dieser Annahme.

Ich ging ins Badezimmer und ließ das Wasser in der Dusche so heiß, wie ich es gerade noch aushalten konnte, über meinen zunehmend rot werdenden Körper prasseln. Dann schlüpfte ich in mein Lieblingsnachthemd, das schon etwas ausgewaschen und alles andere als sexy war. Aber egal, schließlich würde es außer mir niemand sehen. Ich stand vor dem Bett und war hundemüde.

Trotzdem konnte ich mich nicht überwinden, mich in das weiße Liebeslager zu legen und darin die Nacht zu verbringen. Kurz entschlossen packte ich das Bettzeug und ging damit ins Wohnzimmer. Dort machte ich es mir auf dem großen Sofa gemütlich. Die ganze Aufregung um das Gewitter, das Techtelmechtel mit Matthias im Auto und schließlich das Zerwürfnis mit meinem Vater ließen mich erschöpft in einen tiefen und traumlosen Schlaf fallen.

Es war noch früh am Morgen, als ich wach wurde. Ich dachte lange über den Streit mit meinem Vater nach. Vielleicht hatte ich die letzte Zeit wirklich nicht so viel wie sonst mitgeholfen. Ich konnte auch verstehen, dass er wegen des Schadens auf dem Hof aufgebracht war, aber er war ja versichert. Deswegen hätte er mich nicht rauswerfen müssen. Denn genau das war es, was er getan hatte. Er hatte seine einzige Tochter rausgeworfen. Sicher täte ihm das bald leid, und er würde sich entschuldigen. Doch die Stunden vergingen, und ich hörte nichts von ihm.

Nur Michi rief bei mir an und fragte nach, was denn los sei. Ich erzählte ihm alles, na ja, fast alles, und hoffte auf sein Verständnis. Doch er hatte sich auf die Seite meines Vaters geschlagen und warf mir vor, in der letzten Zeit total egoistisch geworden zu sein.

Ich und egoistisch? Das war die Höhe! Weil ich endlich die Chance hatte, etwas Eigenes zu machen, an dem ich Spaß hatte? Nun, wenn die beiden so von mir dachten, konnten sie mir gestohlen bleiben. Das spornte mich nur noch zusätzlich an. Ich machte mich mit noch mehr Eifer ans Schreiben. Tagsüber war ich im Büro, und an den Abenden schrieb ich bis tief in die Nacht hinein in meinem neuen Zuhause, dem ich immer mehr meinen Stempel aufdrückte. Da mir das Sofa als Schlafplatz auf

Dauer doch zu unbequem war, deckte ich mich mit farbenfroher Bettwäsche ein und dekorierte das Schlafzimmer mit allerlei bunten Accessoires. Kaum hatte der Raum etwas Farbe, fühlte ich mich auch schon viel wohler und schlief jede Nacht tief und fest wie ein Baby.

Endlich war Claudia wieder zurück aus ihrem Urlaub. Gleich am frühen Morgen ging ich in ihr Büro und lud sie für den Abend zum Essen bei mir ein. Als sie meine neue Adresse hörte, war sie sprachlos. Überhaupt verhielt sie sich immer noch etwas seltsam mir gegenüber. Die Claudia, die ich von früher kannte, schien weiterhin in Italien zu sein.

»Geht es dir nicht gut, Claudia?«, erkundigte ich mich besorgt.

»O doch«, antwortete sie bemüht freundlich.

»Was macht die neue Liebe?«

»Die hat sich erledigt!«

Ach, deswegen war sie so seltsam. Sie hatte Liebeskummer. Es wurde Zeit, dass wir uns gegenseitig wieder aufmunterten.

»Bei mir ist auch alles nicht so einfach mit meiner Sammlung Jungs«, versuchte ich, sie ein wenig aufzumuntern. Doch sie ging nicht darauf ein.

Matthias kam ins Büro. Als er Claudia sah, lächelte er.

»Claudia. Schön, dass du wieder zurück bist!«

»Hallo Matthias.«

»Kommt ihr beiden dann in mein Büro?«, bat er.

»Ja, klar«, sagte Claudia. Und auch ich nickte in seine Richtung.

Matthias ging mit uns die neuen Kapitel durch und bat Claudia, sie sprachlich noch ein wenig zu verbessern. Das gab mir doch einen kleinen Stich.

»Lene, es ist ganz normal, dass über die Arbeit eines Autors noch mal jemand drübergeht. Das hat nichts mit deiner Leistung zu tun. Bitte, krieg das nicht in den falschen Hals.«

»Nein. Das ist natürlich in Ordnung für mich«, sagte ich.

»Gut. Du sollst dich nämlich lieber auf was anderes konzentrieren.«

»Ja? Auf was denn?«

»Bayerwald TV hat dich zur nächsten Kochsendung eingeladen.«

»Du meinst doch nicht etwa zu ›Duellanten am Herd‹?«, fragte ich aufgeregt.

»Doch. Genau das meine ich«, antwortete er.

Das war ja eine tolle Nachricht. Einmal im Monat gab es die äußerst amüsante Kochsendung mit Persönlichkeiten aus der Region. Ich fühlte mich geschmeichelt, dass sie mich dazu einluden, denn die Sendung hatte in unserer Gegend bereits einen gewissen Kultstatus.

»Und wer wird mein Kochgegner sein?«, fragte ich neugierig. Eigentlich hätte ich mir die Frage sparen können. Schon am Blick von Matthias ahnte ich, dass dies nur einer sein konnte.

»Doch nicht der Huber?«, fragte ich mit einem Quäntchen Hoffnung, dass man mich diesmal vielleicht doch verschonen würde.

»Einen besseren Kochgegner könnten wir uns nicht wünschen, Lene. Sicher gibt das tolle Einschaltquoten.«

Klar. Wahrscheinlich würden die Zuschauer darauf warten, dass wir uns gegenseitig die Bratpfanne überzogen oder uns mit Knödeln bewarfen.

»Jetzt tu nicht so. Es macht dir doch Spaß, dich mit ihm öffentlich zu zoffen«, mischte sich Claudia in das Gespräch ein.

»Absolut nicht!«, stellte ich klar. Könnte schon sein, dachte ich insgeheim. Aber natürlich hätte ich das nie offen zugegeben.

Matthias schaute mich an. Seine unergründlichen grünen Augen blickten mir wieder mal tief in die Seele. Und ich wusste, dass er wusste, was ich dachte. Und er wusste, dass ich wusste, dass er es wusste. Somit war sein folgender Satz nur Makulatur.

»Wenn du deinen Auftritt bei der Kochsendung wegen Huber absagen willst, dann ist das deine Entscheidung, Lene.«

»Natürlich werde ich das nicht tun«, war die folgerichtige Antwort darauf.

»Gut«, sagte er, lächelte zufrieden und wandte sich an Claudia.

»Claudia, hast du heute Abend Zeit? Ich habe etwas mit dir zu besprechen.«

»Leider nicht. Lene hat mich zum Essen eingeladen.«

»Das könnt ihr doch verschieben, bitte.«

»Kein Problem. Dann machen wir das morgen, Claudia?«, schlug ich vor.

»Das geht nicht! Da ist die Aufzeichnung der Sendung!«, informierte mich Matthias.

»Morgen schon?« Super, dass ich immer so lange vorher meine Termine erfuhr.

kapitel 20

»Duellanten am Herd« war eine Fernsehsendung, die innerhalb kurzer Zeit eine große Fangemeinde weit über die niederbayerischen Grenzen hinaus gewonnen hatte. Das Konzept war einfach: Zwei Kandidaten traten gegeneinander an, die drei Gerichte zubereiten mussten. Zwei wurden bei Beginn der Sendung vorgegeben, eines musste man sich vorab selbst überlegen und dafür auch die Zutaten küchenfertig mitbringen.

Jede Sendung hatte ein spezielles Motto, das mit den Kandidaten zu tun hatte: Für Huber und mich hieß es: Bayerische Schmankerl. – Was auch sonst?

Durch den frühen Tod meiner Mutter stand ich schon als Kind viel in der Küche. Anfangs hatte Julia mich noch dabei angeleitet und unterstützt, aber schon bald nahm ich es selbst in die Hand, für mich und meinen Vater kulinarisch zu sorgen. Ich kochte sehr gerne und fühlte mich für die Aufgabe einigermaßen gerüstet. Im Bett überlegte ich hin und her, was ich denn zubereiten sollte. Tausend Gerichte gingen mir durch den Kopf, aber keines schien mir geeignet. Wenn ich schon gegen Karl antreten sollte, wollte ich auch was richtig Tolles machen.

Da kam mir Julia in den Sinn. Ihr würde was einfallen.

Gleich am frühen Morgen machte ich mich auf den Weg zu ihr. Auch auf ihrem Hof hatte das Unwetter einige Schäden angerichtet, und es würde bestimmt noch eine Weile dauern, sie alle zu beheben. Julia war in der Küche und freute sich sehr, mich zu sehen. Wir umarmten uns herzlich.

»Hat es dich mit dem Hagel sehr schlimm getroffen?«, fragte ich.

»Es ist einiges zerstört. Ja. Aber weißt du, Lene, das sind alles Dinge, die man wieder ersetzen kann. Außerdem sind wir gut versichert.«

Ich bewunderte sie für ihre Haltung. Sie war einfach eine unglaubliche Frau.

»Was mir mehr Sorgen macht, ist das Verhalten deines Vaters. Was ist denn mit euch los? Er will mir nicht erzählen, warum ihr euch so zerstritten habt«, sagte sie besorgt.

»Ach, Julia, er ist wütend auf mich, weil ich in der letzten Zeit mehr an meinem Buch gearbeitet habe, als auf dem Hof mitzuhelfen«, erklärte ich zerknirscht. Dass er noch nicht mal mit Julia darüber gesprochen hatte, zeigte mir, dass er immer noch sehr ärgerlich auf mich sein musste.

»Ach deswegen!«

»Ja. Und dann noch dieses Unwetter. Da ist ihm wohl alles zu viel geworden.«

»Für das Wetter bist du doch nicht verantwortlich, Lene.«

»Das nicht, aber mein Ratgeber ist für ihn etwas, das die Welt nicht braucht, wie er selber gesagt hat«, erklärte ich traurig.

»Meine Güte, wenn man da anfangen würde, alle Dinge zu verteufeln, die die Welt nicht braucht, da wären wir nur noch damit beschäftigt. Ich finde es toll, dass du ein Buch schreibst. Und ob die Welt es nicht vielleicht doch braucht, kann man nie wissen. Natürlich musst du dich da reinhängen. Ist eine wunderbare Chance. Du wärst ja dumm, wenn du das nicht nutzen würdest«, ereiferte sich Julia.

Ich war so froh, dass sie das so sah.

»Danke, dass du mir das gesagt hast. Ich hatte schon Angst, dass ich wirklich nur an mich gedacht habe.«

»Dein Vater ist manchmal ein richtiger Sturkopf. Lass ihn einfach eine Weile schmoren. Dann wird er schon wieder zur Besinnung kommen«, riet sie mir. »Komm, wir machen uns eine Tasse Kaffee, und frische Auszogne sind auch noch da.«

»Ohne Rosinen?«, fragte ich.

»Na klar. Ich weiß doch, dass du sie nicht magst«, sagte Julia vergnügt.

Ich half ihr, den Tisch zu decken, und während wir gemütlich Kaffee tranken, erzählte ich von meiner Teilnahme an der Kochsendung.

»Du darfst bei ›Duellanten am Herd‹ dabei sein? Das ist ja super!«, freute sie sich.

»Ja. Aber ich weiß nicht, mit welchem Rezept ich hingehen soll.« Ich seufzte.

»Welches Thema ist es denn diesmal?«, fragte sie.

»Bayerische Schmankerl.«

»Da gibt es doch so vieles! Sülzen, Lüngerl, Millirahmstrudel, Erdäpfelkäse, Wammerl mit Fingernudeln…« Julia war ganz in ihrem Element.

»Das Problem ist, dass ich nur ein wenig mehr als eine Stunde Zeit habe zu kochen«, gab ich zu bedenken.

»Wann ist denn die Sendung?«, fragte sie.

»Die Aufzeichnung ist heute Abend, und ich weiß es erst seit gestern.«

»Heute schon? Hmm ...« Sie überlegte. Plötzlich kam ihr eine Idee. »Warum machst du nicht dein Blitz-Schweiners?«, schlug sie vor. »So ein Gericht hat bestimmt noch keiner in der Sendung gekocht.«

Mein Blitz-Schweiners! Warum war ich da nicht selbst draufgekommen? Ich hatte das Gericht vor Jahren einmal improvisiert, als ich wenig Zeit hatte zu kochen. Es war inzwischen eines der Lieblingsgerichte meines Vaters.

»Denkst du, ich schaffe das in der kurzen Zeit?« Ich war doch ein wenig unsicher, ob es das Richtige für die Kochsendung war.

»Wenn du die Zutaten schon zu Hause vorbereitest und das Fleisch zuerst machst, dann klappt das bestimmt, Lene«, ermunterte sie mich.

»Und dazu einen Semmelknödel-Gugelhupf«, beschloss ich. »Wenn die anderen Gerichte nicht zu aufwendig sind, kann ich das alles schaffen.« Jetzt freute ich mich schon richtig auf die Kochsendung.

»Du schaffst das in jedem Fall, Lene«, ermutigte Julia mich.

Sie schlug vor, die Zutaten gemeinsam mit mir einkaufen zu gehen. Aber als sie vor der Abfahrt bei ihrem bettlägerigen Mann nach dem Rechten sah, stellte sie fest, dass Hans hohes Fieber hatte.

»Lene, rufst du bitte Doktor Müller an? Er soll sofort kommen.« Sie versuchte, ruhig zu bleiben, aber ich hörte die große Besorgnis in ihrer Stimme. Während ich den Hausarzt anrief, machte sie Hans kühlende Wadenwickel und strich ihm liebevoll das verschwitzte Haar aus der Stirn.

»Bald ist alles wieder gut, Hans«, redete sie liebevoll auf ihren Mann ein, der mit geschlossenen Augen dalag und schwer atmete.

»Kann ich etwas für dich tun?«, fragte ich besorgt.

»Nein, Lene. Jetzt müssen wir erst abwarten, was der Doktor sagt. Geh du jetzt ruhig deine Sachen einkaufen.«

»Aber soll ich nicht doch besser hierbleiben, Julia? Wenigstens bis Doktor Müller da ist?«

»Wenn es dir wirklich nichts ausmacht ...« Sie war doch froh, dass ich noch blieb, bis der Arzt ein paar Minuten später eintraf.

Dann verabschiedeten wir uns, und sie versprach mir, mich zu benachrichtigen, sollte sich der Zustand ihres Mannes verschlechtern. Als ich nach draußen kam, lief gerade mein Vater über den Hof.

»Warum ist Doktor Müller hier?«, fragte er aufgeregt.

»Hans hat Fieber«, erklärte ich. »Vater, ich ...«

Doch er ging an mir vorbei ins Haus, ohne mich weiter zu beachten.

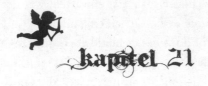

kapitel 21

Noch während ich beim Einkaufen war, rief Julia mich an und brachte mich auf den neuesten Stand. Das Fieber war wohl durch eine Infektion ausgelöst worden, die ihren Ursprung in einem entzündeten Insektenstich hatte. Nach der Gabe von Antibiotikum dürfte alles bald wieder in Ordnung sein.

»Mach dir jetzt keine Gedanken mehr, Lene, und genieß die Kochsendung«, beruhigte sie mich. Ich war froh, dass sie mir Bescheid gegeben hatte. Sonst hätte mich die Sorge um Hans wohl den ganzen Abend nicht losgelassen.

Jetzt hatte ich den Kopf wieder frei und bereitete alle Zutaten für mein Blitz-Schweiners vor.

Kurz bevor ich mich auf den Weg zum Fernsehstudio machte, kam Matthias und brachte mir das schwarz-weiße Minidirndl, das er mir kürzlich im Internet gezeigt hatte. Ich war überhaupt nicht begeistert darüber, aber Matthias meinte, dass es genau das Richtige wäre, um in der Sendung gut anzukommen. Er drängte mich, es anzuprobieren. Da ich nicht wusste, wie er die Umgestaltung seines Liebesnestes aufnehmen würde, versperrte ich ihm den Weg zum inzwischen farbenfrohen Schlafzimmer und bat ihn, im Wohnzimmer zu warten, bis ich mich umgezogen hatte. Doch Matthias wäre nicht Matthias gewesen, wenn er sich daran gehalten hätte. Gerade als ich die letzten Knöpfe des Kleids zuknöpfte, kam er herein. Er sah sich überrascht um, zog eine Augenbraue hoch, verkniff sich jedoch jeglichen Kommentar zum ehemals weißen Schlafzimmer. Dafür gab es bewundernde Blicke und Komplimente für mich in dem tief dekolletierten Dirndl. Es saß tatsächlich perfekt – solange ich mich nicht bewegte.

Mit einem Einkaufskorb voller Zutaten und Eisi als moralische Unterstützung in der Handtasche betrat ich eine halbe Stunde später nervös das Fernsehstudio. Am liebsten wäre ich noch mal umgekehrt und hätte mich umgezogen. Ich fühlte mich absolut nicht wohl in dem Kleid mit dem tiefen Ausschnitt. Bei jeder Bewegung drohten meine Brüste herauszuspringen. Wie ich darin entspannt kochen sollte, war mir schleierhaft.

Die Moderatorin Inge Klinger begrüßte mich freundlich und führte mich gleich ins Kochstudio, wo Karl Huber schon wartete.

»Hallo Lene. Fesch siehst du aus. Hast du dir das Kleid von deiner kleinen Schwester ausgeliehen?«, stichelte er zur Begrüßung.

Holla! Das Duell ging schon vor dem Kochen los. Inge Klinger verbiss sich ein Lachen.

»Ich sehe schon, du bist in Modefragen ein wahrer Spezialist, Karl.« Ich lächelte ihn übertrieben freundlich an. »Und scheinbar ist es jetzt auch total modern, den Reißverschluss an der Hose offen zu tragen.«

Karl griff sich an den Hosenstall seiner Jeans. Doch ich hatte ihn nur aufgezogen. Alles war wohlverpackt. Karl holte tief Luft.

»Sehr lustig.«

»Nicht wahr?«, flötete ich.

»Wahrscheinlich willst du mit dem Ausschnitt nur davon ablenken, dass du nicht kochen kannst.«

»Ich hoffe, du hast genügend Magenbitter für die Leute von der Jury dabei. Den brauchen sie bestimmt, wenn sie deine Kostproben zu sich genommen haben.«

Inge Klinger war das Lachen vergangen. Spätestens jetzt dürfte ihr bewusst geworden sein, dass sie als Moderatorin heute noch sehr gefordert sein würde. Um wieder auf eine sachliche Ebene zu finden, erklärte sie uns den Ablauf der Sendung. Dann bat sie uns in die Maske.

Währenddessen kamen die Zuschauer ins Studio. Alle hatten eine Nummer bekommen. Drei von ihnen würde man bei Beginn der Sendung als Jury auslosen.

Als die Aufzeichnung der Sendung begann, war meine Nervosität überraschenderweise gänzlich verschwunden. Ich war gut vorbereitet, und Karl Huber konnte mich ohnehin nicht mehr schocken. Inge Klinger begrüßte charmant die Gäste und stellte uns Kandidaten vor. Danach wurde die Jury ausgewählt. Die zwei älteren Damen und der junge Mann hatten zwar später das Vergnügen, das Essen zu probieren und zu bewerten, mussten aber jetzt das Studio verlassen.

»Entschuldigung, darf ich bitte den Ofen schon mal einschalten?«, fragte ich die Moderatorin.

»Aber sicher, Frau Koller. Herr Huber, müssen Sie auch vorheizen?«

»Danke, aber das ist nicht nötig«, sagte er freundlich.

Was er wohl kochen würde? Gleich sollte ich es erfahren.

»So, jetzt kommt die große Frage: Welches bayerische Schmankerl setzen uns die Kandidaten heute wohl vor? Frau Koller?«

Ich räusperte mich.

»Also, bei mir gibt es ein Blitz-Schweiners mit Weißbiersoße und dazu einen Knödel-Gugelhupf.«

Im Zuschauerraum gab es ungläubiges Geraune. Und auch Karl sah mich verblüfft an. Ich packte währenddessen meine Zutaten aus und stellte eine große Pfanne auf den Herd.

»Ein Blitz-Schweiners? Das hab ich ja noch nie gehört.« Frau Klinger staunte. »Und was bereiten Sie uns heute zu?« Die Frage ging an Karl.

»Bei mir gibt es einen Obazdn auf Schwarzbrot.«

Was? Einen Obazdn? Das war alles? Den könnte ich auf die Schnelle noch neben meinem Blitz-Schweiners machen, ohne ins Schwitzen zu kommen.

»Mehr hast du nicht auf Lager?«, rutschte mir heraus.

Karl schaute grimmig.

»Ein Obazda ist ein echt bayerisches Schmankerl. Von einem Blitz-Schweiners habe ich noch nie was gehört«, brummte er.

»Sie merken schon, liebe Gäste, unsere Köche werden sich ein interessantes Duell liefern«, sprach Inge Klinger in die Kamera.

Während sie redete, briet ich die schon zu Hause in etwa sechs auf sechs Zentimeter geschnittenen Fleischwürfel scharf in der Pfanne an. Ich durfte keine Zeit verlieren.

»Und hier sind die Gerichte, die ebenfalls noch zubereitet werden müssen: eine aufgezwiebelte Biersuppe und niederbayerische Rupfhaubn… Die Zutaten finden Sie neben sich unter dem Küchentuch. Und los geht's! Ab jetzt ist genau eine Stunde Zeit! Und denken Sie daran, Sie dürfen nicht abschmecken!«

Das war eine der Kochregeln in der Sendung. Denn am Ende mussten auch die Kandidaten die Gerichte probieren und bewerten. Allerdings mit verbundenen Augen.

Sie reichte uns die Rezepte. Puh, keine leichte Aufgabe. Vor allem nicht, wenn ich auch noch mein Gericht zeitig fertigbekommen wollte. Hoffentlich hatte ich mir nicht doch zu viel zugemutet. Ich warf einen Blick zu Huber. Er las sich das Rezept konzentriert durch.

Das Fleisch war jetzt angebraten. Ich legte die Stücke rasch mit der Krustenseite nach oben in eine Bratreine und schob sie in den Ofen. Die Zwiebeln hatte ich zu Hause schon in feine halbierte Ringe geschnitten und gab sie in die Pfanne zum Anbraten.

Ich kalkulierte die Zeit. Es würde zwar ein wenig knapp werden, aber ich konnte es schaffen.

Obwohl Karl weit weniger zu tun hatte, bemerkte ich bei ihm ein wenig Hektik. Vor allem, als die Moderatorin ihn in ein Gespräch verwickelte.

Inzwischen waren die Zwiebeln in der Pfanne gut angebraten. Ich goss sie mit einer halben Flasche Weißbier und kochendem Wasser auf. Dann würzte ich mit Salz und Pfeffer und gab alles zu den Fleischstücken im Ofen.

Für den Knödel-Gugelhupf bereitete ich einen Semmelknödelteig vor und füllte ihn in die ausgefettete Form. Das Ganze kam ebenfalls in den Ofen.

Nun war der Teig für die Rupfhaubn dran.

»Kommen Sie zurecht, Frau Koller?«, fragte Inge Klinger.

Ich nickte.

»Vielleicht können Sie uns ja währenddessen erzählen, wie Sie mit Ihrer Suche nach der weiß-blauen Liebe vorankommen.«

Ach Gott. Darauf sollte ich jetzt wirklich antworten?

»Nun, ich recherchiere immer noch und hoffe, dass Herr Huber mir vielleicht doch irgendwann einen passenden Ausdruck liefern kann.«

»Herr Huber hat viele passende Ausdrücke, aber das mag Frau Koller nicht zur Kenntnis nehmen«, kam es von der anderen Seite.

Die Moderatorin erkannte wohl, dass sie hier nicht weiterkam.

»Gut, dann kommen wir zur ersten Kochfrage. Damit können Sie zusätzliche Punkte bekommen, die am Ende zur Bewertung gezählt werden. Die Regeln dürfen bekannt sein. Wer als Erster richtig antwortet, bekommt einen Punkt. Und Achtung: Welche Wurst gehört in einen bayerischen Wurstsalat?«

»Regensburger!«, riefen wir beide.

Doch Huber war den Bruchteil einer Sekunde schneller als ich gewesen. Der Punkt ging verdientermaßen an ihn. Er grinste zufrieden.

Ich ließ mich deswegen nicht aus der Ruhe bringen und konzentrierte mich weiter auf das Kochen. Was war schon ein Punkt?

Huber hackte eine Essiggurke für seinen Obazdn.

»Gurken im Obazdn? Ich mach da immer Kapern rein«, bemerkte ich und brachte ihn damit ein wenig aus dem Konzept.

»Kapern? Ich kenn das nur mit Gurken«, sagte er etwas verunsichert. Wahrscheinlich hatte er noch nie im Leben selbst einen Obazdn gemacht, sondern sich das Rezept von einem seiner zahlreichen Fans geben lassen. Oder von seiner Hilly.

»Du wirst schon wissen, was du machst! Wo ist eigentlich mein Weißbier?« Ich hatte noch eine halbe Flasche, mit der ich die Soße aufgießen musste.

»Äh. Das war deines?«, fragte Karl und grinste schief. Er hob ein Weißbierglas in meine Richtung und nahm einen letzten Schluck. Er hatte sich tatsächlich mein Weißbier eingeschenkt! Und dann noch so unschuldig tun! Ich atmete tief durch. Lass dich dadurch nicht ablenken, Lene, sagte ich mir selber. Sonst kostet dich das womöglich den Sieg.

Inge Klinger kam zu mir, und ich sollte gleich eine ihrer Spezialfragen zu spüren bekommen, die der Sendung eine besonders pikante Note gaben, die sie bei den Zuschauern so beliebt machte.

»Frau Koller, gibt es denn aktuell einen Mann in Ihrem Leben? Ich will ja nicht indiskret sein, aber man hört Gerüchte, dass Sie mit dem Verleger Matthias Berger liiert sind?« Die Moderatorin nahm kein Blatt vor den Mund.

»Ich mit Matthias Berger? Wie kommen Sie denn darauf?«, fragte ich empört.

»Nun, man hört so einiges«, antwortete sie süffisant.

»Dann sollten die Leute mal ihre Hörgeräte besser einstellen«, konterte ich. Die Zuschauer lachten. Ich setzte die Teighäubchen für die Rupfhaubn in die heiße, gezuckerte Milch, in die ich vorher schon gewürfelte Äpfel gegeben hatte.

»Fragen Sie sie doch nach einem gewissen spanischen Geschäftsmann«, mischte Karl sich ein.

Was fiel ihm denn ein? Ich hätte ihm am liebsten den restlichen Teig um die Ohren geschlagen.

»Soso … Ein spanischer Geschäftsmann? Das ist ja auch interessant.« Klinger nahm den Ball gleich auf.

»Wie viel Zeit haben wir denn noch?« Ich ließ mich einfach nicht darauf ein. »Gibt es hier irgendwo noch ein Weißbier?«, fragte ich, inzwischen doch schon ein wenig nervös, dass mir die Soße nach Karls Bierraub nicht richtig gelingen würde.

Klinger ging zum Kühlschrank und suchte. Konnte mir aber nur mit einem dunklen Bier aushelfen, das reichlich für die Biersuppe vorrätig war. Das ging natürlich auch. Ich war erleichtert.

»Noch fünfundzwanzig Minuten«, informierte sie uns.

Klinger ging zu Karl. »Jetzt komm ich doch noch mal zu Ihnen, Herr Huber. In Ihrem Privatleben tut sich auch einiges.«

So? Das war jetzt interessant. Was tat sich denn da? Wurde er vielleicht Papa?

»Ich glaube, da müssen wir jetzt nicht drüber reden«, blockte Karl mit angespannter Miene. Es war ihm sichtlich unangenehm. Ich spürte eine gewisse Schadenfreude. Das kam davon, wenn man andere vorführen wollte.

»Ich verstehe schon, dass Sie über Ihre Scheidung nicht so gerne sprechen. Dabei war es doch in beiderseitigem Einvernehmen oder etwa nicht?«, bohrte Klinger nach.

Aber Karl reagierte gar nicht darauf, sondern befasste sich mit stoischer Miene mit seiner Biersuppe.

»Dann lassen wir das Thema. Vorsicht, die Zwiebeln brennen gleich an!«, rief die Moderatorin.

Karl zog den Topf zur Seite und vermied es, in meine Richtung zu schauen.

Scheidung?! Hatte ich das richtig gehört? Scheidung? Von Hilly? Aber wieso hatte er sie mir überhaupt noch als seine Frau vorgestellt? Dann hatte also der Beziehungsstatus auf seiner Facebook-Seite gestimmt!

Bevor ich weiter darüber nachdenken konnte, kam schon die nächste Rätselfrage: »Was ist der Hauptbestandteil einer Hirgstsuppe?«

»Buttermilch!« Diesmal war ich schneller. Und so stand es nach Punkten unentschieden. Wobei die Antwort genau genommen eigentlich nicht ganz richtig war. Ursprünglich machte man die Hirgstsuppe oder auch Herbstmilch genannt aus gestöckelter Milch. Da man diese heute nicht mehr so einfach bekam, wich man meist auf Buttermilch aus. Das setzte ich meiner Antwort noch hinzu und heimste mir dafür Applaus von den Zuschauern und ein Lob der Moderatorin ein.

»Streberin!«, zischte Karl, als er an mir vorbeiging, um sich aus einem Kräutertöpfchen Schnittlauch zu holen.

»Pfff!« Eine ausführlichere Antwort war mir das nicht wert.

Die restlichen Minuten vergingen wie im Flug. Ich kam so richtig unter Zeitdruck und hetzte zwischen Herd und Backofen hin und her. Auf meinem Arbeitsplatz sah es inzwischen aus, als ob eine Bombe eingeschlagen hätte. Bei Karl hingegen war alles ordentlich aufgeräumt. So ein Saubermann!

Ich bemerkte es nicht sofort, doch immer mehr Zuschauer kicherten. Inge räusperte sich, bis ich schließlich fragend den Kopf hob. Was hatten sie denn alle? Auch Karl hatte ein breites Grinsen im Gesicht, was bei ihm eher ungewohnt war. Da merkte ich, was los war. Der oberste Knopf an meinem Dirndl war aufgegangen und zeigte in dem ohnehin sehr großzügigen Ausschnitt noch tiefere Einblicke. Erschrocken drehte ich mich um und machte den Knopf wieder zu. Nie mehr im Leben würde ich noch einmal etwas anziehen, in dem ich mich nicht wohlfühlte! Da könnte sich Matthias oder sonst wer auf den Kopf stellen. Ich war von der ganzen Hektik so erhitzt, dass die Schamesröte in meinem Gesicht nicht weiter auffiel.

Klinger sparte sich diesmal einen Kommentar, und Karl strich grinsend seinen Obazdn aufs Schwarzbrot, als hätte er nie im Leben etwas anderes gemacht.

Noch während wir das Essen anrichteten, kam die letzte Rätselfrage: »Womit werden Bavesen gefüllt?«

»Zwetschgenmus!« Die Antwort kam gleichzeitig, aber die Moderatorin schien ein wenig parteiisch zu sein. Sie gab den

Punkt an Karl. Gemeine Kuh! Damit hatte sie es sich bei mir verscherzt …

Mit der letzten Sekunde stellte ich das Essen auf den Tisch der Jury. Doch bevor diese unsere Kochkünste bewerten würde, mussten wir selbst ein Urteil darüber abgeben. Klinger verband uns die Augen mit einem dunklen Tuch und gab jedem von uns jeweils einen Löffel Biersuppe und eine Kostprobe von der Mehlspeise. Die Rupfhaubn schmeckten ähnlich gut. Auch Karl hatte offensichtlich eine Prise Zimt dazugegeben, obwohl es nicht in dem Rezept stand. Hmm. Ich hätte nicht sagen können, welche ich gemacht hatte, deswegen gab ich der Kostprobe einen Punkt, die ein klein wenig saftiger war. Bei der Suppe war es einfacher. Eine davon war nämlich etwas versalzen. Das war bestimmt seine Suppe. Nachdem wir unsere Gerichte bewertet hatten, durften wir die Tücher abziehen. Kaum zu glauben, aber wir hatten jeweils dem anderen einen Punkt gegeben. Das Publikum amüsierte sich prächtig über unsere erstaunten Gesichter.

Karl führte immer noch. Was mir absolut nicht schmeckte.

Nun kam die Jury und nahm Platz. Nach ihrer Meinung war Karls Biersuppe besser gelungen als meine, die ich – und nicht er – ein wenig zu großzügig gesalzen hatte. Mit den Rupfhaubn dagegen konnte ich punkten.

Bei dem letzten Gericht waren sich alle einig. Mein Blitz-Schweiners mit dem Knödel-Gugelhupf hatte einstimmig gegen den Obazdn auf Schwarzbrot gewonnen. Somit lagen wir beide nach Punkten gleich auf.

»Liebe Zuschauer, Sie wissen, was das bedeutet. Um den endgültigen Gewinner zu ermitteln, müssen die Kandidaten noch eine kleine Aufgabe erfüllen.« Klinger gab jedem von uns eine Salatgurke und einen Schäler.

»Wer am schnellsten die Gurke schält, hat gewonnen. Uuund los!«, gab sie das Kommando.

Ich legte los und hatte die Gurke nach einigen Sekunden schon fast geschält. Rasch warf ich einen Blick zu Karl. Er lag deutlich zurück. Super! Ich würde gewinnen. Doch meine Neugier rächte sich. Ich rutschte mit dem Schäler ab und schnitt mich heftig in den Daumen. Erschrocken ließ ich die Gurke fallen.

»Fertig!« Karl legte Gurke und Schäler zur Seite. Die Zuschauer klatschten Beifall.

»Herr Huber, Sie haben gewonnen«, gratulierte Inge Klinger meinem Kontrahenten. Durch meine Unachtsamkeit hatte ich verloren.

Erst jetzt bemerkte sie, dass ich mich geschnitten hatte. Die Moderatorin reichte mir ein frisches Küchentuch, das ich um meinen Finger wickeln konnte.

»Halb so schlimm«, witzelte ich, »Hauptsache, der Finger ist noch dran.«

Klinger gratulierte Karl noch einmal zu seinem Sieg und überreichte ihm einen Gutschein für ein All-inclusive-Wochenende in einem Wellness-Hotel in der Nähe des Bäderdreiecks für zwei Personen.

»Gratuliere«, sagte ich mit zusammengebissenen Zähnen. Zum einen, weil ich ihm den Gewinn nicht wirklich gönnte, aber vor allem auch, weil der Daumen inzwischen höllisch brannte.

Klinger wies am Ende der Sendung noch mal auf ein Buch über niederbayerische Persönlichkeiten aus dem neunzehnten Jahrhundert hin, das Karl kürzlich herausgebracht hatte, und erwähnte auch, dass man sich bald auf meinen Ratgeber freuen durfte. Damit verabschiedete sie sich von uns und den Zuschauern, und die Aufzeichnung war beendet.

Anschließend fand ein kleiner Sektumtrunk in der Kantine statt. Ich stieß mit der Jury, der Moderatorin und anstandshalber auch mit Karl an und leerte das Glas zügig. Der Daumen pochte immer stärker, aber ich wollte keine große Sache daraus machen. Das Küchentuch war inzwischen blutig, und ich musste mir einen neuen Verband organisieren. Ich ging noch mal ins Studio zurück, das bereits von zwei Putzfrauen gereinigt wurde. Das Technikteam saß am Tisch und ließ sich das restliche Essen schmecken.

»Das Blitz-Schweiners ist echt super, Frau Koller!«, sagte der junge Kameramann mit vollem Mund.

»Ja, total lecker«, lobte ein anderer.

Ich freute mich, dass es ihnen schmeckte.

»Lene?«

Karl war mir gefolgt.

»Zeig mal deinen Daumen!«, forderte er mich auf.

»Ach was …« Ich winkte ab.

»Jetzt komm schon, stell dich nicht an.« Er wickelte das blutdurchtränkte Tuch ab und zog scharf die Luft ein.

»Wie kann man sich nur so dumm anstellen!? Das muss unbedingt von einem Arzt behandelt werden.«

»Schmarrn, ich brauch nur einen frischen Verband«, sagte ich. Aber mein Protest kam schwach. Es sah wirklich unschön aus. Ich hatte mit der scharfen Klinge den halben Daumenballen aufgeschnitten, und plötzlich gaben die Beine unter mir nach.

Karl hakte mich unter, führte mich hinaus und brachte mich in seinem Wagen ins Krankenhaus.

Kapitel 22

An diesem Abend herrschte in der Notaufnahme Hochbetrieb. Auf der Autobahn hatte es einen Unfall mit vielen Verletzten aus einem Reisebus gegeben, und alle Ärzte waren im Dauereinsatz. Was war schon mein kleiner Daumenschnitt dagegen? Am liebsten wäre ich nach einer provisorischen Erstversorgung durch die Schwester nach Hause gefahren, aber Karl bestand darauf, die Verletzung von einem Arzt anschauen zu lassen. So saß ich brav neben meinem Duellgegner im Wartezimmer und übte mich in Geduld. Die Schmerzen waren inzwischen dank der freundlichen Krankenschwester, die mir eine Tablette gegeben hatte, nicht mehr schlimm.

»Eigentlich hätte ich gewonnen«, sagte ich plötzlich und hätte mir am liebsten auf die Zunge gebissen.

»Ich weiß«, stimmte Karl mir zu, ohne auch nur mit der Wimper zu zucken.

»Ach. Du weißt das? Trotzdem nimmst du den Sieg einfach so an?«, fragte ich empört.

Karl sah mich an.

»Lene, das war eine Kochshow, die rein zur Unterhaltung der Zuschauer dient. Da ist es doch letztlich egal, wer gewinnt«, sagte er gelassen.

Und gerade diese Gelassenheit brachte mich noch mehr auf.
»Von wegen egal. Schließlich hast du den Preis bekommen, obwohl ich ihn wirklich verdient hätte«, grummelte ich. Mir ging es ja gar nicht so sehr ums Gewinnen an sich, sondern einfach um Gerechtigkeit. Ich hätte ihm den Sieg auch gegönnt, na ja, zumindest ein wenig, wenn er wirklich besser gewesen wäre als ich. Aber das war er nicht.

»Darum geht es dir? Möchtest du das Wellness-Wochenende haben? Ich schenk es dir. Das ist sowieso nichts für mich.«

Dass er aber auch gar nichts verstand.

»Ich hätte den Preis dann gewollt, wenn ich ihn offiziell bekommen hätte. Aber nicht als milde Gabe, weil du nichts damit anfangen kannst«, lehnte ich sein fragwürdiges Geschenk ab. Vermutlich hätte ich ohnehin nicht allzu viel Freude damit gehabt. Diese Wellnesswelle war mir sowieso suspekt.

»Frau Koller!« Die nette Krankenschwester von vorhin kam auf mich zu und riss mich aus meinen Gedanken. »Kommen Sie bitte mit?«

Ich stand auf und wandte mich an Karl.

»Du kannst ruhig nach Hause fahren. Ich nehme mir später ein Taxi.«

»Quatsch. Jetzt bin ich schon mal da. Soll ich mitgehen?«

Natürlich hätte ich jetzt Nein sagen müssen, aber so schnell, dass ich es nicht mehr zurückhalten konnte, entschlüpfte mir ein: »Ja!«

Die Schwester führte uns in einen kleinen Behandlungsraum und wickelte den provisorischen Verband ab. Die Blutung hatte aufgehört, aber der Daumen sah doch ziemlich mitgenommen aus.

»Der Arzt kommt in ein paar Minuten«, informierte sie uns und ging hinaus.

Da saß ich nun. Mit Karl Huber. Meinem Erzfeind. Der mir trotz allem nun tapfer zur Seite stand. Und die Frage, die mir schon seit unserer ersten Begegnung durch den Kopf ging, musste jetzt gestellt werden. Ich räusperte mich und packte den Stier bei den Hörnern.

»Warum bist du von Anfang an so wütend auf mich gewesen, Karl?«

Er starrte eine Weile auf eine Schale mit einzeln verpackten Einmalkanülen, und ich dachte schon, er würde nicht antworten. Doch dann begann er zu erzählen.

»Ich war gerade mal neun Jahre alt, da ging die Firma, in der mein Vater beschäftigt war, in Konkurs. Es dauerte eine Weile, bis er endlich eine neue Arbeitsstelle fand. Allerdings in Hannover, und wir mussten umziehen.«

Während er erzählte, sah ich das Bild des kleinen unglücklichen Jungen vor mir. Wie er traurig seinen Koffer mit Spielzeugautos und Pumuckl-Kassetten packte und sich von seinen Freunden verabschiedete. Doch trotz meines Mitleids für den kleinen Karl fragte ich mich, was das mit mir zu tun hatte.

»Ich war immer ein guter Schüler, und meine Eltern wollten, dass ich nach der vierten Klasse aufs Gymnasium wechsle. Auch ich wollte das. Aber in der neuen Schule in Hannover gab es diese Lehrerin. Frau Noll-Neuner... Perdita Noll-Neuner.« Er verstummte.

»Und was war mit der? Jetzt erzähl schon weiter«, drängte ich ihn.

»Sie war noch sehr jung und verstand mich wegen meines bayerischen Dialekts kaum, so wie die meisten meiner Mitschüler auch nicht. Ständig machten sie sich lustig über mich, und für alle war ich bald der Idiot aus den bayerischen Wäldern. Wenn ich mich bemühte, Hochdeutsch zu sprechen, lachten sie mich erst recht aus. Nach einer Weile hab ich mir das nicht mehr gefallen lassen und mich gewehrt. Danach wurde es nur noch schlimmer. Noll-Neuner machte mir das Leben so schwer, dass ich tatsächlich immer schlechter wurde in der Schule und den Schnitt fürs Gymnasium nicht erreichte. Ein Glück nur, dass wir ein Jahr später wieder zurück nach Niederbayern gingen.«

»Und weiter?«, fragte ich.

»Damals hab ich mir geschworen, dass mich niemand mehr wegen meines bayerischen Dialekts zum Deppen macht«, schloss er seine Erklärung.

Ich starrte ihn an.

»Du bist deswegen so sauer auf mich, weil du als Kind eine schlechte Erfahrung mit einer Lehrerin gemacht hast?«, fragte ich fassungslos.

Er nickte.

»Jetzt sag bloß nicht, dass ich dieser Noll-Neuner ähnlich sehe«, sagte ich in einem drohenden Tonfall.

Er nickte wieder.

»Sie hatte ungefähr deine Oberweite!«

Das war doch die Höhe! Ich war einen Moment lang sprachlos. Doch nur einen kurzen Moment.

»Also sind Frauen mit … äh … größerer Oberweite für dich ein rotes Tuch, weil deine Lehrerin …« Ich hielt inne. Zum einen war ich fassungslos, zum anderen setzte nun er wieder an.

»Andere Frauen geben ja keinen solchen Blödsinn über die bayerische Sprache von sich. Als ich deine abstrusen Theorien in der Zeitung las, da ist mir halb der Kragen geplatzt.«

Jetzt drohte mir dasselbe.

»Sag mal: Geht's noch?«, giftete ich ihn an. »Was hat meine

Frage, warum es keinen bayerischen Satz für ›Ich liebe dich‹ gibt, damit zu tun, was diese blöde Lehrerin damals mit dir gemacht hat?«

»Nicht nur die. Was glaubst du, wie vielen Leuten ich seither begegnet bin, die sich ähnlich herablassend gegenüber den Bayern verhalten haben, und zwar nur wegen des Dialekts?«, erwiderte er.

»Ist dir schon mal der Gedanke gekommen, dass du diese Leute vielleicht anziehst? Ich hab da nämlich bisher kaum negative Erfahrungen gemacht. Im Gegenteil.« Das hatte ich tatsächlich nicht. Die meisten Leute fanden meinen bayerischen Dialekt ganz reizend.

»Wahrscheinlich weil du total blauäugig durch die Gegend rennst und nur darauf bedacht bist, dich irgendwie mit diesem hausgemachten Liebesschmarrn in den Mittelpunkt zu stellen.«

Ich sprang auf.

»So denkst du also von mir?«

Er erhob sich ebenfalls.

»Ja. So denke ich von dir! Es ist dir doch völlig egal, was du mit deiner bescheuerten Theorie in die Welt setzt.«

»Was setz ich denn Schlimmes in die Welt?«

»Etwas, worüber sich alle Nichtbayern wieder lustig machen können.«

Der Mann machte mich rasend.

»Warum lässt du dich von Hilly scheiden?«, fragte ich plötzlich und unbedacht.

Mit dieser Frage brachte ich ihn aus dem Konzept.

»Was? Also wirklich! Das geht dich gar nichts an!«, fuhr er mich an.

»Sag es mir!« Ich ließ nicht locker.

»Na gut! Wenn du es unbedingt wissen willst. Du gibst ja doch keine Ruhe. Wir lieben uns nicht mehr, und sie will mit einem anderen Mann zusammen sein!«

So. Jetzt war es heraus. Sie hatte einen anderen. Sicher nicht sonderlich schön für Karl, und sofort schoss mir ein Gedanke durch den Kopf.

»Könnte es sein, dass du vielleicht deswegen so einen Grant auf Gott und die Welt hast, weil du mit der Trennung nicht fertigwirst?«, fragte ich in einem Tonfall, den man mit etwas gutem Willen fast schon verständnisvoll hätte nennen können.

»Ach, lass mich doch in Ruhe!«, kam es postwendend und ziemlich deutlich zurück.

»Und wenn ich dich in Ruhe lasse?«

In der ganzen Diskussion hatten wir nicht bemerkt, dass der Arzt inzwischen den Raum betreten hatte.

»Entschuldigung. Sind Sie Frau Koller?«, fragte er leise.

Karl und ich drehten uns gleichzeitig zu ihm um. Was? Dieser Jüngling mit den zerzausten hellblonden Haaren sollte der Arzt sein?

»Ja. Die bin ich.« Etwas skeptisch streckte ich ihm die Hand mit dem gesunden Daumen entgegen. Er nahm sie und drückte sie schwach und mit verschwitzten Fingern. Dabei versuchte er krampfhaft, nicht in meinen Ausschnitt zu schauen.

»Fischer«, stellte er sich vor, und als er sich vorbeugte, um auch Karl zu begrüßen, stieß er mit seiner Hüfte gegen einen Beistellwagen auf Rädern, der, mit allerlei Verbandsmaterial obenauf, gegen einen Schrank krachte.

»Entschuldigung.« Fahrig schob er den Wagen zurück und blätterte dann hektisch in einer Akte. Hoffentlich war der Mann wenigstens halb so kompetent, wie er schusslig wirkte.

Ich warf Karl einen nervösen Blick zu. Er war immer noch sichtlich wütend auf mich.

»Ich warte draußen«, sagte er nur und war gleich darauf verschwunden.

Der Arzt drehte sich nun zu mir um.

»Entschuldigung. Das ist mein erster Tag heute in dieser Klinik«, erklärte er mit einem schiefen Lächeln. Das waren bereits drei Entschuldigungen innerhalb von zwei Minuten. Kompetenz und Selbstbewusstsein sahen irgendwie anders aus. Aber ich wollte ihm eine faire Chance geben und hielt ihm mutig meinen Daumen hin.

»Uhh. Das sieht nicht schön aus. Gar nicht schön«, meinte er mitfühlend. »Was machen wir denn da?«

»Ich verlasse mich völlig darauf, dass Sie wissen, was da zu machen ist, Herr Doktor«, versuchte ich es mit einem gutwilligen Lächeln auf dem Gesicht.

Scheinbar erinnerte er sich ob meines Vertrauens in seine Fähigkeiten an seine medizinische Ausbildung, und schlagartig wurde er sicherer. Ohne nähen zu müssen und ohne auch nur einen Blick auf meinen Busen zu richten, versorgte er den Daumen und verband ihn. Etwas ungeschickt zwar, aber sehr vorsichtig. Er wollte mir sichtlich nicht wehtun, was ich sehr rührend fand. Langsam taute er auf, und wir unterhielten uns ganz nett über seine Arbeit. Er war jetzt ohne Pause seit zwölf Stunden im Einsatz, und mein Daumen war heute eine der harmlosesten Verletzungen, die er behandelt hatte. Und das alles an seinem ersten Tag!

Nachdem ich schon seit vielen Jahren keine Tetanusimpfung mehr bekommen hatte, schlug er sicherheitshalber eine Spritze vor. Er öffnete die Tür, um nach einer Schwester zu rufen. Doch auf dem Gang herrschte noch immer hektischer Betrieb. Nach einer Massenschlägerei vor einer Diskothek waren nun auch noch einige ziemlich betrunkene Verletzte eingeliefert worden. Die Schwestern hatten alle Hände voll zu tun, nicht die Kontrolle zu verlieren, und spannten Doktor Fischer ein. Er versprach, gleich jemanden mit der Spritze zu schicken, und wünschte mir alles Gute. Als ich sah, wie er sich mutig vor einen muskelbepackten Schlägertypen mit Platzwunde am Kopf stellte, wusste ich, dass aus Doktor Fischer einmal ein wirklich guter Arzt werden würde.

Nur wenig später rauschte eine abgekämpft wirkende ältere Schwester mit einer aufgezogenen Spritze herein.

»Kleid hoch«, befahl sie in einem harschen Kommandoton, und ich folgte sofort. Sie schob mein Höschen etwas herunter und säuberte die Einstichstelle mit einem Desinfektionstuch. Gleich darauf jagte sie mir die Nadel in mein oberes Hinterteil. Aua.

»Legen Sie sich bitte auf die Liege. Sie werden merken, dass die Spritze sehr schnell wirkt. Ich hole Sie dann zur Koloskopie ab und bringe Ihnen ein Untersuchungshemd mit.«

Bevor ich sie fragen konnte, was eine Koloskopie war, verschwand sie auch schon nach draußen. Dabei schimpfte sie über Untersuchungstermine mitten in der Nacht, nur um durch Rundumauslastung Kosten einzusparen. Sämtliche Alarmglocken schrillten in meinem Kopf. Das Wort Koloskopie hatte ich schon mal in einem anderen Zusammenhang gehört. Und es hatte bestimmt nichts mit einer Daumenverletzung zu tun. Wozu sollte ich außerdem ein Untersuchungshemd benötigen? Meine Verletzung war doch versorgt.

Ich musste Doktor Fischer suchen. Oder besser noch Karl.

Und mit ihm nach Hause gehen. Dringend. Ich nahm meine Handtasche und machte mich auf die Suche. Doch im Wartezimmer war er nicht. Lustig. Wo er sich nur versteckt hatte? Ich könnte ihn ja ausrufen lassen.

»Der grantige Karl Huber soll bitte zur netten Lene Koller in die Notaufnahme kommen!« Beim Gedanken an sein Gesicht, wenn er das hörte, musste ich kichern. Eine Schwester kam mir entgegen. »Haben Sie einen Mann gesehen. Dunkle Haare und so groß etwa?«, fragte ich sie und hielt meine Hand hoch über meinen Kopf.

»Hier sind ziemlich viele Männer, da fällt einer nicht auf«, antwortete sie und eilte geschäftig davon. Das stimmte allerdings. Einer der Schlägertypen saß mit einem notdürftigen Verband um den Kopf vor einem Behandlungszimmer und zwinkerte mir frech zu. Neben ihm ein Polizist, der mich ebenfalls anlächelte. Gott, was waren die Männer hier alle gut aufgelegt! Da könnte sich Karl mal eine dicke Scheibe von abschneiden!

Wo er nur steckte?

Doktor Fischer kam den Gang entlang. Ich winkte ihm fröhlich zu. Inzwischen fand ich gar nicht mehr, dass er wie ein grüner Jüngling aussah. Im Gegenteil. Er wurde von Minute zu Minute männlicher.

»Gut, dass Sie noch da sind, Frau Koller.« Bildete ich mir das ein, oder hatte er tatsächlich einen besorgten Ausdruck im Gesicht? Das brauchte er doch gar nicht. Er hatte seine Sache sehr gut gemacht. Sicher würde er es einmal zum Chefarzt in der Unfallchirurgie bringen.

»Ja. Ich bin noch daha«, flötete ich.

»Ich habe vorhin mitbekommen, dass Sie und Ihr Mann sich ziemlich heftig gestritten haben. Bitte verstehen Sie mich nicht falsch, wenn ich das frage…« Seine Stimme wurde leise. »Aber könnte es sein, dass es bei Ihnen häusliche Gewalt gibt und der Daumen deswegen…?« Er sprach nicht weiter, sondern sah mich nur besorgt an.

Moment. Ich und mein Mann? Er meinte doch nicht etwa Karl?

Ich lachte auf.

»Karl? Also nein, Herr Doktor Fischer, ich…« Er dachte tatsächlich, dass Karl mich misshandeln würde. Tat er ja auch, aber die Grausamkeiten waren eher seelischer Natur. Deswegen fuhr ich fort: »In gewisser Weise haben Sie schon recht, Herr Doktor…«

»Dachte ich es mir doch…« Doktor Fischer nickte besorgt. Das sah ein wenig aus wie bei einem dieser Wackeldackel, den Omi früher in ihrem Wohnzimmerregal stehen hatte. Wie von selbst wackelte mein Kopf mit ihm mit.

»Lene! Bist du jetzt fertig?« Karl kam auf uns zu. Wo er nur die ganze Zeit über war? Fischer trat ihm entgegen.

»Ich muss Sie dringend bitten, mit mir ins Büro zu kommen. Es geht um die Misshandlung an Ihrer Frau«, sagte er energisch.

Karl riss die Augen auf und starrte den Arzt ungläubig an.

Das sah schon wieder so lustig aus, dass ich losprustete.

»Was wollen Sie?«, fragte Karl völlig konsterniert. »Ich habe meine Frau nie im Leben misshandelt!«, stellte er sofort richtig. Bei den Worten Misshandlung war der Polizist aufmerksam geworden. Er beobachtete uns neugierig.

»Hast du ihm das erzählt?«, fragte Karl mich harsch.

Ich schüttelte den Kopf. »Ich? Nein, ich habe nur…« Weiter kam ich nicht, weil ich von einem heftigen Lachanfall geschüttelt wurde.

»Da sind Sie ja!« Die Schwester, die mir vorhin die Spritze gegeben hatte, kam mit einem weißen Nachthemd über dem Arm auf uns zu. Bei ihrem Anblick verging mir das Lachen augenblicklich. »Ich suche Sie schon überall.« Sie sah geradezu bedrohlich aus.

»Bitte, Herr Doktor, muss das sein mit dieser Kolostrophie«, fragte ich deswegen den Arzt.

»Koloskopie«, korrigierte mich die Schwester ungeduldig.

»Entschuldigung, Schwester, was haben Sie mit Frau Koller vor?«, fragte Doktor Fischer vorsichtig.

»Na eine Darmspiegelung!«

Was?! Instinktiv zog ich meine Pobacken zusammen. Niemals! Außerdem war mir inzwischen schwindlig.

Was kein Wunder war, wie ich gleich darauf erfuhr. Die Schwester hatte mich mit einer anderen Patientin verwechselt und mir eine Beruhigungsspritze gegeben, die sich nicht so wirklich gut mit dem Glas Sekt im Studio und der Schmerztablette von vorhin vertrug.

Karl lachte schadenfroh auf, als er das hörte. Da wir schon genug Aufmerksamkeit auf uns gezogen hatten, bat uns der Arzt zur Klärung in ein Behandlungszimmer.

Als wir den Raum eine Viertelstunde später wieder verließen – mit der dringenden Empfehlung, mich so schnell wie möglich nach Hause in ein Bett zu bringen –, sah ich meinen Vater an der Anmeldung stehen und mit einem Arzt sprechen. Mein Herz machte vor Freude einen Salto. Papa war also doch nicht mehr böse auf mich.

»Dort ist mein Vater«, sagte ich glücklich wie ein kleines Kind zu Karl. »Du kannst jetzt gehen. Ich fahre mit ihm heim.«

Freudestrahlend ging ich auf ihn zu. Papa machte ein sehr besorgtes Gesicht, als er mit dem Arzt sprach.

»Papa! Wie lieb, dass du gekommen bist«, unterbrach ich das Gespräch der beiden.

Erst jetzt schien er mich zu bemerken und schaute mich verwundert an.

»Lene? Was machst du denn hier? Hat Julia dich angerufen?«

»Nein, wieso?«

Ich war verwirrt. Er war gar nicht meinetwegen hier? Was war mit Julia?

»Wie schaust du denn überhaupt aus?«, fragte er vorwurfsvoll mit Blick auf mein tief ausgeschnittenes Dirndl. »Sag mal, bist du etwa betrunken?« Er sah mich kritisch an.

Ich schüttelte den Kopf. »Nein, bin ich nicht. Ich bin verletzt.« Ich hielt ihm den verbundenen Daumen entgegen. »Ich war in der Kochshow, und da hab ich mich in den Daumen geschnitten …« Ich kicherte. »Und dann hat mir die Schwester versehentlich …«

Doch Vater hörte mir gar nicht richtig zu.

»Lene, ich hab jetzt keine Zeit für deine Kindereien. Hans liegt auf der Intensivstation, und es geht ihm sehr schlecht.«

Mit einem Schlag blieb mir jegliches Kichern im Hals stecken und verwandelte sich dort zu einem dicken Kloß. Mein Kopf pochte, und mit jedem Herzschlag rauschte es in meinen Ohren. Ich konnte nichts sagen. Armer Hans. Arme Julia. Und armer Papa.

»Sie können jetzt nach oben gehen, Herr Koller«, sagte der Arzt.

»Darf ich mitkommen?«, fragte ich und verdrückte die Tränen. »Ich könnte doch …«

»Tut mir leid, aber es dürfen nur zwei Besucher hinein«, erklärte der Arzt. Offenbar war Julia schon bei Hans.

»Aber Julia sagte doch, es sei nicht so schlimm«, sagte ich verwirrt.

»Es gab plötzlich Komplikationen mit seinem Herz«, erklärte Vater bedrückt.

»Sagst du mir Bescheid, wenn…« Ich konnte nicht weitersprechen. Vater schaute mich kurz an, nickte und ging dann den Gang entlang zum Fahrstuhl.

»Komm, Lene. Du musst jetzt ins Bett.« Karl nahm mich am Arm und ging mit mir in Richtung Ausgang. Inzwischen konnte ich die Tränen nicht mehr zurückhalten.

»Danke, dass du so lieb bist«, sagte ich und schniefte.

»Bedanke dich nicht zu früh. Ich will nur, dass du morgen ausgeschlafen bist, wenn ich mit dir wegen der Misshandlungsgeschichte ein Hühnchen rupfen werde.«

»Das würde ich an Ihrer Stelle dringend unterlassen.«

Karl und ich drehten uns um. Der nette Polizist von vorhin stand hinter uns und schaute Karl streng an.

»Bitte?«, fragte Karl bemüht freundlich.

»Sie haben gerade Ihrer Frau Gewalt angedroht, und das gab es wohl schon öfter bei Ihnen.«

Warum dachte nur jeder, dass Karl und ich verheiratet waren?

»Moment. Also, das ist ein Missverständnis. Das haben wir eben schon mit Doktor Fischer geklärt«, protestierte Karl.

Doch der Polizist ließ sich nicht darauf ein.

»Lene. Jetzt sag doch was!«, forderte Karl mich auf. Aber ich fand das jetzt alles gar nicht mehr lustig und schluchzte nur. Für den Polizisten ein Indiz dafür, dass ich tatsächlich misshandelt wurde. Doktor Fischer wurde ausgerufen, und Karl musste noch einmal ins Behandlungszimmer. Diesmal mit polizeilicher

Begleitung. Unter dem Vorwand, auf die Toilette zu müssen, ließ ich die beiden vorangehen und verschwand aus dem Krankenhaus. Inzwischen war es weit nach Mitternacht, und ich war völlig erschöpft. Ich wollte nur noch nach Hause und winkte einem Taxi.

kapitel 23

Hans' Beerdigung fand vier Tage später statt. Obwohl er schon seit Jahren das Bett nicht mehr verlassen und somit kaum Kontakt zu anderen Leuten gehabt hatte, war die Kirche bis auf den letzten Platz mit Trauergästen gefüllt. Viele waren wegen Julia gekommen, doch die meisten kannten ihn aus der Zeit vor seinem Schlaganfall. Sie erinnerten sich an den Mann, der immer gut gelaunt auf seinem Traktor saß und der nie Nein sagen konnte, wenn er um Hilfe gebeten wurde. Auch ich dachte zurück an den Hans aus meiner Kindheit. Einige Wochen nach dem Tod meiner Mutter hatte Hans mir im Stall ein verwaistes Rehkitz gezeigt und mich gebeten, ihm zu helfen, es gemeinsam aufzuziehen. Es war eine große Aufgabe, die viel Verantwortungsbewusstsein erforderte. Anfangs alle zwei bis drei Stunden musste das Tier mit der Flasche gefüttert und versorgt werden. Nachdem Hans gesehen hatte, wie gut ich mich um das Kitz kümmerte, wechselten wir uns nach der Schule tagsüber mit dem Füttern ab. In den Nächten war Hans alleine für das Rehkitz zuständig. Als Edi – so nannten wir es – größer wurde und nicht mehr auf unsere Hilfe angewiesen war, brachten wir es in einen nahe gelegenen Wildpark. Dort konnte es wieder mit seinen Artgenossen durch die herrlichen Wälder streifen.

Hans hatte mir mit der Aufgabe, mich um das Kitz zu kümmern, das genau wie ich die Mutter verloren hatte, auf eine besondere Weise über die schlimmsten ersten Monate hinweggeholfen.

Beim Verlassen der Kirche blickte ich hoch zum Himmel und wusste, dass Hans bei meiner Mutter angekommen war. Auf dem Weg von der Kirche zum Friedhof entdeckte ich einige Leute aus meinem Freundeskreis. Auch Claudia und sogar Michi waren unter den Trauergästen. Ich ahnte, dass er wegen mir und Papa gekommen war. Und ich freute mich darüber. Er schob sich vorsichtig durch die Menge und stellte sich an meine Seite. Als der Sarg langsam in die Erde gelassen wurde, legte er mitfühlend einen Arm um mich. Doch seine Nähe empfand ich plötzlich eher als bedrückend denn als tröstend. Ich war froh, als er sich von mir löste, um am Grab vorbeizugehen. Danach verlor ich ihn aus den Augen.

Obwohl Papa Julia in den letzten Tagen stets zur Seite gestanden hatte, wahrte er in der Kirche und am Friedhof einen gebührenden Abstand zu ihr und ihren Verwandten. Sogar beim Leichenschmaus in der Dorfwirtschaft hielt er sich zurück. Schließlich war er nur der Nachbar. Julia hielt sich tapfer, doch ich wusste, wie schwer es ihr fiel, sich von ihrem Mann zu verabschieden. Wir hatten die letzten Tage viel über Hans und ihr gemeinsames Leben vor und nach seinem Schlaganfall vor zehn Jahren gesprochen.

»Als er damals zusammenbrach und ins Krankenhaus kam, wünschte ich mir nur, dass er nicht stirbt«, erzählte Julia. »Doch nach einer Weile, als ich ihn so hilflos liegen sah, war ich mir nicht mehr sicher, ob der Tod nicht doch besser für ihn gewesen wäre.«

»Ach Julia. Es war sein Weg, den er zu gehen hatte«, versuchte ich, sie irgendwie zu trösten. Ich war leider noch nie sonderlich geschickt darin, in solchen Momenten die richtigen Worte zu finden.

»Ja. Wahrscheinlich. Ich habe so viel Zeit neben seinem Bett verbracht. Habe gebügelt, gelesen, Kirschen entkernt, Steuerunterlagen sortiert… ach, alles, was man eben so macht. Und Hans lag da, und auch wenn er nicht reden konnte, so spürte ich, dass er Anteil nahm an dem, was ich machte. Er war so ein besonderer Mensch in meinem Leben, und er wird mir sehr fehlen… Aber ich gönne es ihm, dass er jetzt friedlich eingeschlafen ist.«

Ich konnte nichts darauf sagen. Wir hatten beide Tränen in den Augen. Plötzlich sprang Julia auf.

»Hans würde jetzt ganz bestimmt mit uns schimpfen und sagen, wenn ihr zwei mit so langen Gesichtern herumhängt, dann geh ich lieber auf eine Halbe ins Wirtshaus«, meinte sie und ging zum CD-Spieler. Gleich darauf schallte der Sound von Hans' Lieblingsband durch das Bauernhaus. Die Stones: »Sympathy for the devil«. Womöglich der denkbar unpassendste Musiktitel bei einem Todesfall. Aber Hans hätte sicher seine Heidenfreude an uns gehabt, wie wir in der Bauernstube unsere Trauer abtanzten. Lauthals sangen wir mit und fielen uns am Ende des Lieds völlig außer Atem in die Arme. Wir waren Hans so nah. Und er uns.

Papa war froh, dass ich da war und Julia bei all den vielen Dingen, die getan werden mussten, unterstützte. Doch er bot mir nicht an, wieder nach Hause zu kommen. Vielleicht war es auch besser so.

kapitel 24

Karl hatte kein Hühnchen mehr mit mir gerupft. Seit den aufregenden Erlebnissen im Krankenhaus hatte ich nichts mehr von ihm gehört. Scheinbar interessierte es ihn gar nicht, wie es mir ging. Und meinem Daumen. Und überhaupt. Dafür rief mich zwei Tage später Doktor Fischer an und erkundigte sich nach mir. Nachdem er sich noch ein paarmal aufrichtig entschuldigt hatte, lud er mich zum Essen ein. Ich lehnte dankend ab. Zum einen wegen des Todesfalls, aber vor allem auch, weil es inzwischen genug Männer in meinem Leben gab, die selbiges gehörig durcheinanderbrachten. Ich wollte mich außerdem jetzt auf meine Arbeit konzentrieren und mit der Liebe vorerst nur noch rein theoretisch in meinem Ratgeber zu tun haben. Doch das war einfacher gesagt als getan. Michi meldete sich mehrmals am Tag und wollte mich unbedingt sehen. Ich hatte jedoch kein Verlangen danach und fühlte mich vom untergründig vorwurfsvollen Ton in seinen Nachrichten gedrängt. So vertröstete ich ihn weiter, nahm mein Buch als Ausrede, was er zähneknirschend akzeptierte.

Auch Ernesto war wieder zurück aus Barcelona. Er konnte es kaum erwarten, gemeinsam etwas zu unternehmen. Zuerst wollte ich auch ihm absagen, aber ich hatte die Woche über täglich mehr als zwölf Stunden gearbeitet, und so gönnte ich mir fürs Wochenende eine Auszeit. Wir verabredeten uns für Samstag zu einem Picknick an einen kleinen Badeweiher. Doch vorher stand noch etwas anderes an: Claudia und ich wollten endlich unseren mehrmals verschobenen Mädelabend nachholen und uns dabei »Duellanten am Herd« anschauen, das heute ausgestrahlt wurde. Ich würde Claudias Lieblingsgericht zubereiten, Schweinelendchen mit der Spezialsoße nach dem Rezept meiner Oma Elfi. Dazu selbst gemachte Spätzle und Radieschensalat.

Mit einem großen Einkaufskorb voller Lebensmittel und drei Flaschen Pinot Grigio kam ich vom Einkaufen nach Hause.

Die Küche in Matthias' Haus war zwar nicht sonderlich groß, aber sehr funktional eingerichtet. Es gab alles an Küchengeräten, was man sich nur vorstellen konnte. Ich freute mich, heute endlich einmal wieder für jemand anderen zu kochen. Gut gelaunt stellte ich das Radio an und verfolgte gespannt das Interview mit einer alleinerziehenden Mutter von sechs Kindern, die sich in einen Witwer mit vier Kindern verliebt hatte. Nun freute sie sich auf ein künftiges Leben mit riesiger Patchworkfamilie auf dem Bauernhof ihres neuen Partners. Ich seufzte. Ob ich es jemals schaffen würde, auch eigene Kinder zu bekommen? Ich holte Eisi aus dem Schlafzimmer und stellte ihn auf das Küchenregal. Da ich ihn heute seiner rechtmäßigen Besitzerin zurückgeben würde, waren es die letzten gemeinsamen Stunden mit dem kleinen Mann.

Ich schlug gerade die Eier für die Spätzle auf, da klingelte es an der Haustüre. Wer war das denn? Claudia erwartete ich frühestens in einer Stunde. Ob sie sich mit der Zeit vertan hatte? Ich wischte meine Hände ab und ging zur Haustür. Und staunte nicht schlecht. Sabine stand da und zischte mich sofort an.

»Ich weiß, dass er da ist!«

Da sie sicherlich nicht wegen Eisi gekommen war, konnte sie nur Michi meinen.

»Ist er nicht! Einen schönen Tag noch, Sabine.« Ich wollte die Tür wieder schließen, da drängte sie sich schon herein.

»Hey, halt!«, versuchte ich, sie zu stoppen, aber sie suchte bereits Matthias' Haus nach Michi ab. Ich folgte ihr empört.

»Ich wusste es doch!«, rief sie aus, als sie den Esstisch im Wohnzimmer sah, den ich bereits für zwei Personen gedeckt hatte. »Also? Wo ist er?«

»Hör mal, Sabine, es geht dich zwar nichts an, aber ich erwarte gleich meine Freundin zum Essen«, erklärte ich verärgert.

»Freundin? Du denkst wohl, ich lass mich so einfach verarschen? Nicht mit mir!«, giftete sie und hielt mir drohend ihren Zeigefinger entgegen. Die künstlichen Nägel waren diesmal mit grünen Sternen beklebt. Das wirkte etwas weihnachtlich und passte so gar nicht zu ihrem im Solarium gebräunten Körper, der in einem knallengen rosa Top und weißem Minirock steckte.

»Jetzt pass mal auf, ich verstehe, dass du unglücklich bist, weil Michi mit dir Schluss gemacht hat, aber das gibt dir noch lange nicht…«, setzte ich an, doch sie fuhr mir dazwischen.

»Von wegen! *Ich* habe mit Michi Schluss gemacht, nicht umgekehrt…«

Moment, war das nicht vor Kurzem noch mein Text gewesen?

»…und zwar nachdem ich das Foto in der Zeitung gesehen habe, wie ihr euch auf dem Maienfest geküsst habt.«

Also hatte Michi mich angelogen. Irgendwie hatte ich es geahnt, aber der Gedanke, dass er meinetwegen mit Sabine Schluss gemacht hatte, war Balsam für mein Ego gewesen. Inzwischen tat es mir leid. Obwohl dieser Kuss, oder besser gesagt, was danach folgte, wichtig war. Denn er hatte mich ernüchtert und half mir zu erkennen, dass ich Michi nicht mehr … liebte. Moment. Ich liebte ihn nicht mehr? Tatsächlich. Inzwischen fragte ich mich sogar, ob ich ihn jemals wirklich geliebt hatte. Es war schmeichelhaft gewesen, dass ein so gut aussehender und erfolgreicher Mann wie er so verrückt nach mir war. Doch die Lene, die ich eigentlich war, wollte er gar nicht haben, sondern mich in sexy Kleidern nach und nach zu seinem Luxusweibchen machen. Wenn ich unsere Beziehung jetzt Revue passieren ließ, dann hatte ich wohl sein Verlangen nach meinem Körper mit Liebe verwechselt. Oder tat ich ihm und unserer Beziehung jetzt unrecht? Schließlich hatte er ja zweimal einen Anlauf genommen, mir seine Liebe zu gestehen. Was dazu geführt hatte, dass ich jetzt meinen Ratgeber schreiben durfte und sich mein Leben um hundertachtzig Grad gewendet hatte. Ob ich ohne Michis verunglückte Liebeserklärung jemals darauf gekommen wäre, dass es die Liebe auf Bairisch nicht gibt? Wahrscheinlich nicht. Aber egal. Auf jeden Fall waren meine Gefühle für Michi abgekühlt. Eigenartig. Aber diese Erkenntnis schmerzte gar nicht. Ich verspürte sogar eine enorme Erleichterung.

Doch was machte ich jetzt mit Sabine?

»Wenn du mit ihm Schluss gemacht hast, warum bist du dann überhaupt hier?«, fragte ich sie. Ich war wirklich gespannt auf die Antwort.

»Weil ich ihn liebe. Und weil ich ihn zurückhaben will.«

Sie sagte das mit einer so tiefen Sehnsucht in der Stimme, dass ich ihr glaubte. Jetzt musste sie nur noch mir glauben, dass ich wirklich nicht mit Michi verabredet war.

»Hast du ihm das schon mal gesagt?«, wollte ich wissen.

Sie schüttelte den Kopf.

»Dann wird es aber Zeit!«

Sie schaute mich erstaunt an.

»Aber ich dachte, du willst ihn wieder zurück?«, fragte sie verwundert.

»Nein, das möchte ich nicht«, kam es lässig über meine Lippen. Ich war selbst ganz schrecklich stolz auf mich.

»Aber...«

Ich unterbrach sie.

»Sabine. Ich muss unbedingt in die Küche, sonst wird das Essen nicht fertig. Du kannst jetzt mitkommen, mir beim Kochen helfen und abwarten, bis meine Freundin auftaucht. Oder aber du glaubst mir einfach, dass es zwischen mir und Michi vorbei ist«, schlug ich vor.

»Und du lügst mich wirklich nicht an?«, fragte sie, noch nicht völlig überzeugt.

»Nein. Wirklich nicht.«

»Ich kann mir das nur schwer vorstellen. Michi ist so ein toller Mann und du, na ja, du hast eben dieses gewisse Etwas, auf das die Männer abfahren. Und dabei ist alles echt an dir...« Es war sicher nicht einfach für sie, vor ihrer Konkurrentin – für die sie mich hielt und für die ich mich bis vor wenigen Minuten selbst noch gehalten hatte – ihr Seelenleben auszubreiten. Ich zollte ihr dafür insgeheim Respekt, und zum ersten Mal begann ich sie mit anderen Augen zu sehen. Ich hatte mir vorschnell eine Meinung gebildet. Und das nur wegen ihres Aussehens. Das fand ich zwar nach wie vor etwas gewöhnungsbedürftig... Aber wer war ich denn, dass ich mich zum Geschmacksrichter der Nation aufmandelte? Womöglich versteckte sie ihre Unsicherheit unter den blondierten Haaren und brauchte die extrem langen künstlichen Nägel, um ihre seelischen Krallen auszufahren, wenn sie sich besonders verletzlich fühlte. Sie liebte ihn, und wenn sie ihn denn unbedingt haben wollte, dann sollte sie mit ihm glücklich werden, dachte ich großherzig. Meinen Segen hatten die beiden. Und jetzt fiel mir auch ein, wie ich sie davon überzeugen konnte, dass Michi nicht zu mir kommen würde.

»Glaubst du tatsächlich, ich würde in so einem Outfit herumlaufen, wenn er käme?«, fragte ich sie ernsthaft.

Sie schaute mich von oben bis unten an und schien mich erst jetzt richtig wahrzunehmen. Ich trug eine alte ausgewaschene Jeans und ein gemütliches, alles andere als sexy wirkendes T-Shirt. Ungeschminkt und die Haare zu einem lockeren Pferdeschwanz gebunden, entsprach ich sicher nicht Michis Kriterien für ein lauschiges Date.

Langsam breitete sich ein Grinsen über Sabines Gesicht aus, und endlich glaubte sie mir.

Ich begleitete sie zur Haustür und ermunterte sie kumpelhaft, doch ihr braunes Naturhaar herauswachsen zu lassen, das sicherlich mit einem anderen Haarschnitt sehr hübsch aussah. Und ich gab ihr noch großherzig mit auf den Weg, dass Michi auf natürlich manikürte Fingernägel stand. Daraufhin schaute sie mich böse an. Ziemlich böse. Anstatt mir für diesen wertvollen Hinweis dankbar zu sein, blaffte sie mich zum Abschied an, sie würde sich gewiss nicht wegen eines Typen ändern, auch wenn sie ihn noch so liebte. Wenn er sie nicht so wollte, wie sie war, dann müsse er es eben bleiben lassen. Eine sehr gesunde Einstellung. In dieser Beziehung hatte sie mir eindeutig etwas voraus. Zumindest bis jetzt.

Nachdem sie endlich weg war, musste ich mich sputen. Ich kam mir vor wie in der Kochsendung, als ich unter Zeitdruck die Schweinelendchen zubereitete. Eisi schaute mir von oben herab zu, und sein kritischer Blick galt sicherlich der Unordnung, die ich beim Kochen wieder einmal innerhalb kürzester Zeit zustande gebracht hatte.

»Du brauchst mich gar nicht so vorwurfsvoll anschauen, Eisi. So was nennt man kochkreatives Chaos.« Durfte eine dreißigjährige Frau wirklich so verrückt sein und mit einer kleinen Plastikfigur reden? Ja. Ich durfte das! Ich seufzte. Er würde mir wirklich fehlen.

Ich schmeckte gerade die Soße mit einem letzten Hauch Curry ab, als es erneut klingelte. Claudia kam und brachte eine Flasche Prosecco mit. Die Getränke würden uns jedenfalls heute nicht ausgehen. Auch Claudia hatte sich nicht sonderlich in Schale geworfen, sondern trug ein einfaches hellgrünes Shirt-Kleid.

»Ich freue mich, dass du da bist«, begrüßte ich sie und umarmte sie kurz.

»Hallo Lene.«

Irgendwie war sie immer noch ein wenig distanziert und die sonstige Herzlichkeit à la Claudia kaum spürbar. Ich musste heute unbedingt herausfinden, was mit ihr los war. Denn dass etwas nicht mit ihr stimmte, war offensichtlich. Während ich das Essen servierte, schenkte sie uns ein.

»Stell dir vor, wer heute da war«, begann ich.

»Wer? Der Oberbürgermeister? Oder ein Filmproduzent, der dein Leben auf die Leinwand bringen möchte?« Sie fragte das in so trockenem Ton, dass ich nicht wusste, wie sie das meinte.

»Ach komm, weil das jemand sehen möchte... Nein. Sabine war da«, stellte ich richtig, und dann erzählte ich ihr die Geschichte von eben.

»Ach, dann habe ich mich doch nicht getäuscht«, meinte Claudia.

»Wieso?«, fragte ich und nahm einen Schluck Wein.

»Ich sah sie draußen hinter einem geparkten Lieferwagen stehen und wunderte mich schon, was sie hier zu suchen hat.«

Ich musste lachen. Offenbar hatte sie mir vorhin doch nicht geglaubt.

»So lustig finde ich das gar nicht.« Claudia sah mich mit einem seltsamen Blick an, den ich nicht deuten konnte.

»Was meinst du damit? Ich lache doch nur, weil …«, setzte ich an, doch meine Freundin unterbrach mich.

»Wenn sie ihn liebt, ist sie natürlich misstrauisch. Schließlich habt ihr euch auf dem Fest geküsst, und du hast dich wieder mit ihm eingelassen.« Ihr Ton war schneidend. Hallo? Was war denn jetzt los?

»Entschuldige bitte, Claudia, aber ich habe mich nicht wieder mit ihm eingelassen. Wir waren einmal essen, ansonsten war nichts. Das habe ich dir doch alles erzählt«, erklärte ich bemüht ruhig.

»Aber für Sabine, und nicht nur für sie, sah es anders aus«, sagte sie in vorwurfsvollem Ton.

»Kann ich vielleicht was dafür, dass er mir ständig hinterhertelefoniert?«, fragte ich, inzwischen etwas ärgerlich auf Claudia. Nicht nur weil sie in so einem seltsamen Ton mit mir sprach, sondern weil sie in dem guten Essen herumstocherte, als ob es irgendein billiges Dosengulasch wäre. Dabei hatte ich mir wirklich sehr viel Mühe gemacht und fand, dass es ausgezeichnet schmeckte. Bis eben. Langsam verging mir nämlich der Appetit.

»Natürlich. Die Lene kann ja nichts dafür, wenn die lästigen Männer … oder wie hast du noch mal gesagt? Ach ja, die gesammelten Jungs sie so sehr bedrängen. Wie viele sind es denn momentan? Drei? Oder vier?«, fragte sie scharf.

Jetzt hatte ich aber genug. Ich legte das Besteck beiseite und schaute sie an.

»Was soll das, Claudia? Ich merke schon eine Weile, dass du dich mir gegenüber seltsam verhältst. Ich möchte jetzt endlich wissen, was mit dir los ist.« So. Jetzt war es heraus. »Habe ich dir irgendetwas getan?«

Claudia legte ebenfalls das Besteck weg und sah mich mit einem so wütenden Blick an, wie ich ihn selten bei ihr erlebt habe.

»Seitdem du diese verrückte Theorie aufgestellt hast, benimmst du dich unmöglich. Du siehst zu, wie die Männer dir hinterherdackeln wie läufige Hunde, lässt sie in ihrem eigenen Saft schmoren und machst dich dann über sie lustig.«

Bei ihren Worten färbten sich meine Wangen dunkelrot. Was sagte sie da? Ich erkannte meine Freundin kaum wieder.

»Was fällt dir ein, so mit mir zu reden?« Mein Herz pochte wild, und meine Stimme überschlug sich fast.

»Kannst du dich nicht mal endlich für einen entscheiden und dann bei ihm bleiben?«, fragte sie mich, und plötzlich stiegen Tränen in ihre Augen, die sie trotzig wegwischte. Sie stand auf, packte ihre Handtasche und rauschte ohne ein weiteres Wort hinaus.

Ich blieb sitzen, war wie erstarrt. Wie konnte sie mir daraus einen Vorwurf machen, dass ich mein Liebesleben nicht auf die Reihe bekam? Das war doch nichts Neues! Zugegeben, in der letzten Zeit waren einige neue Männer in mein Leben getreten. Aber nicht mit einem hatte ich geschlafen! Eben weil ich nicht wusste, welcher von ihnen der Richtige war. Vielleicht war ja auch gar keiner dabei. Gerade das wollte ich eben herausfinden. Warum konnte sie das nicht verstehen? Und warum griff sie mich deswegen so an? Sie hatte sich doch auch immer wieder über Sabine lustig gemacht und mich ermuntert, mir Ernesto zu gönnen. Außerdem war sie sonst auch nicht prüde. Meine Eingeweide zogen sich schmerzhaft zusammen. Soeben hatte ich wohl meine beste Freundin verloren – und ich wusste nicht, warum. Es tat verdammt weh.

Eine Viertelstunde später saß ich immer noch wie versteinert am Tisch, als es erneut klingelte. Ob Claudia zurückkam, um sich zu entschuldigen? Ich wusste nicht, ob ich das jetzt überhaupt wollte. Okay, scheinbar hatte sie Liebeskummer, aber das war noch lange kein Grund, mich so anzugreifen. Ich hatte genug davon, dass die Leute ihren Liebesfrust an mir ausließen. Karl. Sabine. Und jetzt auch noch meine beste Freundin? War ich denn der Prellbock für alle unglücklich Verliebten?

»Lene? Was ist denn los?«

»Matthias …?«

Er stand plötzlich neben mir, eine Flasche Wein in der Hand. Wie war der denn hereingekommen? Ach ja, es war ja sein Haus. Er hatte natürlich noch einen Schlüssel.

»Ich habe mitbekommen, dass du dir mit Claudia ›Duellanten am Herd‹ anschauen willst. Da wollte ich euch Gesellschaft leisten.« Er stellte den Wein auf den Tisch und ging vor meinem Stuhl in die Hocke.

»Habt ihr euch gestritten?« Natürlich traf er mit seiner Frage gleich wieder ins Schwarze.

Ich nickte. Konnte jedoch nichts sagen. In mir herrschte eine sehr ambivalente Gefühlslage. Einerseits war ich wie erstarrt, andererseits brodelte es gewaltig. Plötzlich konnte ich mich nicht mehr still halten. Ich stand auf und räumte die Teller ab, trug alles in die Küche. Matthias half mir dabei. Schweigend. Als er die Töpfe mit den Resten auf dem Herd sah, begannen seine Augen zu leuchten. Natürlich hatte ich wieder mal viel zu viel gekocht.

»Hm. Das duftet aber lecker. Ich hab heute noch nichts gegessen und darauf gehofft, dass es bei dir was Feines gibt. Darf ich mir etwas warm machen?«, fragte er höflich.

»Ich mach das schon.« Ich musste ohnehin etwas tun, um mich abzulenken.

Während ich das Essen aufwärmte, öffnete Matthias den Wein, den er mitgebracht hatte, und schenkte uns ein.

»Hier. Der hilft immer. Auf dein Wohl.«

»Prost!« Wir stießen an, und ich nahm einen Schluck. Hmm. Wirklich ein besonderes Tröpfchen. Das erkannte sogar ich.

Es war erstaunlich, dass Matthias nicht nachfragte, warum Claudia und ich uns gestritten hatten. Obwohl, er wusste ja ohnehin meistens, was in meinem Kopf vorging. Da brauchte er gar nicht zu fragen. Ich war froh, dass ich jetzt nicht darüber reden musste, denn ich hätte es gar nicht erklären können, was vorhin zwischen mir und Claudia eigentlich geschehen war.

Noch einmal an diesem Abend servierte ich das Essen im Wohnzimmer. Im Fernsehen lief bereits die Kochshow. Matthias ließ sich die Schweinelendchen schmecken, während ich gebannt das Geschehen auf dem Bildschirm verfolgte. Sosehr ich das Dirndl beim Kochen verflucht hatte, musste ich insgeheim zugeben, dass es mir tatsächlich gar nicht schlecht stand.

»Du bist echt eine tolle Köchin, Lene. Diese Soße ist unglaublich lecker«, lobte Matthias mein Essen.

»Hmmm. Danke.« Ich hörte kaum zu, sondern beobachtete, wie Karl sich in einem Augenblick, in dem ich mit dem Rücken zu ihm das Blitz-Schweiners im Backofen kontrollierte, mit frechem Grinsen mein Weißbier stibitzte. So ein hinterlistiger Kerl! Und die Moderatorin hatte es genau gesehen und ihm auch noch zugezwinkert.

»Das Rezept für dein Blitz-Schweiners gehört unbedingt in den Ratgeber. Und das für diese Soße hier auch«, schlug Matthias vor.

Das musste ich mir noch überlegen, denn die Soße war ein Familienrezept. Viele Leute hatten schon danach gefragt, aber bisher hatte ich es noch nicht weitergegeben, auch wenn ich gar nicht sagen könnte, warum. Ich schaute wieder zum Fernseher. Als die Szene mit dem Gurkenschäler kam, kniff ich kurz die Augen zusammen. Ich wollte es gar nicht sehen.

»Wie geht es denn deinem Daumen?«, erkundigte Matthias sich.

»Der ist wie neu.« Ich streckte ihm den Finger hin, der inzwischen fast völlig verheilt war. Doktor Fischer hatte seine Sache wirklich gut gemacht.

Viel zu schnell, wie ich fand, war die Sendung vorbei. Im Studio war mir alles viel länger vorgekommen. Ob Karl immer noch ärgerlich war wegen dieser Misshandlungsgeschichte? Ich fand, dass er mir daraus wirklich keinen Vorwurf machen konnte. Schließlich war ich völlig unfreiwillig unter Drogen gestanden, als der Arzt mich darauf angesprochen hatte. Und das mit dem Polizisten hatte sich bestimmt auch schnell geklärt.

Matthias trug seinen Teller in die Küche und setzte sich dann aufs Sofa. Er beobachtete mich.

Ich sah ihn an.

»Findest du auch, dass ich mich Männern gegenüber unmöglich benehme?«, fragte ich ihn plötzlich. Das Gespräch mit Claudia ging mir nicht aus dem Kopf.

»Ja.« So eine deutliche Antwort hätte es jetzt auch nicht gebraucht!

»Aber das ist nicht weiter schlimm«, ergänzte er und lächelte.

Mit einem Mal schossen mir Tränen in die Augen.

»Was mach ich denn verkehrt?«, fragte ich mit erstickter Stimme. Claudias Vorwürfe hatten mich mehr getroffen, als ich dachte. Aber was tat ich denn eigentlich so Schlimmes?

Matthias stand auf, zog mich hoch und nahm mich in den Arm.

»Gar nichts machst du falsch. Du bist eben Lene«, sagte er sanft und streichelte über meinen Rücken. Soso. Ich war also Lene. Was wollte er mir damit sagen? Besser nicht nachfragen, Lene, warnte mich meine innere Stimme.

Keine Ahnung, wie lange wir so in dieser engen Umarmung standen. Meine Wange lag an seiner Brust, und ich spürte das beruhigende Pochen seines Herzens. Ich atmete seinen Duft ein, eine Mischung aus sinnlicher Männlichkeit und seinem Rasierwasser, das mir inzwischen so vertraut war und das ich außer bei ihm noch bei niemandem sonst wahrgenommen hatte. Oder doch! Einmal war mir dieser spezielle Duft doch in die Nase gestiegen. Doch ich kam nicht darauf, bei wem.

Auf jeden Fall fühlte es sich gut an, wenn er mich so hielt.

»Die letzte Zeit war alles ein wenig viel für dich. Komm. Ich bringe dich ins Bett.«

Wahrscheinlich hatte er recht. Die ganze Aufregung der letzten Zeit, Hans' Tod, die endgültige Erkenntnis, dass ich Michi nicht mehr liebte, und die Auseinandersetzung heute zuerst mit Sabine und dann in verschärfter Form mit Claudia hatten mich erschöpft. Ich brauchte Schlaf. Morgen würde es mir bestimmt wieder besser gehen.

Gähnend folgte ich Matthias ins Schlafzimmer. Er holte mir ein Nachthemd aus dem Schrank und schickte mich damit ins Badezimmer. Als ich nach ein paar Minuten wieder herauskam, hatte er die Decke aufgeschüttelt und einladend für mich aufgeschlagen.

Ich sah das große leere Bett vor mir und sehnte mich danach, in dieser Nacht nicht alleine darin schlafen zu müssen. Wenn wenigstens Fritzi da wäre! Schon letzte Nacht war ich versucht gewesen, auf unseren Hof zu fahren und den Kater zu holen. Doch Fritzi bekam immer Panikattacken, wenn er im Transportkorb eingesperrt war. Das wollte ich dem kleinen Kerl dann doch nicht antun. Nur weil ich nicht schlafen konnte. Trotzdem wäre es schön gewesen, die Nähe eines Lebewesens zu spüren.

Matthias kam zu mir, hob mein Kinn an und schaute mir mit einem intensiven Blick in die Augen.

»Wenn ich heute Nacht hierbleibe, dann wird mich nichts davon abhalten können, mit dir zu schlafen.«

Ich schluckte. Er sagte das, obwohl ich nicht geschminkt war, ein vom Heulen aufgequollenes Gesicht hatte und ein Nachthemd trug, auf dem vorn drauf eine hellblaue Kuh mit Sonnenhut prangte, die auf einem rostroten Fahrrad fuhr.

Entweder war er sexuell völlig ausgehungert, sodass es ihm egal war, wie ich aussah. Oder er mochte mich vielleicht doch ein wenig?

»Du bist nicht böse, dass ich dein Schlafzimmer etwas umgestaltet habe?«, fragte ich, um meine Unsicherheit zu überspielen.

»Solange du mir nicht die Wände in Giftgrün bepinselst, kann ich damit leben.«

»Würde dir schweinchenrosa besser gefallen?«, fragte ich mit unschuldigem Miss-Piggy-Augenaufschlag.

»Du nackt auf dem Bett und ringsherum alles in Schweinchenrosa. Hmmm… Das hätte sicherlich was ziemlich Verruchtes…«, sagte er und schaute mich gespielt lüstern an, worauf ich lachen musste. Genau das hatte er wohl erreichen wollen.

»Jetzt ab ins Bett mit dir und schlaf dich aus!« Er sagte es in einem humorigen Kommandoton, eher wie ein Vater als ein Mann, der noch vor einer Minute mit mir hatte schlafen wollen.

Also würde er nicht bleiben. Ich wusste nicht, ob ich erleichtert oder traurig sein sollte. Rasch schlüpfte ich ins Bett. Matthias deckte mich zu.

»Bleibst du noch, bis ich eingeschlafen bin?«, fragte ich leise.

Er schüttelte den Kopf.

»Nein.« Er knipste das Licht aus und ging.

kapitel 25

Ich schlief tief und traumlos in dieser Nacht, und als ich am nächsten Morgen die Augen öffnete, schaute Eisi mich vom Nachttisch aus an. Ich strich mir verschlafen die Haare aus dem Gesicht. Ich hatte ihn Claudia wegen des Streits nicht zurückgegeben. Hm. Da hatte der gestrige Abend wenigstens etwas Gutes gehabt. Trotzdem war es mir ein Rätsel, wie er vom Küchenregal ins Schlafzimmer gekommen war. Matthias musste ihn hereingestellt haben, bevor er gegangen war. Ja sicher. Wer auch sonst?!

Nach einer ausgiebigen Dusche schlüpfte ich in ein luftiges Sommerkleid. Da ich mich immer noch nicht an die Hightech-Kaffeemaschine traute, die angeblich sämtliche Variationen an Heißgetränken zauberte, die man sich nur vorstellen konnte, brühte ich mir einen stinknormalen Filterkaffee auf und setzte mich damit auf die Terrasse.

Zwischen Blumentrögen mit ziegelroten und blauen Verbenen, leuchtend gelben Goldköpfchen, Zitronenbäumchen und weißen Petunien kam ich mir vor wie in einem kleinen mediterranen Garten. Ein herrlicher Tag. Kein Wölkchen war am Himmel. Nur in meinen Gedanken zogen immer wieder dunkle Wolken auf. Claudias Verhalten ging mir nicht aus dem Kopf. So wie gestern hatte ich sie noch nie erlebt.

Ich holte mein Notebook hervor und checkte meine E-Mails und die Facebook-Nachrichten in der schwachen Hoffnung, dass sie sich gemeldet hatte. Aber vergeblich. Nach der Ausstrahlung der Kochsendung gestern waren wieder jede Menge Mails von Freunden und Fans gekommen. Siehe da, auch Doktor Fischer hatte eine Kontaktanfrage gestellt, die ich annahm. Viele erkundigten sich besorgt nach meinem Daumen oder waren ebenfalls der Meinung, dass Karl nicht rechtmäßig gewonnen hatte. Um nicht jedem einzeln schreiben zu müssen, meldete ich in meinem Onlinestatus, dass das mit meinem Daumen halb so wild war, und bedankte mich für alle Nachrichten und guten Wünsche. Außerdem gratulierte ich Karl zu seinem Sieg, um nicht öffentlich als schlechte Verliererin dazustehen. Auch von ihm war eine Mail gekommen, aber ich wollte sie jetzt nicht lesen. Vielleicht heute Abend. Oder morgen. Oder kurz vor Wintereinbruch.

Ich tippte Claudias E-Mail-Adresse ein und begann, ihr einen Brief zu schreiben. Zumindest hatte ich den Vorsatz, ihr einen Brief zu schreiben. Doch schon nach den ersten zwei Worten wusste ich nicht weiter. Ich lehnte mich im Stuhl zurück und schloss die Augen. Da klingelte mein Handy. Ich schaute aufs Display. Ernesto.

»Hallo meine Wunderschöne. Sag mal, hast du unsere Verabredung vergessen?«, fragte er mehr amüsiert als ärgerlich. Ja, das hatte ich. Und zwar völlig!

Ich schoss vom Stuhl hoch und stieß fast ein Zitronenbäumchen hinter mir um. Ein Blick auf die Uhr am Rechner. Viertel nach elf. Seit fünfzehn Minuten hätte ich am Badeweiher sein sollen.

»Ernesto, bitte gib mir noch eine halbe Stunde, ja?«, bat ich und eilte ins Schlafzimmer, um meine Badesachen zu packen.

»Natürlich. Ich leg mich inzwischen in die Sonne und träum von dir. Bis gleich.«

Ernesto lag auf einer karierten Decke in der Nähe des Stegs und schlief. Er war wirklich ein äußerst gut aussehender Mann mit einem durchtrainierten, aber nicht übertrieben muskulösen Körper. Leise schlich ich mich neben ihn und stellte meine Tasche ab. Da packte er mich am Fuß und setzte sich mit Schwung auf.

»Huch!«, rief ich erschrocken.

»Jetzt hab ich dich.« Er grinste mich frech an.

»Entschuldige, Ernesto, ich hatte gestern einen anstrengenden Tag … und ich hab's tatsächlich vergessen«, gestand ich mit schuldbewusster Miene.

»Ich werde mir eine Strafe für dich überlegen müssen. Eine ganz schlimme«, sagte er und zwinkerte mir mit blitzenden Augen zu. In diesem Moment war ich froh, gekommen zu sein, obwohl ich auf der Fahrt zum Badesee schon fast wieder hatte umkehren wollen. Wegen Claudia und ihrem moralisch erhobenen Zeigefinger, ich würde mich mit zu vielen Männern abgeben. Bei dem Gedanken daran schlüpfte ich trotzig aus meinem Kleid, unter dem ich einen weißen Bikini trug.

Ernesto war so herrlich unkompliziert. Wir alberten im Wasser ausgelassen herum, und ich beschloss, Claudia für heute zu vergessen und den Tag mit Ernesto zu genießen.

Nachdem er mich beim Wettschwimmen quer über den Badesee und zurück knapp geschlagen hatte, ließen wir uns erschöpft auf die Decke fallen.

»Du bist ein toller Schwimmer«, machte ich ihm ein Kompliment. Er lächelte mich mit strahlend weißen Zähnen an.

»Für eine Frau bist du aber auch ganz schön gut. Ich hatte richtig Mühe, dich zu schlagen«, lobte er mich.

»Danke!« Ich war schon als kleines Kind eine richtige Wasserratte gewesen und konnte mit vier Jahren bereits sicher schwimmen. Später war ich sogar mal eine Weile sehr erfolgreich in einem Schwimmverein gewesen, bis die Blicke auf meinen stetig wachsenden Busen mich so nervten, dass ich aufhörte. Mein Trainer kam danach mehrmals zu uns nach Hause und versuchte, mich zu überreden, wieder mitzumachen. Doch er war einer der schlimmsten Gaffer gewesen und der Hauptgrund, dass ich aufgehört hatte. Im Nachhinein bereute ich es. Ich hätte weitermachen sollen. Es wäre besser gewesen, meinem Vater davon zu erzählen. Der hätte ihm sicher ordentlich den Marsch geblasen.

Es tat gut, nach der Anstrengung und erfrischt vom kühlen Nass in der wärmenden Sonne zu liegen und in den blauen Himmel zu schauen. Von einer nahe gelegenen Wiese zog der Duft von frisch geschnittenem Gras herüber, und Insekten surrten leise um uns herum. Da es die meisten Leute in das neue große Erlebnisbad mit Riesenwasserrutsche und Wasserspielpark in Passau zog, waren nicht allzu viele Badegäste am See. Es herrschte Idylle pur.

Ernesto erzählte von seiner Arbeit, und ich fand es sehr spannend, was er zukünftig für sein Familienunternehmen alles vorhatte. Er hatte sich eine ganz neue Linie für eingelegtes Obst und Gemüse ausgedacht. Mit speziellem Design der Gläser und ausgefallenen Rezepten. Es sprudelte nur so aus ihm heraus, was er in den nächsten Jahren alles machen wollte, und ich hörte interessiert zu.

»Du wirst ja schon ganz rot«, bemerkte er plötzlich besorgt. »Warte, ich creme dich ein.«

Er holte eine Flasche Sonnenmilch aus seiner Badetasche, und ich drehte mich auf den Bauch.

Hmm. Tat das gut, wie er sanft die kühlende Lotion auf meinem Körper verrieb. Er begann an den Beinen und arbeitete sich langsam nach oben. Dabei ließ er sich sehr viel Zeit, und obwohl er normalerweise redete wie ein Wasserfall, sprach er jetzt kein einziges Wort. Ich schloss die Augen und genoss diese zweifellos sehr wohltuende Prozedur.

»Jetzt dreh dich um«, sagte er mit leicht belegter Stimme.

»Danke, Ernesto. Aber vorn kann ich es selber.« Ich wollte ihn ein wenig bremsen. Doch er hatte die Sonnenmilch schon in seinen Händen verteilt.

»Ich mache das gerne.«

Tja, das glaubte ich gerne, dennoch wurde ich zur Spielverderberin und sagte: »Vielleicht ein anderes Mal.«

Ich setzte mich auf, strich die Sonnenmilch von seinen Händen und rieb mich damit ein. Den Rest verteilte Ernesto auf seinem Körper.

»Ich geh mich ein wenig abkühlen. Kommst du mit?«, fragte er und stand auf.

»Jetzt nicht. Ich leg mich noch etwas in die Sonne.«

Ich schaute ihm nach, wie er vom Steg einen eleganten Kopfsprung ins Wasser machte. Ernesto war wirklich ein toller Typ, der eigentlich alles hatte, was mir an einem Mann gefiel. Er sah gut aus, war auf eine sympathische Art ehrgeizig und erfolgreich. Aber vor allem war er ein unglaublich offener, amüsanter Mann und absolut unkompliziert. Das waren doch gute Voraussetzungen, oder? Womöglich war er ja der Richtige für mich? Auf jeden Fall gäbe es keine Probleme mit einem Liebesgeständnis von seiner Seite. Ihm kämen die Worte in seiner Sprache sicher leicht über die Lippen. Ob er wohl einmal Kinder haben wollte? Ich versuchte, mir ein Leben an der Seite von Ernesto vorzustellen. Würden wir in Spanien leben? Oder hier? Vielleicht könnte ich meine Leidenschaft fürs Kochen in seine Firma einbringen?

Ich überlegte gerade, ob man Gemüsepaprika auch in eine alkoholische Marinade einlegen könnte, da kam Ernesto aus dem See und legte sich neben mich auf die Decke. Plötzlich und ohne Vorwarnung beugte er sich über mich und gab mir einen langen Kuss. Ich war so überrascht, dass ich es geschehen ließ und nach der ersten Schrecksekunde zugegebenermaßen auch genoss. Schließlich löste er sich von mir und schaute mich ein wenig außer Atem, aber mit schelmischem Blick an.

»Das war die Strafe fürs Zuspätkommen.«

Strafe? Ja, so was! Ich wollte gerade etwas entgegnen, da ertönte hinter uns eine Stimme, die mir irgendwie bekannt vorkam.

»Lene, huhu! Was für eine Überraschung!« Ernesto und ich drehten uns gleichzeitig um. Anne, der Fisch, schlenderte lässig in Motorradbekleidung, den Helm in der einen, einen Rucksack in der anderen Hand, auf uns zu.

»Anne!« Ich räusperte mich. »Das ist ja schön, dich zu sehen.« Ich stellte die beiden vor.

»Freut mich, Ernesto. Ich habe dich schon mal kurz gesehen. Beim Mexikaner.« Anne reichte ihm zur Begrüßung die Hand.

»Kann sein. Freut mich auch, Anne«, sagte Ernesto höflich, obwohl ich vermutete, dass ihm die Störung weniger gefiel.

»Macht es euch was aus, wenn ich mich zu euch setze?«, fragte sie, die entweder nicht bemerkt hatte, dass wir uns vorhin geküsst hatten, oder die es bemerkt hatte und nicht wollte, dass wir uns wieder küssten.

»Gar nicht«, sagte ich schnell. Und es machte mir tatsächlich nichts aus.

Anne holte ein großes gestreiftes Badetuch aus ihrem Rucksack und legte es direkt im Anschluss an unsere Decke. Dann entledigte sie sich ihrer Lederbekleidung, unter der sie einen schwarzen, sexy Badeanzug trug.

»Was hast du denn für eine Maschine?«, fragte sie Ernesto interessiert, der selbst auch Motorrad fuhr.

Und schon waren die beiden mitten in einem Fachgespräch unter Motorradfreaks, bei dem ich kaum ein Wort verstand.

»Ich lass euch hier mal weiter über eure Motorräder fachsimpeln und geh inzwischen schwimmen«, sagte ich nach einer Weile und stand auf.

»O warte! Ich muss auch ins Wasser und mich abkühlen. Ich komme mit«, sagte Anne. Und Ernesto blieb auf der Decke zurück.

Wir schwammen bis etwa zur Hälfte des Sees, bis Anne mich fragte: »Bist du jetzt doch mit ihm zusammen?«

»Nein. Sind wir nicht«, sagte ich. Zumindest noch nicht. Womöglich würde sich das in der Zukunft noch ändern. Doch diese Überlegung behielt ich für mich.

Anne drehte sich auf den Rücken und ließ sich im Wasser treiben. Ich schwamm langsam um sie herum.

»Vielleicht wird es dann ja doch noch was mit uns beiden«, meinte sie und zwinkerte mir zu.

»Du gibst nicht auf, oder?« Ich lachte und konnte es nicht lassen, sie in die Hüfte zu piksen. Sie zuckte zusammen und ging unter. Prustend kam sie wieder nach oben.

»Na warte!« Sie packte mich und wollte mich ebenfalls kneifen. Doch ich tauchte einfach ab und schwamm unter ihr hindurch.

Kurz darauf gesellte sich auch Ernesto zu uns, und wir tollten und scherzten im Wasser herum wie die Kinder.

Eine halbe Stunde später lagen wir auf der Decke und ließen uns von der Sonne trocknen.

Das fröhliche Hupen eines Eiswagens unterbrach die herrliche Ruhe.

»Hast du Lust auf ein Eis, Lene?«, fragte Anne mich spontan.

»Gerne.«

»Was magst du denn?«

»Joghurteis, bitte.«

»Das mach ich schon«, meinte Ernesto großzügig und suchte seine Geldbörse.

»*Ich* lade Lene ein. Und bring dir gerne auch ein Eis mit, wenn du magst.« Anne hatte ein paar Münzen aus der Jackentasche gezogen und stand auf.

»Nein danke«, lehnte Ernesto ab und sah ihr mit nachdenklichem Blick hinterher. Dann drehte er sich zu mir.

»Sag mal, kann es sein, dass Anne auf… also ich meine, dass sie nicht auf Männer steht?« Er sagte es so, als ob er sich generell nicht vorstellen konnte, dass irgendeine Frau nicht auf Männer stand.

»Wie kommst du denn darauf?«, fragte ich scheinheilig.

»Na ja. Wie sie dich anschaut. Und… äh… sie macht noch nicht mal den kleinsten Versuch, mir zu gefallen.« Es steckte keine Eitelkeit hinter dieser Aussage, sondern nur die Feststellung seiner Wahrnehmung.

»Also ist sie…?«

Ich grinste.

»Ja. Das kann durchaus sein, Ernesto.«

Anne kam mit der Eistüte zurück.

»Moment!« Sie leckte die Tropfen am Rand ab und reichte mir dann das Eis. Damit hatte sie sich unmissverständlich als eine Konkurrentin im Kampf um meine Gunst geoutet.

Ernesto nahm den Fehdehandschuh auf, und ab diesem Zeitpunkt benahmen sich die beiden wie kleine Kinder auf Zuckerentzug, die um eine Tafel Schokolade stritten.

»Lene, hast du Lust, morgen eine kleine Motorradtour nach Österreich zu machen?«, fragte Anne.

»Genau das Gleiche wollte ich auch vorschlagen. Vielleicht eine Spritztour nach Prag«, mischte Ernesto sich ein, bevor ich antworten konnte.

»Ach, also ich fahr nicht so gerne auf einem Motorrad mit«, erklärte ich und zog mich damit geschickt aus der Affäre, wie ich dachte. Doch die beiden gaben nicht auf.

»Und wie wär's mit einem kleinen Fahrradausflug an der Donau entlang?« Anne hatte als Ortsansässige natürlich einen gewissen Vorteil gegenüber Ernesto, welche Möglichkeiten es in und um Passau herum gab. Der wunderschöne Donau-Radweg führte durch verträumte kleine Ortschaften, idyllische Weinberge in der Wachau, vorbei an Klöstern und Burgen, über die geschichtsträchtigen Städte Wien und Budapest bis hin zum Schwarzen Meer. Für einen kleinen Fahrradausflug war das natürlich viel zu weit. Aber so ein kurzer Streckenabschnitt war auch schon ein schönes Erlebnis.

»Jetzt fällt mir ein, für morgen sind schwere Gewitter gemeldet«, erinnerte sich Ernesto plötzlich. »Aber wir …«

»Wenn das Wetter schlecht ist, könnten wir endlich unseren Ausflug nach Jaging ins Aquarium nachholen. Ich hab gehört, dass der Umbau jetzt abgeschlossen ist«, unterbrach Anne ihn und schaute mich erwartungsvoll an.

»Oder wir gehen in die Sauna«, schlug Ernesto vor.

Sauna mit den beiden? Das würde ich mir bestimmt nicht antun. Ich winkte ab.

»Vielleicht ein anderes Mal.«

»Oder gehen wir doch heute ins Kino«, kam ein neuer Vorschlag von Anne.

»Gute Idee, was läuft denn?«, fragte Ernesto äußerst interessiert nach.

»Eine schnulzige Liebeskomödie. Nix für Machos.«

»Prima. Genau das Richtige für mich.« Er grinste in meine Richtung.

Insgeheim amüsierte ich mich köstlich über die beiden. Ihr Verhalten erinnerte mich an die Hauptfiguren in den Screwball-Comedys der Fünfzigerjahre, die ich so mochte. Nur dass aus Anne und Ernesto, im Gegensatz zu Doris Day und Rock Hudson im Film *Bettgeflüster*, bestimmt niemals ein Liebespaar werden würde. Ich suchte nach einer Lösung, bei der ich niemandem einen Korb geben musste.

»Also, für morgen möchte ich mir nichts vornehmen, weil ich noch viel zu schreiben habe. Aber zu einem gemeinsamen Kinoabend heute würde ich nicht Nein sagen.« Als ich in die Gesichter der beiden sah, merkte ich, dass mein Vorschlag nicht das war, was sie hören wollten. Trotzdem waren sie einverstanden. Ich steckte mir das letzte Stück der Eiswaffel in den Mund und schrie gleich darauf vor Schmerzen auf. Irgendetwas hatte mich in die Lippe gestochen.

Man begegnet sich im Leben immer mindestens zweimal, heißt es. Dass das innerhalb so kurzer Zeit sein würde, hätte ich nicht gedacht. In der Notaufnahme erkannte mich Doktor Fischer nicht sofort, als er an mir vorbeiging. Kein Wunder, denn nach dem Stich der Biene in meine Oberlippe, sah ich schlimmer aus als Chiara Ohoven nach einer vor Jahren vermutlich verunglückten Schönheitsbehandlung. Zum ersten Mal, seit ich ein Teenager war, lenkte mein Gesicht die Leute von meinem Dekolleté ab. Einige starrten verstohlen, die meisten jedoch ungeniert auf meine eindrucksvollen Schlauchboot-Lippen.

»Schau mal, Mami, die Frau schaut aus wie eine Ameise bei *Biene Maja*«, staunte ein kleines Mädchen mit lustigem Lockenkopf und zeigte mit dem Finger auf mich. Tja, und genau so eine kleine Biene Maja hat mich so zugerichtet, wollte ich sagen. Doch das Sprechen ging mir nur schwer von den Lippen.

Durch das kleine Mädchen war Doktor Fischer auf mich aufmerksam geworden.

»Hi Dodor Ficher«, begrüßte ich ihn, trotz der Schmerzen froh, ihn wiederzusehen. Da erkannte er mich endlich.

»Mensch, Frau Koller, wie schauen Sie denn aus?«, sagte er unbedacht, dann korrigierte er sich: »Entschuldigung. Ich meine, was ist denn mit Ihnen passiert?«

»Iiiene. Gedochen...« Es war wirklich schwierig, mit der geschwollenen Oberlippe zu sprechen.

Doris und Rock, äh, Anne und Ernesto übernahmen es, vom Bienenunfall zu erzählen.

»Kommen Sie mal mit«, forderte er mich auf, »und Sie warten hier«, wies er meine beiden Begleiter an, die uns folgen wollten. In der kurzen Zeit seit unserer ersten Begegnung war er deutlich selbstbewusster geworden.

Nach einer eingehenden Begutachtung der Lippe fand er es nicht notwendig, mir ein Medikament zu verabreichen.

»Der Stachel ist völlig entfernt, und ich habe die Einstichstelle desinfiziert. Sicherheitshalber könnte ich Ihnen ein Antihistamin verabreichen. Aber wenn Sie meine Schwester wären, würde ich zu einem Hausmittel raten.«

Die Schwester von Doktor Fischer? Ein netter Gedanke. Ich nickte und sagte: »Haumiddl.«

»Gut. Dann reiben Sie die Einstichstelle mit einer aufgeschnittenen Zwiebel ein. Und gegen die Schwellung bitte Eisbeutel auf die Lippe legen«, erklärte er.

»Chiehel?«

»Ja. Zwiebel. Es kann sein, dass die Lippe in den nächsten Tagen immer wieder mal anschwillt. Das ist nicht ungewöhnlich. Wenn es aber schlimmer wird, melden Sie sich bitte bei Ihrem Hausarzt oder wieder hier in der Notaufnahme.«

»Daf hoche ich nich.«

»Ich gebe Ihnen einen Kühlbeutel mit für die Heimfahrt. Oder besser noch, ich spendiere Ihnen am Kiosk ein Fruchteis«, schlug er vor.

O nein! Von Eis hatte ich genug heute … Ich schüttelte den Kopf und rang mir ein Lächeln ab, das sicherlich eher einer Grimasse ähnelte.

»Kühleudl is esser.«

Doktor Fischer musste lachen und entschuldigte sich gleich wieder dafür. Er beauftragte eine Schwester, mir einen medizinischen Kühlbeutel zu bringen, und dann entließ er mich damit nach Hause.

»Und ruhen Sie sich für den Rest des Tages aus«, riet er noch.

Somit war der geplante Kinobesuch Opfer eines Bienenangriffs geworden und fiel ins Wasser. Ich verabschiedete mich mit einigen wenigen Buchstaben, die man auch mit megadicken Lippen aussprechen konnte, und einem angedeuteten Luftküsschen von Anne. Ernesto brachte mich betrübt nach Hause, und wir vereinbarten zu telefonieren, sobald ich wieder richtig reden konnte.

kapitel 26

Es dauerte tatsächlich eine Weile, bis die Schwellung endgültig zurückging. Da ich mich in diesem Zustand nicht sehen lassen wollte, rief ich Matthias an und bat ihn, mir ein paar Tage in der Anzeigenannahme freizugeben, damit ich den Ratgeber schneller fertig schreiben konnte. Da er ohnehin ständig drängte, das Manuskript endlich zu beenden, genehmigte er mir den Urlaub ohne weitere Nachfrage. Somit musste ich auch Claudia nicht sehen. Sie hatte sich immer noch nicht bei mir gemeldet. Und ich würde sie auch nicht anrufen. Die abgeschlossenen Kapitel leitete ich jeweils an Matthias weiter, der sie Claudia zum Überarbeiten gab. In den nächsten Tagen verließ ich das Haus nicht und lehnte auch die Besuchsanfragen von Ernesto und Anne, ja sogar die von Matthias ab. Nur Julia kam ab und zu vorbei und versorgte mich mit Lebensmitteln vom Hof und Neuigkeiten von Papa, der sich seit der Beerdigung von Hans seltsam verhielt. Obwohl er Julia nach wie vor bei den schweren Arbeiten half, fand er ständig neue Ausreden, wenn sie ihn, wie noch vor Kurzem üblich, zu Kaffee und Kuchen am Nachmittag einlud. Ich vermutete, dass er ihr nach dem Tod ihres Mannes genügend Zeit geben wollte, um in Ruhe zu trauern.

Sicherlich ahnte Julia, dass Vater seit Langem mehr für sie

empfand als Freundschaft. Zumindest hoffte ich das. Und obwohl sie Hans geliebt hatte, glaubte ich, dass auch Julia sich schon länger zu meinem Vater hingezogen fühlte. Ich würde mich da aber jetzt nicht einmischen. Das mussten die beiden unter sich ausmachen. Außerdem war es so kurz nach dem Tod von Hans zu früh, das Thema anzusprechen.

Neben Julia war das Internet in diesen Tagen der einzige Kontakt zur Außenwelt. Lissy schrieb mir und bat um Terminvorschläge für eine Sitzung unseres Vereins zur Findung der bayerischen Liebesworte. Ich schlug zwei Termine im darauffolgenden Monat vor. So hätte sie genug Zeit, die Einladungen frühzeitig zu verschicken; bis dahin wäre ich auch mit meinem Ratgeber fertig und hätte wieder den Kopf frei und mehr Zeit. Von Karl befanden sich zwei weitere Nachrichten im Posteingang. Doch ich wollte die Mails nicht lesen. Überhaupt versuchte ich, ihn aus meinen Gedanken zu verdrängen, wann immer er darin auftauchte. Und das geschah öfter, als mir lieb war.

Ernesto pendelte zwischen Barcelona und Frankfurt hin und her, wo er kurz vor der Übernahme einer weiteren Konservenfabrik stand. Er schrieb jeden Tag und gestand mir, dass er Mühe hatte, sich auf seine Arbeit zu konzentrieren, weil er ständig an mich dachte. Und da er ständig an mich dachte und mich das in zahlreichen Kurznachrichten wissen ließ, konnte ich mich ebenfalls bald kaum mehr auf meine Arbeit konzentrieren. Bis ich das Handy kurzerhand ausschaltete.

Von Michi und Sabine hatte ich seit dem Abend, an dem sie bei mir war, nichts mehr gehört. Über ein paar Ecken erfuhr ich, dass die beiden spontan eine Reise mit unbekanntem Ziel gemacht hatten.

So zurückgezogen in Matthias' Haus, ging mir das Schreiben besser von der Hand als gedacht. Noch vor dem Wochenende konnte ich das letzte Kapitel abschließen, auf das Matthias sehnsüchtig gewartet hatte. Der größte Teil war inzwischen schon lektoriert, das Cover festgelegt, und auch die Illustrationen von Klaus Böttgen waren fertig. Matthias hatte mir die Kopien geschickt, und ich amüsierte mich königlich über die herrlichen Karikaturen, die mich, immer in einem Dirndl, passend zu den Themen in den jeweiligen Kapiteln in allen möglichen und unmöglichen Lebenslagen darstellten. Es hatte sich gelohnt, ihm meine Fotos anzuvertrauen. Das Fazit meines Ratgebers war, dass es tatsächlich keinen einheitlichen Ausdruck für »Ich liebe dich« auf Bairisch gab und die verliebten Bayern sich mit allen möglichen, wenn auch nicht immer sonderlich überzeugenden Alternativen behelfen mussten. Ansonsten war mein Buch ein Sammelsurium von Tipps rund um die bayerische Liebe, verfremdeter Anekdoten aus meinem Leben, einem Kapitel »Verliebt in einen Preußen oder Ausländer«, niederbayerischer Kochrezepte und einem Wörterbuch mit den wichtigsten bayerischen Begriffen.

Matthias war überaus zufrieden mit meiner Arbeit und überraschte mich mit der Nachricht, dass er eine erste kleine Auflage schon in zwei Wochen herausbringen wollte. Wie ging das denn? Hatte er gezaubert? Ich konnte gar nicht glauben, dass es so schnell gehen sollte. Doch ich erfuhr, dass zahlreiche Leute fieberhaft darauf hinarbeiteten, den Termin einzuhalten. Und es wurden bereits weiß-blaue Einladungen an jede Menge Gäste verschickt. Die Buchpräsentation sollte auf einem exklusiven Donauschiff während einer Fahrt von Passau zur Schlögener Schlinge in Österreich stattfinden.

Die Zeit bis dahin verging wie im Flug. Ich musste meine

Arbeit in der Anzeigenannahme ständig wegen irgendwelcher Termine und Besprechungen unterbrechen. Meine Kollegen reagierten zunehmend genervt darauf. Aber da ich auf Befehl von ganz oben handelte, ließ mich das nach einer Weile relativ kalt. Jedem Menschen konnte man es ohnehin nicht recht machen. Matthias veranstaltete wirklich ein ziemliches Tamtam um den Ratgeber. Ich hoffte nur, dass das Thema des Buches auch genügend Leser zum Kauf animieren würde. Es war eine schreckliche Vorstellung für mich, dass es womöglich als Ladenhüter enden könnte. Matthias würde einen finanziellen Verlust zwar leicht verkraften können, aber für mein Ego wäre das fatal.

Natürlich ließ es sich nicht vermeiden, dass Claudia und ich uns bei der Arbeit ständig begegneten. Wir verhielten uns beide sachlich wie Kollegen, die sich kaum kannten. Von der Freundschaft, die uns einmal verbunden hatte, war nichts mehr zu spüren. Obwohl ich das schrecklich schade fand, weigerte ich mich, den ersten Schritt zu machen. Schließlich hatte ich mir nichts vorzuwerfen.

Die schwierige Situation mit Claudia nahm ich zum Anlass, mit Anne zu sprechen. Ich wollte nicht, dass sie sich vielleicht unnötig in etwas hineinsteigerte. Wir trafen uns im Simone, und ich kam sehr schnell zur Sache.

»Anne, das mit uns beiden, also, das wird nichts.« Es fiel mir schwer, das zu sagen, weil ich ihr nicht wehtun wollte.

»Und da bist du dir sicher?«, fragte sie nach. Scheinbar wollte sie es nicht glauben.

Ich nickte. »Ja. Ziemlich sicher.«

»Schade ...« Sie seufzte.

»Denkst du, dass wir einfach nur Freundinnen sein können, ohne dass du damit ein Problem hast?«, fragte ich sie hoffnungsvoll. Ich wollte sie nicht schon wieder verlieren, bevor ich sie richtig kennengelernt hatte.

Sie ließ sich mit einer Antwort Zeit.

»Es wird nicht einfach werden, weil ich ...«

Ich legte ihr einen Finger auf die Lippen. »Pssst. Sag es nicht.« Ich wollte es nicht hören.

»Lass mir ein wenig Zeit, Lene«, bat sie. »Ich muss dich erst ... na ja, aus meinem Herzen bringen.« Sie lächelte traurig.

Verdammt. Sie hatte sich in mich verliebt. Das wollte ich nicht. Anne war so eine wunderbare Frau und hatte es auf jeden Fall verdient, glücklich zu sein. Warum konnte ich sie nicht einfach auch lieben? Aber so einfach war die Sache mit der Liebe nicht. Egal ob man heterosexuell war oder auf einen Menschen des eigenen Geschlechts stand. Bis sich endlich mal zwei Menschen zusammenfanden, die sich gegenseitig genug liebten, eine Partnerschaft einzugehen, konnte jede Menge Wasser die Donau hinabfließen. Anne und ich vereinbarten, uns eine Weile nicht mehr zu treffen. Danach wollten wir sehen, ob eine unkomplizierte Freundschaft möglich war. Insgeheim hoffte ich, dass sie sich bald in eine andere Frau verlieben würde. Dann wäre das Problem gelöst.

Ein paar Tage vor der Buchpräsentation fragte Ernesto mich, ob ich Lust hätte, einen Wagen, den er im Auftrag seines Vaters in Deutschland gekauft hatte, mit ihm gemeinsam nach Barcelona zu bringen. Dort könnten wir anschließend ein paar Tage Urlaub machen, bevor wir gemeinsam zurückflogen. Ich sagte gerne zu, denn ich spürte, dass ein Tapetenwechsel dringend notwendig war. Da wir schon einen Tag nach der Buchvorstellung fahren mussten, war Matthias ganz und gar nicht begeistert. Fast hätte er mir den Urlaub nicht genehmigt. Erst als ich hoch und heilig versprach, danach für alle möglichen Termine zur Verfügung zu stehen, willigte er zähneknirschend ein.

Am Nachmittag vor dem großen Tag lud Matthias mich für den Abend zum Essen ein. Eigentlich hatte ich wenig Zeit, da ich noch für die Reise nach Barcelona packen musste. Doch Matthias wollte einiges für den nächsten Tag besprechen, und ich merkte, wie wichtig es ihm war.

»Was hältst du davon, wenn ich Essen vom Chinesen mitbringe?«, schlug er vor. »Dann können wir in Ruhe alles durchgehen.« Chinesisches Essen hörte sich gut an, das hatte ich schon länger nicht mehr.

»Oder lieber Mexikanisch?«, fragte er, als ich nicht gleich antwortete.

»Nein, nein. Chinesisch ist perfekt«, beeilte ich mich zu sagen.

Irgendwie war mir ein wenig unbehaglich zumute, mit ihm den Abend alleine zu verbringen. Dabei konnte ich nicht einmal genau sagen, warum. Vielleicht lag es ja daran, dass ich vorhatte, mir nach dem Urlaub eine eigene Wohnung zu suchen? Ich hatte das Gefühl, dass ihm das nicht sonderlich gefallen würde. Gleichzeitig schalt ich mich für diesen Gedanken eine Närrin. Sicher wäre er froh, wenn er seinen Zweitwohnsitz endlich wieder für sich alleine hätte und in den Urzustand zurückversetzen konnte.

Pünktlich wie vereinbart kam Matthias mit dem Essen und Wein. Und er hatte noch was ganz Besonderes dabei. Einen Stapel druckfrischer Bücher. Mein Herz machte einen riesigen Hüpfer.

»Das sind die ersten Exemplare«, sagte er strahlend.

»Matthias. Ich danke dir!« Meine Stimme überschlug sich fast vor Freude. Es war ein unglaublicher Moment, den eigenen Namen über einem Buchtitel zu lesen.

Ich fiel ihm glücklich um den Hals.

»Vielen Dank«, sagte ich leise.

»Es war zwar anstrengend, aber trotzdem war es mir eine Freude, mit dir zu arbeiten«, meinte er und machte ebenfalls einen äußerst glücklichen Eindruck.

Ich nahm eines der Bücher und blätterte es kurz durch. Doch es kam mir fast wie eine Entweihung vor. Nein. Dafür würde ich mir in aller Ruhe Zeit nehmen. Ehrfürchtig stellte ich die Bücher auf die Kommode im Wohnzimmer.

Matthias hatte einen Schlachtplan für den morgigen Abend dabei. Während wir den Ablauf durchgingen, genossen wir die Vielfalt der sieben fernöstlichen Köstlichkeiten.

Plötzlich ging mir etwas durch den Kopf. »Aber ich muss keine Rede halten, oder?«, fragte ich ängstlich. Allein beim Gedanken daran wurde mir ganz schummrig zumute. Matthias schmunzelte.

»Nein. Du musst morgen nur da sein und jeden Moment genießen.«

Als er mir die Gästeliste reichte, fiel mein Blick sofort auf einen Namen: Karl Huber. Ich hatte geahnt, dass er mit dabei sein würde. Seine E-Mails hatte ich immer noch nicht gelesen. Auch wenn ich mehrmals kurz davor gestanden hatte. Doch jedes Mal, wenn ich mit dem Mauszeiger zu den Nachrichten fuhr, hielt mich irgendetwas zurück. Wahrscheinlich hatte ich einfach keine Lust auf weitere Streitereien.

Erst jetzt erfuhr ich, dass Severin und Alwin Bayerl aktiv bei der Buchpräsentation auf dem Schiff mitwirken würden. Seit dem Maienfest hatte ich die beiden nicht mehr gesehen. Ich war neugierig, was sie vorhatten, doch Matthias verriet mir nicht, was sie planten. Es sollte eine Überraschung werden. Für mich und die übrigen Gäste an Bord.

»Warum machst du eigentlich so einen Aufwand um mein Buch?«, fragte ich ihn mit vollem Mund.

»Ich will, dass es einen richtig guten Start hat. Es soll das erste von vielen Büchern einer neuen Reihe sein, die ich verlegen werde«, erklärte er.

»Und wenn es ein Flop wird?«

»Wird es nicht!« Er sagte es mit großer Überzeugung.

»Dein Wort in Gottes Gehörgang«, meinte ich voller Inbrunst.

»Du magst sicher noch eine Hummerkrabbe?«, fragte er.

»O ja. Gern.«

Er nahm sie mit den Fingern und hielt sie mir vor den Mund. Wie selbstverständlich nahm ich das Essen an und fühlte mich von Minute zu Minute wohler in seiner Gesellschaft. Ich konnte mir nicht erklären, warum ich noch vor zwei Stunden Bedenken gehabt hatte, als ich an seinen Besuch dachte.

»Was ziehst du denn morgen an?«, wollte Matthias wissen.

Ich lächelte. »Das wirst du schon sehen.«

»Jetzt sag schon!«

»Nein. Das wird eine Überraschung.« Er würde auf jeden Fall Augen machen.

Als unsere Schächtelchen und Schüsselchen leer waren, hatten wir den gesamten Ablauf des kommenden Tages durchgesprochen. Ich gähnte verstohlen. Das leckere Essen und der Wein hatten mich müde gemacht. Doch Matthias machte keine Anstalten zu gehen.

Ich wollte aufstehen, um den Tisch abzuräumen, doch er hielt mich zurück.

»Lass das jetzt, Lene. Bleib bitte sitzen. Ich möchte dir etwas sagen.« Seine Stimme hatte sich ganz plötzlich verändert. Sie war rauer geworden. Jetzt wurde mir doch wieder unbehaglich zumute. Ich wäre am liebsten gegangen. Als ob er es wüsste, nahm er meine Hand und hielt sie fest.

Alarm! Alarm!, schrillte es in meinem Kopf.

»Wie wär's mit einer Nachspeise?«, schlug ich vor. »Ich habe leckeres Eis in der Kühltruhe.«

»Kein Eis, Lene!« Er lachte leise. »Wir sind uns ähnlicher, als du denkst.«

»Wie meinst du das?«, fragte ich.

»Es geht mir genauso wie dir. Ich bringe die Worte auch nicht über meine Lippen. Deswegen hatte ich ja auch gehofft, dass du einen bayerischen Ausdruck für ›Ich liebe dich‹ findest.«

Moment? Wo bitte führte dieses Gespräch gerade hin? Hatte er mir eben durch die Hintertür gesagt, dass er mich liebte? Nein! Das musste ich falsch verstanden haben. Es ging ihm bestimmt nur um den Inhalt des Buches.

»Tut mir leid, dass ich nichts gefunden habe. Unsere Vorfahren haben es wirklich versäumt, sich da was Allgemeingültiges für uns auszudenken«, stotterte ich herum.

»Bitte fahr nicht mit Ernesto nach Spanien!«, bat er mich leise, aber eindringlich.

Holla! Was war das denn jetzt? Eifersucht? Ich dachte immer, er wäre nur scharf auf meinen Körper? Das hatte er doch gesagt!?

»Matthias, ich …« Ich konnte nichts sagen. Mein Herz klopfte zum Zerspringen. Ich mochte ihn. Ich mochte ihn wirklich. Sehr sogar. Die ganze Zeit hatte ich mir eingeredet, dass er nur eine Affäre mit mir wollte. Eine Gespielin für sein ehemals weißes Schlafzimmer. Deswegen hatte ich nicht zugelassen, über eine

Liebesbeziehung mit ihm auch nur im Entferntesten nachzudenken. Warum war er denn jetzt eifersüchtig? Aber wahrscheinlich war es gar keine Eifersucht. Sondern er gönnte es Ernesto einfach nur nicht, mit mir nach Spanien zu fahren. Oder wie sollte ich das alles verstehen? O Mann! Er brachte mich völlig durcheinander.

»Lene. Bitte schau mich an«, bat er und hielt immer noch meine Hand fest. Ich blickte in diese unglaublichen grünen Augen. »Du kannst darin sehen, was ich für dich empfinde.« Mehr sagte er nicht. Er sprach es nicht aus. Matthias konnte es genauso wenig wie ich.

Ich zog meine Hand weg und stand auf. Atemlos sagte ich: »Ich kann nicht.«

Dann drehte ich mich um und lief ins Schlafzimmer. Obwohl ich sicher war, dass er nicht nachkommen würde, drehte ich den Schlüssel im Schloss um.

kapitel 27

Ich wachte mit Kopfschmerzen auf. Ausgerechnet an so einem bedeutenden Tag in meinem Leben. Eine ausgedehnte lauwarme Dusche half nur wenig, aber hinterher fühlte ich mich zumindest etwas wohler.

Auf dem Weg in die Küche entdeckte ich auf dem Esstisch im Wohnzimmer ein Blatt. Matthias hatte mit gestochen scharfer Schrift eine Nachricht hinterlassen: »Vergiss das Gespräch. Konzentrieren wir uns auf das Buch. Es soll dein Tag werden! Matthias.« Außerdem hatte er das Geschirr weggeräumt und alles gespült.

Ich schluckte. Matthias war wirklich ein außerordentlicher Mann. Die halbe Nacht lang hatte ich mir den Kopf darüber zerbrochen, was das, was Matthias mir gesagt hatte, oder besser gesagt, nicht gesagt hatte, zu sagen hatte.

Da ich darauf immer noch keine genaue Antwort gefunden hatte oder vielleicht auch nicht finden wollte, schob ich diese Gedanken jetzt einfach zur Seite und packte meine Sachen für die Reise nach Barcelona zusammen. Vermutlich würde es heute Abend ziemlich spät werden, und morgen wollte mich Ernesto schon sehr früh abholen.

Der Zeitplan für den heutigen Tag sah vor, dass ich von zu

Hause aus meine E-Mails und Post beantworten und mich erst am späten Nachmittag mit Matthias an der Schiffsanlegestelle bei der Ortsspitze treffen sollte. Bis dahin hatte ich noch jede Menge Zeit. Doch untätig im Haus herumzusitzen, hielt ich nicht aus.

»Hast du Lust auf einen Ausflug?«, fragte ich Eisi. Ohne seine ohnehin unmögliche Antwort abzuwarten, packte ich ihn in meine Tasche. Als ich das Haus verlassen wollte, sah ich, dass im Briefschlitz eine Postkarte steckte. Es war die von Joshua Kadison besungene berühmte Picture Postcard from L.A. Nanu? Wer schrieb denn an diese Adresse hier aus Amerika? Neugierig drehte ich die Karte um und las. Und dann musste ich mich setzen. Da kein Stuhl in der Nähe war, auf den Boden. Michi hatte geschrieben. Er und Sabine hatten in Las Vegas geheiratet und verbrachten nun die Flitterwochen in Los Angeles. Er grüßte mich herzlich und wünschte mir alles Gute. Sabine hatte noch einen Zusatz hingekritzelt, und ich war mir sicher, dass Michi den nicht gelesen hatte: »Die künstlichen Nägel haben ihn absolut nicht gestört, als er mir den Brillantring über den Finger schob. Ätsch!«

Ätsch? Ganz schön schadenfrohe Person, diese Sabine! Sie hatten also tatsächlich geheiratet. Es fühlte sich eigenartig an. Nicht, dass ich es den beiden nicht gegönnt hätte. Und wenn, dann nur ein kleines bisschen nicht. Aber es war schon eine gewöhnungsbedürftige Vorstellung. Hatte ich vor wenigen Wochen selbst noch gedacht, einmal seine Frau zu werden.

Schließlich stand ich auf und fuhr mit dem Auto eine Weile ziellos in der Gegend herum, bis ich am Hof meines Vaters landete. Doch weder er noch Julia nebenan waren zu Hause. Da ich etwas Hunger verspürte, suchte ich in der Küche nach etwas Essbarem. Auf dem Tisch stand eine Schüssel mit Erdbeeren.

Genau das Richtige für mich! Ich wusch einen Teil davon und nahm sie mit nach draußen. Dort setzte ich mich auf die Hausbank in die Sonne. Während ich mir eine süße Erdbeere nach der anderen in den Mund stopfte, begannen plötzlich Tränen über meine Wangen zu fließen. Einfach so. Ohne Vorwarnung. Ohne Schluchzen. Ganz leise.

Was war das denn jetzt? Der Geschmack von Erdbeeren machte mich doch sonst immer glücklich. Aber jetzt fühlte ich mich einfach nur niedergeschlagen und verloren. War das ein Erdbeerblues? Gab es so etwas überhaupt? Ich ließ die Tränen einfach laufen und aß weiter die saftigen Nussfrüchte, bis die Schüssel leer war und die Tränen wieder versiegten. Einfach so. Wie sie gekommen waren. War ich jetzt traurig von den Erdbeeren geworden oder hatten die Erdbeeren mich wieder getröstet? Wahrscheinlich beides. Plötzlich erinnerte ich mich an den ersten Sommer ohne meine Mutter. Die Erdbeeren waren so rot und so süß wie in den Jahren zuvor. Und doch schmeckten sie ein wenig anders. So wie gerade eben. Ein wenig salzig. Nach Tränen!

Plötzlich drückte sich etwas an meine Waden. Fritzi! Er schien sich sehr zu freuen, mich zu sehen, und schnurrte ohne Unterlass. Ich wischte die restlichen Tränen ab, stellte die Schüssel weg und hob den Kater auf meinen Schoß. Dort drehte er sich auf den Rücken und streckte alle viere von sich. Das bedeutete so viel wie: »Kraul mich am Bauch!« Ich tat ihm den Gefallen und streichelte über das weiche Fell. Er liebte das, und es sah tatsächlich so aus, als ob er vor Freude grinsen würde. Sein lautes Schnurren klang wie ein wohliges inbrünstiges Grunzen.

Überschwängliche Gefühle übermannten mich auf einmal. Ich nahm den Kater wie ein Baby hoch und drückte ihn fest an mich. Doch das gefiel Fritzi gar nicht. Augenblicklich hörte er auf zu schnurren, und nachdem ich dieses deutliche Zeichen seines Missmuts nicht verstand, biss er mich in die Schulter. Das war deutlich! Ich ließ ihn erschrocken los, und er sprang von meinem Schoß. Fritzi lief ein paar Meter weg, drehte sich dann halb zu mir um und schaute mich mit einem Blick an, der mir wohl sagen sollte: »Warum machst du auch immer alles falsch?« Dann rannte er in Richtung Stall, um seinem Job nachzugehen: Mäuse jagen. Schon wieder schossen mir die Tränen in die Augen, und plötzlich hatte ich den Wunsch, bei meiner Mutter zu sein.

Die Sonne brannte stechend vom Himmel. Wahrscheinlich war deswegen um die Mittagszeit am Friedhof so wenig los. Ich hatte zu Hause im Garten einen Strauß bunter Blumen gepflückt und stellte ihn in einer Vase ans Grab.

Stumm hielt ich Zwiesprache mit meiner Mutter.

»Es geht mir gar nicht gut, Mama.« Dabei blickte ich nach oben zum Himmel.

Ich erwartete Verständnis und Trost. Doch das genaue Gegenteil war der Fall. Ich hörte Mama im Geiste heftig mit mir schimpfen.

»Das kann doch nicht sein, dass du an so einem Tag mit einer Leichenbittermiene herumläufst, die sogar einem Boandlkramer das Fürchten beibringen würde.«

»Aber Mama. Es ist hier alles gerade nicht so einfach für mich«, versuchte ich ihr zu erklären.

»Unsinn. Es ist so schwer, wie du es dir selber machst, Lene«, schalt sie mich.

»Du redest dich leicht da oben. Schließlich hast du Papa gehabt und wusstest, wo du hingehörst«, meinte ich trotzig. Doch darauf ging sie gar nicht ein.

»Jede andere Frau an deiner Stelle wäre heute überglücklich. Dein Buch kommt heraus. Dein Verleger hat dir durch die Blume gesagt, dass er dich liebt. Morgen fährst du mit einem gut aussehenden spanischen Geschäftsmann nach Barcelona. Du bist gesund und nicht gerade hässlich. Was brauchst du eigentlich noch, um glücklich zu sein?« Sie klang richtig ärgerlich.

Nicht gerade hässlich? »Ja aber ...«

»Kein Aber! Du fährst jetzt heim und machst dich hübsch für deinen großen Abend. Und hör endlich auf, dir selber leidzutun!«

Sie sagte es sehr streng. Und ich gehorchte.

kapitel 28

Mamas himmlische Standpauke hatte Wirkung gezeigt. Auf dem Weg nach Hause schaltete ich das Radio ein. Die Musik von Adele und anderen aktuellen Chartinterpreten munterte mich zusätzlich auf. Ich fuhr bei geöffneten Fenstern, und der Fahrtwind blies die letzten trüben Gedanken aus meinem Kopf. Lauthals sang ich im Duett mit Stefan Dettl seinen Hit »Rockstar«. Und ich fand, dass sich das gar nicht schlecht anhörte mit meiner zweiten Stimme im Refrain.

Zu Hause kochte ich mir einen großen Teller Spaghetti und setzte mich damit in die Badewanne. Ich genoss den fruchtigen Geschmack der Soße aus frischen Tomaten und Kräutern. Natürlich waren meine Augen mal wieder größer als mein Magen gewesen. Nachdem ich die Hälfte aufgegessen hatte, stellte ich den Teller zur Seite. Danach schloss ich die Augen und döste im warmen Wasser eine Weile vor mich hin. Bis meine Finger und Zehen zu schrumpeln anfingen.

Ich stieg aus der Wanne, hüllte mich in ein weiches Badetuch und fing an mit einem kleinen Schönheitsprogramm. Ich feilte meine Nägel und trug einen nur leicht schimmernden naturfarbenen Lack auf. Der ganze Körper wurde mit einer wohlduftenden Körperlotion eingecremt. Die überflüssigen Haare an verschiedenen Stellen wurden entfernt. Nur das mit dem Augenbrauenzupfen ließ ich bleiben. Ich hatte es bisher nur einmal im Leben gemacht. Und das Ergebnis war ein Fiasko gewesen.

Jetzt ging es an meine Frisur. Meine langen Haare würde ich heute offen tragen, doch auf der rechten Seite flocht ich einen dickeren Zopf vom Scheitel her nach hinten.

Ich ließ mir lange Zeit, um mich sorgfältig und doch dezent zu schminken. Als ich mit dem Ergebnis zufrieden war, holte ich mein neues Kleid aus dem Schrank.

Wenn mir noch vor einem Monat jemand gesagt hätte, dass ich mir freiwillig ein Dirndl kaufen würde, hätte ich ihn lauthals ausgelacht. Doch vor drei Tagen war ich an einem kleinen Trachtengeschäft in einem Gässchen abseits der Passauer Fußgängerzone vorbeispaziert, da sah ich es im Schaufenster hängen. Das Kleid. Mein Kleid! Als ich hineinschlüpfte, passte es wie angegossen.

»Das ist wie für Sie gemacht!«, zeigte sich die Verkäuferin begeistert. Und ich war völlig ihrer Meinung.

Es war ein besonderes Modell, in einem edel glänzenden Grauton über einer Art spanischer weißer Bluse, welche die Schultern freiließ. Die Träger des Kleids hatten kaum die Breite einer Kinderhand und waren modisch leicht gerafft. Das Mieder war mit schwarzen Bändern locker geschnürt. Da die Schürze denselben Farbton hatte wie das Kleid, fiel sie nur wegen der Schleife auf, die ich auf der linken Seite gebunden hatte. Was traditionell bedeutete, dass ich nicht verheiratet oder verlobt und somit noch zu haben war. Das Binden der Schleife auf der rechten oder linken Seite war, wenn man es genau nahm, ein volkstümliches öffentliches Zeichen für den Familienstand der Trägerin.

Früher waren sogar die Varianten »Jungfrau«, wenn man die Schleife vorn mittig band, oder »Witwe«, wenn die Schleife hinten war, üblich. Eigentlich ganz praktisch, wie ich fand. Wahrscheinlich täten sich die Singles dieser Welt ohnehin viel leichter, einen Partner zu finden, wenn man an einem bestimmten, natürlich international gemeingültigen Zeichen an Hose oder Rock, Bluse oder Pulli, Mantel oder Jacke, Lendenschurz oder Kokosschalen-BH erkennen könnte, ob die betreffende Person noch zu haben war. Wir Bayern hatten es mit dem Binden der Schleifen an den Schürzen der Dirndlkleider vorgemacht. Womöglich war ich ja berufen, dies in anderer Form in die Welt hinauszutragen? Darüber musste ich mir gelegentlich noch meine Gedanken machen. Bestimmt wäre das auch ein gutes Thema für einen weiteren Ratgeber.

Noch ganz ergriffen von diesem neuen Gedanken blickte ich in den Spiegel und fand, dass mein Dirndl das schönste Kleid war, das ich jemals angehabt hatte.

Langsam wurde es Zeit, mich auf den Weg zum Schiff zu machen. Da ich keine Lust hatte, in der Passauer Altstadt nach einem Parkplatz zu suchen, bestellte ich ein Taxi.

Unterwegs meldete sich Ernesto am Handy. Er würde sich um eine Stunde verspäten und es leider nicht mehr schaffen, bis zur Abfahrt des Schiffs in Passau zu sein. Das war schade. Oder vielleicht auch nicht? Womöglich war es besser, dass er auf dem Schiff nicht dabei war. Denn nach dem vergangenen Abend sah ich der Begegnung mit Matthias mit gemischten Gefühlen entgegen und wusste nicht so recht, was ich sagen sollte. Mit Ernesto an meiner Seite würde mir das sicherlich noch schwerer fallen. Und dann gab es noch Karl. Der würde ja auch kommen, was mich zunehmend nervös werden ließ.

Die erste Hürde war überraschend leicht genommen. Matthias, in einem hellgrauen Sommeranzug, der farblich wunderbar zu meinem Kleid passte, stand mit dem Bürgermeister und den beiden Bayerls vor dem Schiffssteg. Als er mich sah, kam er mir mit einem aufmunternden Lächeln entgegen.

»Hallo Lene!«, begrüßte er mich, als ob nichts gewesen wäre, und umarmte mich.

»Es tut mir leid«, sagte ich leise.

»Das weiß ich. Muss es aber nicht«, flüsterte er mir ins Ohr. Dann sah er mich von oben bis unten anerkennend an. »Fantastisch siehst du aus!« Sein Kompliment blieb nicht das einzige an diesem Abend.

Auch der Bürgermeister, Severin und Alwin begrüßten mich herzlich. Letzterer drückte mich an sich und zog mich dann zur Seite.

»Bei uns steht bald eine Hochzeit ins Haus, und ich wollte dich fragen, ob du mir dabei helfen magst, eine kleine spezielle Hochzeitsbroschüre zu schreiben.«

Eine Broschüre? Für eine Hochzeit? Alwin würde heiraten? Ja wen denn?

»Wer ist denn die Braut?«, fragte ich neugierig.

»Lissy natürlich«, informierte mich Alwin und grinste. Lissy natürlich? Natürlich hatte ich wieder mal nicht mitbekommen, was so um mich herum passierte.

Kaum hatte er von ihr gesprochen, da stieg sie auch schon aus einem Taxi. Ich hatte sie seit Wochen nicht mehr gesehen und war verblüfft über ihre Erscheinung. Lissy hatte deutlich abgenommen und trug ein figurbetontes dunkelrotes Kleid, in dem sie ganz bezaubernd aussah. Glücklich strahlend kam sie auf uns zu. Doch statt ihrem Zukünftigen fiel sie Severin um den Hals, und die beiden küssten sich ungeniert. Moment? Was war das denn jetzt?

»Ja aber ...«, stotterte ich verwirrt.

»Du hast nicht gefragt, wer der Bräutigam ist.« Alwin war sichtlich amüsiert.

»Lissy heiratet deinen Vater?«, fragte ich ungläubig nach. Dabei hatte Severin doch nach einer Frau für seinen Sohn gesucht. Scheinbar war er unterwegs in seiner Liebesmission selbst auf den Geschmack gekommen. Dieser alte Schwerenöter.

Alwin nickte. »Lissy wird meine Stiefmama, und ich bekomme endlich ein Geschwisterchen.«

»Klar. Paulchen wird ja dein neuer Bruder.« Lissys Sohn. Ich wusste nicht, ob mir der Junge leidtun musste, wenn er in so eine schräge Familie zwangseingeheiratet wurde, oder ich mich für ihn freuen sollte, dass er endlich überhaupt eine Familie bekam.

»Und im März kommt noch einer. Oder eine«, verriet Alwin mit breitem Grinsen. Wie? Verstand ich das jetzt richtig?

»Du meinst, Lissy ist ...?«

»Schwanger. Ja, ich bin schwanger.« Lissy hatte sich endlich von Severins Lippen gelöst und war unbemerkt zu uns gekommen. Sie strahlte.

»Aber wie geht das denn? So wie du abgenommen hast ...«

Sie lächelte milde. »Alle Leute meinen, dass ich abgenommen hätte. Aber ehrlich gesagt wiege ich kein Gramm weniger als beim Maienfest. Und es ist mir auch völlig egal. Um mein Gewicht hab ich mir mehr als mein halbes Leben Gedanken gemacht. Damit ist Schluss!«

Bevor ich darauf antworten konnte, entführte Severin sie in den Innensalon der *Königin der blauen Donau*.

Ich schaute hinterher und freute mich von Herzen für Lissy.

Endlich hatte sie ihr Glück gefunden. Auch wenn das Wort Glück im Zusammenhang mit Severin für mich etwas sehr Abstraktes hatte.

»Die gute Nachricht des Tages: Ich bin immer noch zu haben«, informierte mich Alwin und zwinkerte.

»Und ich bin schwer in Versuchung, sofort über dich herzufallen«, witzelte ich und zwinkerte zurück.

»Wir könnten uns in der Kapitänskajüte einschließen«, schlug Alwin vor.

»Oder wir verdrücken uns ins Hotel Wilder Mann und lassen es im Hochzeitsbett von Ludwig II. richtig krachen«, sagte ich und kicherte.

»Bitte reißen Sie sich zusammen, Frau Koller!«, mahnte Matthias. Und ich war mir nicht sicher, ob er es nicht tatsächlich genau so ernst meinte, wie er es gesagt hatte.

Immer mehr Gäste trafen ein, die Matthias und ich vor dem Bootssteg begrüßten. Doch der für mich wichtigste Gast fehlte. Mein Papa. Wo er nur blieb? Er hatte natürlich auch eine Einladung bekommen, sich aber seither nicht bei mir gemeldet. Und heute war er auch nicht zu Hause gewesen, als ich am Hof war. Ich entschuldigte mich bei Matthias und entfernte mich etwas vom Schiff in Richtung Ortsspitze, um zu telefonieren.

»Koller?«

Erstaunlicherweise ging er schon nach dem zweiten Klingeln an den Apparat. Das gab mir einen Stich. Denn es bedeutete, dass er nicht käme. Das Schiff würde in einer Viertelstunde auslaufen.

»Hallo Papa. Hast du die Buchpräsentation vergessen?«, fragte ich in der irrwitzigen Hoffnung, dass er sagen würde, das Taxi stünde schon mit laufendem Motor vor der Tür und er müsse sich beeilen, dass er es noch rechtzeitig schaffte. Und ich solle doch unbedingt bis zu seinem Eintreffen das Ablegen des Schiffs mit allen Mitteln verhindern.

»Lene. Es tut mir leid. Aber ich kann nicht kommen«, sagte er jedoch mit einem leisen Bedauern in der Stimme.

»Schon gut, Papa. Ich verstehe.« Ich fragte nicht nach, warum er nicht kam. Vielleicht würde bald eine Kuh kalben. Oder er musste den Traktor reparieren oder das Heu einbringen. Es war immer etwas Wichtiges zu tun am Hof. Es spielte keine Rolle.

»Viel Erfolg. Und Lene?«

»Ja?«

»Ich … Ach nichts.« Er legte auf.

Ich ging zurück zur *Königin der blauen Donau* und versuchte dabei, mein Lächeln wiederzufinden. Und das ging schneller, als ich dachte. Denn als ich auf dem Schiff verschiedene Plakate mit verrückten bayerischen Lene-Comics entdeckte, die bestimmt aus der Feder von Alwin und Severin stammten, lachte ich laut auf. Außerdem war ein großer Tisch aufgebaut, an dem man jetzt schon meinen Ratgeber kaufen konnte. Es hatte sich tatsächlich bereits eine kleine Schlange davor gebildet. Ich ging hin und nahm ein Exemplar in die Hand. Es fühlte sich einfach nur gut an.

Bevor ich den Innensalon betrat, entdeckte ich Claudia in einem Gespräch mit Klaus Böttgen. Sie war wieder einmal absolut geschmackssicher in einen edlen cremefarbenen Hosenanzug gekleidet. Als sie mich bemerkte, entschuldigte sie sich beim Illustrator und kam auf mich zu.

»Lene, ich wünsche dir viel Erfolg mit deinem Ratgeber«, sagte sie, als sie sich schließlich durch die Menge zu mir durchgekämpft hatte.

»Danke.« Mehr wusste ich darauf nicht zu sagen.

»Können wir in den nächsten Tagen mal miteinander reden?«, fragte sie etwas unsicher.

»Ich fahre morgen mit Ernesto für ein paar Tage nach Barcelona.« Noch vor ein paar Wochen hätte sie von so einer Reise nur maximal fünf Minuten später als ich gewusst.

»Ruf mich an, wenn du wieder da bist. Ja?« Ein zaghaftes Lächeln spielte um ihre Lippen.

»Ja. Mach ich. Mach ich gerne.« Und auch ich lächelte. Vielleicht würde ja wieder alles gut werden zwischen uns?

Ein vertrauter Duft zog durch meine Nase. Matthias musste in der Nähe sein. Ich drehte mich um. Doch er war nirgends zu sehen.

»Lene!« Oh. Diese Stimme! Karl. Er hatte als einer der letzten Gäste das Schiff betreten, das in wenigen Minuten ablegen würde. Zum ersten Mal sah ich ihn in einem bayerischen Outfit. Er trug eine lange Wildlederhose, ein weißes Trachtenhemd und darüber einen Lederjanker.

Fehlt nur noch der Sepplhut, dachte ich boshaft, wobei ich insgeheim zugeben musste, dass er nicht übel aussah.

Allerdings machte er ein seltsames Gesicht, als er endlich neben mir stand.

»Lene. Ich brauche bitte deine Hilfe! Und es ist sehr dringend!« Er schien etwas außer Atem.

»Was ist denn geschehen?«, fragte ich besorgt. Es musste schon etwas Ernsteres sein, wenn er ausgerechnet mich um Hilfe bat. Und sofort erwachte mein zartes kleines Samariterinnenherz und war bereit für einen Notfalleinsatz.

»Bitte, komm mit nach draußen.«

Für eine Sekunde ging mir der wahnwitzige Gedanke durch

den Kopf, dass irgendein Irrer meine Präsentationsveranstaltung stören wollte, es eine Bombendrohung an Bord gab und Karl mich retten wollte, indem er mich vom Schiff lockte, ohne eine Massenpanik auszulösen. Der Gedanke verflog so schnell, wie er gekommen war. Karl würde mich wahrscheinlich eher noch auf die Bombe setzen oder mich mit dem Irren bekannt machen, als gerade mich als Einzige zu retten.

Trotzdem folgte ich ihm. Er eilte zu seinem Wagen, der nahe an der Anlegestelle stand. Jetzt bekam ich wirklich ein wenig Angst. Was war da nur los?

»Schnell! Steig ein!« Er öffnete die Tür zum Beifahrersitz.

»Das Schiff legt aber gleich ab«, protestierte ich schwach. Meine Buchpräsentation!

»Wir sind nur ganz kurz weg«, sagte er, und das hätte mir zu denken geben sollen. Denn Männer hatten mit Angaben von Maßeinheiten wie »kurz« oder »lang«, »groß« oder »klein« eindeutig Probleme. Doch gutgläubig und hilfsbereit wie Mutter Teresa in ihren besten Zeiten stieg ich ein. Kaum war die Beifahrertüre geschlossen, raste er auch schon los.

»Was ist denn passiert?«, fragte ich. Doch er sagte nichts.

Nachdem er einige Minuten später auch auf mehrmaliges Nachfragen immer noch eisern schwieg, wurde ich plötzlich misstrauisch.

»Jetzt sag mir endlich, was los ist. Sonst steige ich auf der Stelle aus«, drohte ich.

»Du hast auf meine Mails nicht geantwortet«, sagte er plötzlich.

Ich schnappte nach Luft. *Das* konnte doch nicht der Notfall sein, oder? Er wollte bestimmt nur höfliche Konversation machen. Womöglich war die Angelegenheit so ernst, dass er mich noch ein wenig schonen wollte, bevor er mir endlich sagte, was passiert war.

»Ich hab sie gar nicht gelesen«, gab ich zu.

»Das hatte ich befürchtet.«

»Bitte, Karl. Ich dreh jetzt gleich durch, wenn du mir nicht sofort sagst, was passiert ist. Egal, was es ist. Rück endlich raus mit der Sprache!« Alles war besser als diese Ungewissheit. Dachte ich zumindest. Bis er endlich redete.

»Ich wollte dich vom Schiff holen, damit du dich nicht blamierst«, sagte er ruhig.

Er wollte mich vom Schiff holen, damit ich mich nicht blamierte? Hatte ich das jetzt richtig verstanden?

»Womit soll ich mich denn blamieren?«, fragte ich perplex.

»Mit deinem Ratgeber…« Ein paar Sekunden herrschte Stille im Wagen.

»Sag, dass das nicht dein Ernst ist?« Meine Stimme war leise. Gefährlich leise.

»Lene, deine Theorie ist absoluter Schwachsinn, und ich möchte dir…« Mehr wollte ich nicht hören.

»Bring mich sofort zurück. Auf der Stelle!«, fauchte ich ihn an.

»Zwecklos. Das Schiff ist sicher schon unterwegs.«

»Aber die fahren doch nicht ohne mich los, oder?« Sicherlich war es jemandem aufgefallen, dass ich nicht da war, und sie würden nach mir suchen. Und mit dem Ablegen so lange warten, bis ich zurück war.

»Das Gedränge auf dem Schiff ist so groß, dass bestimmt noch keiner bemerkt hat, dass du nicht da bist. Wenn man dich sucht, könntest du überall an Bord sein.«

Ich war fassungslos. »Du machst mir diesen ganz besonderen Tag kaputt? Warum nur?«, fragte ich ihn völlig aufgebracht.

»Ich mach dir gar nichts kaputt«, widersprach er.

»Du bist ein … ein …« Mir fehlte der passende Ausdruck für diese Art von Gemeinheit. Ich war fuchsteufelswild.

Mein Handy! Ich musste auf der Stelle Matthias anrufen und ihm Bescheid sagen, dass er das Schiff aufhalten oder anhalten musste. Wo war nur meine Tasche? Die hatte ich doch vorhin noch gehabt. Karl!

»Gib mir meine Tasche!«, verlangte ich.

»Nein. Und jetzt beruhige dich wieder.«

»Ich soll mich beruhigen? Klar, warum reg ich mich auch überhaupt auf? Es ist ja nur die erste Buchpräsentation meines Lebens, von der ich hinterlistig weggelockt und entführt werde.«

»Jetzt mach mal halblang, Lene. Ich entführe dich doch nicht. Und du wirst sehen, dass ich dir …« Er wollte mich besänftigen. Aber das war genauso zwecklos wie bei einem Krokodil, dem man auf den Schwanz getreten war. Was nicht heißen sollte, dass ich mich mit einem Krokodil verglich.

»Ich glaub, du tickst nicht ganz richtig!« Vermutlich tat er das tatsächlich nicht. Anders konnte ich es mir nicht erklären. An der nächsten Ampel würde ich aussteigen. Dumm nur, dass die nächste Ampel in weiter Ferne war. Wir befanden uns auf der Bundesstraße in Richtung Freyung. Mitten im Bayerischen Wald.

Am liebsten wäre ich aus dem Auto gesprungen oder hätte ich ihm ins Lenkrad gegriffen, damit er endlich anhielt. Doch wie gelähmt fügte ich mich in mein Schicksal und ließ die Tränen ungehindert über meine Wangen rinnen.

»Lene. Ich will dir nichts Böses.« Er war immer noch ruhig, sogar heiter, wenn ich das Schmunzeln um seine Mundwinkel richtig deutete.

»Wie sieht das dann erst aus, wenn du mir was Böses willst?«, fuhr ich ihn an.

»Das wirst du niemals erleben.«

Daraufhin sagte ich gar nichts mehr und brodelte in meiner Wut vor mich hin.

Etwa zehn Minuten später bogen wir direkt neben dem beliebten Ausflugslokal Bayerwald-Hof von der Hauptstraße ab und fuhren einen Feldweg entlang bis zu einem Waldstück mit einer kleinen Hütte.

Karl stieg aus und öffnete den Kofferraumdeckel. Ich nutzte die Chance und griff nach meiner Handtasche, die ich endlich unter dem Fahrersitz entdeckt hatte. Rasch sprang ich aus dem Wagen und lief den Feldweg entlang, was in dem Kleid und den verflixten Schuhen nicht einfach war. Es waren zwar keine High Heels, aber auch in Trachtenschuhen mit kleinerem Absatz ließen sich keine Bestzeiten rennen. Vor allem nicht, wenn man dabei telefonieren wollte. Hastig wählte ich Ernestos Nummer.

»Obermeier?«, meldete sich eine Frauenstimme, die sich sehr nach älterer Dame anhörte. Verflixt. Ich hatte mich verwählt. Sofort legte ich auf. Aber ich musste unbedingt Ernesto erreichen. Er war neben meinem Vater der Einzige, der nicht auf dem Schiff war und mich holen konnte. Wenn er bald käme und wir vor allem schnell genug fuhren – dies war der Grund, warum ich Papa nicht anrief –, könnten wir rechtzeitig in Haibach ob der Donau sein. Dort an der wundervollen Schlögener Schlinge würde die *Königin der blauen Donau* anlegen, um für die Rückfahrt noch weitere österreichische Gäste mit aufs Schiff zu nehmen, die später dann mit dem Bus zurückgebracht werden sollten. Wenn wir es schaffen würden, wäre ich wenigstens auf der Rückfahrt nach Passau buchstäblich mit von der Partie.

Jetzt hatte ich die richtige Nummer, aber leider sprang nur die Mailbox an. Ich hinterließ hastig die Nachricht, dass Karl mich in eine Hütte in der Nähe des Bayerlwald-Hofs gebracht hatte und Ernesto sofort kommen sollte. Mehr konnte ich nicht hinzufügen, da hatte Karl mich auch schon eingeholt.

»Schön hiergeblieben ... Ich habe etwas für dich vorbereitet«, sagte er und zog mich zurück in Richtung Hütte.

Jetzt wurde mir doch mulmig. Was wollte er von mir? Hatte er mich hierhergebracht, um mich umzubringen? Auch wenn er natürlich überhaupt nicht so aussah wie ein Mörder. Doch den wenigsten Menschen sah man es an, was sie für dunkle Geheimnisse in sich bargen. Da brauchte ich nur an den Eulinger Lois denken, der in unserer Nachbarschaft gewohnt hatte, als ich ein Kind war. Ein so netter Mann, der keiner Fliege was zuleide tun konnte und jeden Sonn- und Feiertag ein fleißiger Kirchgänger war. Niemand hatte mitbekommen, dass er jahrelang aus Eifersucht seine Frau im Keller eingesperrt hatte. Wir wussten noch nicht einmal, dass er überhaupt eine Frau hatte. Das Ganze kam erst heraus, als der Lois im Stall von einer wild gewordenen Kuh fast zu Tode getrampelt wurde und schwer verletzt im Krankenhaus gelandet war. So eiskalt, seine Frau im Keller verhungern zu lassen, war er dann doch nicht. Er verlangte nach dem Pfarrer und beichtete sein schauriges Verbrechen. Zur Verwunderung aller hielt Erika, wie sie hieß, zu ihrem Mann und bestand darauf, dass sie freiwillig im Keller gewohnt hatte. Somit kam es nie zu einer Anzeige, doch viele Leute machten fortan einen großen Bogen um die beiden.

Schließlich verkauften sie den Hof und zogen gemeinsam nach Österreich. Wie man hinter vorgehaltener Hand hörte, führten sie dort einen erfolgreichen Swingerklub, der auch heute noch in Betrieb war.

Ob Karl mich auch jahrelang in die Hütte sperren wollte? Egal was er vorhatte: Nicht mit mir!

Ich riss mich los und versuchte noch mal wegzurennen. Doch er hatte mich natürlich schnell wieder eingeholt. Ich wehrte mich heftig und beschimpfte ihn wüst. Das war ein Fehler. Ein paar Minuten später saß ich gefesselt und mit seinem karierten Halstuch geknebelt auf einem Stuhl in der kleinen, aber sauberen und gemütlich eingerichteten Hütte.

Obwohl er ständig sagte: »Jetzt spinn nicht so! Ich tu dir doch nichts!«, glaubte ich ihm kein Wort. Schließlich hatte er mich vorhin auch vom Schiff mit einer Lüge weggelockt. »Wer einmal lügt, dem glaubt man nicht, und wenn er auch die Wahrheit spricht.« Ich wusste nicht, ob dieses Sprichwort aus meiner Kindheit mir noch mehr Angst machte oder mich irgendwie beruhigte.

Karl holte inzwischen eine Flasche Sekt aus einer Kühltasche und öffnete sie. Erst jetzt fiel mir auf, dass auf dem kleinen Tisch in der Ecke zwei Sektkelche standen. Er schenkte ein. Ob noch jemand kam? Schließlich konnte ich mit geknebeltem Mund kaum mit ihm auf die verpatzte Schifffahrt anstoßen.

Karl nahm ein auf beiden Seiten beschriebenes Blatt Papier vom Tisch, zog einen Stuhl heran und setzte sich mir gegenüber.

»Zuerst muss ich dir ein Kompliment machen. Das Kleid steht dir viel besser als dieses Minidding, das du in der Kochsendung getragen hast.«

Als ob mich das jetzt interessieren würde. Ich schnaubte wütend.

»Du hast mir keine andere Wahl gelassen, Lene, als dich hierherzubringen. Jetzt wirst du endlich zuhören müssen, ob du willst oder nicht.«

Hilflos verdrehte ich die Augen. Und er begann, von seiner Liste vorzulesen. Lauter bayerische Ausdrücke und Sätze, die in seinen Augen für »Ich liebe dich« standen.

»Scher dich zum Teufel damit«, versuchte ich trotz meiner Knebelung zu sagen. Natürlich verstand er kein Wort, aber er ahnte sicher den Sinn, da meine vor Wut blitzenden Augen den Übersetzer spielten.

Karl ließ sich nicht davon abhalten und las weiter vor.

»I bin varuggt nach dir. Mogst mei Gschpusi sei? Ohne di war ois nix. I dad di no amoi heiratn. I möcht mit dir oid werdn. Geh ma mitanand? Dass i di hab, is a Dusl. I mog di bis zum Himme. Du bist mei Lieblingskaiberl ...«

»Hmm?« Lieblingskaiberl? Wer machte denn so eine tierisch dämliche Liebeserklärung? Ohne es zu wollen, musste ich kichern, was sich hinter dem Halstuch eher wie ein trockener Husten anhörte.

Er hob den Kopf und sah mich an.

»Das sind alles Originalsprüche, die wirklich von Leuten zu ihren Liebsten gesagt wurden«, erklärte er mit einem Schmunzeln.

»Hmmmm, hmmmmm, hmmmmm«, brummte ich und wackelte mit dem Kopf. Was so viel bedeuten sollte wie: Nimm mir endlich den Knebel ab, du verdammter Mistkerl!

Karl schien zu verstehen.

»Na gut. Ich nehme das Tuch ab, wenn du mir versprichst, weiter zuzuhören.«

Ich nickte eifrig. Ich würde alles versprechen. Er befreite mich. Doch er schien mir nicht so weit zu trauen, die Fesseln von meinen Armen ebenfalls abzunehmen.

»Lies weiter, dann habe ich es schnell hinter mir«, forderte ich ihn trotzig auf. Wobei ich insgeheim zugeben musste, dass es sehr interessant war, ihm zuzuhören. Natürlich kannte ich die meisten der Begriffe schon. Ich hatte ja bereits viele Vorschläge von meinen Fans bekommen. Aber einige waren neu und wirklich sehr originell.

»Gut. Dann gibt es noch: I dad mei Lebn für di gebn. Du bist mei Goidkäferl. Weils di gibt, gibt's an Himme. Du siasse kloane Zuckaschneck, i mog di gscheid. Mir gehörn zam wias Sauerkraut mit de Schweinswürstl …«

Meine Mundwinkel zuckten.

»Geh ma mitanand ins Glück? Wenn i di seg, is mei Grant weg.«

»Du solltest dich endlich mal verlieben, damit dein Grant auch weg ist«, rutschte mir heraus.

Karl schaute mich kurz an, ging jedoch nicht darauf ein, sondern fragte: »Möchtest du einen Schluck Sekt?«

»Ja.« Er nahm ein Glas, hielt es mir an die Lippen.

»Ist da ein Schlafmittel drin?«

»Klar. Ich lese ja gerne einem schnarchenden Gegenüber vor«, antwortete er trocken.

»Erst du!« Ich traute ihm nicht.

Ohne zu zögern trank er und schenkte noch mal nach.

»Na? Überzeugt?«

»Jetzt ja!« Ich nahm ein paar Schlucke vom kühlen prickelnden Sekt. Tat das gut! Am liebsten hätte ich das ganze Glas ausgetrunken, aber Karl stellte es wieder auf den Tisch.

»So, jetzt geht's weiter: I, du, mir zwoa – wir war's? Wennst bei mir bist, geht de Sonna auf. I dua di fei gscheid meng. Mit dir is mei himmeblaue Welt rosarot. I lieb di, du Bazi. Mei Herz bumpert wi da Motor von meim Bulldog, wenn i di seg …«

Während er vorlas, musste ich mehr und mehr ein aufsteigendes Lachen unterdrücken. Einige der Ausdrücke waren einfach zu komisch. Auch Karl hatte offensichtlich Probleme, beim Lesen ernst zu bleiben.

»I mog di wi an Schweinsbratn und könnt di jeden Tag fressen vor Liab.« Jetzt konnte ich es nicht mehr zurückhalten und lachte lauthals los. Auch Karl stimmte mit ein.

»Ich mog di wi an Schweinsbratn …« Ich kicherte vergnügt und konnte kaum aufhören. »Vielleicht sogar wie ein Blitz-Schweiners!«

»Jaaa genau!« Karl hielt sich den Bauch.

»Aber das ist auch super: Mei Herz bumpert wi da Motor vom Bulldog …«, wiederholte ich. Und wir prusteten beide wieder los. Es dauerte eine Weile, bis wir uns wieder einigermaßen beruhigt hatten. Ich versuchte, mit meiner Schulter eine Haarsträhne wegzuschieben, die mir beim Lachen ins Gesicht gefallen war. Karl hob eine Hand und streifte die Haare hinter mein Ohr.

»Danke … Bitte, Karl, lies weiter!«, forderte ich ihn auf und vergaß dabei völlig, dass ich ihn noch vor Kurzem verflucht und übel beschimpft hatte.

Doch Karl schaute mich plötzlich ernst an und sagte kein Wort mehr. Auch mein Lachen war mit einem Mal verschwunden. Ich schluckte. Einige Sekunden sahen wir uns einfach nur an. Seine fast schwarzen Augen funkelten seltsam. Langsam, wie in Zeitlupe, beugte er seinen Kopf zu mir und begann, mich ganz vorsichtig zu küssen. Als ob er Angst davor hätte, dass ich ihn in die Lippen biss.

Doch davon war ich weit entfernt. Ich war verwundert, wie sanft sein Kuss war und vor allem über die Tatsache, dass Karl mich überhaupt küsste. Und es war ein unglaublich schöner Kuss. Nicht fordernd, nicht drängend, nicht beherrschend. Sondern einfach nur neugierig erkundend. Mein Herz begann mächtig zu schlagen.

Es bumpert tatsächlich wie der Motor eines Traktors … Kaum hatte ich das gedacht, musste ich wieder lachen. Karl zog sich sofort zurück und stand auf.

»Bitte, Karl, ich wollte nicht lachen, es war nur …«

»Es tut mir leid«, unterbrach er mich. In seinen Augen stand ein seltsamer Blick, den ich nicht deuten konnte.

»Es war ein Fehler, dich hierherzubringen.« Er löste die Fesseln von meinen Armen.

Endlich sah er es ein, dass es ein Fehler gewesen war. Es war doch ein Fehler, oder? Ich konnte gerade gar nichts darauf sagen, denn meine Kehle war wie zugeschnürt.

Karl stellte meine Tasche mit dem Handy auf den Tisch und zog eine Geldbörse aus seiner Hose. Er nahm einen Hunderteuroschein und legte ihn auf den Tisch.

»Bestell dir ein Taxi. Dann schaffst du es noch rechtzeitig zur Schlögener Schlinge. Es tut mir leid, dass ich deinen Tag zerstört habe.«

Gleich darauf war er aus der Hütte verschwunden.

kapitel 29

Ich blieb einfach sitzen. Die Hände auf den Lehnen, als ob sie immer noch gefesselt wären. Dieser verrückte bayerische Sprachforscher hatte mich doch tatsächlich geküsst. Sicherlich bereute er es schon zutiefst und war deswegen so schnell davon. Und das sollte ich jetzt auch tun.

Ich stand auf und holte mein Handy aus der Tasche. Das zeigte zahlreiche verpasste Anrufe und Kurznachrichten an. Die meisten waren von Matthias und Ernesto. Doch bevor ich die Nachrichten abrufen konnte, quittierte der Akku seinen Dienst. Na wunderbar! Jetzt konnte ich auch kein Taxi mehr rufen. Was für ein Tag! Langsam wurde es draußen dunkel, und ich hatte keine Lust, im Finstern den Feldweg entlang bis zur Hauptstraße zu wandern. Wenigstens hatte Karl mir den Sekt dagelassen. Ich schenkte ein und trank das Glas langsam leer. Was sollte ich jetzt machen? Hier übernachten? Ich schaute mich um. Es gab zwar kein Bett, aber eine Holzbank, die mit Sitzkissen ausgestattet war. Müde war ich allerdings überhaupt nicht.

Karls Liste lag noch auf dem Tisch. Ich nahm sie, und da ich gerade nichts anderes zu tun hatte, las ich dort weiter, wo Karl aufgehört hatte …

Wenig später wurde die Tür aufgerissen, und Ernesto stürzte herein.

»Lene. Gott sei Dank habe ich dich gefunden. Was ist denn passiert?«, rief er besorgt.

Es dauerte eine Weile, bis er erkannte, dass ich nicht weinte, sondern die Tränen auf meinen Wangen vom Lachen kamen. Ich hatte schon richtig Bauchschmerzen, konnte mich aber nicht beruhigen, und Ernesto schaute immer besorgter. Er brachte mich zu seinem Wagen und fuhr los. Endlich hatte ich mich so weit gefangen, dass ich ihm erklären konnte, was passiert war.

»Wir fahren sofort zur Polizei. Du musst Anzeige erstatten«, sagte er aufgebracht.

»Nein. Das tun wir nicht.« Wegen so etwas konnte ich Karl doch nicht anzeigen. Dafür hatte ich viel zu viel gelacht.

»Lene. Er hat dich entführt. Das kannst du ihm nicht einfach durchgehen lassen«, drängte Ernesto.

»So kann man das jetzt auch nicht sagen. Er musste etwas mit mir besprechen. Es ging um das Buch. Und außerdem hat er mir absolut nichts getan«, erklärte ich.

»Trotzdem.« Ernesto gab nicht auf.

Und ich blieb stur. »Nein! Ich werde ihn nicht anzeigen!« Vielleicht steckte auch in mir eine kleine Erika Eulinger?

»Außerdem muss ich jetzt sofort zum Schiff.« Natürlich bot Ernesto an, mich dorthin zu fahren.

Leider wusste ich weder die Handynummer von Matthias noch die von Claudia auswendig. So konnten wir sie auch von Ernestos Handy aus nicht anrufen, um Bescheid zu geben. Soweit ich mich an den Terminplan erinnerte, könnten wir es rechtzeitig schaffen, bevor das Schiff an der Schlögener Schlinge eintraf.

Doch am Anlegeplatz warteten wir vergeblich auf die *Königin der blauen Donau*. Waren wir doch zu spät gekommen?

»Was machen wir denn jetzt?«, fragte Ernesto.

»Keine Ahnung.« Ich zuckte mit den Schultern.

Wir blieben noch eine Weile, entschlossen uns dann aber, zurück nach Passau zu fahren.

Auf dem Nachhauseweg hörten wir im Dreiflüsse-Radio die aktuelle Meldung, dass die Fahrt der *Königin der blauen Donau* abgebrochen worden war, da man befürchtete, dass Lene Koller, die Autorin des Ratgebers *Auf der Suche nach der weiß-blauen Liebe,* auf tragische Weise vom Schiff gestürzt und in den Fluten der Donau ertrunken war. Wie bitte? Ertrunken?

Nach der ersten Schrecksekunde nahm ich Ernestos Handy und rief meinen Vater an. Diese Nummer kannte ich auswendig.

Als wir nach halsbrecherischer Fahrt mit quietschenden Reifen an der Anlegestelle in Passau ankamen, sahen wir auf der Donau Schiffe der Wasserwacht, die mit Lampen das Wasser absuchten. Das Licht eines Polizeiautos blinkte unheilschwanger in der Dunkelheit, und es waren noch zahlreiche aufgeregte Leute unterwegs.

»Lene!«

Als Matthias mich entdeckte, packte er mich und drückte mich so fest an sich, dass ich kaum mehr Luft bekam. Gleich danach schob er mich von sich weg und schaute mich und vor allem Ernesto böse an.

»Es war deine Buchpräsentation!«

»Ja, ich weiß, aber glaub mir ...«

»Wie konntest du nur einfach mit ihm verschwinden? Ich bin so maßlos enttäuscht«, sagte er in verächtlichem Ton.

»Ernesto hat damit gar nichts zu tun. Hör zu, Matthias. Es…
es gab einen Notfall.« Irgendwie sperrte sich in mir alles, preis-
zugeben, wer für mein Verschwinden tatsächlich verantwortlich
war. Auch wenn ich gerade eine ungeheure Wut auf Karl hatte,
dass er mit seiner Aktion so einen Aufruhr verursacht hatte.

»Notfall? Ach, hast du es nicht mehr ausgehalten ohne ihn?«,
giftete Matthias mit wütendem Blick auf Ernesto.

»Sag es ihm doch!«, mischte Ernesto sich ein. Ich konnte gut
verstehen, dass er nicht unbedingt als Sündenbock dastehen
wollte. Doch ich wollte Karl nicht hinhängen.

»Bitte, Ernesto. Ich klär das schon! Lass uns kurz alleine, ja?«
Ich sah ihn bittend an.

Er war nicht begeistert davon, aber er ging zum Wagen, um
dort auf mich zu warten.

Bevor ich etwas sagen konnte, fuhr Matthias mich an:

»Was glaubst du, welche Sorgen ich mir um dich gemacht
habe? Ich dachte, du wärst ertrunken.« Er sah tatsächlich ziemlich fertig aus. Dabei hätte ich mir nie vorstellen können, dass jemand auf die Idee käme, ich wäre ins Wasser gefallen. Während
alle nach mir gesucht hatten, hatte ich in der Hütte gelacht, bis
mir die Tränen kamen. Auch wenn ich nichts dafür konnte, ich
schämte mich, dass ich den Leuten so viel Angst und Ärger bereitet hatte.

»Matthias. Es tut mir leid. Wirklich. Aber Ernesto hatte nichts
damit zu tun. Er hat mich nur hierhergebracht.«

»Was war dann los?«, fragte Matthias barsch. Bevor ich doch
noch mit der Wahrheit rausrücken musste, rettete mich ein junger Mann, den ich bisher noch nie gesehen hatte.

»Frau Koller. Mein Name ist Jan Binder. Haben Sie Zeit für
ein Interview?«, fragte er freundlich.

Ich sah Matthias fragend an. Er nickte müde und stellte mir Jan als neuen Redakteur im Lokalteil vor.

Ich hütete mich, der Presse zu erzählen, was tatsächlich los gewesen war. Ohne Näheres zu erklären, machte ich deutlich, dass es sich um einen privaten Notfall gehandelt hatte und ich nicht mehr dazu sagen konnte.

Das Gleiche erzählte ich dem Kamerateam von Bayerwald TV, den Polizisten und den Leuten von der Wasserwacht. Und den Bayerls, die etwas enttäuscht waren, dass sie ihre besondere Show nicht hatten präsentieren können, auch wenn sie natürlich froh waren, dass mir nichts passiert war.

Claudia kam mit zwei Bechern Kaffee. Als sie mich sah, schrie sie vor Erleichterung auf, drückte Matthias den Kaffee in die Hand und umarmte mich stürmisch.

»Ich bin so froh, dass du wieder da bist!«, sagte sie mit Tränen in den Augen. Es dauerte etwas, bis ich sie beruhigen konnte. Wenn die ganze Aufregung der Preis dafür war, dass Claudia und ich uns wieder mochten, dann war es das wert gewesen. Doch irgendetwas irritierte mich, als sie mir so nah war. Ich konnte allerdings nicht sagen, was. Inzwischen war ich auch viel zu erschöpft und müde, um noch klar denken zu können.

Die Leute hätten die nächsten Tage bestimmt genügend Gesprächsstoff, und das Rätsel um den Grund meines Verschwindens machte die Sache noch deutlich interessanter. Wenn mich nicht alles täuschte, würde mein Verschwinden viel mehr Publicity für mein Buch bedeuten, als Matthias sich das vorgestellt hatte. Dass ihm das scheinbar noch nicht bewusst war, lag wohl daran, dass er sich wirklich große Sorgen um mich gemacht hatte. Jetzt stand er gerade beim Bürgermeister, und die beiden besprachen, wie man die Kosten für den unnötigen Sucheinsatz am besten unterbringen konnte. Sicher würden sie eine gute Lösung finden.

Ohne mich zu verabschieden ging ich zu Ernesto und setzte mich in den Wagen. Ich wollte nach Hause. Doch da ich momentan kein richtiges Zuhause hatte, schlug ich vor, noch in dieser Nacht nach Spanien zu fahren. Ernesto war sofort damit einverstanden. Auch er war froh, dem ganzen Chaos hier zu entfliehen. Wir holten mein Gepäck, ich zog mich um, und dann machten wir uns auf den Weg nach Barcelona.

kapitel 30

Den größten Teil der Fahrt verschlief ich. Ich kam nur dann immer kurz zu mir, wenn Ernesto eine Tankstelle ansteuerte und ich eine Kleinigkeit essen und die Toiletten aufsuchen musste. Erst als wir die herrliche Strecke an der Côte d'Azur mit den beeindruckenden roten Felsen entlangfuhren, erwachte ich endlich richtig.

Die Gegend war traumhaft schön, und ich konnte mich kaum sattsehen an dem azurblauen Wasser der französischen Riviera. Der Duft von Ginster, der neben der Straße gelbblühend wuchs, vermischte sich mit dem des Meeres und zog berauschend durch meine Nase.

Etwas abseits der Küste legten wir eine Pause ein. In einem kleinen Straßencafé bestellten wir Café au Lait und dazu lauwarme Zitronentarte, die auf der Zunge zerging.

»Es ist schön, mit dir hier zu sein, Ernesto«, sagte ich mit einem Lächeln. Und das meinte ich auch so. Er war charmant, unkompliziert, und bis auf sein Drängen, Karl anzuzeigen, hatten wir keine Meinungsverschiedenheiten. Eigentlich ein Traummann.

»Ich genieße es auch sehr, meine Schöne«, sagte Ernesto. Er klang ein wenig müde und versuchte vergeblich ein Gähnen zu unterdrücken. Jetzt erst wurde mir bewusst, dass er die ganze Nacht und den halben Tag so gut wie durchgefahren war und noch keine Sekunde geschlafen hatte.

»Ab jetzt werde ich weiterfahren«, beschloss ich.

»Nein, nein! Es geht schon noch.« Er winkte tapfer ab.

»Unsinn. Ich fahre sehr gerne. Und du kannst dich endlich ein wenig entspannen«, sagte ich fürsorglich.

Entspannt sein sah irgendwie anders aus. Obwohl Ernesto todmüde sein musste, schloss er keine Sekunde die Augen. Krampfhaft hielt er sich mit der einen Hand am Haltegriff der Beifahrertüre fest. Die andere Hand hatte er unter seinen Oberschenkel geschoben. Wahrscheinlich, damit er mir nicht reflexartig ins Lenkrad griff. Männer waren meist einfach schlechte Beifahrer. Auch Ernesto unterschied sich da nicht von seinen männlichen Artgenossen. Er sagte kaum ein Wort. Nur ab und zu entkam ihm ein nach innen gezogenes »Sssssss« oder zischendes »Uhh!«. Wenigstens sagte er mir nicht ständig, wann ich schalten sollte, so wie Michi das bei jenen seltenen Gelegenheiten gemacht hatte, wenn ich ans Steuer durfte.

Ich wusste gar nicht, warum Ernesto sich so anstellte. Ich passte mich doch ganz wunderbar dem Fahrverhalten der Franzosen und Spanier an. Jedenfalls ließ ich mich keine Sekunde lang einschüchtern. Der neue Wagen von Papa Morales, in einer Preislage, für die man in Passau schon eine kleine Eigentumswohnung bekam, fuhr fast wie von selbst, und die Hupe hatte einen coolen Sound.

»Lass mich wieder ans Steuer, Lene!«, forderte Ernesto mich schließlich auf, etwas blass um die Nase, als ich einem ungeduldigen Drängler mal gezeigt hatte, wozu ich und der Wagen in der Lage waren.

»Das wäre verantwortungslos. Du bist völlig übermüdet.« Außerdem hatte ich viel zu viel Spaß mit dem Wagen, als dass ich freiwillig wieder auf die Beifahrerseite gerutscht wäre. Ich blieb dabei, bis Ernesto sich bei einem Tankstopp knapp hundert Kilometer vor Barcelona wieder auf die Fahrerseite schummelte. Ich war schwer in Versuchung, ihm sein Verhalten von vorhin nachzumachen. Ängstlich zu stöhnen oder die Hände vor die Augen zu halten, als ob ich mich fürchten würde. Dann würde er mal sehen, wie sich das anfühlte. Aber wahrscheinlich wäre das für einen Mann eine Art Majestätsbeleidigung. Aber besser als Frauen fuhren Männer bestimmt nicht. Wenn, dann nur anders.

Als wir eine knappe Stunde später in seiner Terrassenwohnung in Barceloneta ankamen, war es fast Mitternacht. Barceloneta war der kleinste Stadtteil in der Altstadt von Barcelona, wie Ernesto mir erzählte. Wir brachten das Gepäck nach oben, und er führte mich ins modern eingerichtete Gästezimmer. Inzwischen konnte Ernesto sich kaum mehr auf den Beinen halten, und ich schickte ihn wie eine Mama zu Bett.

»Geh jetzt schlafen, Ernesto. Ich komm hier schon alleine klar«, versicherte ich ihm und schaute mich neugierig um, als er in sein Schlafzimmer verschwunden war. Von außen hatte man es der Wohnung gar nicht angesehen, wie groß sie war und wie edel und fraglos teuer Ernesto – oder wohl eher ein Innenarchitekt – sie eingerichtet hatte. Für meinen Geschmack hätte das Ganze jedoch etwas mehr Persönlichkeit vertragen können. Ich kam mir fast vor wie in einer Musterwohnung oder einem Ferienapartment, in dem das Geschirr und die Gläser in den Regalen abgezählt waren. Ich war zwar auch kein Inneneinrichtungsgenie, doch hier hätte ich gerne ein wenig Hand angelegt, um die

Wohnung etwas gemütlicher zu gestalten. Aber wahrscheinlich war Ernesto einfach zu viel unterwegs, um hier eine eigene Note reinzubekommen.

Eine Wendeltreppe vom gefliesten Wohnzimmer aus führte zur Dachterrasse. Dort hatte man einen traumhaften Blick auf das nächtliche Meer, das nur wenig mehr als einen Steinwurf entfernt war. Ich stand in der sanften nächtlichen Brise, schaute in den wolkenlosen Sternenhimmel und genoss das beruhigende Rauschen des Wassers, bis auch ich müde wurde und mich nach einem weichen Bett sehnte.

Am nächsten Morgen war Ernesto schon früh auf den Beinen und weckte mich mit herrlich duftendem Kaffee und etwas frischem Obst.

»Guten Morgen, meine Hübsche. Na, ausgeschlafen?«, fragte er mit einem strahlenden Lächeln. Ein Morgenmuffel war Ernesto definitiv nicht.

»Ich glaub schon«, antwortete ich, und meine Stimme war noch ein wenig heiser vom Schlaf.

»Das wird dir schnell auf die Beine helfen.« Er stellte das Tablett auf dem Nachttisch ab. Hatte mir schon jemals ein Mann das Frühstück ans Bett gebracht, mit dem ich die Nacht nicht in einem Bett verbracht hatte? Die Antwort war ein klares Nein! Ich konnte mich noch nicht einmal daran erinnern, dass mir einer das Frühstück ans Bett gebracht hatte, mit dem ich die Nacht im Bett verbracht hatte. Ernesto war eindeutig dabei, dicke Pluspunkte zu sammeln.

»Das ist lieb von dir, Ernesto. Vielen Dank!«

»Hast du Lust, danach ein wenig im Meer zu schwimmen?«, fragte er.

»O ja, gern! In einer Viertelstunde?«, schlug ich vor.

»Gut. Ich erledige inzwischen noch einige Telefonate.«

Er verließ das Zimmer. Ich nippte am heißen Kaffee, der so stark war, dass ich schon nach wenigen Schlucken meine Koffeindosis für den ganzen restlichen Tag intus hatte. Vielleicht sogar für die ganze Woche! Himmel, war das ein Gebräu! Aber es machte eindeutig munter.

Ich stand auf und holte meinen Bikini aus der Reisetasche. Bevor ich ins Bad ging, checkte ich mein Handy, das ich in der Nacht noch aufgeladen hatte. Bis auf die Nachrichten und Anrufe, die ich in der Hütte nicht mehr hatte lesen können, gab es nur eine SMS von Julia. Sie wünschte mir eine wunderschöne Zeit in Spanien und richtete Grüße von meinem Papa aus. Dass er ihr die Kurznachricht wirklich in Auftrag gegeben hatte, wagte ich zu bezweifeln. Doch Julia war sehr darauf bedacht, dass er und ich uns verstanden, und griff deswegen manchmal zu kleinen Notlügen, die niemandem wehtaten.

Dann war noch eine Nachricht von Alwin auf der Mailbox. Er gab mir den Termin für die Hochzeit seines Vaters mit Lissy durch und bat mich um baldigen Rückruf. Ich tippte rasch eine Antwort, dass ich in Spanien sei und mich nach meiner Rückkehr melden würde.

Von Karl gab es weder eine SMS noch einen verpassten Anruf. Genau wie ich es mir schon gedacht hatte.

So direkt am Strand zu leben war sicherlich ein Traum, auch wenn hier vor allem in den Sommermonaten ziemlich viel los war. Ich bestaunte einige der Skulpturen nahe der Uferpromenade. Ein Kunstwerk fand ich besonders interessant. Es sah für mich aus wie aufeinandergestapelte Gefängniszellenwürfel, kurz bevor die umfielen. Doch Ernesto erklärte mir, dass die Skulptur an die kleinen Läden erinnern sollte, die anlässlich der Olympischen Spiele 1992 abgerissen worden waren.

»Gefällt es dir hier?«, fragte Ernesto.

»Ja sehr!« Ich nickte glücklich.

Ernesto nahm mich an der Hand, und wir liefen ins Wasser, bis es endlich tief genug war, um zu schwimmen. Wir waren beide in unserem Element und genossen es, uns gegenseitig zu tauchen und um die Wette zu schwimmen. Die Wellen wurden im plötzlich aufkommenden Wind stärker, und es machte Spaß, hineinzuhechten und sich mittreiben zu lassen.

»Wir sollten besser rausgehen, Lene. Die Wellen werden langsam gefährlich, und der Himmel wird schon ganz dunkel«, warnte Ernesto nach einer Weile. Und tatsächlich zog über dem Meer ein Gewitter auf. Außer uns waren keine Leute mehr im Wasser. Das machte es für mich umso spannender.

»Nur noch einmal!« Ich wandte mich um und wartete auf die nächste größere Welle.

»Nein! Komm jetzt!«

»Gleich!«

»Pass auf!«, rief Ernesto besorgt.

Doch ich hörte nicht auf ihn und sprang noch vor der Welle hoch, streckte meine Arme nach vorn und ließ mich mitreißen. Halb prustend, halb lachend tauchte ich aus dem Wasser auf. Was für ein Spaß! Bevor ich richtig stand, überrollte mich schon die nächste Welle. Ich stolperte und stützte mich mit der Hand am Boden ab. Autsch! Verdammt. Irgendetwas hatte mich in den linken Mittelfinger gepikt. Wahrscheinlich eine spitze Muschelschale. Ich rappelte mich auf. Erstes Donnergrollen war zu hören.

»Jetzt komm endlich!« Ernesto packte mich am Arm und watete mit mir zum Strand. Der Finger tat inzwischen höllisch weh.

Als wir uns die Handtücher umhängten, war es so schlimm geworden, dass es mir die Tränen in die Augen trieb. Mein Finger war dunkelrot und dick geschwollen. Das konnte bestimmt nicht von einer Muschelschale kommen.

»Was hast du denn?«, fragte Ernesto, als er mein vor Schmerz verzogenes Gesicht sah.

»Schau mal, ich hab mich verletzt!«, jammerte ich wehleidig. Aber es schmerzte wirklich sehr, mehr als der Bienenstich in die Lippe.

Ernesto besah sich den Finger.

»Oje. Das war ein Petermännchen«, sagte er mit besorgter Miene.

»Petermännchen?«

»Ja. Ein Fisch mit giftigen Stacheln.«

Wie konnte ein Fisch mit so einem netten Namen wie Petermännchen giftig sein? Mein Finger war inzwischen so dick, dass ich dachte, er würde gleich platzen.

»Komm schnell. Ich weiß, was dir hilft.«

Zurück in der Wohnung desinfizierte er die beiden winzigen Einstichstellen an der Fingerspitze mit hochprozentigem Alkohol. Dann musste ich meine Hand in so heißes Wasser legen, dass ich es gerade noch aushalten konnte, ohne mich zu verbrühen. Ernesto erklärte mir, dass dadurch der hitzeempfindliche Eiweißanteil des Gifts gerinnen würde und es sich so nicht weiter ausbreiten konnte. Es half tatsächlich ein wenig.

Während draußen ein heftiges Gewitter tobte und ich meinen geschundenen und wild schmerzenden Finger heiß badete, fragte ich mich, warum ich in letzter Zeit so ein Pechvogel war. Ständig passierte mir irgendwas. War das eine Strafe für etwas? Und wenn ja, was hatte ich nur getan?

Ich bedauerte sehr, dass Doktor Fischer nicht da war, um mir nach der Fischattacke beizustehen. Stattdessen kam eine grauhaarige Ärztin, die so schnell mit Ernesto sprach, dass es sich anhörte, als ob sie regelmäßig Helium inhalieren würde.

Sie schaute den Finger an und gab mir dann eine Spritze. Und was immer da auch drin war, die Schmerzen wurden davon nicht besser. Nur das heiße Wasser half.

Glücklicherweise gehörte ich nicht zu den wenigen Menschen, die als Auswirkungen auf das Gift des Petermännchens mit einem Kreislaufkollaps oder mit Fieber reagierten. Ich war wohl doch ein ziemlich zähes Weib, auch wenn ich mir ab und zu ein Jammern nicht verkneifen konnte. Ernesto schien davon jedoch irgendwann etwas genervt. Eigentlich hatte er vorgehabt, mit mir das Auto zu seinem Vater zu bringen, und jetzt saßen wir hier in der Wohnung fest.

»Wenn du auf mich gehört hättest, wär dir das nicht passiert«, schimpfte er mich wie ein kleines unartiges Kind. So hatte ich ihn noch nie reden hören, und ich war verblüfft über seinen Ton.

»Ich konnte doch nicht ahnen, dass es hier so gefährliche Tiere gibt«, sagte ich in dem Versuch, mich zu verteidigen. Doch Ernesto ging darauf nicht ein.

»Ich bring jetzt das Auto weg. Wenn der Finger zu sehr schmerzt, leg ihn wieder in heißes Wasser. Ich versuche, bald wieder zurück zu sein.« Er nahm den Autoschlüssel und verschwand aus der Wohnung.

Und ich war froh, für eine Weile allein zu sein. Ich suchte im Kühlschrank nach etwas Essbarem. Doch es gab nur Obst, einige Fruchtsäfte und einen großen Vorrat an Weißweinen und Champagner. Mit zwei Äpfeln machte ich es mir auf dem weißen Ledersofa im Wohnzimmer bequem und schaute, was im spanischen Fernsehprogramm so alles lief, um mich von meinem Finger abzulenken. Doch es funktionierte nicht. Also stand ich auf und ging herum. Da sah ich im Regal seine CD-Sammlung. Sie war sehr umfangreich und bestand hauptsächlich aus spanischen Musikern, deren Namen mir nichts sagten. Bis ich schließlich eine CD von Astor Piazzolla entdeckte. Ich legte sie ein, machte es mir auf dem Sofa bequem und genoss die besonderen Klänge des großartigen argentinischen Künstlers. Etwa eine Stunde später kam Ernesto zurück. Mit einem großen Blumenstrauß und einer zerknirschten Miene.

»Verzeih meinen Ton von vorhin«, bat er und lächelte schief.

»Nur wenn du uns bald etwas zu essen organisierst«, stellte ich zur Bedingung.

Er lachte erleichtert auf. »Das lässt sich machen.«

Ich war ihm nicht böse. Schon gar nicht mehr nach der fantastischen Paella, die er hatte kommen lassen und über die ich hungrig herfiel. Danach spielten wir *Mensch ärgere dich nicht*. Und natürlich ärgerten wir uns dabei mächtig. Ernesto hatte große Probleme damit zu verlieren. Und ich hatte ein Problem, wenn andere schummelten, um zu gewinnen. Bevor wir uns gänzlich in die Haare gerieten, suchte Ernesto für mich einen deutschen Sender im Fernsehen und zog sich in sein Schlafzimmer zurück, um zu telefonieren. Hmm… Alleine fernsehen hätte ich auch zu Hause können.

Bis zum Abend waren die Schmerzen im Finger erträglich geworden. Als mir schon die Augen zufielen und ich mich schließlich fürs Bett fertig machte, kam Ernesto.

»Es ist schön, endlich mal mit dir alleine zu sein«, sagte er. Na ja. Ich hatte es mir zwar etwas anders vorgestellt, aber ich wollte nicht unhöflich sein.

»Stimmt«, erwiderte ich und hoffte, dass er mich jetzt schlafen lassen würde. Doch er kam auf mich zu, und ich sah seinen Augen an, dass er nicht vorhatte, so schnell wieder zu gehen. Aber das war jetzt gar kein guter Zeitpunkt. O nein!

Wo war denn der Kreislaufkollaps, wenn man ihn mal brauchen könnte? So was hatte man auch nur dann, wenn es absolut nicht passend war.

Andererseits...

Ich griff mir an den Kopf, taumelte ein wenig zurück und setzte mich aufs Bett.

»Lene? Was ist?«

»Nur ein wenig schwindlig. Das wird bestimmt gleich wieder gut«, sagte ich mit schwacher Stimme.

»Besser, du legst dich hin und schläfst.« Seine Worte waren fürsorglich, doch er klang etwas enttäuscht.

»Das wird wohl das Beste sein. Gute Nacht, Ernesto.«

So ein kleines bisschen hatte ich schon ein schlechtes Gewissen, dass ich ihm was vorgespielt hatte. Das war normalerweise gar nicht meine Art. Aber ich fühlte mich heute wirklich nicht sonderlich gut. Und hätte jetzt keine Kraft für nächtliche Aktivitäten oder gar eine Diskussion gehabt.

Wohl als Strafe für meine Schwindelei wurde ich in der Nacht von wilden Albträumen geplagt. Ernesto schwamm neben mir im offenen Meer und hatte plötzlich eine Haifischflosse auf dem Rücken. Ich versuchte, ihm davonzuschwimmen, aber er holte mich immer wieder ein. Ich rief um Hilfe. Da kam mir die *Königin der blauen Donau* entgegen. Die Leute schauten mir von der Reling aus zu und stießen sich gegenseitig an. »Ist das nicht Lene?«, fragte Matthias meinen Vater. Doch der schüttelte nur den Kopf und grinste. »Nein. Die ist eingesperrt in einer Hütte im Wald.«

Das Schiff fuhr an mir vorbei, und die Leute winkten mir zum Abschied freundlich zu, ohne meine Hilferufe ernst zu nehmen. Ernesto schwamm ganz nah an mich heran, grinste und riss sein Haifischmaul auf. Dann biss er meinen Finger ab.

Ich fuhr mit rasendem Herzen im Bett hoch und starrte auf meinen geschwollenen Finger. Gott sei Dank. Er war noch dran. Aber er schmerzte wieder fürchterlich. Leise ging ich ins Bad und ließ längere Zeit heißes Wasser darüber laufen. Danach war es wieder etwas besser. Ich ging zurück ins Bett und schlief nach einer Weile ein.

Am nächsten Tag war der Finger zwar noch geschwollen und fühlte sich etwas taub an, aber er tat kaum mehr weh. Da ich keine Lust hatte, mir vom Petermännchen meinen Urlaub vermasseln zu lassen, bat ich Ernesto, mir seine Stadt zu zeigen. Es war sicher eine gute Gelegenheit, auch Ernesto besser kennenzulernen. Wir spazierten lange durch den herrlichen Parc de la Ciutadella, wo ein buntes Treiben von Künstlern und Straßenmusikern für Unterhaltung sorgte. Ein Trommler mit dunklen Haaren und noch dunkleren Augen erinnerte mich ein wenig an Karl. Es erschien mir passend, ihm die hundert Euro, die ich von Karl in der Hütte für das Taxi bekommen hatte, in den Hut zu werfen. Der Straßenmusiker bedankte sich überschwänglich und mit einem besonders wilden Trommelwirbel. Ich lachte auf. Doch Ernesto gefiel das gar nicht.

»Du hättest ihm nicht so viel Geld geben sollen«, sagte er mit vorwurfsvollem Unterton und drängte darauf, den Park zu verlassen.

»Er hat sich so darüber gefreut«, entgegnete ich und war mir keiner Schuld bewusst.

»Ja. Weil er sich davon Alkohol oder Drogen kaufen wird.«

Damit hatte er mir ein schlechtes Gewissen gemacht, und das schöne Gefühl von gerade eben war dahin.

»Das wusste ich nicht«, sagte ich kleinlaut.

»Mach es einfach nie wieder. Okay?«

Ich nickte. Trotzdem ging mir durch den Kopf, dass Ernesto womöglich nicht recht haben könnte. Vielleicht hatte der Trommler ja eine Freundin oder Frau zu Hause und ein Baby. Und mit dem Geld, das ich ihm gegeben hatte, würde er Windeln und Lebensmittel kaufen. Dieser Gedanke munterte mich wieder auf.

»Möchtest du etwas essen?«, fragte Ernesto versöhnlich.

Inzwischen hatte ich tatsächlich Hunger.

»Ja gerne.«

»Na gut. Dann komm.« Er legte den Arm um meine Schultern, und wir gingen zu einem kleinen Fischrestaurant in der Nähe. Mit einer gewissen Genugtuung bestellte ich mir gebratenes Petermännchen. Was übrigens ganz ausgezeichnet schmeckte. Ernesto hingegen ließ seinen gefüllten Tintenfisch zurückgehen, weil er versalzen war. Er beschwerte sich beim Küchenchef und bekam kurz darauf eine neue Portion, die ihm zusagte.

Ernesto war zwar nach wie vor ein amüsanter Begleiter, doch irgendwie verhielt er sich in seiner Heimatstadt ein wenig anders als in Deutschland. Dies war mir nach dem Petermännchen-Unfall aufgefallen. Und es war schwer zu erklären, was sich verändert hatte. Er war nicht mehr so redselig und trat anderen Leuten gegenüber manchmal etwas arrogant auf. Auch mir gegenüber. Wofür es einen deutlichen Punkteabzug gab.

»Macht es dir was aus, wenn ich dich jetzt in die Wohnung zurückbringe?«, fragte er nach dem Essen.

»Hast du was vor?«, wollte ich wissen.

»Ich habe leider einen geschäftlichen Termin, den ich nicht verschieben kann. Aber es dauert nicht lange«, erklärte er.

Da der Finger wieder stärker pochte, hatte ich nichts dagegen, mich ein wenig auszuruhen.

Das Handy zeigte einen verpassten Anruf von Matthias an. Womöglich war es ja was Wichtiges? Ich wählte seine Nummer und freute mich, gleich darauf seine Stimme zu hören.

»Hallo Matthias. Du hättest angerufen?«

»Hallo Lene. Ich wollte mich entschuldigen, dass ich dich so angefahren habe. Karl Huber war vorhin hier und hat mir erklärt, dass er dich vom Schiff geholt und somit das ganze Durcheinander ausgelöst hat.«

Ach was? Karl hatte gebeichtet? Ich war erstaunt. Ein Feigling war er jedenfalls nicht.

»Bist du noch da?«, fragte Matthias, als ich nicht gleich darauf antwortete.

»Ja, ja. Ich bin da. Und du bist gar nicht böse auf ihn?«

»Warum sollte ich das? Schließlich hat er uns damit jetzt schon zu einer riesigen Nachfrage deines Buches verholfen, mit der niemand gerechnet hätte.«

»Wirklich?«, fragte ich. Insgeheim erfreut, dass mein Ratgeber schon nach so kurzer Zeit so großen Anklang fand. Ach, wie gerne wäre ich jetzt in Passau gewesen, um das mitzuerleben. Und ich fragte mich zum ersten Mal ernsthaft, was ich eigentlich hier tat.

»Ja. Und schau mal auf deine Facebook-Seite. Du wirst dich wundern, was da los ist.« Matthias hörte sich äußerst zufrieden an.

»Sobald ich an einen Rechner komme, mache ich das.« In der Wohnung hatte ich allerdings noch keinen Computer gesehen.

»Lene? Geht es dir nicht gut?« Seine Fähigkeit, meine Stimmungen zu erfassen, war immer noch vorhanden. Ich fand das irgendwie beruhigend.

»Nein, es ist nur…« Ich wollte ihm von dem Fischunfall erzählen, doch Matthias unterbrach mich.

»Meine Sekretärin kommt gerade. Ich habe gleich einen Termin. Lass uns morgen noch mal telefonieren«, sagte er hastig.

Und schon war er weg. Ich legte mich aufs Bett und starrte an die Decke. Ohne zu wissen, warum, fühlte ich mich traurig. Am liebsten wäre ich nach Hause gefahren. Stattdessen schlief ich tief und fest ein.

Als ich erwachte, war es Abend geworden, und das Licht des Tages machte allmählich der Dunkelheit Platz. Ob Ernesto schon da war? Ich stand auf und öffnete die Türe zum Flur. Was war das denn? Lauter brennende Teelichter bildeten einen Weg bis zur Wendeltreppe und führten weiter nach oben bis zur Dachterrasse. Dort saß Ernesto in einem dunklen Anzug zwischen Kissen auf einem großen weißen Sofa, das am Tag meiner Ankunft bestimmt noch nicht da gewesen war. Ebenso wenig wie der Tisch, auf dem allerlei Köstlichkeiten angerichtet waren. Er telefonierte. Legte jedoch auf, als er mich kommen sah. Das ganze Szenario war mit zig Kerzen beleuchtet, mit Blumen geschmückt und wirkte auf eine fast schon unwirkliche Weise traumhaft schön. Wie hatte er das nur alles vorbereiten können, ohne dass ich etwas davon bemerkte? Ernesto lächelte geheimnisvoll. Ich schluckte. Wenn sich ein Mann so viel Mühe gab, dann würde er sich nicht mit einem netten Plauderstündchen zufriedengeben.

»Bist du schon lange zurück?«, fragte ich, einfach, um überhaupt etwas zu sagen.

»Eine Weile. Komm, setz dich doch.« Er streckte mir die Hand entgegen und zog mich neben sich.

»Möchtest du ein Glas Champagner?«, fragte er.

Alkohol wäre jetzt keine gute Wahl. Ich musste bei klarem Verstand bleiben. Zumindest sagte mir das mein Verstand. Mein Bauchgefühl war da weniger abgeneigt. »Sag ja! Sag ja!«, rief es aufgeregt. Doch heute setzte sich der Verstand durch.

»Bitte erst einmal Wasser«, bat ich. Und das Bauchgefühl zog sich in die Schmollecke zurück.

Er schenkte ein und reichte mir das Glas. Ich nahm einen kleinen Schluck. Ich musste jetzt unbedingt etwas Nettes sagen, sonst würde mein Verhalten schon an Unhöflichkeit und Ignoranz grenzen.

»Du hast dir wirklich sehr viel Mühe gegeben, Ernesto. Es ist bezaubernd hier.«

»Schön, dass es dir gefällt. Ich finde, es ist endlich an der Zeit, dass wir uns näher kennenlernen.«

Uiuiui. Es würde also ernst werden. Na ja, eigentlich war es ja absehbar gewesen, wenn ich schon mit ihm in den Urlaub fuhr, dass er mich näher kennenlernen wollte. Und eigentlich sprach ja auch nichts dagegen. Eigentlich …

»Ich möchte dich morgen auch gerne meinen Eltern vorstellen. Sie erwarten uns für den Abend zum Essen.« Ich verschluckte mich fast und musste husten. Essen bei seinen Eltern? Das auch noch? Normalerweise wäre es bestimmt lustig, Mama und Papa Morales kennenzulernen. Aber jetzt konnte ich mir das gerade gar nicht vorstellen.

Ernesto legte seinen Arm um mich und sah mich mit glutvollen Augen an.

»Lene, du bist eine wunderschöne Frau …« Nein! Bitte! Das

wollte ich jetzt nicht hören. Nicht von ihm. Nicht auf Spanisch, nicht auf Hochdeutsch und auch nicht irgendwie auf Bairisch. Obwohl er von Anfang an so viel über sich erzählt hatte, war Ernesto mir in diesem Moment völlig fremd. Das Unkomplizierte, das ich so an ihm geschätzt hatte, erkannte ich jetzt als eine Art fragwürdiger Unverbindlichkeit. Sogar diese Inszenierung auf dem Dach war einfach nur … eine Inszenierung eben. Es fühlte sich alles nicht echt an. Ich hatte wirklich bis vor Kurzem noch die Vorstellung gehabt, dass sich aus uns vielleicht etwas entwickeln könnte, wenn wir uns näher kennenlernten. Aber jetzt hielt ich das für unmöglich.

Die Antwort auf die Frage, die ich mir vor einiger Zeit gestellt hatte, wie denn wohl ein Leben an der Seite von Ernesto aussehen würde, stand plötzlich deutlich vor mir. Ich würde mich einsam fühlen. Und unglücklich. Es war nicht Ernestos Schuld. Es war auch nicht meine Schuld. Wir passten nicht zusammen. Ich passte nicht hierher nach Spanien. Und Gemüsepaprika konnte ich auch zu Hause einwecken.

Allerdings sah Ernesto das wohl anders. Er beugte sich zu mir, um mich zu küssen. Ich lehnte mich zurück, um ihn nicht zu küssen.

Er sah mich fragend an.

Ich hielt dem Blick stand, und er las die Antwort in meinen Augen.

Eine halbe Stunde später saß ich mit meinem Gepäck im Taxi zum Flughafen.

kapitel 31

Kreuzunglücklich kam ich in den frühen Morgenstunden in Passau an. Ich hatte ein halbes Monatsgehalt für die Rückreise ausgegeben und im Flugzeug einem netten älteren Geschäftsmann die Anzugjacke nass geheult. Doch das war mir egal. Irgendwie war mir alles egal. Und gleichzeitig auch nicht. Ich hätte den Mann nach seiner Adresse fragen müssen, um für eventuelle Reinigungskosten der Jacke aufzukommen. Und ich hätte auf einen günstigeren Flug warten können. Dann hätte ich auch nicht mitten in der Nacht ein Taxi vom Münchner Flughafen nach Passau gebraucht, sondern hätte tagsüber den Zug nehmen können. Ich hätte am besten gar nicht nach Spanien fahren sollen ...

»Hätte, hätte nicht, hätte, hätte nicht ... Das bringt dir jetzt gar nichts, Lene«, sagte ich resigniert und seufzte. Außerdem war es gut, dass ich in Barcelona gewesen war, um zu erkennen, dass ich meinen Lebensmittelpunkt in meiner bayerischen Heimat und nicht in Spanien haben wollte. Und ich hatte Ernesto von einer anderen Seite kennengelernt. Er war nämlich nicht nur ein schlechter Verlierer bei *Mensch ärgere dich nicht*. Nachdem ich ihm so nett wie möglich beigebracht hatte, dass wir beide wohl doch nicht füreinander bestimmt wären, war er aufgegangen wie eine Dampfnudel. Gut, dass ich das meiste nicht verstand, denn er hatte in seiner Landessprache losgepoltert. Trotzdem konnte ich seinen Ärger ein wenig nachvollziehen. Ich hatte ungewollt falsche Signale ausgesandt.

Ich fühlte mich wie eine Versagerin. Nichts bekam ich auf die Reihe. Und das mit der Liebe schon gleich gar nicht. Wenigstens war ich jetzt wieder bei Eisi zu Hause. Ich hatte vergessen gehabt, ihn nach Barcelona mitzunehmen, und er hatte mir schon gefehlt.

»Sag mal, wie hast du das denn gemacht mit deinen Frauen?«, fragte ich ihn, während ich meine Sachen auspackte. Eisis Blick war starr. Er wollte scheinbar nicht darüber sprechen. Manchmal war er richtig verstockt! Auch gut. Aber mich interessierte jetzt auf einmal, wie man in der Eskimosprache sagte: »Ich liebe dich.« Ich fuhr meinen Rechner hoch, ging auf eine Suchmaschine und tippte ein. Und schon kam eine Liste mit »Ich liebe dich« in den unterschiedlichsten Sprachen, auch in Inuit.

»Negligevapse«, las ich leise. Und dann noch mal lauter: »Negligevapse!« Mitleidig schaute ich Eisi an. »Das hört sich auch nicht gerade romantisch an.«

Mein E-Mail-Postfach quoll über, aber ich war zu müde, um die Nachrichten zu lesen. Ich nahm Eisi mit ins Bett und schlief sofort ein.

Nur drei Stunden später wachte ich auf mit dem Drang, mein Leben irgendwie zu ändern. Ich wusste zwar noch nicht, wie, aber so konnte es auf keinen Fall weitergehen. Das Wichtigste war jetzt, Abstand zu den Männern zu bekommen. Ich musste mir erst einmal wirklich klar darüber werden, was ich eigentlich wollte. Das bedeutete allerdings auch, mir schnellstens eine Wohnung zu suchen. Bis ich eine eigene Bleibe gefunden hatte, würde ich in eine Pension gehen. Dieses Vorhaben war schon mal ein guter Anfang. Hastig packte ich meine Sachen zusammen und verstaute sie in meinem Wagen. Dann bezog ich das Bett im Schlafzimmer wieder mit der weißen Bettwäsche, nahm die Bilder von der Wand und putzte das Haus. Am Mittag sah alles fast wieder so aus wie bei meinem Einzug vor ein paar Wochen. Ich hatte etwas geschafft. Und ich hatte etwas vor. Das fühlte sich gut an. Ein letztes Mal sah ich mich um, verließ dann das Haus und warf den Schlüssel für Matthias in den Briefschlitz.

Das Auto war voll mit meinen Sachen. Es wäre keine gute Idee, das alles mit in eine Pension zu nehmen oder ständig im Wagen herumzufahren. Am besten stellte ich einen Teil davon in meiner alten Wohnung zu Hause ab. Sicher hätte Vater nichts dagegen. Und falls doch, würde ich Julia nach einer Abstellgelegenheit fragen.

Als ich in den Hof fuhr, kam Vater gerade mit dem Traktor vom Feld. Ich stieg aus dem Wagen und ging auf ihn zu.

»Hallo Papa!«, begrüßte ich ihn.

»Du bist schon wieder zurück aus Spanien?«, fragte er unnötigerweise. Ich nickte, ebenfalls unnötigerweise. Doch eine Erklärung wollte ich ihm jetzt nicht geben.

»Hast du was dagegen, wenn ich hier ein paar Sachen unterstelle, bis ich eine Wohnung gefunden habe?«, fragte ich ihn.

»Nur zu.«

»Danke!«

Ich ging zu meinem Wagen und öffnete den Kofferraum. Vater folgte mir, und wir trugen einen Teil der Sachen in meine kleine Wohnung. Kaum hatte ich das Wohnzimmer betreten, seufzte ich wehmütig. Wie gemütlich es hier war. Und wie sehr ich mich danach sehnte, wieder hier zu sein.

»Hast du schon etwas in Aussicht?«, erkundigte sich Vater.

»Nein. Ich habe bisher auch noch nicht gesucht.« Ich drehte mich weg, er sollte nicht sehen, dass ich Tränen in den Augen hatte.

»Lene. Also ... Wenn du ... Also, ich meine. Wenn du hier wieder einziehen möchtest ... Es ist ja dein Zuhause ... Und ich ... ich würde mich sehr freuen!« Es fiel ihm schwer, das zu sagen. Mir wurde es unendlich warm ums Herz. Er wollte, dass ich wieder zurückkam! Und jetzt war es mir auch egal, wenn er sah, dass ich heulte. Ich drehte mich zu ihm um und fiel ihm um den Hals.

Zuerst legte er nur zögerlich einen Arm um mich. Doch plötzlich drückte er mich fest an sich. Und bei mir gab es kein Halten mehr. Alles, was sich in den letzten Monaten angestaut hatte, sprengte jetzt die Dämme, und es sprudelte nur so aus mir heraus. Vater führte mich zum Sofa, und wir setzten uns, wobei ich, nur von kleinen Heulphasen abgesehen, ununterbrochen redete und redete.

»... ich hab dich so vermisst ... Das mit den Steuerunterlagen hat mir so leidgetan und ... Und ständig starren mir die Männer auf den Busen ... Ich glaube, Michi kennt bis heute noch nicht mal meine Augenfarbe, und Matthias will mich doch gewiss auch nur im Bett haben ... Und der Karl, der hat mich auch geküsst, aber dann ist er einfach verschwunden ... Ich weiß gar nicht, warum Claudia mir plötzlich so böse war ...«

Vater hörte mir die ganze Zeit nur zu und sagte kein Wort. Es wäre auch kaum möglich gewesen. Als ich auch noch anfing, über Ernesto und das Petermännchen, Doktor Fischer und Anne, den Fisch, zu sprechen, sah ich ihm eine gewisse Sorge um mich an.

Er streichelte mir über den Kopf und sagte hilflos: »Lene. Es wird bestimmt alles gut werden.«

»Das glaub ich nicht, Papa. Ich mache ständig alles falsch. Wahrscheinlich bin ich gar nicht fähig, jemanden wirklich zu lieben!«

Da ging ein Ruck durch meinen Vater, und er setzte sich plötzlich ganz gerade hin. Sein Gesicht bekam einen strengen Ausdruck.

»Hör auf, so einen Unsinn zu reden!«, mahnte er mich.

Ich sah ihn überrascht an.

»Natürlich kannst du lieben! Aber das mit der Liebe ist… eben nicht immer so einfach.« Er seufzte leise.

Es war eigenartig, dass mein Vater von Liebe sprach.

»Lene, ich erzähle dir jetzt eine Geschichte. Die Geschichte von deiner Mutter und mir. Ich glaube, das bin ich dir schuldig.«

Ich sah ihm an, dass es ihm nicht leichtfiel, darüber zu reden. Er stand auf, ging ein paar Schritte auf und ab. Dann setzte er sich wieder. Er schloss ein paar Sekunden lang die Augen, als ob er sich in eine andere Zeit versetzen wollte. Und sicherlich tat er das innerlich auch. Dann begann er, mir die Geschichte einer ungewöhnlichen Liebe zu erzählen.

»Deine Mutter und ich, wir waren damals noch sehr jung, als wir uns kennenlernten. Sie war vierzehn, und ich war sechzehn Jahre alt. Unsere Eltern waren alles andere als begeistert. Vor allem die Eltern von Ruth. Ihre einzige Tochter sollte sich aufs Gymnasium konzentrieren und nicht einem einfachen Bauernjungen hinterherrennen.«

»Aber du warst doch auf dem Gymnasium?«, warf ich verwundert ein.

»Trotzdem. Deine Großeltern hatten sich die Zukunft deiner Mutter nicht auf einem Bauernhof vorgestellt. Wir konnten uns nur heimlich treffen. Als wir einmal erwischt wurden, wie wir uns hinter dem Stall küssten, bekam Ruth Zimmerarrest und ich eine saftige Ohrfeige von meinem Vater …«

Ich war fassungslos. Meine lieben Großeltern sollten so streng gewesen sein? Ich konnte mir das gar nicht vorstellen. Doch Vater sagte in diesem Augenblick bestimmt nichts anderes als die Wahrheit.

»Schließlich mussten wir uns immer neue Tricks einfallen lassen, damit wir uns wenigstens ab und zu alleine sehen konnten. Und es klappte auch eine Weile gut. Bis deine Oma einen Brief an Ruth abgefangen hat. Da gab es wieder großen Ärger. Und wir mussten uns was Neues einfallen lassen. Da kamen wir auf die Idee, uns eine Geheimsprache zuzulegen.«

»Eine Geheimsprache?«, fragte ich erstaunt. Vater nickte.

»Wir benutzten Zeichen. Ein Kreis bedeutete: *Ich denk an dich!*, und ein Punkt stand für: *Ich liebe dich!* Von nun an konnten wir unsere kleinen Botschaften überall hinterlassen, ohne dass sie jemandem auffielen. Auch wenn wir uns kaum sehen konnten, waren wir uns dadurch immer nah. Deine Mutter schlich sich einmal vor dem Unterricht in mein Klassenzimmer und beschrieb die ganze Tafel mit Punkten und Kreisen. Wir hinterließen in der Kantine, im Umkleideraum oder in der Sporthalle unauffällige Zettel mit Ringen und Punkten oder Strichmännchen mit kreisrundem Kopf und Knopfaugen. Ruth verzierte jeden Aushang in der Schule mit einem Punkt oder Kringel, die natürlich nur mir auffielen. Es gab in Baumrinden geschnitzte Ringe, und im Winter machte ich sogar einmal mit Fußabdrücken im Schnee einen riesigen Kreis im Garten vor Ruths Haus.«

Beim Gedanken daran hatte er ein wehmütiges Lächeln im Gesicht.

Ich war ganz verzaubert von der Geschichte meiner Eltern und hörte Vater gebannt zu.

»Doch das wirklich Wunderbare daran war, dass wir diese Zeichen plötzlich überall sahen: die Ringe beim Turnunterricht, das Lenkrad am Traktor, Bilder und Zeichnungen voller Kreise und Punkte und natürlich in der Schule i-Tüpfelchen oder noch besser die Wörter mit *ö*. Die Nickelbrille von Tante Resi, das getupfte Schnäuztuch vom Pfarrer... Sogar die kleinen Punkte auf den Erdbeeren waren unsere Komplizen. Und je mehr wir von diesen Zeichen sahen, desto öfter dachten wir an uns und umso stärker wurde unsere Liebe. Das erkannten schließlich auch unsere Eltern und ließen uns – in Gottes Namen, wie sie sagten – endlich ein Paar sein. Doch auch danach behielten wir unsere Geheimsprache bei, bis...« Er hörte auf zu sprechen.

Dicke Tränen der Rührung kullerten über meine Wangen. Auch Vater war sehr aufgewühlt. Er legte einen Arm um mich.

»Als deine Mutter dann... Als sie nicht mehr da war, da war es, als ob die Liebe mit ihr gestorben wäre.« Er schaute mich an, und seine Augen waren rot von den ungeweinten Tränen. »Lene, ich bin schuld, dass du vergeblich nach Worten suchst, um einem Mann zu sagen, dass du ihn liebst.«

Ich schniefte.

»Nein. Du doch nicht, Papa.« Ich wollte nicht, dass er sich dafür die Schuld gab.

»Doch. Denn jetzt erst ist mir bewusst geworden, dass ich dir nie gesagt habe, wie sehr ich dich lieb habe.« Diese Erkenntnis schien ihn in seinen Grundfesten zu erschüttern.

»Aber das stimmt doch gar nicht«, sagte ich und schluchzte. Doch es war so. Vater hatte es nie zu mir gesagt.

»Es tut mir leid, Lene. Aber auch wenn ich es dir nie gesagt habe, so warst du immer mein ganzes Glück!« Er streichelte traurig mein Gesicht, dann stand er schwerfällig auf und verließ mit hängenden Schultern das Zimmer.

Ich blieb lange sitzen und starrte wie betäubt auf einen Punkt gegenüber im Bücherregal. Auf einen Punkt… Moment. Das war nicht nur ein Punkt, es waren viele Punkte. Ich stand auf und zog ein Fotoalbum heraus, das Papa mir zu meinem achtzehnten Geburtstag geschenkt hatte. Es war hellblau mit vielen kleinen orangefarbenen Tupfen. Ich setzte mich aufs Sofa und begann das Album mit völlig anderen Augen durchzublättern.

Eine halbe Stunde später rannte ich glücklich lächelnd mit dem Album unter dem Arm in den Stall. Doch Vater war nicht dort und auch nicht im Haus. Ich fand ihn schließlich hinter dem Haus auf der Gartenbank, wo er einfach nur dasaß und ins Leere blickte.

»Es stimmt gar nicht, dass du mir nie gesagt hast, dass du mich lieb hast«, überfiel ich meinen Vater und setzte mich neben ihn.

»Ach Lene«, sagte er müde.

»Schau doch!«, forderte ich ihn auf und öffnete das Fotoalbum.

Und überall auf den Fotos fanden sich die Zeichen seiner Liebe zu mir. Getupfte oder geringelte Bettwäsche. Die Tapeten in meinem alten Kinderzimmer waren voller Marienkäfer. Ich hatte Hula-Hoop-Reifen in allen möglichen Farben und Bälle in sämtlichen Größen und einen hölzernen Glücksfliegenpilz in meinem Puppenregal. Viele meiner Kleidungsstücke waren an irgendeiner Stelle getupft. Und meine Lieblingspuppe Conny trug einen Ringelpulli. Sogar mein erstes richtiges Fahrrad hatte Vater mit schwarzen Punkten auf der roten Grundfarbe verschönert, weil ich als Kind die kleinen getupften Käfer so gerne gemocht hatte. Kurz vor meinem vierzehnten Geburtstag überraschte er mich mit einer neuen Tapete in meinem Zimmer, die aus lauter gelben, orangefarbenen und schwarzen Kreisen und Ringen bestand. Meine Freundinnen hatten mich damals um die Tapete beneidet. Doch ich hatte beim Anblick der vielen Kreise täglich mit einem aufsteigenden Schwindelgefühl zu kämpfen. Bis ich sie mit zahlreichen Postern von Michael Jackson, Tic Tac Toe, Take That und vor allem von Queen überklebt hatte. Und dann war da noch unser schönes getupftes Essgeschirr, die Tomaten, wenn er sie für mich mit kleinen Klecksen Schmand verziert hatte, sodass sie wie lustige Fliegenpilze aussahen, und, und, und …

»Siehst du. Du hast es mir immer gesagt«, sagte ich leise, als wir das Fotoalbum durchgeblättert hatten bis zum Anschneiden der Torte an meinem achtzehnten Geburtstag. Sie war mit Schokoladenguss überzogen und mit ganzen Erdbeeren belegt.

Vater wischte sich verstohlen eine Träne aus dem Gesicht und lächelte mich dankbar und voll Liebe an.

»Ja. Ich habe es dir tatsächlich immer gesagt.«

»Und weißt du, Papa, ich kannte zwar eure Geheimzeichen nicht, aber ich habe es da immer gespürt.« Ich fasste an mein Herz.

»Trotzdem muss man aufpassen, dass der andere immer weiß, in welcher Sprache man zu ihm spricht«, resümierte Vater und seufzte leise.

Ich nickte.

»Ja. Damit er auch die Chance hat, es zu verstehen. Genau darum geht es!«, sagte ich so glücklich, als ob ich eben das Rad noch mal neu erfunden hatte.

»Dann reicht es wohl nicht, dass ich Julia den Traktor repariere, ihr bei der Ernte helfe oder die Dachziegel nach einem Sturm auswechsle?«, fragte er, obwohl er die Antwort bereits wusste.

Ich lächelte.

»Nein. Und auch nicht, dass sie dich mit Erdbeerkuchen vollstopft, deine zerrissenen Sachen näht und dir seit Neuestem bei den Steuerunterlagen hilft.«

»Man kann nie alt genug sein, um noch dazuzulernen.«

»Es sieht fast so aus!«, gab ich ihm recht.

»Tja. Dann werde ich jetzt mal versuchen, den Übersetzer zu spielen«, sagte er entschlossen.

»Aber sag es ihr wirklich klar und deutlich, Papa. Nicht irgendwie herumreden, hörst du?«

»Klar und deutlich! Denn wie heißt es so schön: Beim Redn kommen d'Leit zam.«

»Genau so ist es!«, sagte ich und nickte.

»Lene, ich bin sehr froh, dass du wieder da bist.«

»Ich auch, Papa. Du weißt gar nicht, wie sehr.«

Er drückte mich an sich, räusperte sich und stand dann auf.

»Dein Buch ist übrigens wirklich gut geworden. Ich bin stolz auf dich«, sagte er und lächelte.

»Du hast es gelesen?«, fragte ich überrascht.

»Natürlich! Was denkst du denn?«

»Das bedeutet mir sehr viel, Papa.« Bevor wir uns zu sehr in Rührseligkeiten verstrickten, machte er sich auf den Weg zu Julia. Er drehte sich noch mal um zu mir.

»Drück mir bitte die Daumen, Lene!«, rief er. Er hatte wohl doch ein wenig Angst vor dem, was gleich kommen würde.

»Na klar. Alle drei!« Er lachte und ging davon.

Ich schaute nach oben zum bewölkten Himmel.

»Ich weiß, dass du dich darüber freust, Mama. Und du dich bestimmt auch, Hans.«

Und in diesem Moment blitzte die Sonne hinter einer Wolke hervor.

Ich blieb noch eine Weile nachdenklich auf der Bank. Die Geschichte meiner Eltern und das Verhalten meines Vaters hatten mir eine mögliche Erklärung geliefert, warum ich bis jetzt nicht fähig war, einem Mann meine Liebe zu gestehen. Genauso wenig, wie ich die Liebe eines Mannes annehmen konnte. Das erkannte ich endlich klar und deutlich.

Aber wenn man Liebe, so wie meine Eltern es getan hatten, auch auf eine andere Weise ausdrückte, hatte ich vielleicht bisher etwas übersehen? Denn da war … Heureka! Ich hatte tatsächlich etwas übersehen! Dabei war es so deutlich, sogar überdeutlich, dass man schon fast blind und taub sein musste, es nicht zu erkennen. Aber das war ich wohl bisher gewesen: blind und taub für die Liebe. Endlich ging ein Vorhang in mir auf. Und der Mann, den ich liebte, stand vor mir. Denn ja! Es gab ihn. Ich hatte es nur bisher nicht zu denken, geschweige denn zu fühlen gewagt. Doch jetzt konnte ich den wundervollen Gedanken endlich zulassen. Ich hoffte inständig, dass ich die Zeichen richtig verstanden hatte und er mich ebenfalls liebte.

»Ich muss jetzt endlich Ordnung in mein Liebesleben bringen«, sagte ich entschlossen. Schließlich wollte ich genauso mutig sein wie mein Vater.

»Jetzt packen wir's an, Lene!«, sagte ich mir und stand auf.

kapitel 32

Es war das erste Mal, dass ich vor Matthias' großer Villa stand. Ich war reichlich aufgeregt, denn das, was ich ihm gleich sagen würde, war für die Zukunft von uns beiden äußerst wichtig.

Es dauerte eine Weile, bis er nach dem Klingeln an die Tür kam. In einer lässigen Jeans und einem weißen T-Shirt. So leger angezogen hatte ich Matthias noch nie zuvor gesehen. Ich lächelte.

»Lene! Du bist schon zurück aus Spanien?«

»Nein. Ich schwimme gerade eine Runde im Meer. Aber wenn es dir nichts ausmacht, kannst du mich trotzdem reinlassen?«

Er lachte.

»Ja, bitte. Komm nur. Aber mach den teuren Teppich nicht nass.«

Wir lachten beide.

Er führte mich durch die imposante Eingangshalle ins Wohnzimmer. Das Haus hier war schon etwas anderes als das Häuschen mit dem weißen Schlafzimmer. Ich ließ mich jedoch nicht von der Einrichtung ablenken, die geschmackvoll und gleichzeitig gemütlich war, sondern kam gleich zum Punkt.

»Matthias. Ich muss dir unbedingt etwas sagen.«

»Setz dich doch erst einmal … Möchtest du etwas zu trinken?«, fragte er höflich.

»Nein danke.« Wir nahmen in großen Ledersesseln Platz, die sich gegenüberstanden.

»Dein Ratgeber verkauft sich übrigens bestens. Eine weitere Auflage ist schon in Arbeit. Wir sollten bald über ein neues Buch nachdenken«, sagte er und grinste zufrieden.

»Das habe ich schon. Und ich habe auch bereits eine Idee, aber deswegen bin ich nicht hier. Es geht um etwas anderes.«

»Na, dann schieß mal los!«, forderte er mich auf.

»Als du mir letztes Mal sagen wolltest, na du weißt schon, was du nicht sagen konntest ...«, begann ich etwas aufgeregt mit meiner Erklärung.

»Lene, ich ...«, unterbrach er mich.

»Bitte lass mich ausreden. Also, als du es nicht sagen konntest, das war völlig verständlich, weil ...«

»Ich muss dir jetzt etwas sagen ...«, versuchte er es noch einmal.

»Nein. Ich zuerst. Denn heute ist es mir endlich bewusst geworden, als mein Vater mir eine Geschichte über ihn und meine Mutter ... Aber das würde jetzt zu weit führen. Es geht darum: Wir beide ...«

»Bevor du weiterredest, muss ich dir wirklich etwas erklären.« Er sagte es sehr eindringlich. Aber ich wollte mich nicht unterbrechen lassen.

»Matthias. Du kannst mir hinterher alles sagen, was du willst. Aber jetzt bin ich dran!« Mein Ton war energisch. Matthias ließ sich zurück in den Sessel sinken.

»Na gut«, sagte er ergeben.

»Noch mal. Ich weiß jetzt, warum du es mir nicht sagen konntest, und auch, warum ich es dir nicht sagen konnte. Es ist ganz einfach ...«

»Lene … wir müssen nicht darüber reden!« Seine Stimme klang fast ängstlich, und er blickte hinter mich zur Tür.

Warum ließ er mich denn nicht ausreden? So ging das einfach nicht!

»Jetzt schau mich doch bitte mal an, Matthias. Natürlich müssen wir darüber reden! Dass wir es nicht sagen können, liegt gar nicht daran, dass es keine bairischen Worte dafür gibt!« Ich grinste breit. Der würde gleich Augen machen.

»Nicht?«, fragte er nach.

»Nein. Überhaupt nicht. Ich konnte es nicht sagen, weil ich dich nicht liebe, und du konntest es nicht sagen, weil du mich nicht liebst«, erklärte ich. »So einfach ist das …«

Plötzlich klatschte jemand in die Hände, und als ich mich erschrocken umdrehte, stand Claudia im Raum. In einem zartgrünen Seidenkimono mit leicht geröteten Wangen und zerzaustem Haar.

»Endlich hast du es kapiert«, sagte sie und ging zu Matthias. Er nahm sie an der Hand und zog sie auf seinen Schoß.

»Lene, ich danke dir für deine Erkenntnis«, sagte er und lächelte. »Genau dieselbe Eingebung hatte ich in den letzten Tagen auch.«

Sprachlos schaute ich zwischen den beiden hin und her.

»Ihr …?«

Sie nickten gleichzeitig.

»Deswegen warst du also so sauer auf mich«, stellte ich in Richtung Claudia fest.

Jetzt dämmerte mir einiges.

»Dass ihr euch so zerstritten habt, war meine Schuld«, gestand Matthias zerknirscht. »Es tut mir leid.«

»Er konnte sich nämlich lange nicht entscheiden, ob du nicht

311

doch die bessere Wahl für ihn wärst«, sagte Claudia, und es war schon noch ein kleiner Hauch von Bitterkeit in ihrer Stimme zu hören.

»Läuft da schon länger was zwischen euch?«, fragte ich verblüfft.

»Nun ja…« Matthias war sichtlich nicht ganz wohl. »Eine Weile.«

Ja so was! Jetzt endlich löste sich auch das Rätsel um Matthias' Rasierwasser für mich. Ich hatte es in schwacher Form immer wieder wahrgenommen, wenn Claudia in meiner Nähe war, aber es nicht mit ihm in Verbindung gebracht.

»Wir waren die besten Freundinnen. Warum hast du mir nicht einfach gesagt, dass du in Matthias verliebt bist?«, fragte ich Claudia. Ich war schon etwas enttäuscht über ihren Mangel an Vertrauen in mich und unsere Freundschaft. Ich hätte natürlich die Finger von ihm gelassen, und es wäre zu keinem Kuss gekommen. Sie war ja schließlich meine Freundin!

»Weil ich weiß, dass du dich meinetwegen von ihm ferngehalten hättest. Ich wollte eine Entscheidung. Von Matthias. Er sollte wegen mir mit mir zusammen sein wollen. Ich hätte es nie akzeptiert, der Trostpreis zu sein!« Ihr Ton war sehr bestimmt.

Matthias schaute sie lächelnd an und legte einen Arm um ihre Schultern.

»Das bist du nicht, Claudia. Ganz bestimmt nicht.«

Ich war in diesem Moment fast etwas überfordert mit den beiden. Claudia hatte unsere Freundschaft wegen ihrer Liebe zu Matthias aufs Spiel gesetzt. Und Matthias hatte auch gespielt. Mit uns beiden. Und ich war der Spielball für beide gewesen…

Aber halt! So einfach war das nicht. Vielleicht hätte ich mich an Claudias Stelle ähnlich verhalten, aus Angst, meine Liebe zu verlieren. Und Matthias hatte nicht sofort gewusst, wen er wirklich liebte. Darüber durfte gerade ich mich nicht aufregen. Mir war es ja nicht anders ergangen. Zu leicht konnte man manchmal Liebe mit kurzer Verliebtheit oder Zuneigung verwechseln. Und das war bestimmt auch ein Grund dafür, dass es so viele Trennungen gab, weil sich die Leute oft nicht richtig liebten.

Nein! Ich konnte Matthias auf keinen Fall böse sein. Allein schon deswegen nicht, weil ich ihn wirklich gerne mochte. Noch ein wenig mehr wäre wohl Liebe gewesen.

Claudia gab ihm einen kurzen, aber demonstrativen Kuss, der mir zeigen sollte, dass er zu ihr gehörte. Und sie zu ihm. Dann wandte sie sich wieder an mich.

»Glaub mir, Lene, es ist mir auch nicht leichtgefallen, unsere Freundschaft zu riskieren, aber ich war furchtbar eifersüchtig, wenn du mit Matthias unterwegs warst«, sagte sie ganz offen. Sie hatte auch Grund gehabt, denn ich war nicht nur einmal kurz davor gestanden, mit Matthias zu schlafen. Und er mit mir. Ob sie das wusste? Matthias schaute mich an, und in diesem Augenblick konnte ich seine Gedanken lesen. Er bat mich, diese besonderen Momente zwischen uns für mich zu behalten. Ich gab ihm die Antwort, die er hören, oder besser gesagt, von meinen Augen ablesen wollte. Ich würde das als Geheimnis in mir aufbewahren.

Ich stand auf.

»Dann ist ja jetzt alles gesagt, was zu sagen war. Und ich werde euch beide wieder alleine lassen.«

Claudia und Matthias standen ebenfalls auf.

»Danke … dass du gekommen bist«, sagte Matthias. Doch ich wusste, dass sich sein Dank auch auf etwas anderes bezog.

»Lene, sei mir bitte nicht mehr böse«, bat Claudia.

Ich schaute sie an und lächelte. »Bin ich nicht.«

Aber es gab hier noch etwas für mich zu tun. Ich griff in meine Handtasche und holte Eisi heraus.

»Den muss ich dir wieder zurückgeben.« Ich hatte einen dicken Kloß ihm Hals, als ich ihr meinen kleinen treuen Begleiter der letzten Monate entgegenhielt.

»Das ist ja der kleine Eskimo, den ich schon überall gesucht habe«, rief Claudia verblüfft. »Du hattest ihn?«

Ich nickte.

»Ich wollte ihn dir schon lange wieder zurückgeben, aber dann kam dieser Streit und …« Mehr sagte ich nicht.

Mit einem wehmütigen Blick sah ich zu, wie Claudia ihn nahm und achtlos auf den Tisch stellte. Ich drehte mich weg. Und ja, es war kindisch und vielleicht sogar ein wenig verrückt. Aber es brach mir fast das Herz, Eisi hierzulassen.

»Ich begleite dich noch zur Tür.«

Matthias ging mit mir hinaus und umarmte mich zum Abschied.

»Du bist eine ganz besondere Frau«, flüsterte er mir leise ins Ohr. »Und auch für dich gibt es die Liebe.«

Ich nickte und räusperte mich.

»Danke. Wir sehen uns am Montag in der Arbeit«, sagte ich in dem Versuch, wieder ein wenig Normalität zu finden.

»Ja. Und dann unterhalten wir uns über deine neue Buchidee. Mach's gut, Lene«, verabschiedete er sich und zwinkerte mir zu, bevor er die Tür hinter sich schloss.

Ich ging zu meinem Wagen, den ich in der Nähe geparkt hatte, und griff in meine Handtasche, um den Autoschlüssel herauszuholen. Da pikte mich etwas leicht in den Finger. Ich schaute nach. Und da war …Das konnte doch nicht sein!?

»Eisi!«, rief ich glücklich.

Ich nahm ihn vorsichtig wie einen kleinen Vogel in die Hand. Matthias musste ihn mir in die Tasche gesteckt haben, als er mich zum Abschied umarmt hatte. Ja. So muss es gewesen sein.

»Jetzt bring ich dich aber nicht mehr zurück!«, sagte ich entschlossen. Und ich hätte schwören können, dass Eisi bei diesen Worten zufrieden lächelte.

Mit einem Mal war mir leicht ums Herz, sodass ich mich voller Mut und Elan in meine letzte und für mich alles entscheidende Begegnung stürzen konnte.

Kapitel 33

Doch so einfach, wie ich mir das vorgestellt hatte, funktionierte es nicht. Obwohl – oder vielleicht gerade deswegen – Karl Huber in den Medien mehr als bekannt war, fand ich weder im Telefonbuch noch im Internet seine Adresse. Ich wusste nur, dass er in einem kleinen Ort in der Nähe von Passau lebte, und in der Gegend gab es so viele Hubers mit und ohne Karl vorn dran, dass ich nicht anfangen konnte, sie alle abzuklappern.

Aber das würde mich nicht davon abhalten, ihn zu finden. Ich rief Franz Grindler an und bearbeitete den Moderator von Radio Passau so lange, bis er die Adresse seines Freundes herausrückte. Nicht ohne mich in eine seiner nächsten Sendungen einzuladen. Das versprach ich ihm gerne.

»Aber er wird nicht zu Hause sein«, machte mich Grindler mit seiner faszinierenden Stimme aufmerksam. »Heute ist er Gastredner bei einer Versammlung der Donauwald-Trachtler in Vilshofen.«

Ich bedankte mich für die Auskunft, obwohl ich über die Information an sich nicht sonderlich erfreut war. Die Donauwald-Trachtler, mit ihrer amazonenhaften Vorsitzenden Vroni Reichmann, hatten mir erst vor Kurzem in einem offenen Brief geschrieben, dass sie meine Theorien um die Liebe auf Bairisch unmöglich fanden und allen Vereinsmitgliedern und deren Familienangehörigen nahelegten, meinen Ratgeber auf keinen Fall zu kaufen. Da hinzugehen, würde wirklich ein Spießrutenlauf werden. Aber das war mir die Liebe wert.

Es war inzwischen Abend geworden, und ich hatte weit mehr als aufregende vierundzwanzig Stunden hinter mir und nur wenig geschlafen. Vielleicht sollte ich doch besser bis morgen abwarten? Aber nein. Ich wollte … Ich musste es ihm heute sagen! Und so fuhr ich in meiner Lieblingsjeans und einem bequemen grünen Top nach Vilshofen.

Es war ein Fehler, dass ich mich nicht umgezogen hatte, wie sich sehr schnell herausstellte. Schon am Eingang beäugten mich die ersten Trachtler, alle natürlich traditionell gekleidet, misstrauisch.

»Das ist eine geschlossene Veranstaltung«, informierte mich ein junger Mann deutlich.

»Das weiß ich doch«, sagte ich und griff in die Trickkiste. »Presse!«

Und das war ja auch nicht direkt gelogen. Schließlich arbeitete ich für die Zeitung. Und schon führte mich der junge Trachtler in den kleinen Saal, in dem Karl soeben seinen Vortrag beendete. Die Zuschauer belohnten ihn dafür mit begeistertem Applaus. Fesch sah er aus in der langen einfachen Lederhose, mit einem rohweißen Hemd und Wildlederjacke darüber. Schade, dass es schon vorbei war. Ich hätte gerne gehört, was er so alles zu sagen hatte.

In ihrer Eigenschaft als Vorsitzende, und sicherlich auch in ihrer Eigenschaft als alleinstehende Frau, überreichte Vroni Reichmann Karl mit herzlichem Händedruck, der irgendwie gar nicht enden wollte, eine Flasche Bärwurz und strahlte ihn an. Sie gratulierte ihm so euphorisch für seinen Vortrag, als ob er soeben ein neues Patentrezept gegen den Hunger der Welt vorgestellt hätte. Vielleicht hatte er das ja getan, und ich wusste es nur nicht? Zu meiner Schande musste ich gestehen, dass ich bisher noch keines der Bücher von Karl gelesen hatte.

»Ist das nicht die Koller?«, hörte ich neben mir eine weibliche Stimme und vermied es, in die Richtung zu blicken.

»Klar ist sie das!«, antwortete eine andere Frau.

»Dass die sich hierher traut?« Jetzt mischte sich auch ein Mann in das Gespräch mit ein.

»Unmöglich! Und in so einem Aufzug«, sagte ein anderer.

Die benahmen sich ja gerade so, als ob ich etwas wirklich Schlimmes verbrochen hätte. Aber womöglich waren meine öffentlichen Diskussionen mit Karl, den sie hier wie einen Heiligen verehrten, Grund genug, mich als eine potenzielle Attentäterin auf die bayerische Kultur abzustempeln.

Ich tat so, als ob mich das alles gar nichts anginge, und versuchte, mich seitlich nach vorn zu drängen. Irgendwie musste ich Karl da rausbekommen, bevor ich hier ernsthaften Ärger bekäme. Aber es war schon zu spät. Immer mehr Leute wurden auf mich aufmerksam und schauten mich feindselig an. Warum hatte ich nicht wenigstens mein Dirndl angezogen? Nicht das moderne schwarze, sondern das schlichte graue. Es war zwar nicht direkt eine traditionelle Tracht, aber wenigstens hätte man meinen guten Willen gesehen.

Durch den Trubel um mich herum waren Karl und die Vorsitzende auf mich aufmerksam geworden. Vroni Reichmanns Gesichtsfarbe wurde bedrohlich rot, als sie mich sah.

»Frau Koller! Was machen Sie hier?«, fauchte sie. Und augenblicklich wurde es im Raum mucksmäuschenstill. Karl hatte einen Zug um den Mund, den man fast als amüsiert bezeichnen konnte. Ich räusperte mich nervös.

»Ich möchte Sie hier gar nicht weiter stören, aber ich hätte kurz was mit Herrn Huber zu besprechen«, sagte ich beflissen freundlich.

»Herr Huber hat jetzt was anderes zu tun, und Sie sind hier nicht erwünscht«, machte Frau Reichmann deutlich, stemmte ihre Hände in die Hüften und schaute mich mahnend an. Da fiel mir auf, dass sie die Schleife ihres Dirndls vorn mittig gebunden hatte. Oha! Sie gab sich öffentlich als Jungfrau aus. Mutig, mutig. So ein kleines bisschen Mitleid kam in mir auf. Schließlich war sie schon weit in den Vierzigern. Womöglich war sie deshalb so bissig, was ich verstehen konnte. Trotzdem brauchte sie mich nicht so böse anblicken. Ich konnte ja schließlich nichts dafür, dass sie quasi noch ungeöffnet war.

Ich beschloss, den Saal zu verlassen und draußen auf Karl zu warten. Es war eine dumme Idee gewesen, die Veranstaltung zu besuchen.

Ich verabschiedete mich, lächelte bemüht und schob mich in Richtung Tür.

»Nein. Halt! Ich würde gerne hören, was Frau Koller zu sagen hat. Umsonst ist sie ja bestimmt nicht hierhergekommen.« Karl lächelte in meine Richtung.

Vroni Reichmann schien nicht sonderlich davon begeistert zu sein, dass ich mich noch länger auf ihrer Veranstaltung aufhielt, doch da Karl den Vorschlag gemacht hatte und sie ihn nicht brüskieren wollte, sagte sie: »Dann kommen Sie doch bitte nach vorn, Frau Koller! Und sagen Sie uns, was Sie zu sagen haben.«

Ganz bestimmt würde ich das nicht tun! Ich wollte ja nur mit Karl reden.

»Ach, das eilt nicht, Frau Reichmann. Ich hab Sie alle hier schon zu lange aufgehalten. Karl, ich melde mich dann per E-Mail bei dir.« Ich wollte nur noch raus.

»Aber nein! Ich weiß doch, dass du momentan kaum Zeit findest, E-Mails zu schreiben oder gar zu lesen.«

Just in diesem Moment fielen mir die Nachrichten ein, die er geschickt und die ich nie gelesen hatte, und mein schlechtes Gewissen rührte sich.

»Ich kann aber gar nicht …«, setzte ich noch einmal an. Aber Karl unterbrach mich schon wieder. Heute lassen mich die Männer einfach nicht ausreden, dachte ich und seufzte.

»Also, ich finde es gut, dass Frau Koller da ist. Außerdem ist ihr Buch gar nicht so schlecht, wie ich befürchtet hatte. Nun ja, bis auf diese seltsame Theorie halt. Aber darüber werden wir noch reden müssen.«

»Sie haben das Buch gelesen, Herr Huber?«, fragte Vroni Reichmann konsterniert.

»Selbstverständlich!« Er griff in seine Lederaktentasche, zog ein Exemplar heraus und hielt es hoch. Ich staunte nicht weniger als die Leute im Saal.

»Und ich kann nur jedem hier empfehlen, es auch zu tun.« Jetzt würde doch bestimmt noch etwas Gemeines von ihm kommen. Irgendein Satz wie: »Denn wenn Sie das tun, können Sie von sich behaupten, das schlechteste Buch der Welt gelesen zu haben.« Oder vielleicht: »Dann wissen Sie wenigstens, warum Lene Koller nie einen richtigen Mann bekommen und heiraten wird.«

Ich schloss die Augen. Wollte es gar nicht hören. Wobei das natürlich keinen Sinn ergab. Und da kam es schon. Aber ganz anders, als ich gedacht hatte.

»Es stehen einige sehr lustige, aber auch sehr weise Sachen drin. Und außerdem das Rezept für das Blitz-Schweiners, und das kann ich nur jedem empfehlen.«

Ich öffnete langsam wieder die Augen. Hatte er das tatsächlich gesagt, oder war das nur Wunschdenken von mir? Ich lächelte unsicher.

Vroni Reichmann hüstelte kurz.

»Ja, wenn das so ist, dann, äh, sollten wir uns doch einmal das Buch zu Gemüte führen.« Ich sah ihr an, wie schwer es ihr fiel, das zu sagen.

»Machen Sie das, Frau Reichmann. Ich bin mir sicher, auch Ihnen wird es gefallen«, empfahl Karl.

Ob er das Kapitel »Wer nicht wagt, der nicht gewinnt, gilt auch in Bayern« meinte? Oder eher »Rezepte, die auch den grantigsten Bayern zum Lächeln bringen«, das ich insgeheim Karl gewidmet hatte, stellvertretend für alle miesepetrigen Landsmänner und -frauen. Obwohl Karl zu meinem Erstaunen heute alles andere als schlecht gelaunt war.

Ich sah ihn an und war überglücklich und dankbar für seine Fairness, obwohl es ihm ein Leichtes gewesen wäre, mich vor den Leuten hier fertigzumachen. Plötzlich überkam mich eine wunderbare innere Ruhe. Jetzt wusste ich, dass hier genau der richtige Ort und Rahmen war, um ihm zu sagen, was ich zu sagen hatte. Ich atmete tief ein.

»Gut, wenn Sie mir die Gelegenheit geben, dann werde ich gerne ein paar Worte sprechen«, sagte ich in Richtung der Vorsitzenden und ging nach vorn. Ich stellte mich an das kleine Rednerpult und schaute die Leute an, die mich gebannt beobachteten. Noch waren sie nicht überzeugt davon, dass ich nicht doch Böses im Schilde führte.

Normalerweise hatte ich immer schreckliche Angst, wenn ich vor mehr als drei Leuten etwas sagen musste. Und schon in der Schule hatte ich kaum ein Wort herausbekommen, wenn ich vor der Klasse stand. Was sich leider immer sehr negativ auf meine mündlichen Noten ausgewirkt hatte.

Vor so vielen Menschen wie jetzt hatte ich noch nie gesprochen. Doch in diesem Moment war alle Angst wie weggeblasen.

»Ich möchte mich bei Ihnen zuerst einmal entschuldigen, dass ich etwas unpassend angezogen bin. Aber ich hatte leider keine Zeit mehr, mich umzuziehen. Herr Huber...« Er saß nur wenige Meter entfernt und schaute äußerst neugierig. »Also Herr Huber hat Ihnen empfohlen, meinen Ratgeber zu lesen, und das finde ich äußerst bemerkenswert von ihm. Wie Sie ja alle mitbekommen haben, waren wir in der Vergangenheit nicht immer einer Meinung, wenn es darum ging, dass es in Bayern keinen festen Begriff für ›Ich liebe dich‹ gibt.« Ich atmete durch. Jetzt würde ich gleich eine schwierige Stelle umschiffen müssen, und ich hoffte inständig, dass ich nicht kentern würde.

»Um es gleich vorwegzunehmen. Von diesem Standpunkt bin ich auch weiterhin nicht abzubringen. In Bayern gibt es dafür keinen einheitlichen Ausdruck. Da beißt die Maus keinen Faden ab.«

Die Leute fingen zu tuscheln an, und einige pfiffen mich aus. Es wurde unruhig im Saal. Auch Vroni Reichmann schaute sehr unzufrieden.

Karl hob die Hand.

»Ruhe bitte!«, forderte er die Leute auf. »Lassen wir Frau Koller doch weiterreden.«

Ich nickte dankbar in seine Richtung und sprach dann tapfer weiter.

»Bevor Sie mich hier alle lynchen, steinigen oder vierteilen, gibt es aber auch eine sehr gute Nachricht. Gerade wir Bayern sind ja ein ganz spezielles Volk und haben immer schon vieles anders gemacht als andere. Das war nicht immer gut, aber meistens schon. Und weil wir vieles anders machen, haben wir nicht einen Ausdruck für ›Ich liebe dich‹, sondern unzählig viele. Im Laufe unserer beeindruckenden Entwicklungsgeschichte erkannten wir nämlich instinktiv, dass einer alleine niemals das ausdrücken könnte, was wir genau sagen wollen.«

Es war wieder ruhig geworden, und die Leute hörten mir gebannt zu. Ich warf Karl einen kurzen Blick zu und sah, wie er grinste. Schnell schaute ich wieder weg und führte meine Gedanken weiter aus.

»Sagt zum Beispiel eine Frau zu ihrem Mann ›Ohne di war ois nix‹, dann ist es das größte Kompliment an ihn und ein Ausdruck ihrer großen Liebe, obwohl das Wort Liebe gar nicht darin vorkommt.«

Ich merkte, dass ich die Leute mit diesem Beispiel nicht recht überzeugte. Also musste ich schwerere Geschütze auffahren.

»Wenn ein Mann seiner Frau sagt, ›I pfeif für di auf mein Schafkopf-Frühschoppen‹, dann kann nur ein Bayer tatsächlich ermessen, wie sehr dieser Mann seine Frau lieben muss. Da kann kein ›Ich liebe dich‹ mithalten, auch wenn es noch so ehrlich gemeint ist.«

»So is!«, rief ein älterer Mann mit gewaltigem Schnauzer. Es gab zustimmenden Applaus.

»Ich hab noch keine gefunden, für die ich aufs Schafkopfen verzichten würde«, sagte ein anderer und bekam gleich darauf von der Frau an seiner Seite einen kräftigen Stoß in die Rippen. Die Leute lachten. Ich war zufrieden.

»Was muss es dann erst für eine Liebeserklärung sein, wenn eine Frau sagt ›Für mi brauchst auf deinen Schafkopfabend ned verzichten‹«, setzte ich einen drauf.

»Geh, ich bin ja froh, wenn ich mal einen Abend für mich habe und das im Fernsehen anschauen kann, was ich mag«, rief eine ältere Frau vergnügt. Etliche Damen nickten und applaudierten.

Ich öffnete meine Handtasche. Darin ruhte nicht nur mein Glücksbringer Eisi, sondern auch der Zettel mit den bayerischen Begriffen, den Karl in der Hütte vergessen und den ich seither immer bei mir getragen hatte. Ich faltete das Blatt auseinander.

»Herr Huber hat mir freundlicherweise einen Teil seiner reichen Ausbeute an Ausdrücken gegeben, und ich möchte sie Ihnen jetzt gerne vorlesen. Und bitte bedenken Sie dabei, es sind alles tatsächlich irgendwann einmal gemachte Liebeserklärungen.«

Laut, und immer wieder unterbrochen von den Lachern der Zuhörer, las ich vor.

»Du hast mir mei Herz abgluchst. Möchst mei Weiberl sei? I bin da so nah wir oa Rupfhaubn da andern im Topf. Wenn i di seh, dann hauts mi um vor Liab. I schenk da mei Herzerl. Mir gehörn zam wias Radieserl und d'Brezn. Wenn ma zam hoitn, schaff mas gwiss bis zum Schluss. Oida, i mog di. Prost, Schatzerl, du warst oane zum Heiraten.«

Ich las natürlich auch vor, was ich von Karl schon in der Hütte gehört hatte, und musste selbst das Lachen mit aller Macht unterdrücken, als ich zur Schweinsbratenliebeserklärung kam.

»Und dann gibt es natürlich auch den von Rainhard Fendrich gesungenen Teil seines Liedes: ›Weilst a Herz hast wie a Bergwerk, weilst der Wahnsinn bist für mi, steh i auf di …‹ Schöner kann man es kaum sagen. Der Fendrich ist zwar Österreicher, aber bei denen ist es ähnlich wie bei uns. Außerdem gibt es eine wunderschöne bayerische Version des Liedes von Claudia Koreck und Bernhard Fleischmann, den meisten besser bekannt als Fleischi, der bekannte bayerische Radiomoderator«, fiel mir zwischendrin noch ein. Dann las ich weiter vor.

Als ich am Ende der Liste angelangt war, hatten viele der Leute Tränen vom Lachen, aber auch ein wenig vor Rührung in den Augen, und sie applaudierten begeistert. Daran könnte ich mich gewöhnen. Ich fühlte mich großartig. Vielleicht sollte ich in die Politik gehen?

»Wir könnten jetzt noch lange weitermachen, und ich bin mir sicher, dass jeder von Ihnen noch einige bayerische Liebesbeteuerungen beitragen könnte«, sagte ich.

»Oh mei, was i dene Weiba ois verzählt hab, dass i's rumkriagt hab«, meinte ein Mann weit in den Achtzigern mit verschmitztem Lächeln, der direkt vor mir saß. Ich musste herzlich lachen.

Er warf mir darauf einen Blick zu, der mich davon überzeugte, dass er tatsächlich einer Reihe von Frauen das Herz gebrochen hatte. Und es womöglich noch immer tat.

Es wurde wieder lauter im Saal, denn die Leute erzählten sich gegenseitig, was ihnen noch so alles an Liebeserklärungen einfiel. Nur eine Frau saß eher ruhig auf ihrem Stuhl und schaute etwas unglücklich: Vroni Reichmann. Vermutlich hatte sie noch niemandem im Leben eine Liebeserklärung gemacht. Und wenn doch, dann war sie offensichtlich nicht erfolgreich gewesen. Vielleicht würde ihr das Lesen meines Buches wirklich helfen. Meines nächsten Buches. Denn da würde ich mich in einem besonderen Kapitel damit befassen, denjenigen Frauen Mut zu machen, welche die Schleife am Dirndl noch immer vorn mittig gebunden hatten. Und das in einem Alter, in dem andere sich schon Gedanken über den nahenden Wechsel machten. Oder sogar schon mit ihren Enkelkindern zur Einschulung lustige Schultüten bastelten. Matthias würde staunen, wenn ich ihm Genaueres über mein neues Buch erzählen würde. Ich hoffte sehr, dass er mit mir auch das kommende Projekt wagen würde.

Aber jetzt hatte ich hier noch etwas Wichtiges zu sagen. Ich schaute kurz zu Karl und bemerkte, dass er mich ebenfalls beobachtete. Und mein Herz begann, wie ein Traktor zu bumpern.

»Darf ich Sie noch ganz kurz um Ihre Aufmerksamkeit bitten?«, bat ich. Doch erst als der bayerische Casanova vor mir mit einer Gabel ein paar Mal gegen sein leeres Bierglas schlug, kehrte langsam wieder Ruhe ein.

»Danke!« Ich lächelte in seine Richtung, und er zwinkerte frech zurück.

»Ganz egal, wie man es sagt, wichtig ist, dass der andere die Bedeutung kennt und man dieselbe Sprache spricht. Oder weiß jemand hier, wie ein Eskimo seiner Frau sagt, dass er sie liebt?«, fragte ich in die Runde. Unwissendes allgemeines Kopfschütteln.

»Ich wusste es bis heute Morgen auch nicht. Es heißt ›Negligevapse‹. Und wenn ein Eskimo mir vor ein paar Tagen damit gekommen wär, hätte ich gedacht, dass er womöglich über irgendeine Art Nagelpilz mit mir sprechen möchte.« Die Leute lachten wieder. Ich wartete kurz, bis sie wieder ruhig waren, dann sprach ich weiter.

»In den letzten Wochen habe ich durch das Schreiben des Buches und vor allem durch das, was sich darum herum abspielte, vieles gelernt. Es gibt gewiss Leute, die bringen es leicht über die Lippen, ›Ich liebe dich‹ wie auch immer zu sagen. Ich hatte damit immer meine Schwierigkeiten und suchte die Erklärung darin, dass es dafür in meiner Muttersprache, und so empfinde ich meinen bairischen Dialekt, keinen richtigen Ausdruck gibt.«

Ich schaute die Leute an, vermied es jedoch jetzt, in die Richtung zu blicken, in der Karl saß.

»Inzwischen ist mir klar geworden, dass ich die Worte nur deswegen nicht sagen konnte, weil ich nie wirklich geliebt hatte. Denn wenn man wirklich liebt, dann kann man zum Beispiel auch sagen ...«

»Moment, Lene.« Karl unterbrach mich, stand auf und kam zu mir ans Rednerpult. Dann schaute er ins Publikum und sagte: »Ich merke schon, dass Frau Koller einen großen Gefallen daran gefunden hat, vor euch über die Liebe auf Bairisch zu referieren. Aber jetzt würde ich sagen, wir brechen an dieser Stelle ab und ihr lest in aller Ruhe das Buch. Dann könnt ihr die Autorin zu einer nächsten Veranstaltung wieder einladen und mit ihr gemeinsam darüber philosophieren. Ich bin mir sicher, dass sie das gerne machen wird.«

»Aber ich möchte doch hier ...«

»Nein, das willst du nicht!« Entschieden und unter dem begeisterten Applaus der Trachtler zog er mich nach draußen zu seinem Wagen. Er forderte mich auf einzusteigen und fuhr dann los.

Ach Mensch! Jetzt hatte ich alles so schön im Griff gehabt. Und ich wollte es ihm doch endlich so gerne sagen. Dann musste es eben hier im Auto sein.

»Karl, ich ...«

»Das will ich jetzt nicht hören, Lene«, sagte er streng.

»Aber ich ...«

»Lene, denkst du, du schaffst es, dich noch eine halbe Stunde zu gedulden?«

Hmmm. Eine halbe Stunde war schon sehr lange. Es würde mir bestimmt schwerfallen. Jetzt, wo ich es einfach nur loswerden wollte.

»Ich versuche es. Aber nur, wenn du mir inzwischen sagst, was in deinen E-Mails gestanden hat.«

»Hättest du sie gelesen, dann wüsstest du es«, meinte er trocken.

»Bitte ...!«

Er warf mir einen kurzen Blick zu und seufzte.

»Okay. Ich habe dich gefragt, ob du gerne mit mir dieses Wochenende verbringen möchtest, das ich in der Kochsendung gewonnen habe.«

»Aber ich halte doch nichts von dieser Wellnesswelle«, sagte ich.

»Ich doch auch nicht. Aber ich habe herausgefunden, dass diese Art von Wellnesshotel ganz anders ist als das, was wir beide uns darunter vorgestellt haben.«

»Wirklich?«

»Ja. Du wirst es gleich sehen.«

»Und du wolltest mich da echt mitnehmen?«, fragte ich und war gerührt. Obwohl, eigentlich hatte der Gewinn ja ohnehin mir zugestanden!

»Wollte ich.«

Danach sagte er eine Weile nichts mehr, bis wir angekommen waren. Und zwar in einer zauberhaften kleinen Hotelanlage, in der es kleine Gästehäuser gab, die in einen urwüchsigen Park mit Badesee harmonisch eingebunden waren. Es war wunderschön.

»Ich bin seit gestern hier. Leider ohne dich, weil du ja nicht geantwortet hattest ... Zumindest bis jetzt«, sagte er und schmunzelte. »Hast du Lust, das restliche Wochenende mit mir hier zu verbringen?«, fragte er, während wir zu einem der Häuschen gingen, das von großen alten Bäumen umgeben war. Ein Wochenende. Mit Karl. In dieser wundervollen Umgebung.

»Ja.« Mehr brachte ich nicht heraus.

»Gut.« Karl war auch sparsam mit Worten.

Das kleine Haus war in einem ländlichen Stil einfach, aber unglaublich gemütlich und geschmackvoll eingerichtet. Mit einem großen Bett in der Mitte des Raums.

Plötzlich war ich befangen. Meine Kehle war trocken. Vorhin hätte ich es sagen können, aber jetzt fehlte mir plötzlich der Mut. Ich setzte mich in einen bequem aussehenden Korbstuhl Karl gegenüber.

»So. Und jetzt sag mir, was du zu sagen hast«, forderte er mich freundlich auf.

»Ich …«, begann ich. Aber ich konnte nicht. Es ging einfach nicht mehr. Ich hüstelte verlegen.

»Kann ich bitte Wasser haben?«, bat ich.

»Gerne.« Er stand auf, schenkte aus einem Krug ein und brachte mir das Glas. Ich trank es leer, ohne abzusetzen. Er schaute mich erwartungsvoll an.

»Was ist jetzt?«

»Ich … Es … Also … Warum konnte ich es nicht gleich vorhin sagen?«, fragte ich, plötzlich ärgerlich.

Karl sah mich erstaunt an. »Du glaubst doch nicht wirklich, dass ich es zugelassen hätte, dass du mir vor allen Leuten sagst, dass du mich liebst?!«

Ich riss die Augen auf. Er wusste, was ich ihm sagen wollte! Und es kam mir ein schrecklicher Gedanke. Was, wenn er mich gar nicht liebte? Wenn ich alles falsch verstanden hatte? Oder es einfach nur falsch interpretiert hatte, dass die Liebesworte, die er mir in der Hütte vorgelesen hatte, eigentlich eine Liebeserklärung an mich waren. Vielleicht hatte er sie mir wirklich nur als Information vorgelesen, genau so, wie ich es bis vor Kurzem gedacht hatte. Mir wurde heiß und kalt gleichzeitig.

»Wolltest du mich wieder vor einer Blamage bewahren? Hast du mich davon abhalten wollen, dass ich es vor all den Leuten sage, weil du mich dann ausgelacht hättest?«, fragte ich mit einem mulmigen Gefühl im Bauch.

Er lächelte. »So wie du mich ausgelacht hast, als ich dich in der Hütte geküsst habe?«

»Ich habe dich doch nicht ausgelacht. Es war nur, weil mein Herz plötzlich so wild geschlagen hatte, und ich musste an die Liebeserklärung mit dem Traktor denken. Und da konnte ich das Lachen einfach nicht zurückhalten. Es tut mir leid, Karl. Wirklich«, sagte ich ehrlich zerknirscht.

»Schon gut. Besser, als wenn du angefangen hättest zu weinen … Und jetzt hör mir mal zu …« Er nahm meine Hand und schaute mich an. »Ich wollte dich vorhin davon abhalten, weil ich alleine mit dir sein möchte, wenn du es mir sagst«, erklärte er mit sanfter Stimme.

Das war ein Argument, das ich gelten lassen konnte. Doch plötzlich ging mir noch etwas durch den Kopf. »Bevor ich es dir sage, möchte ich aber unbedingt noch etwas wissen. Warum warst du wirklich von Anfang an so wütend auf mich?« Es schien mir in diesem Moment das Wichtigste der Welt zu sein, das zu erfahren.

Karl verdrehte die Augen. »Dafür, dass du es vorhin kaum erwarten konntest, es mir zu sagen, lässt du dir jetzt aber ganz schön viel Zeit«, bemerkte er trocken.

»Jetzt sag!«, drängte ich ihn.

»Na gut … Du hast mich wirklich an meine Lehrerin erinnert,

die mir damals wegen meines Dialekts das Leben so schwer gemacht hatte. Das war auch der Hauptgrund, warum ich bei unserer ersten Begegnung so sauer auf dich war.«

»Aber danach?«, fragte ich.

Er grinste schief.

»Danach ärgerte ich mich, weil ich dich in deiner erfrischenden Art einfach nur entzückend fand.«

»Entzückend?«, fragte ich entzückt.

»Ja. Du warst irgendwie ganz anders als alle Frauen, die ich bisher kennengelernt hatte… Ich weiß, das hört sich an wie ein abgedroschener Spruch. Aber es ist wirklich so.«

»Soso!« Ich versuchte, ein Grinsen zu unterdrücken.

Abgedroschen oder nicht. Wer hörte es nicht gerne, dass er auf eine besondere Weise anders ist als andere Frauen? Also, mir gefiel in diesem Fall das Abgedroschene! Sehr sogar.

»Dabei stand ich mitten in der Trennungsphase von meiner Ehefrau, die mich mit einem anderen betrogen hatte. Und ich konnte gar nicht so viel darüber nachdenken, weil du mir ständig durch den Kopf gespukt bist. Du mit deinem strahlenden Lächeln und deiner verrückten Theorie. Und dann musstest du auch ständig mit einem tief ausgeschnittenen Dekolleté herumrennen, das mich völlig durcheinanderbrachte.«

»Ständig doch nicht«, warf ich ein.

»O doch!«, bekräftigte er. »Ständig!«

Ich schloss die Augen. Jetzt kam der ultimative Test.

»Welche Farbe haben meine Augen?«, fragte ich ihn.

»Wie?« Er war irritiert.

»Sag mir, welche Farbe meine Augen haben«, forderte ich ihn auf und war mehr als gespannt auf seine Antwort. Er ließ sich Zeit. Ich seufzte innerlich und war enttäuscht. Auch er hatte keinen blassen Schimmer. Ich wollte meine Augen schon wieder öffnen, da begann er zu reden.

»Deine Augen sind von einem rauchigen, sanften Grau. Im Licht schillern sie manchmal in einem schwachen Grün. Wie ein Blatt, durch das die Sonne scheint. Doch wenn du wütend wirst, dann verdunkeln sie sich wie bei einem aufkommenden Gewitter und werden fast anthrazitfarben ... So! War das schmalzig genug beschrieben?«, fragte er abschließend.

Ich öffnete meine Augen und lächelte zufrieden. Karl war wahrscheinlich der erste Mann, außer meinem Vater, der meine Augenfarbe tatsächlich kannte.

»Ja, absolut!«, antwortete ich glücklich.

Er grinste. »Und deine Körbchengröße dürfte 75 C sein, wenn ich mich nicht verschätze«, setzte er noch dazu.

Ich schnaubte, aber eigentlich war ich amüsiert.

»75 D!«, stellte ich richtig.

»Oho!«

»Aber jetzt erzähl weiter«, forderte ich ihn auf.

»Noch mehr?«

Ich nickte. »Alles!«

»Na gut ... Also, ich glaube, die ganze Wut, die ich auf Hilly hätte haben sollen, weil sie sich wegen eines anderen Mannes von mir getrennt hatte, hast du abbekommen. So war es für sie leicht, eine einvernehmliche Trennung durchzusetzen. Nur wegen dir habe ich das so schnell wie möglich hinter mich bringen wollen und mich auf alles eingelassen, was sie vorschlug.«

»Aber ich konnte doch nichts dafür«, warf ich ein.

»Dafür nicht. Aber du hast mit allen möglichen Männern herumgeflirtet, sodass ich davon ausging, dass du dich gar nicht für mich interessierst.«

»Das stimmt doch gar nicht«, widersprach ich schwach.

»Und ob das stimmt! Da waren dein Exfreund, der Spanier, dein Chef, dieser Minotaurus und der Fisch auf dem Fest, Franz Grindler, Alwin und Severin, Doktor Fischer und sogar der Polizist im Krankenhaus...«

Ich war baff. Hatte ich tatsächlich mit all den Männern und einer Frau geflirtet? Nicht, oder?

»Zu denen warst du immer freundlich. Und bei mir hast du von Anfang an deine Krallen ausgefahren. Ich war eifersüchtig, weil ich dich liebe, Lene. Und das ist wohl der Grund, warum ich lange Zeit so grantig war«, endete er seine Erklärung.

Ein inneres Vibrieren raubte mir plötzlich fast den Atem, und ich hätte gleichzeitig am liebsten laut schreien mögen vor Glück. Das musste sie sein: die Liebe. Sie erreichte mich endgültig und mit so einer Wucht, dass es aus mir herausplatzte: »I liab di, Karl!«

»I di a, Lene.«

Und es fühlte sich völlig richtig an. Danach sagten wir lange Zeit nichts mehr.

Epilog

Nachdem nun mit unserer Liebe alles klar war, kamen mir die verschiedensten bairischen und auch internationalen Liebesbeteuerungen zu allen möglichen und unmöglichen Gelegenheiten wie von selbst über die Lippen. Es war, als hätte für mich mit Karl eine neue Zeitrechnung begonnen. Aus dem Grantlhuaba war ein charmanter, liebevoller Gefährte geworden, mit dem das Leben in all seinen Facetten eine unendliche Freude machte.

Mein Vater und Julia waren begeistert, dass Karl und ich ein Paar waren. Papa hatte ebenfalls Erfolg gehabt mit seiner Liebesübersetzung und zog zu Julia auf den Hof. Er überließ uns das große Wohnhaus auf dem Biobauernhof. Dass einige Leute im Dorf sich aufregten, weil die beiden nun zusammenlebten, interessierte weder meinen Vater noch Julia. Dafür beschlossen Karl und ich zu heiraten, sobald seine Scheidung von Hilly durch war. Es sollte eine kleine Hochzeit werden. Im Gegensatz zu der von Severin und Lissy. Die Feierlichkeiten in der eigens zu diesem Zweck gemieteten Burganlage der Veste Oberhaus dauerten drei Tage und Nächte und wurden zum spektakulärsten Ereignis des Jahres in Passau. Die Hochzeitsfeier stellte jedes bisherige Maienfest in den Schatten. Und es durfte ganz offiziell fotografiert und gefilmt werden.

Michi und Sabine waren nicht lange aus den Flitterwochen zurück, da hieß es auch schon, dass die beiden beim Scheidungsanwalt gesehen wurden.

Ernesto schickte mir als Hochzeitsgeschenk eine Kiste mit eingelegten Essiggurken nach katalanischer Art. Und bewies mit seiner besonderen Art von Humor, dass er mir alles Gute wünschte, auch wenn er immer noch ein wenig sauer auf mich war. Ich revanchierte mich mit einem selbst kreierten Rezept für eingelegte Weißkrautblätter, die bald zu einem Verkaufsschlager in seinem Sortiment wurden.

Anne, der Fisch, stellte mir kurz vor unserer Hochzeit ihre neue Partnerin vor. Wir schafften es, eine unkomplizierte Frauenfreundschaft zu pflegen. Zumindest meistens, denn die Neue an ihrer Seite war sehr eifersüchtig und mochte es gar nicht, wenn Anne und ich uns alleine sahen.

Alwin beschloss, sein Leben weiterhin als Single zu genießen, und freute sich auf sein Geschwisterchen, das er und sein Stiefbruder Pauli schon sehnsüchtig erwarteten.

Claudia hoffte vergeblich auf einen Heiratsantrag von Matthias. Ihre Beziehung wurde zu einer turbulenten Jo-Jo-Veranstaltung. Die beiden konnten nicht mit, aber auch nicht ohne den anderen. Ich musste oft die Trösterin für Claudia spielen.

Meine Idee für den neuen Ratgeber hatte Matthias sofort begeistert, und ich recherchierte inzwischen fleißig und schrieb bereits. Soweit es ging, vermied ich es, mit Matthias alleine zu sein. Denn ich mochte ihn immer noch sehr gerne. Und ich wollte nicht, dass Matthias das womöglich als Ermunterung ansah. Denn so ganz abgeschrieben hatte er mich wohl doch nicht, wie mir seine grünen Augen manchmal zu verstehen gaben.

Die Arbeit in der Anzeigenannahme des Verlags hatte ich aufgegeben. Karl und ich kümmerten uns mit kräftiger Unterstützung meines Vaters um den Hof, schrieben beide an unseren Büchern und hielten Vorträge. Außerdem gab ich in unserer großen Küche zusammen mit Julia Kochkurse, die regen Anklang fanden.

Die Donauwald-Trachtler nahmen mich nach der Lektüre meines Ratgebers als Ehrenmitglied in ihrem Verein auf. Vroni Reichmann wurde zu einer treuen Freundin und zuverlässigen Informationsquelle für mein neues Buch.

Doktor Fischer lief ich dreizehn Monate später wieder in der Klinik über den Weg, als Karl und ich unterwegs zur Entbindungsabteilung waren. Leider hatten wir keine Gelegenheit für einen Plausch, da die Wehen mich schon heftig plagten und Karl zur Eile drängte. Und das war auch gut so. Denn kaum eine halbe Stunde später erblickte Maximilian Karl Albert Huber das Licht der bayerischen Welt – ein richtiger Wonneproppen. Und ich fühlte mich als die glücklichste Frau des Universums.

Ach ja. Fast hätte ich etwas vergessen. Mein kleiner Eisi ist immer noch bei mir und hat einen ganz besonderen Platz bekommen.

Wo? Das verrate ich nicht! Womöglich würde Claudia es sonst erfahren.

rezepte

niederbayerische rupfhaubn

(Niederbayerische Rupfhaubn)

Zutaten:

Teig:
350 g Mehl
ca. 100 ml warme Milch
1 Ei
2 Esslöffel Zucker
Prise Salz

Milch-Gemisch:
3 cm Milch in einem breiten Topf
2 Esslöffel Butter
5 klein gewürfelte Äpfel
2 Esslöffel Zucker
Zimt
Das halbe Mark einer Vanilleschote oder
1 Päckchen Vanillezucker
Etwas Puderzucker zum Bestäuben

Zubereitung:

Teig: Erwärmte Milch mit Mehl, Ei, Zucker und Salz vermengen und zu einem glatten Teig kneten. Falls nötig, noch etwas mehr Mehl verwenden. Den Teig zu einer Rolle formen und in ca. 10 gleich große Portionen teilen. Die einzelnen Teigstücke jeweils zu kleinen runden Fladen ausrollen (ca. 8 – 10 cm Durchmesser).

In einem Topf oder einer Pfanne mit möglichst großem Durchmesser Milch ca. 3 cm hoch einfüllen und erhitzen. Butter darin schmelzen. Das Milch-Butter-Gemisch mit Zimt, Zucker und dem Vanillemark oder Vanillezucker würzen, anschließend die klein gewürfelten Äpfel dazugeben und warten, bis die Milch noch mal aufkocht.

Jetzt die Teigfladen so nebeneinander auf die Äpfel in die Milch setzen, dass sie wie kleine Mützen aussehen. Dies gelingt am besten, wenn man den Teig in der Mitte hochzieht und sie dann so in die Milch setzt.

Nun den Topf mit dem Deckel verschließen und das Ganze ca. eine halbe Stunde auf kleiner Flamme köcheln lassen, bis die Milch fast verkocht ist. Vorsicht, am Ende brennt die Milch leicht an.

Die Rupfhaubn mit Puderzucker bestäuben und mit Eis oder Kompott anrichten.

Lenes Blitz-Schweiners

(Lenes Blitz-Schweiners)

Zutaten:

ca. 1 kg Krustenbraten
ca. 800 g Wammerl
5 Zwiebeln
2–3 Knoblauchzehen
1 Flasche Weißbier
2 große Tassen kochendes Wasser
Salz
Pfeffer
Kümmel nach Geschmack

Zubereitung:

Den Krustenbraten und das Wammerl in kleinere Stücke schneiden (ca. 6 x 6 cm). Die Fettschicht rautenförmig einschneiden
für die Kruste.

Das Fleisch salzen, pfeffern und mit Knoblauch einreiben, von
allen Seiten (Ausnahme Kruste) scharf in einer Pfanne mit Öl anbraten und anschließend mit der Fettseite (Kruste) nach oben in
einer Reine bei 250 Grad in die Bratröhre geben.

In der Pfanne, in der das Fleisch angebraten wurde, die klein geschnittenen Zwiebeln geben und scharf anbraten. Den Knoblauch gibt man erst etwas später zu den Zwiebeln, da er sonst bitter wird. Die Zwiebeln mit der halben Flasche Weißbier aufgießen, mit Salz und Pfeffer würzen und danach mit kochendem Wasser aufgießen. Zwei ungeschälte Knoblauchzehen leicht andrücken und ebenfalls in die Soße geben. Alles aufkochen lassen und zum Fleisch geben.

Etwas Wasser mit einem Teelöffel Salz vermischen und über die Kruste träufeln. Nach etwa einer halben Stunde noch mal wiederholen und restliches Bier in die Soße geben. Falls nötig, Soße noch mit etwas zusätzlichem Wasser aufgießen.

Nach ca. einer Stunde ist das Blitz-Schweiners gar. Abschmecken mit Salz und Pfeffer.

Karls Obazda

(Karls Obazda)

Zutaten:

250 g Camembert
250 g Topfen (Quark)
50 g Butter
½ klein gehackte Zwiebel
1 kleine Essiggurke oder 2 Teelöffel Kapern
Etwas Weißbier
Salz, Pfeffer
1–2 Teelöffel süßes Paprikapulver
etwas scharfes Paprikapulver
nach Geschmack etwas Kümmel

Zubereitung:

Camembert zerkleinern und mit Butter und Topfen mit einem Handrührgerät mixen. Die Gewürze und das Bier hinzufügen und mit Salz und Pfeffer abschmecken. Zum Schluss klein gehackte Zwiebel und Essiggurken (oder Kapern) hinzugeben und noch mal kurz durchrühren.

Schmeckt am besten auf Schwarzbrot, zu Brezen oder frischem Baguette.

knödel-gugelhupf

(Knödel-Gugelhupf)

Zutaten:

250 Gramm geschnittenes Knödelbrot
3 Eier
1/2 Tasse lauwarme Milch
2 Teelöffel Salz
1 kleine Zwiebel, fein gehackt und leicht in Butter angebraten
etwas Pfeffer
½ Bund Petersilie

Zubereitung:

Knödelbrot mit lauwarmer Milch übergießen. Zwiebel in ganz feine Würfel schneiden und in etwas Butter glasig anbraten. Zu den Semmeln geben. Eier dazu. Mit Salz, Pfeffer und klein gehackter Petersilie würzen. Alles gut vermengen. In die gefettete kleine Gugelhupfform geben und bei ca. 200 Grad etwa 45–50 Minuten backen, bis sich oben eine schöne krosse Kruste gebildet hat. Die ersten 30 Minuten mit Alufolie abdecken.

Tipp: Kann man auch gleichzeitig mit dem Blitz-Schweiners im Ofen backen.

aufgezwiebelte biersuppe

(Aufgezwiebelte Biersuppe)

Zutaten:

4–5 große Zwiebeln | 1 Zehe Knoblauch
ca. 1 l Gemüsebrühe
Salz, Pfeffer, 1 Teelöffel Zucker
1 Flasche dunkles Bier
geriebener Emmentaler
Brotscheiben (nach Geschmack z. B. Bauernbrot)

Zubereitung:

Zwiebeln schälen und in sehr dünne halbe Ringe schneiden. In etwas Butter und Öl anbraten. Knoblauch klein gehackt zum Schluss dazugeben. Dann mit der halben Flasche Bier aufgießen und gut 1 Liter kochende Brühe dazu. Etwa 20 Minuten köcheln lassen.

Inzwischen Brot mit etwas Bier beträufeln und geriebenen Käse darüber geben. In den Backofen und auf ca. 200 Grad etwa 8–10 Minuten backen.

Suppe mit restlichem Bier aufgießen, noch mal kurz aufkochen, abschmecken und mit Käse-Brotscheiben in der Suppe servieren.

Nach Geschmack noch etwas geriebenen Käse über die Suppe geben.

lenes wodka-
erdbeermarmelade

(Lenes Wodka-Erdbeermarmelade)

Zutaten:

1 kg Erdbeeren
500 g Gelierzucker
½ Zitrone
100 ml Wodka

Zubereitung:

Erdbeeren gut waschen und abtropfen lassen. Putzen, in kleine Stücke schneiden und in einen Topf geben. Wenn man die Marmelade sehr fein haben möchte, mit dem Pürierstab zerkleinern.

Dann Gelierzucker dazu und aufkochen. Ein paar Minuten sprudelnd kochen lassen.

Inzwischen die Marmeladengläser auskochen und auf ein Tuch stürzen. Am Ende der Kochzeit den Saft einer halben Zitrone und den Wodka in die Marmelade geben. Kurz umrühren und dann in die noch heißen Gläser füllen. Sofort den Deckel auf die Gläser geben und auf den Kopf stellen.

Nach ca. 15 Minuten umdrehen und abkühlen lassen.

Tipp: Schmeckt auch sehr gut als Krapfenfüllung.

Schweinelendchen

(Schweinelendchen, Familienrezept)

Zutaten:

Schweinelendchen oder Schweine-Filetscheiben
(alternativ auch Hühnerbrustfilet oder Putenschnitzel)
etwas Butter und Öl zum Anbraten
etwas trockener Weißwein
1 Knoblauchzehe
1 Becher Sahne
1 Esslöffel Tomatenmark
1 schwach gehäufter Teelöffel getrockneter Dill oder Estragon
1 Teelöffel Currypulver
½ Teelöffel Chinagewürz
Salz und Pfeffer
etwas Zucker

Achtung: Die Mengen für die Gewürze können je nach Geschmack unterschiedlich angepasst werden. Das Wichtigste beim Kochen – und das gilt selbstverständlich für alle Rezepte: Es kommt beim Abschmecken auf den eigenen Gaumen an. Eigene Kreativität und Experimentierfreude sind deswegen nie verkehrt!

Zubereitung:

Fleischscheiben mit Salz und Pfeffer würzen und in einem Öl-Butter-Gemisch in einer Pfanne gut anbraten. Dann in den Ofen zum Warmhalten geben bei ca. 150 Grad.

In die benutzte Pfanne den klein gehackten Knoblauch geben, sehr kurz anbraten und dann mit Weißwein ablöschen. Sahne, Tomatenmark und Gewürze dazugeben. Mit Salz, Pfeffer und etwas Zucker abschmecken und ein paar Minuten kräftig aufkochen.

Mit dem Fleisch servieren.

Tipp: Dazu passen selbst gemachte Eierspätzle oder auch der Knödelgugelhupf.

Soße kann auch separat ohne Fleisch gemacht werden und passt hervorragend zum Fondue, Grillen oder Raclette.

an guad'n!

danksagung

Allen, die zur Verwirklichung meines ersten Romans in irgend-einer Weise beigetragen haben, möchte ich von ganzem Herzen danken.

Ganz besonders meiner Agentin Christina Gattys, die nicht nur professionell, sondern auch menschlich ein Glücksfall ist, und ihrer Mitarbeiterin Milena Henn, die schon nach dem Lesen der ersten Seiten an Lenes Suche nach der weiß-blauen Liebe ge-glaubt hat.

Andrea Vetterle, der wundervollsten Lektorin, die man sich nur wünschen kann, und ihrer mitreißenden Begeisterung für die Ge-schichte.

Verlagsleiterin Nicola Bartels für das Vertrauen, das sie von An-fang an in mich und die Geschichte gesetzt hat.

Gerhard Seidl, meinem Redakteur, für die schöne Zusammen-arbeit.

Dem ganzen Verlags-Team für das unglaubliche Engagement.

Claudia H. für ihren Zuspruch und die aufmunternden und inspirierenden Gespräche in den Schreibpausen.

Gary, Jasmin und Christian für ihre medizinischen Auskünfte.

Mike für seine Schilderungen über Barcelona.

Carolin, meiner treuen Testleserin und Fotografin.

Meinen fantastischen Söhnen Felix und Elias für ihre Unterstützung, Geduld und Liebe. Elias auch dafür, dass er mir so bereitwillig sein Netbook geliehen hat, als mein Rechner den Geist aufgab. Felix, meinem wichtigsten Kritiker und Aufmunterer in den Stunden des Zweifelns. Danke für die lustigen Foto- und Kochstunden und vor allem für das von ihm erfundene Rezept fürs Blitz-Schweiners.

Meinem Papa, der sich leider viel zu früh auf seine weiß-blaue Wolke »verdrückt« hat. Er war und ist mir trotzdem auf eine ganz himmlische Weise immer nah und hat mir den Mut gegeben, stets meinen Weg zu gehen.

Meiner Mama. Für alles. Und das ist ganz schön viel!

hochdeutsch-bairischer vokabeltrainer

HOCHDEUTSCH	↔	BAIRISCH
auch; ein	↔	a
sich wichtig machen, sich aufspielen	↔	aufmandln
bayerisches Schmalzgebäck	↔	Auszogne
hochprozentiger Schnaps	↔	Bärwurz
bayerisches Schmalzgebäck	↔	Bavesen
Schlawiner, Schlitzohr	↔	Bazi
Beutel; Trottel	↔	Beidl
der personifizierte Tod, Sensenmann	↔	Boandlkramer
schlagen, klopfen	↔	bumpern
würde, täte, *ich würde (täte)*	↔	dad, *i dad*
verrückt	↔	damisch
Glück	↔	Dusl
aber, doch, wirklich *das ist aber/ doch nicht schön*	↔	fei *des is fei ned schee*
freuen, *ich freue mich*	↔	gfrein, *i gfrei mi*
frecher Tölpel; Rüpel	↔	Gloife
Gold	↔	Goid
Unsinn, Blödsinn; Krampf	↔	Grampf
Ärger, Wut, Zorn	↔	Grant
grantiger Mann	↔	Grantlhuaba
Wichtigtuer	↔	Gschaftlhuaba, Gschaftler
sehr; schlau	↔	gscheid
gemein, böse	↔	gschert
Liebschaft, Liebhaber(in)	↔	Gschpusi
Huhn	↔	Hehna
heimtückisch, hinterlistig	↔	hinterfotzig
Kalb	↔	Kaiberl

Angelika Schwarzhuber

Hochzeitsstrudel und Zwetschgenglück

Für Felix und Elias
Ihr seid das größte Wunder in meinem Leben

Kapitel 1

Zu einer Zeit, in der die Postleitzahlen in Deutschland noch vierstellig waren und noch niemand ahnte, dass Mobiltelefone Jahre später einmal Handys heißen würden...

Es war erstaunlich warm für Ende Oktober. Der Himmel leuchtete in einem so intensiven dunklen Blau, wie es nur am Ende eines Sommers möglich war, wenn die Sonne besonders tief stand.

Wolfgang Sagmeister kam ordentlich ins Schwitzen, als er langsam einen felsigen Weg am Watzmann nach oben stieg. Er hatte in den letzten Monaten zu viel am Schreibtisch gesessen, um sich auf sein Abitur vorzubereiten. Das rächte sich jetzt. Wolfgang war alleine unterwegs. Nicht weil er ein ungeselliger Mensch war, sondern weil er Zeit brauchte, um nachzudenken. Und wo konnte man das besser tun, als in den Bergen? Gut, vielleicht noch an den Ufern des Meeres. Leider war er selbst noch nie in einem fernen Land gewesen, sondern hatte immer nur davon geträumt. Doch das sollte sich bald ändern.

Wolfgang zog sich langsam an einem Felsen hoch. Die Muskeln in seinen Armen zuckten vor Anstrengung. Doch als er oben angekommen war und sich schwer atmend ins Gras setzte, hatte sich die Mühe mehr als gelohnt. Bei dem Anblick des atemberaubenden Panoramas fühlte er sich völlig frei und losgelöst von allen Vorschriften

und Zwängen. Er würde nicht mehr weiter nach oben steigen, son-
dern hier eine Rast einlegen und dann umkehren. Sonst würde er den
Rückweg vor Einbruch der Dunkelheit nicht mehr schaffen.

Er strich die schulterlangen hellbraunen Haare aus dem Gesicht
und holte aus seinem Rucksack eine Flasche Wasser und eine Brot-
zeitdose. Nachdem er sich gestärkt hatte, drehte er sich eine Zigarette,
steckte sie an und inhalierte den Rauch tief. Er legte sich zurück,
schob den Rucksack unter seinen Kopf und schloss die Augen.

Er dachte an seine Freundin. Sie wusste nicht, dass er hier oben
war. Niemand wusste das. Noch nicht mal seine Eltern, die es seit sei-
ner Volljährigkeit ohnehin gewohnt waren, dass ihr Sohn tat, was er
wollte. Das war die Freiheit, die für ihn so wichtig war. Die Freiheit,
seine eigenen Entscheidungen zu treffen.

Der Aufstieg hatte ihn mehr angestrengt, als er gedacht hatte. Und
vielleicht auch die wenigen Stunden Schlaf in den letzten Tagen.
Sorgfältig drückte er den Zigarettenstummel aus und beschloss, ein
kurzes Nickerchen zu machen.

Flatternde Haare in seinem Gesicht weckten ihn plötzlich auf.
Wolfgang schrak hoch. Der Himmel hatte sich zugezogen, und ein fri-
scher Wind war aufgekommen. Fröstelnd holte er seine Jacke aus dem
Rucksack und zog sie an. Er hatte wohl viel länger geschlafen, als er
vorgehabt hatte. Besorgt blickte er in den immer dunkler werdenden
Himmel. Donnergrollen polterte bedrohlich und hallte an den Felsen
wider. Der Wind wurde stärker, und die ersten dicken Regentropfen
fielen. Wie hatte sich das Wetter nur so schlagartig ändern können?
Er musste zusehen, dass er schnellstens ins Tal kam. Ein plötzlicher
Wetterumschwung in den Bergen, gerade zu dieser Jahreszeit, konnte
lebensbedrohlich sein. Vor allem wenn man so unvorbereitet wie er
ohne die nötige Ausrüstung unterwegs war.

Eine Viertelstunde später tobte ein schweres Gewitter. Grelle Blitze zuckten am Himmel, und der Lärm des Donners war ohrenbetäubend. Aus dem Regen war inzwischen eisiger Hagel geworden, der ihm schmerzhaft ins Gesicht peitschte. Wolfgang rutschte auf dem Hagelteppich aus, fiel hin und verletzte sich am Ellenbogen und an den Knien. Mühsam rappelte er sich hoch und humpelte weiter. Der Hagel hatte den Weg fast unbegehbar gemacht. Wolfgang verfluchte das Wetter und sich selbst. Dass er nicht früher zurückgegangen war! Plötzlich entdeckte er einen kleinen Hohlraum unter einem Felsvorsprung, den er als Unterschlupf benutzen konnte. Es war fast eine Höhle. Hier war er einigermaßen vor dem Unwetter geschützt. Der Arm und die Knie taten höllisch weh. Doch wenigstens blutete er nicht. Er versuchte, sich mit klammen Fingern eine Zigarette zu drehen.

»Verdammt! Verdammt!«, rief er, als es ihm nicht gelang. Seine Finger zitterten zu sehr.

Er hoffte, dass das Wetter sich bald beruhigen würde. Nach einer Weile ließ das Gewitter tatsächlich nach, doch der Hagel war in Schnee übergegangen. Jetzt bekam er es wirklich mit der Angst zu tun.

Er dachte wieder an seine Freundin. Vielleicht hätte er nach dem Streit vor zwei Tagen nicht einfach verschwinden sollen. Warum hatte er niemandem erzählt, wo er hinfuhr? Noch nicht mal seinem besten Freund? Weil er es bei seiner Abfahrt selbst noch nicht genau gewusst hatte? Er hatte sich mit seinem Rucksack an den Straßenrand gestellt und war per Anhalter gefahren. Eigentlich wollte er in Richtung Süden. Ans Meer. Doch zunächst war er hier gelandet.

Was für eine Ironie des Schicksals, dass ausgerechnet seine Liebe zur Freiheit ihn jetzt zu einem Gefangenen dieses Berges gemacht hatte. Niemand würde ihn hier suchen. Niemand würde ihm helfen.

Es schneite immer stärker, und Wolfgang fror erbärmlich. Er holte aus dem Rucksack die wenigen Kleidungsstücke, die er eingepackt hatte und zog sie an.

Er vermisste seine Freundin, so sehr, wie er noch nie im Leben einen Menschen vermisst hatte. Er wollte ihr so viel sagen!

Wolfgang hatte immer einen Schreibblock dabei, um seine vielen Ideen zu notieren, wenn er unterwegs war. Er wollte einmal Schriftsteller werden. Das war sein großer Lebenstraum.

Um seine Hände aufzuwärmen, rieb er die Handflächen heftig gegeneinander und ignorierte dabei den Schmerz im Arm so gut es ging. Dann begann er mit zitternder Hand zu schreiben.

Es war kein allzu langer Brief, den er schrieb. Doch es dauerte eine Weile, bis er fertig war. Dann riss er die Seiten aus dem Schreibblock, faltete sie, steckte sie in die leere Brotzeitdose und verstaute diese in seinem Rucksack.

Endlich ließ der Schneefall ein wenig nach. Nicht mehr lange und die Nacht würde hereinbrechen. Wolfgang wusste, wenn er hier blieb, wäre das sein sicherer Tod. Die einzige Chance zu überleben war ein Abstieg ins Tal. Und Wolfgang wollte überleben …

kapitel 2

Es war unglaublich. Egal wie zeitig ich losfuhr, ich schaffte es auf eine wundersame Weise immer, zu spät zu kommen. Genau jetzt in dieser Minute sollte ich mich mit Frank Cornelius im Café Himbeere am Rande der Münchner Fußgängerzone treffen. Ich radelte noch schneller und bog in halsbrecherischer Geschwindigkeit in eine Seitenstraße ein. Nicht zum ersten Mal bedauerte ich es, dass mein schnuckeliger Opel Corsa kürzlich Opfer eines dringend notwendigen Sparprogrammes geworden war. Doch daran wollte ich jetzt nicht denken. Ich musste mich auf den Job konzentrieren, denn ich brauchte das Geld dringend.

Fünf Minuten später sperrte ich mein Fahrrad ab, öffnete hastig meinen Pferdeschwanz und schüttelte meine blonde lange Mähne, bis sie locker über meine Schultern fiel. Ich zog die Jacke meines dunkelblauen Hosenanzugs zurecht. Noch schnell die riesige Sonnenbrille aufgesetzt, einmal tief Luft geholt und dann betrat ich langsam und ruhig, als ob ich gerade aus einem Taxi gestiegen wäre, das kleine Café. Es war nicht viel los, denn die meisten Leute genossen an diesem wunderschönen Apriltag die ersten warmen Sonnenstrahlen des Frühlings.

Frank Cornelius saß in der Ecke an einem kleinen Tisch und trug genau wie ich eine dunkle Sonnenbrille. Zumindest vermutete ich, dass er es war. Wir wollten beide nicht erkannt werden. Ich war ihm vorher noch nie begegnet. Da jedoch kein anderer Mann um die fünfzig im Café war, steuerte ich direkt auf den attraktiven Mann mit dem vollen graumelierten Haar zu.

»Herr Cornelius?«

Er stand auf und reichte mir die Hand. Sie war warm und fest.

»Es tut mir leid, dass ich mich verspätet habe«, entschuldigte ich mich. Es tat mir wirklich leid, meine Unpünktlichkeit fand ich selbst ganz schrecklich.

»Kein Problem. Setzen Sie sich doch bitte«, begrüßte er mich mit einem charmanten Lächeln und zeigte dabei eine Reihe strahlend weißer Zähne, die so perfekt waren, dass sie nie und nimmer natürlichen Ursprungs sein konnten.

»Ich freue mich, Sie kennenzulernen, Bea.«

Dass er mich so nannte, zeigte mir, dass er tatsächlich der Mann war, mit dem ich hier verabredet war. Bea war natürlich nicht mein richtiger Name, sondern von meinem Firmennamen abgeleitet: *BeauCadeau* hieß meine Firma, was so viel bedeutete wie »Schönes Geschenk«.

Meinen richtigen Namen – Hanna Gruber – kannte er genauso wenig wie meine übrigen Kunden, die übrigens ausschließlich männlich waren.

Zum Glück redete ich in meinem privaten Umfeld so gut wie nie über meinen Job. Ein französischer Firmenname und ausschließlich männliche Kunden, die meinen richtigen Namen nicht kannten? Das hätte auf die meisten Leute, die ich kannte, ziemlich … naja … merkwürdig gewirkt. Aber ich war weder eine Prostituierte, noch führte ich einen Escort-Service. Ich war eine bodenständige Geschäftsfrau. Zumindest meistens.

Nur ein einziger Mann wusste, wer sich hinter BeauCadeau

verbarg. Mein Freund Mike. Mike, also Michael, war kein Beziehungsfreund, sondern mein Wie-eine-beste-Freundin-Freund. Er betrieb zusammen mit seiner Frau Miriam eine gut gehende Bar in Schwabing. Mike war es auch, der mich auf die Idee gebracht hatte, BeauCadeau ins Leben zu rufen. Vor drei Jahren hatte ich ihm mit dem Tipp für ein besonderes Geschenk für Miriam einen großen Gefallen getan. Seitdem vermittelte er mich diskret an Geschäftsfreunde oder Gäste in seinem Lokal. Und zwar ohne einen Cent Provision zu verlangen.

Ich hatte mich darauf spezialisiert, für Ehefrauen, Geliebte, Mütter, anspruchsvolle Töchter oder manchmal auch für fleißige Sekretärinnen besondere Geschenke zu allen möglichen Anlässen zu finden. Meine Provision betrug zehn Prozent des Kaufpreises, egal wie hoch das Budget war. Und das war manchmal sehr ordentlich. So ordentlich, dass ich von der Provision leben und mir sogar halbtags eine Mitarbeiterin leisten konnte: Daniela.

Meine Geschäftsidee hatte sich mittlerweile als erstaunlich lukrativ erwiesen. Die meisten erfolgreichen Männer hatten wenig Zeit, sich wegen einer Überraschung den Kopf zu zerbrechen. Und auch andere Männer taten sich bekanntermaßen nicht immer leicht, passende Geschenke für ihre Frauen zu finden. Ich meine wirklich passende Geschenke, über die sich eine Frau auch wirklich freute.

Seltsamerweise hatten vor allem reiche Männer dieses Problem. Es war kaum zu glauben, aber es war offensichtlich einfacher, jemandem mit geringen Mitteln eine Freude zu bereiten, als eine reiche Frau mit einem teuren Geschenk zu überraschen.

Und hier kam ich auf den Plan. Ich bekam ein Budget und einige Informationen über die Frau und begann dann herauszufinden, was sie sich wünschte. Manchmal war es einfach, und die neueste Louis-Vuitton-Tasche zauberte der Beschenkten ein Strahlen ins Gesicht und Tränen des Glücks in die Augen. Wenn die Frau glücklich war, bekam es der Mann meist noch in derselben Nacht zu spüren. Was wiederum den Mann sehr glücklich machte. Und sich positiv auf einen Bonus für mich auswirken konnte.

Meist jedoch war es schwieriger, und ich musste fast schon detektivische Arbeit leisten, um herauszufinden, worüber die Frauen sich wirklich freuten.

Das verrückteste Geschenk, das ich jemals vermittelt hatte, war ein vergoldeter Nachttopf, auf den Ludwig der XIV. schon seinen königlichen Hintern gesetzt hatte. Antiquität hin oder her, warum man sich so etwas wünschte, blieb mir schleierhaft. Ich konnte es genauso wenig verstehen wie Schönheitsoperationen, die leider immer öfter auf dem Wunschzettel der Frauen standen.

Das Wichtigste in meinem Geschäft war absolute Diskretion. Die Frauen durften natürlich niemals erfahren, dass ihr Mann, Liebhaber, Vater, Sohn oder Chef sich nicht persönlich um ein Geschenk bemüht hatte. Da verstanden Frauen keinen Spaß.

BeauCadeau konnte man nicht im Internet finden, es gab keine Prospekte und auf den Visitenkarten standen nur *BeauCadeau* und zwei Handynummern. Mein Geschäft lebte ausschließlich durch Mundpropaganda. Deswegen war es umso wichtiger, dass die Männer mit mir zufrieden waren.

Ich hatte sogar einige Abo-Kunden, die sich total darauf verließen, dass ich sämtliche Geschenke, die im Laufe eines Jahres anfielen, organisierte. Jetzt, kurz vor Ostern, hatten Daniela und ich natürlich einiges zu tun.

»Eine Tasse Kaffee, bitte«, bestellte ich bei der rothaarigen Bedienung, bevor Frank Cornelius und ich uns dem Geschäftlichen zuwandten.

»Meine Frau wird am 10. Juli vierzig. Sie ist sehr anspruchsvoll, Bea. Es wird nicht leicht sein, für sie ein Geschenk zu finden.«

»Ach, machen Sie sich da mal keine Gedanken«, beruhigte ich ihn, ganz die selbstbewusste Geschäftsfrau, die ich eigentlich gar nicht war. »Bis dahin ist es ja noch eine ganze Weile hin.« Und außerdem hatte ich noch immer das Passende gefunden.

Die Bedienung brachte den Kaffee, und wir unterbrachen kurz unser Gespräch. Dann rückte er über dem Tisch mit dem Kopf ganz nah an mich heran, so dass unsere Sonnenbrillen fast aneinanderstießen.

»Wir haben erst vor zwei Jahren geheiratet. Ich liebe diese Frau wie keine Frau je zuvor. Und ich will, dass dieses Geschenk ihr genau das zeigt.«

Was für ein wundervoller Mann, dachte ich, fast ein wenig neidisch. Manche Frauen hatten aber auch wirklich unendliches Glück bei der Auswahl ihrer Männer. Leider gehörte ich absolut nicht in diese Kategorie. Die wenigen Männer, die es bisher in meinem Leben gegeben hatte, hatten mir ihre Liebe dadurch gezeigt, dass sie mir erlaubt hatten, ihnen jeden Wunsch von den Augen abzulesen und natürlich auch zu erfüllen.

Das Paradebeispiel dafür war Simon gewesen. Gott, wie hatte ich diesen Mann geliebt! Ich hatte ihn auf einer Party bei Freunden kennengelernt, gerade als ich mich nach langem Hin- und Herüberlegen entschlossen hatte, ein Journalistik-Studium zu beginnen. Simon studierte bereits. Medizin. Er wollte einmal plastischer Chirurg werden, um damit Menschen zu helfen, die durch Unfälle oder Krankheiten entstellt worden waren.

Damit wir uns eine gemeinsame Wohnung leisten konnten, verschob ich mein eigenes Studium und jobbte bei einer großen Catering-Kette. Meine Mutter war ziemlich sauer, dass ich wegen

Simon, den sie nicht leiden konnte – sie nannte ihn einen abgebrühten Schmarotzer – meine eigenen Bedürfnisse zurücksteckte. Doch ich tat das gerne. Wenn er erst einmal mit seinem Studium fertig war und sich spezialisiert hatte, würden wir heiraten und glücklich sein. Meine Güte, wie naiv ich doch damals gewesen war!

Mein Verdienst reichte aus, um gerade so über die Runden zu kommen, aber Extras konnten wir uns davon nicht leisten.

»Wie wundervoll wäre es, wenn wir gemeinsam Urlaub machen könnten ...«, oder »Wenn ich diese neuesten medizinischen Bücher hätte ...«, oder »Schade, dass wir kein eigenes Auto haben ...«, seufzte Simon, und ich brauchte nach und nach das ganze Geld, das ich von meinem Vater geerbt und anteilig aus seiner Lebensversicherung bekommen hatte, auf, um seine vielen Wünsche zu erfüllen. Im Wünscheerfüllen war ich schon immer eine Granate gewesen. Vielleicht war ich deshalb auch so erfolgreich mit meinem Unternehmen.

Simon war damals einer der wenigen Studenten ohne reiche Eltern, die das Leben in vollen Zügen genießen konnten: Reisen in die Karibik oder Kurztrips nach New York gehörten ebenso zu seinem Leben wie ein eigener Wagen, für den wir auch noch eine Garage angemietet hatten. Schließlich wäre das Eiskratzen im Winter für seine empfindlichen Chirurgenhände eine Zumutung gewesen. Das alles bekam er, ohne dafür zu arbeiten.

Simon war auch sehr gesellig, und wir schmissen regelmäßig Partys, bei denen seine Kommilitonen sich die Bäuche vollschlugen. Mein Geld wurde immer weniger. Doch ich sah das alles als eine Investition in meine, in unsere Zukunft.

Es passierte, was passieren musste: Nachdem er endlich mit dem Studium fertig war und in einer Schönheitsklinik ordentlich

Geld verdiente, gestand er mir, dass er mich nicht mehr liebte. Ich fragte ihn, ob eine andere Frau im Spiel war.

»Aber nein! Ich liebe dich nur nicht mehr, Hanna«, sagte er so kalt wie ein Fisch auf Eis im Kühlhaus.

Dieser verdammte Lügner! Bald darauf erfuhr ich, dass er schon seit einigen Wochen mit einer anderen Frau zusammen war. Mit der Tochter des Chefarztes. Ein halbes Jahr später waren die beiden verheiratet.

Sieben lange Jahre und mein gesamtes Geld hatte ich an diesen Mistkerl verschwendet! Hinterher hatte ich mir auch noch wochenlang die Augen ausgeheult. Und ich konnte noch nicht einmal jemand anderem die Schuld dafür geben. Denn ich hatte das ganz alleine zu verantworten. Allerdings hatte ich daraus gelernt. Ich würde mich nie wieder so ausnutzen lassen! Stattdessen hatte ich meine vermeintliche Schwäche erfolgreich zum Beruf gemacht.

»Sie haben ein Budget von einer Million«, riss mein Auftraggeber mich aus den Gedanken.

Wie bitte? Eine Million? Das hatte ich jetzt sicher falsch verstanden. Oder? Ich schluckte.

»Könnten Sie das bitte wiederholen?«, bat ich ihn leise.

kapitel 3

»Eine Million Euro?«, fragte Daniela, meine Mitarbeiterin, ungläubig, als ich wieder zurück im Büro war. Unbewusst zwirbelte sie mit dem Finger in ihren kurzen schwarzen Haaren. Eine Art Tick, der sich immer zeigte, wenn sie aufgeregt war. Ich warf die Sonnenbrille auf meinen Schreibtisch und drehte glücklich eine Pirouette.

»Ja! Damit packen wir's!«, jubelte ich glücklich. Endlich war Licht am Ende des Tunnels. Das Geschäft lief zwar gut, aber es hatte im letzten Jahr einen größeren Ausfall gegeben. Die Firma eines Kunden war pleite gegangen, und das stattliche Honorar, das er mir nach wochenlanger Recherche für seine komplizierte Frau schuldete, war futsch. Dabei hatte ich das Geld schon vorab verplant und in mein neues Büro investiert. Als wäre das noch nicht genug, flatterte mir vom Finanzamt auch noch ein dicker Nachzahlungsbescheid ins Haus. Ganz zu schweigen von den Steuerberaterrechnungen für die Leistungen der letzten beiden Jahre, die ausgerechnet jetzt fällig wurden.

Ich kam mir vor wie in einem Hamsterrad. Je mehr ich verdiente, desto mehr musste ich abgeben. Dabei leistete ich mir selbst kaum mehr als zu Beginn meiner Selbständigkeit. Ich hatte fast alles wieder in das Geschäft gesteckt. Doch mit dem Geld von Cornelius würde ich nicht nur auf einen Schlag alle Schulden begleichen und Daniela als Mitarbeiterin behalten, sondern auch noch ein Polster für Notzeiten anlegen können. Und das Beste daran war, dass ich noch in den nächsten Tagen eine Vorauszahlung bekommen sollte. Das Geld würde zwar gerade einmal dafür reichen, meinen Steuerberater bei Laune zu halten und dem Finanzamt mit einer kleinen Anzahlung meinen guten Willen zu zeigen, doch damit war schon mal viel gewonnen.

»Ich bin so froh, Hanna«, sagte Daniela glücklich, und ihre dunkelblauen Augen blitzten verräterisch. Hoffentlich fing sie jetzt nicht an zu heulen! Daniela wusste natürlich, wie es um die Firma stand, und lebte seit Wochen in der ständigen Angst, dass ich ihr kündigen müsste.

»Und ich erst! Total froh! Darauf müssen wir anstoßen!«, rief ich fröhlich und öffnete den Kühlschrank in der kleinen Kochnische. Doch der Inhalt gab nicht allzu viel her, was sich zum Feiern eignen würde. Nur noch ein letzter Rest des Eierlikörs war da, den wir ab und zu über Kuchen oder Eis gossen, wenn uns am Nachmittag die Lust auf etwas Süßes überkam. Was leider allzu oft der Fall war und nicht gerade günstig für meine Figur.

Während Daniela essen konnte wie ein Scheunendrescher, ohne ihre Kleidergröße 36 in irgendeiner Weise zu gefährden, kämpfte ich ständig darum, meinen BMI unter 25 zu halten und nicht in den Status »Pummelchen« zu fallen. Ich war zwar nicht dick, aber auch nicht gerade gertenschlank. Und mit meinen knappen 1,63 war natürlich jedes Pfund, das ich zunahm, deutlicher zu erkennen, als bei einer Frau, die einen Kopf größer war als ich.

Aber heute wollte ich mir über meine Figur keine Gedanken machen, sondern war einfach nur glücklich und dankbar über den lukrativen Auftrag.

Ich verteilte den Rest auf zwei Gläser, und wir stießen mit dem Eierlikör auf Frank Cornelius an.

»Prost!«

»Prost! Auf den Cornelius und seine Frau!«

»Hast du schon genaue Informationen über sie?«, fragte Daniela neugierig. Es war immer der spannendste Teil unserer Arbeit, Details über die Frauen zu erfahren.

Ich schüttelte den Kopf.

»Er schickt die Daten heute noch per E-Mail. Ach Daniela, ich bin so erleichtert, dass wir diese schwierige Zeit überstanden haben.« Ich stellte das Glas zur Seite und umarmte meine fast gleichaltrige Mitarbeiterin, die mir inzwischen zu einer sehr guten Freundin geworden war.

»Und ich erst«, seufzte Daniela, die zusätzlich zur Arbeit bei mir ab und zu als Bedienung bei Mike jobbte, um sich und ihren vierjährigen Sohn Benny durchzubringen. Der Vater des Jungen zahlte zwar pünktlich Unterhalt, aber der machte das Kraut auch nicht wirklich fett, weil er recht wenig verdiente und deshalb auch wenig zahlte. Wenigstens kümmerte er sich regelmäßig um den Kleinen.

Ich holte aus meiner Handtasche meinen letzten Fünfzigeuroschein und drückte ihn Daniela in die Hand.

»Hier. Damit du Benny einen großen Osterhasen kaufen kannst«, sagte ich, glücklich, dass ich ihr eine Freude machen konnte.

»Danke, Hanna! Danke!«

»Hey, bloß nicht heulen jetzt, sonst knöpf ich dir den Fufzger wieder ab«, sagte ich und grinste schief. Ich hasste Tränen, bei anderen Leuten und bei mir noch viel mehr.

»Okay.« Sie schniefte und zwinkerte ein paarmal. Dann lächelte sie.

Es war schon erstaunlich, wie glücklich so kleine Scheinchen einen Menschen machen konnten – oder wie unglücklich, wenn sie ausblieben. Erstaunlich und bedenklich. Vielleicht war unglücklich aber auch das falsche Wort für diesen Zustand. Geldprobleme konnten einen geradezu panisch vor Angst machen und einem schlaflose Nächte mit bedrückenden Alpträumen bescheren. Eigentlich ging es den meisten Menschen ja nicht so sehr darum, sich mit Geld Glück zu erkaufen, was ohnehin nicht möglich war, sondern sich damit die Angst vom Leib zu halten.

»Was machst du denn Ostern?«, fragte Daniela.

»Osterbrunch bei Mama. Sonst habe ich noch nichts vor, außer jeden Tag lange zu schlafen und mich mit Bettina Cornelius zu beschäftigen.«

»Lange schlafen klingt gut. Sag mal, hast du Lust, mit uns ein Picknick im Englischen Garten zu machen?«

»Ja, warum nicht?« Ich würde es mir überlegen.

In diesem Moment klingelte mein privates Handy.

»Hallo Mama!«, meldete ich mich vergnügt am Telefon. »Gerade habe ich von dir gesprochen. Wann ist denn die große Ostersause geplant?«

»Daraus wird leider nichts werden, Hanna. Es... es tut mir leid, aber deine Oma Berta ist heute früh gestorben.«

Kapitel 4

Keine zwei Stunden später saß ich im Zug und war auf dem Weg nach Passau. Meine Mutter konnte erst am Tag der Beerdigung, die nach den Osterfeiertagen stattfinden sollte, nach Niederbayern fahren, weil sie das Haus mit Verwandten ihres Mannes voll hatte. Ich war also alleine unterwegs.

Mein Cousin Max würde mich später am Bahnhof abholen und mich nach Halling bringen. Das war der Name des kleinen Ortes in der Nähe von Passau, in dem sich der Bauernhof meiner Oma befand.

Berta war meine Oma väterlicherseits. Wie meine Mutter mir am Telefon erzählte, hatte sie einen Schwächeanfall erlitten, als sie gerade dabei gewesen war, hinter dem Haus einen Obstbaum zuzuschneiden. Sie hatte sich beim Sturz von der Leiter das Genick gebrochen.

Ich konnte es kaum fassen, dass Oma wirklich gestorben sein sollte. Sie war noch mit ihren achtundsiebzig Jahren eine beeindruckende Frau gewesen, die jeden Tag auf dem Hof gearbeitet hatte. Und Arbeiten hieß bei ihr nicht nur Kochen und Wäsche waschen. Berta war zäh und schuftete wie ein Mann, manchmal auch wie zwei Männer.

Sie war niemals eine liebevolle Omi gewesen. Eine, die mit den Enkeln Kuchen buk, Ostereier färbte oder an verregneten Sonntagnachmittagen eine lustige Geschichte vorlas. Als Kind hatte ich immer ein wenig Angst vor ihrem harschen Ton und strengen Blick gehabt und war ihr aus dem Weg gegangen, wann immer es möglich war.

Man sollte ja nicht böse über die Toten sprechen, vor allem, wenn sie noch nicht mal unter der Erde waren, aber ehrlich gesagt war Berta eine wirklich schlimme Zwiderwurzn gewesen. Genau das Gegenteil von Opa Bernhard, der eine Seele von einem Mann gewesen war.

Bis zu meinem dreizehnten Lebensjahr war ich als Einzelkind auf dem Hof aufgewachsen. Es war – abgesehen von meiner grantigen Oma – eine wundervolle, unbeschwerte Zeit gewesen. Bis zu diesem einen schrecklichen Tag, als mein Vater Lorenz auf dem Feld zusammenbrach und ein paar Stunden später im Krankenhaus starb. Ein Aneurysma hatte ihn das Leben gekostet. Und das mit gerade einmal sechsunddreißig Jahren. Wenige Tage nach der Beerdigung beschloss meine Mutter Hermine, mit mir ein neues Leben in München zu beginnen. Auf dem Hof bei Oma Berta wollte sie unter keinen Umständen bleiben. Die beiden hatten sich noch nie leiden können.

Ich war noch zu geschockt vom Tod meines Vaters gewesen, um richtig zu realisieren, dass ich durch den Umzug nach München mein gewohntes Umfeld verlassen musste. Mama versuchte, mich so gut es ging von meinem Heimweh nach Halling und der Trauer um meinen Vater abzulenken, doch meist war ich es, die sie aufmunterte. Ich hatte es nie ertragen können, sie unglücklich zu sehen. Die Witwenrente und ihr Anteil am Erbe und an der stattlichen Lebensversicherung, die Vater abgeschlossen hatte, ermöglichten es meiner Mutter, ihren bislang geheimen Traum endlich zu leben: Sie holte ihr Jurastudium nach. Dabei lernte sie den einige Jahre jüngeren Dieter kennen. Lange Zeit trafen sie sich nur heimlich, um mich nicht zu verletzen. Vier Jahre lang spielten sie dieses Spielchen. Dabei wusste ich längst, dass Mama einen Freund hatte.

Erst an meinem achtzehnten Geburtstag nahm sie Dieter mit zu uns nach Hause. Sie war total aufgeregt und errötete wie ein Teenager, als sie ihn mir vorstellte. Ich tat so, als ob ich völlig überrascht sei, und das schien es auch zu sein, was Mutter wollte. Seit dem Tod meines Vaters war ich geübt darin, alles zu tun, nur damit sie glücklich war.

Dieter war ein wirklich netter Mann, aber kein Ersatz für meinen Vater. Das wollte er auch nicht sein. Lieber arbeitete er auf eigenen Nachwuchs hin. Und so kam es, dass ich im zarten Alter von zwanzig Jahren meinen Status als Einzelkind verlor. Ich war die große Schwester einer derzeit noch zaghaft pubertierenden Dreizehnjährigen namens Pauline.

»Die Fahrkarte bitte«, riss mich der Schaffner aus meinen Gedanken. Ich hatte sie griffbereit in meiner Jackentasche und hielt sie ihm entgegen. Er warf einen Blick darauf, nickte und ging weiter.

Ich nahm mein Smartphone und rief meine E-Mails ab. Frank Cornelius hatte geschrieben. Neugierig öffnete ich die Mail und las die Informationen über seine Frau. Und jetzt dämmerte mir endlich, wer sie überhaupt war!

Bettina Cornelius hatte früher Betty Zabel geheißen und hatte sich als Model und Playmate einen Namen gemacht. Über das verrückte Jet-Set-Leben der dunkelhaarigen Schönheit wurde gerne und oft in der Klatschpresse berichtet. Man sagte ihr mehrere Affären mit diversen Schauspielern und international bekannten Musikern nach. Und böse Zungen behaupteten, dass sogar ein Mitglied des englischen Königshauses sich bereits mit ihr ein Bett, oder wenn man den Gerüchten glauben durfte, den Rücksitz eines Bentleys geteilt haben sollte.

Doch in den letzten Jahren war es ruhig um sie geworden. So ruhig, dass ich ihre Hochzeit mit dem schwerreichen Unternehmer Frank Cornelius aus München gar nicht mitbekommen hatte.

Was Cornelius über seine Frau schrieb, war äußerst interessant. Aber es machte meinen Job nicht unbedingt einfach. Für sie ein Geschenk zu finden, würde tatsächlich eine Herausforderung werden. Es war das erste Mal, dass mir bei einem Auftrag mulmig wurde. Was sicher auch an dem ungeheuer hohen Budget lag. Und an den unbezahlten Rechnungen auf meinem Schreibtisch. Ich musste unbedingt das passende Geschenk finden!

Kapitel 5

Unter den vielen Menschen, die sich auf dem Passauer Bahnhof tummelten, war es nicht schwer, meinen Cousin Max auszumachen. Er überragte mit seinen fast 1,90 Metern die meisten Leute. Ich freute mich plötzlich, ihn zu sehen, auch wenn wir uns in den vergangenen Jahren bei meinen Besuchen in Niederbayern nicht sonderlich gut verstanden hatten.

Dabei waren wir als Kinder unzertrennlich gewesen. Max Bergmann war nur knapp zwei Jahre älter als ich. Seine Mutter Luise war die einzige Schwester meines Vaters und hatte praktischerweise in den Nachbarhof eingeheiratet.

Auch Max war ein Einzelkind und für mich als kleines Mädchen fast so etwas wie ein Bruder gewesen. Was wir alles zusammen angestellt hatten!

Doch schon bevor mein Vater gestorben war, begann Max sich plötzlich zu verändern. Er hing lieber mit den Jungs herum, und einmal hatte er mich sogar greisliche Plunzn genannt. Gut, zu dieser Zeit hatte ich eine Zahnspange und Pickel und war ziemlich pummelig, aber dass er mich so vor seinen Freunden nannte, hatte mich schwer getroffen.

Endlich entdeckte er mich und kam mir entgegen. Sein Körper war von der Arbeit auf dem Hof gut in Schuss. Er war kräftig gebaut, aber ich würde wetten, dass unter dem dunklen Hemd, das er zu einer Jeans trug, kein Gramm Fett zu finden war. Dass er als Gemüsebauer viel an der frischen Luft arbeitete, sah man an seiner gesunden Gesichtsfarbe, die durch die blonden kurzen Haare unterstrichen wurde und seine hellgrünen Augen strahlen ließ. Max war ein gut aussehender Mann, und umso verwunderlicher war es, dass er immer noch Junggeselle war. Zumindest war das mein letzter Stand.

»Grüß dich, Hanna«, sagte er im vertrauten niederbayerischen Dialekt. Es war der Dialekt meiner Kindheit, den ich mir in den letzten zwanzig Jahren in München weitgehend abgewöhnt hatte.

»Servus, Max!«, begrüßte ich ihn. Mehr sagten wir beide nicht. Er nahm sofort meinen kleinen Koffer, und wir gingen zum Parkplatz, auf dem sein Wagen, ein BMW X3 neueren Baujahres, stand.

Unterwegs nach Halling unterbrach er endlich das Schweigen.

»Ich hätte nicht gedacht, dass du wirklich heute noch kommst.«

Ich schaute ihn verwundert von der Seite an. Unter dem Ohrläppchen entdeckte ich einen winzig kleinen Rest Rasierschaum, den er wohl übersehen hatte. Ich konnte dem Drang, ihn mit dem Finger wegzuwischen, nicht widerstehen. Erschrocken zuckte er zurück.

»Ich tu dir schon nichts … Und natürlich bin ich da, es ist auch meine Oma, die gestorben ist!«

»Das hat dich aber in den letzten Jahren herzlich wenig interessiert«, brummte er.

Ich hatte es geahnt. Wir waren noch nicht mal zehn Minuten zusammen, da ging die Streiterei schon los.

»Entschuldige, aber ich glaube nicht, dass Oma sonderlich darauf erpicht gewesen wäre, mich andauernd zu sehen.«

»Kann sein. Aber das werden wir wohl jetzt nicht mehr erfahren!«

»Nein, werden wir nicht«, stimmte ich plötzlich kleinlaut zu.

Wer wusste schon, was in Omas Kopf vorgegangen war. Außerdem war es wirklich schon fast ein Jahr her, dass ich sie zum letzten Mal besucht hatte. Na prima! Jetzt hatte ich ein schlechtes Gewissen.

»Wie ging es ihr denn in der letzten Zeit?«

»So wie immer.«

»Das ist gut.« Wenigstens war sie nicht kränklich gewesen.

»Möchtest du sie noch einmal sehen?«

Ich erschrak über diese Frage. Wollte ich meine tote Oma Berta wirklich sehen?

»Ist sie schon im Leichenschauhaus?«

»Nein. Daheim.«

»Daheim? Wie meinst du das? Sie ist doch nicht… bei sich daheim?«, fragte ich ein wenig zu laut und meine Nackenhaare sträubten sich.

Fünfzehn Minuten später waren wir auf dem Hof angekommen. Das Bauernhaus, das Ende des neunzehnten Jahrhunderts von Johann Baptist Gruber erbaut worden war, stand auf einer kleinen Anhöhe. Es war vor einigen Jahren liebevoll generalrenoviert worden und hatte vier Schlafzimmer, zwei Bäder, ein Wohnzimmer, ein Büro, eine große Wohnstube und eine überdimensional große Küche mit Speisekammer. Hinter dem Haus neben der Scheune und dem ehemaligen Kuhstall war ein großer Obstgarten. Und einer dieser Bäume war derjenige, der meine Oma das Leben gekostet hatte. Oma war tatsächlich noch daheim.

»Denkst du wirklich, es ist eine gute Idee, wenn ich sie mir anschaue?«, fragte ich Max, wollte dabei aber nicht allzu ängstlich klingen. Hier in Niederbayern ging man mit dem Tod etwas natürlicher um als in der Großstadt. Trotzdem war es auch hier nicht in allzu vielen Familien üblich, die Toten daheim aufzubahren, um in Ruhe von ihnen Abschied zu nehmen.

Max nickte. »Ja! Ich glaube, das ist eine gute Idee. Schau sie dir noch einmal an.«

Es war das erste Mal, dass ich einen toten Menschen sehen würde, und ich hatte Angst, als ich vor dem Schlafzimmer stand. Doch bevor ich es mir anders überlegen konnte, öffnete Max die Tür und schob mich hinein. Er murmelte, dass er noch zu tun hatte, und verschwand.

In dem cremefarbenen Kostüm, das sie zuletzt auf ihrer goldenen Hochzeit getragen hatte und das immer noch wie angegossen passte, lag sie in ihrem mit weißem Leinen bezogenen Eichenbett. Um ihre Hände war ein Perlmuttrosenkranz geschlungen. Auf dem Nachttisch standen Blumen und ein silbernes Kreuz. Weiße Kerzen brannten und verströmten einen Duft, der mich an Weihnachten erinnerte.

Im Raum saßen Tante Luise, Maria, eine entfernte Verwandte von Berta, und zwei weitere ältere Frauen aus dem Dorf und beteten leise. Es war ein friedlicher Moment, und es gab nichts, das einem Angst machen musste.

Auf einem kleinen Teppich neben dem Bett lag Fanny, ein Mischling aus Schäferhund und Labrador. Ihr Kopf ruhte auf den ausgestreckten Vorderpfoten, und ihre braunen Augen blickten so traurig, dass ich mir sicher war, sie wusste, dass ihr geliebtes Frauchen tot war. Berta hatte Fanny vor fünf Jahren verletzt vor der Haustür gefunden und gesundgepflegt. Seither war der Hund ihr treu ergeben gewesen.

Tante Luise nickte mir aufmunternd zu, und ich trat langsam an das Bett heran. Fanny hob den Kopf und knurrte.

»Still, Fanny«, sagte meine Tante leise, aber bestimmt. Fanny gehorchte und legte den Kopf wieder auf die Pfoten. Ich ging noch näher ans Bett heran.

Die Gesichtszüge meiner Oma waren im Tod wie verwandelt. Sie wirkte entspannt, fast heiter. So hatte ich sie zu ihren Lebzeiten nie gesehen. Ich betrachtete sie, und allmählich übertrug sich der Frieden, den sie ausstrahlte, auch auf mich. Ich dachte an die Dinge, die ich ihr noch hatte sagen wollen. Eine Weile lang hielt ich stille Zwiesprache mir ihr und entschuldigte mich mehrmals, dass ich sie nicht öfter besucht hatte. Und auch für einige Streiche, die Max und ich ihr in unserer Kindheit gespielt hatten.

Dann setzte ich mich auf einen freien Stuhl neben meine Tante und begann, gemeinsam mit den Frauen den Rosenkranz zu beten. So lange, bis der Bestatter mit einem Eichensarg kam und Oma abholte.

Es war schon Nacht, als wir in der großen Bauernstube auf der Eckbank um den geschreinerten Holztisch saßen. Zehn Leute hätten hier locker Platz gefunden. Die Stube war österlich dekoriert, und unter dem Herrgottswinkel war ein mit bunten Bändern geschmückter Strauß aus Palmkätzchen und Buchsbaumzweigen, den Oma wenige Tage zuvor beim Palmsonntagsgottesdienst noch selbst hatte weihen lassen. Neben Max und Tante Luise saßen ihr Mann Alois und Pit am Tisch. Pit war um die vierzig und auf dem Hof fest angestellt, seit Opa vor drei Jahren gestorben war. Und dann gab es noch den guten alten Willi. Er hatte schon auf dem Hof ausgeholfen, als ich noch ein kleinen Mädchen war. Obwohl er nicht verwandt war, gehörte er quasi zur Familie.

Durch den Todesfall war das Mittagessen ausgefallen, deswegen gab es erst jetzt etwas Warmes. Heute war Gründonnerstag, und wir aßen, was man hier am Gründonnerstag traditionellerweise aß: Spinat mit Salzkartoffeln und Spiegeleiern.

Ich hatte keinen allzu großen Appetit und war froh, als nach dem Essen der Geschirrspüler eingeräumt war und die Leute sich langsam verabschiedeten.

»Komm doch morgen Mittag zu uns rüber, Hanna«, lud Tante Luise mich ein.

»Gern«, sagte ich, obwohl ich eigentlich lieber auf dem Hof geblieben wäre.

»Der Rosenkranz für Oma wird vor dem Kreuzweg gebetet. Du kommst doch mit?«

»Natürlich komme ich mit.« Etwas anderes wäre auch kaum in Frage gekommen.

»Und wenn du sonst etwas brauchst, dann sag Bescheid«, bot meine Tante an, bevor sie mit ihrem Mann ging.

Pit fuhr heim in seine Wohnung im Nachbardorf, und Willy blieb wie ich auf dem Hof. Er wohnte in dem kleinen Austragshaus hinter dem großen Bauernhaus.

Jetzt war nur noch Max da. »Kommst du wirklich alleine klar hier?«, fragte er.

»Natürlich!« Ich war doch kein kleines Kind mehr.

»Du könntest auch bei uns schlafen.«

Ich schüttelte den Kopf. »Nein, ich bleibe lieber hier.«

»Gut. Und bitte kümmere dich um Fanny. Sie hat es nicht leicht«, sagte er mit einem Blick auf die Hundedame, die am Fenster stand und in die Nacht starrte.

Ob ich das so gut hinkriegen würde, wagte ich eher zu bezweifeln. Mit Hunden kannte ich mich absolut nicht aus.

Es war weit nach Mitternacht, und ich wälzte mich immer noch schlaflos im Bett meines früheren Kinderzimmers hin und her. Zum einen, weil ich ständig an meine Oma denken musste, die bis vor Kurzem nur zwei Zimmer weiter gelegen hatte. Und zum anderen, weil Fanny vor Omas Zimmertür lag und heulte wie ein Schlosshund. Anfangs war ich immer wieder aufgestanden und hatte versucht, beruhigend auf sie einzureden. Doch es war vergeblich. Sie knurrte mich nur grantig an, wenn ich ihr zu nahe kam.

»Süße, ich weiß, dass du sie vermisst. Aber wir beide brauchen ein bisserl Schlaf!« Als Antwort sprang sie auf und bellte mich wütend an. Ich schrak zurück.

Was konnte ich denn nur für sie tun? Plötzlich fiel mir etwas ein. Vielleicht tröstete sie ja das Gleiche wie mich?

In meinem hellblau und weiß gestreiften Flanellpyjama ging ich nach unten in die Küche und öffnete den Kühlschrank. Tatsächlich fand ich ein paar dicke Knackwürste. Ich hielt der knurrenden Fanny ein Würstel vor die Nase, und nach kurzem Zögern schnappte sie danach. Anscheinend konnte Essen nicht nur Menschen trösten, sondern auch Hunde. Danach herrschte Ruhe. Allerdings nicht lange. Gerade, als ich endlich eingenickt war, winselte Fanny vor meiner Tür.

»Na gut«, seufzte ich, stieg aus dem Bett und ließ sie herein. Dieses Mal knurrte sie mich nicht an.

»Komm rein ... Aber dann wird geschlafen! Hörst du?« Als ob sie meine Worte verstanden hätte, drehte sie sich auf dem Teppich vor meinem Bett zusammen und schloss folgsam die Augen.

Es fühlte sich an, als ob ich gerade erst eingeschlafen war, da wurde ich von wildem Klingeln und Lärm an der Haustür und Hundegebell hochgeschreckt. Ein Blick auf den Wecker zeigte mir, dass es erst fünf Uhr morgens war. Es musste etwas passiert sein! Ich sprang aus dem Bett und eilte mit wild klopfendem Herzen barfuß nach unten. Fanny stand vor der geschlossenen Haustür und bellte wie verrückt.

»Psst, Fanny, ruhig«, versuchte ich sie zu beruhigen. Doch sie knurrte. Von draußen kam wieder der Lärm, und langsam schlich sich eine Erinnerung in meinen Kopf.

»Still, Fanny!«, rief ich, diesmal energisch und – oh Wunder, sie gehorchte.

Dann riss ich die Tür auf.

»Die Glocken sind stumm, sie hängen in Ruh, wir Kinder, wir singen und klappern dazu«, sagten mir drei Jungen und zwei Mädchen in einem monotonen Singsang vor und drehten gleich darauf wieder die Holzratschen, die sie in den Händen hielten.

»Schon gut, schon gut«, setzte ich an, bevor sie zur nächsten Strophe kommen konnten. Ich kannte den Text auswendig. Auch ich war als Mädchen an den Tagen zwischen Gründonnerstag und der Osternacht mit den anderen Kindern von Haus zu Haus gezogen. Ein alter Brauch auf dem Land, der den Bewohnern die Zeit ansagen sollte. In diesen Tagen schwiegen die Kirchenglocken, weil die Glockenschwengel nach Rom geflogen waren. So erzählte man es den Kindern. Der eigentliche Grund jedoch war wohl, dass das Geläut von Kirchenglocken eher ein Ausdruck von Freude war, die man an den Kartagen vermeiden wollte.

»Wartet, ich bring euch was.« Schnell ging ich in die Stube und holte Süßigkeiten und aus der Geldbörse meiner Oma für jeden einen Euro. Dann überlegte ich es mir anders und nahm noch einen Zehner heraus. Schließlich konnte ich mich selbst noch gut daran erinnern, wie wir uns als Kinder gefreut hatten, wenn es ein wenig mehr Geld gab.

»Hier.«

»Danke!« Die Kinder grinsten und zogen die Ratschen drehend weiter.

Da ich nun schon mal wach war, beschloss ich, mit Fanny einen kleinen Spaziergang zu den Weiden zu machen. Nachdem die Haltung von Milchkühen für Oma zu anstrengend geworden war, hatte sie vor ein paar Jahren die Kühe verkauft und war auf relativ pflegeleichte schottische Hochlandrinder umgestiegen, die das ganze Jahr auf den Weiden verbrachten. Es gab eine große Gemeinschaftsweide und zwei kleinere, auf der kranke Tiere, Kühe kurz vor der Niederkunft und einige Monate alte Jungtiere von den anderen getrennt wurden. Ich liebte diese zotteligen braunen Gesellen mit den freundlichen Augen. Ich wusste, dass sie Äpfel besonders gerne mochten, deshalb hatte ich aus dem großen Vorratskeller, in dem die Ernte des Herbstes sorgfältig in Regalen gelagert war, eine Tasche voll mitgenommen. Die meisten der Rinder waren handzahm. Einige kamen neugierig an den Zaun heran, nahmen vorsichtig die Äpfel aus meiner Hand und kauten sie genüsslich.

Die Tiere hatten ein wirklich schönes Leben hier. Sie durften sich auf ganz natürliche Weise vermehren und konnten sich auf den Weiden, durch die ein kleiner Bach floss, frei bewegen. Die Kälte schien ihnen nichts auszumachen, und vor der heißen Sommersonne schützten sie die Bäume und ein Unterstand.

Nachdem ich alle Äpfel verteilt hatte, zog Fanny ungeduldig an der Leine. Sie wollte wohl noch eine Runde mit mir drehen. Während ich entlang eines brachliegenden Feldes dahinspazierte, atmete ich die frische, würzige Morgenluft ein, die jetzt am Anfang des Frühlings stark nach Erde roch. Die ersten Bäume begannen auszutreiben.

Die kleine Auszeit in Niederbayern würde mir trotz des traurigen Anlasses sicher guttun. Der letzte Urlaub lag schon lange zurück. Ich war damals noch mit Simon zusammen gewesen, und wir waren nach Südfrankreich gefahren.

Die Osterzeit auf dem Hof verlief tatsächlich sehr ruhig. Ich besuchte täglich einen Gottesdienst und war oft bei meiner Tante zum Essen eingeladen. Aber die meiste Zeit verbrachte ich alleine mit Fanny. Der Hund schien mich zwar nicht sonderlich zu mögen, war aber froh, dass sich jemand mit ihm beschäftigte. Vor allem in den Nächten vermisste Fanny Oma sehr. Ich tröstete sie mit kleinen Leckereien und ließ sie auf dem Teppich neben meinem Bett schlafen.

Gemeinsam mit Tante Luise sortierte ich Omas Kleiderschrank aus. Ein Teil ihrer Kleider und die guten Schuhe würden in die Kleiderkammer des örtlichen Frauenhilfsbundes gehen. Der Rest in die Altkleidersammlung. Einige besondere Stücke verpackten Tante Luise und ich sorgfältig und verstauten sie in einem Schrank auf dem Dachboden. Tante Luise wollte die wenigen, aber teuren Schmuckstücke meiner Oma mit mir teilen, doch ich bestand darauf, dass sie alles nahm. Schließlich war sie die Tochter. Und vielleicht auch deswegen, weil Oma mich als Kind immer so abweisend behandelt hatte. Jetzt ihren Schmuck zu tragen, kam mir nicht richtig vor.

Pit kam trotz der Feiertage täglich vorbei und kümmerte sich um die anfallenden Arbeiten auf dem Hof. Willi hingegen war bis zur Beerdigung verschwunden, samt seiner Harley Davidson. Pit vermutete, dass er mit Freunden zu einem Motorradtreffen in Österreich unterwegs war.

Ich nutzte die Zeit, um mir über ein Geschenk für Bettina Cornelius Gedanken zu machen, doch die Ideen, die ich hatte, waren allesamt für die Tonne. Irgendwie fiel mir hier nichts ein. Und außerdem sehnte ich mich immer mehr nach den eigenen vier Wänden in meiner kleinen Wohnung in München.

Am Tag von Omas Beerdigung kam meine Mutter mit meiner Halbschwester Pauline, die unbedingt dabei sein wollte. Ich merkte Mama an, dass es ihr schwerfiel, an dem Grab zu stehen, in dem bereits mein Vater und mein Opa lagen. Das ganze Dorf war gekommen, um Oma die letzte Ehre zu erweisen. Ich hatte bis zu diesem Tag noch nie erlebt, dass auf einer Beerdigung kein einziger Trauergast weinte. Ich wusste, dass es nicht bedeutete, dass Oma unbeliebt gewesen war oder dass die Leute sie nicht respektiert hatten. Tränen passten einfach nicht zu so einer resoluten, handfesten Frau, wie Berta es gewesen war. Nur Pauline schniefte lautstark in ihr Papiertaschentuch, als Pfarrer Brenner das Leben von Berta noch einmal in feierlichen Worten zusammenfasste.

Die Kremess, wie man den Leichenschmaus hierzulande nannte, fand im Gasthof »Zum Brunnenwirt« statt. Damit alle Verwandten und Bekannten und die Vertreter der Vereine, in denen Oma Mitglied gewesen war, Platz hatten, saßen wir im Saal, in dem sonst nur die großen Hochzeitsgesellschaften feierten.

»Hanna? Bist du das wirklich?«

Ich drehte mich um und schaute in das fragende Gesicht eines Mannes, der etwa in meinem Alter war. Irgendwie kamen mir die grauen Augen bekannt vor.

»Stefan?« Stefan Wimmer. Der Sohn des Wirtes. Oder war er inzwischen selbst der Wirt? Ich wusste es nicht.

Er nickte und freute sich sichtlich, dass ich ihn erkannt hatte. Aber den Jungen, von dem man den ersten Kuss bekommen hatte, vergaß man natürlich nicht. Auch wenn er sich seitdem ziemlich verändert hatte. Aus dem schmächtigen schwarzhaarigen Burschen war ein sehr stattliches, wenn nicht zu sagen gut gepolstertes Mannsbild geworden. Nur sein Haarschnitt, ein sauber geschnittener rechts liegender Seitenscheitel, hatte sich nicht verändert.

»Ich freue mich, dich zu sehen… ähm… natürlich tut es mir leid wegen deiner Oma«, sprach er mir das Beileid aus und setzte dazu einen dem Anlass gebührenden Blick auf.

»Danke. Wie geht es dir denn?«, fragte ich, mehr aus Höflichkeit denn aus Neugierde.

»Chef! Du musst ein neues Fassl anzapfen!«, rief die Bedienung in unsere Richtung.

»Tut mir leid, Hanna, ich muss in den Keller. Vielleicht können wir ja später noch…«

»Ja, freilich!«

Er verschwand aus dem Saal, nicht ohne sich vorher noch einmal nach mir umgedreht zu haben.

Nach der Kremess, die sich bis in die frühen Abend hinzog, saßen wir mit der engsten Familie wieder um den Tisch in der Stube. Es war mein letzter Tag auf dem Hof, und inzwischen konnte ich es kaum mehr erwarten, morgen früh mit meiner Mutter und Pauline zurück nach München zu fahren.

Anscheinend war Max davon ausgegangen, dass ich noch länger bleiben würde.

»Du kannst morgen noch nicht zurückfahren!«, sagte er überrascht.

»Natürlich kann ich. Schließlich muss ich wieder arbeiten.«

Meine niederbayerische Verwandtschaft dachte, dass ich als selbständige Privatsekretärin für verschiedene Unternehmer beschäftigt war, was ja gar nicht so weit von der Realität entfernt

war. Von BeauCadeau hatten sie keine Ahnung. Nur meine Mutter
kannte mein Firmengeheimnis. Und Pauline, die ich ab und zu als
eine Art Privatdetektivin einsetzte.

»Morgen Vormittag haben wir einen Termin beim Notar wegen
dem Testament«, erklärte Tante Luise, die mit ihren kurzen rot-
blonden Haaren in dem schwarzen Kleid sehr blass wirkte. Onkel Alois war wie immer recht schweigsam. Aber so hatte ich ihn
schon als Kind gekannt. Er redete kein Wort zu viel.

»Es gibt ein Testament?«, fragte ich verwundert. Ich war davon
ausgegangen, dass meine Tante als einzig übrig gebliebenes Kind
von Berta den Hof erben und ihn dann Max übergeben würde.

»Freilich. Und du sollst auch anwesend sein.«

Ich? Bei einer Testamentseröffnung? Ich schaute überrascht
zu meiner Mutter. Sie zuckte nur leicht mit den Schultern und
machte ein unbeteiligtes Gesicht.

»Na gut, dann fahr ich erst morgen Nachmittag zurück.«

»Darf ich bei Hanna bleiben?«, bettelte Pauline.

»Ich weiß nicht …«, begann meine Mutter.

»Biitte! Daheim ist es so langweilig!« Pauline gab nicht auf.

»Lass sie doch hier«, sagte ich, »dann fahren wir beide morgen
mit dem Zug nach München.«

»Schließlich muss ich Hanna zur Seite stehen, wenn sie erfährt,
dass sie eine reiche Erbin ist.« Pauline grinste. Für sie war das alles
sehr spannend hier.

»Schmarrn! Ich bin keine Erbin!«, sagte ich. Und dachte gleichzeitig: Aber warum sollte ich dann bei der Testamentseröffnung
dabei sein? In diesem Moment wurde mir zum ersten Mal klar,
dass ich vielleicht tatsächlich etwas erben würde. Beim Gedanken daran, dass Oma mich in ihrem letzten Willen bedacht hatte,
wurde mir ganz warm ums Herz.

kapitel 6

Als ich am nächsten Tag wutentbrannt aus dem Notariat in Passau stapfte, waren alle freundlichen Gedanken für meine Oma auf Nimmerwiedersehen verschwunden. Diese gemeine alte Hexe!

»Hanna, jetzt warte doch mal!«, rief Max mir hinterher.

Ich blieb stehen und drehte mich zu ihm um.

»Hast du das gewusst?«, fragte ich ihn scharf.

»Natürlich nicht!« Trotz seiner Empörung zuckten seine Mundwinkel verräterisch.

»Wage es ja nicht zu lachen!«, fauchte ich ihn an.

»Jetzt komm erst mal runter und ...«

»Ich soll runterkommen?«, schrie ich. »Hast du nicht gerade selbst gehört, dass ich allen Grund dazu habe, mich aufzuregen?«

»Geht's vielleicht noch ein bisserl lauter, dann bekommen es die Leute auf den vorbeifahrenden Donauschiffen auch noch mit.«

Ich holte Luft und atmete langsam aus. Ich musste mich unbedingt beruhigen. Tante Luise und Onkel Alois kamen nach.

»Hanna, ich weiß auch nicht, was sie sich dabei gedacht hat!« Tante Luise war völlig konsterniert über den letzten Willen ihrer Mutter. »Ich wusste zwar, dass sie dich zur Alleinerbin machen wollte ...«

»Wie, du hast das gewusst? Aber du bist doch ihre einzige Tochter«, warf ich ein, völlig verwirrt über die Geschehnisse der letzten halben Stunde. Sie schüttelte den Kopf.

»Ich habe meinen Anteil bereits bei meiner Hochzeit ausbezahlt bekommen«, stellte sie klar und ergänzte traurig: »Eigentlich hätte dein Vater den Hof bekommen sollen. Und da du seine einzige Tochter bist...« Sie sprach nicht weiter und schluckte.

Meine Oma Berta hatte mich zur Alleinerbin des Hofes samt aller Felder und Tiere und einschließlich eines zusätzlichen Vermögens von siebenhundertfünfzigtausend Euro gemacht! Siebenhundertfünfzigtausend Euro! Nie im Leben hätte ich gedacht, dass meine Oma so reich gewesen war. Ich war völlig überwältigt und voller Liebe für meine Oma, von der ich immer gedacht hatte, dass sie mich nicht leiden konnte.

Bis der Notar im Testament weitergelesen hatte: »...sie erhält das Erbe jedoch nur dann, wenn sie spätestens drei Monate nach meinem Tod mit einem Mann verheiratet ist, der sich in der Landwirtschaft auskennt. Außerdem muss sie bis zur Hochzeit jeden Tag auf dem Hof schlafen. Wenn sie diese beiden Bedingungen nicht erfüllt, fällt das komplette Erbe mit Ablauf der Frist an meinen Enkelsohn Maximilian...«

Während wir zurückfuhren, sagte ich kein Wort und auch die anderen schwiegen. Max parkte im Hof, und bevor ich ausstieg fragte er mich: »Und was wirst du jetzt machen?«

»Natürlich werde ich nichts machen! Ich lass mir doch von ihr nicht vorschreiben, wann und wen ich heirate!«, fauchte ich.

»Bitte Hanna, schlaf eine Nacht darüber. Du bist jetzt aufgebracht, aber man sollte nie eine Entscheidung in der ersten Wut treffen.«

Tante Luise hatte natürlich recht. Obwohl ich in den nächsten drei Monaten bestimmt keinen Bauern heiraten würde, durfte ich jetzt nichts übereilen.

Pauline kam mir entgegen, Fanny im Schlepptau. Die beiden waren von der ersten Sekunde an ein Herz und eine Seele gewesen, und ich war fast ein wenig eifersüchtig, dass der Hund sie viel lieber mochte als mich. Und das, obwohl ich in der Nacht nach wie vor ihre Ansprechpartnerin war, wenn sie Trost – und Würstel suchte.

Ich stieg aus, verabschiedete mich, und Max fuhr mit seinen Eltern nach Hause.

»Und? Bist du jetzt eine reiche Erbin?«, fragte Pauline neugierig.

»Wie man es nimmt«, antwortete ich, und ohne Vorwarnung begann ich plötzlich zu lachen. Ich konnte gar nicht mehr aufhören. Das war doch eigentlich alles urkomisch! Erst nachdem mich Pauline energisch in die Stube gezogen hatte und mich schüttelte, beruhigte ich mich langsam und erzählte meiner Schwester alles.

»Das ist doch total narrisch!«, rief Pauline.

»Total narrisch!«, bestätigte ich und musste schon wieder lachen.

Oma hatte mir eine fette Karotte vor die Nase gehängt. Ich hätte mir denken können, dass sie mich sogar noch aus dem Grab heraus triezen würde.

»Dann suchen wir dir eben einen Mann«, beschloss meine kleine Schwester.

»Ich glaub, dir geht's nicht gut!« Ganz bestimmt würde ich das nicht tun! »Ich heirate doch nicht mal schnell irgendeinen Bauern!«

»Dann ruf Mama an. Die kann da bestimmt was machen.«

Dass ich daran nicht gleich gedacht hatte! Das war genau der richtige Fall für sie. Schließlich war sie nicht umsonst Rechtsanwältin. Die Bedingungen meiner Oma grenzten sicher an Kuppelei oder unsittliches Verhalten oder wie auch immer man das nannte!

Ich erzählte meiner Mutter von Bertas gemeinem Testament. Und erwartete ihre Empörung und dass sie mich dabei unterstützen würde, rechtlich gegen diese Bedingungen vorzugehen. Aber zu meiner Überraschung fiel ihre Reaktion völlig anders aus.

»Hanna, es ist besser, du verzichtest auf das Erbe und überlässt es Max!«, riet sie mir.

Ich war für einen Moment sprachlos.

»Aber da muss man doch irgendwas tun können. Sie kann doch nicht einfach …«

»Hör zu«, unterbrach sie mich, »ich möchte nicht, dass du das Testament anfichst. Und ich werde dich dabei auch nicht unterstützen.«

»Du willst, dass ich einfach auf alles verzichte?«, fragte ich ungläubig. War das wirklich meine Mama am anderen Ende der Leitung?

»Was willst du denn mit einem Bauernhof, Hanna? Du hast doch überhaupt keine Ahnung davon!«

»Mama, wir reden hier von 2,3 Millionen Euro!«

»Du würdest nicht glücklich sein mit dem Geld. Außerdem hast du bereits das Erbe deines Vaters an diesen Schmarotzer Simon verplempert. Wahrscheinlich würdest du auch den Hof noch an irgendeinen dahergelaufenen Deppen verschenken. Pack deine Sachen, und komm mit Pauline heim. Das ist der einzige Rat, den ich dir geben werde.« Sie legte auf.

Ich starrte verdattert auf mein Handy. Was für ein Tag! Ich war völlig überraschend Erbin eines wirklich ansehnlichen Vermögens geworden, vorausgesetzt, ich wäre in drei Monaten mit einem Mann verheiratet, den ich noch gar nicht kannte. Und meine Mutter wollte nicht – ebenfalls völlig überraschend für mich –, dass ich das Erbe annahm oder die Bedingungen anfocht. Wenn jetzt noch Brad Pitt an der Tür klingelte, würde mich das heute auch nicht weiter wundern.

Brad klingelte nicht, dafür klopfte Pit ans Fenster. Ich öffnete es und schaute zu ihm hinaus.

»Hanna, Max hat gesagt, du bist jetzt für den Hof zuständig.«

»Äh ja… Also vorerst stimmt das wohl«, sagte ich unsicher.

»Rufst du den Tierarzt an?«, fragte er ohne weitere Erklärung.

»Den Tierarzt?«

»Ja, für die Highlands.«

»Fehlt ihnen was?« Hoffentlich war keines der Rinder krank.

Er schüttelte den Kopf mit dem schon etwas schütter werdenden dunkelblonden Haar.

»Parasitenbehandlung ist fällig.«

»Ach so. Welcher Tierarzt kommt da denn üblicherweise?«

»Der Hans-Jürgen natürlich.« Pit ließ sich wirklich jedes Wort aus der Nase ziehen.

»Der Hans-Jürgen. Und wie weiter?«

»Fröschl.«

»Na gut, dann ruf ich den Doktor Fröschl an.«

»Danke!«

Ich überlegte. »Hör mal, Pit. Du kennst dich ja auf dem Hof hier bestens aus. Wenn es notwendig ist, den Tierarzt zu rufen, dann kannst du das natürlich auch selber tun.«

»Aber bis jetzt hat das immer Berta gemacht.«

»Das stimmt. Aber momentan läuft alles ein wenig anders.«

Ich hatte wirklich überhaupt keine Ahnung, was es alles zu

tun gab. Mutter hatte recht. Was wollte ich mit dem Hof? Und schnell mal einen Landwirt heiraten, war auch nicht gerade mein Wunschtraum. In diesem Moment traf ich eine spontane Entscheidung. Ich würde morgen mit Pauline zurückfahren. Mich um BeauCadeau kümmern und auf den Hof verzichten.

»Pit, kannst du mich und Pauline morgen Mittag zum Bahnhof bringen?«

»Kann ich schon, aber warum fährst du nicht einfach selbst mit dem Auto?«

Fünf Minuten später stand ich in der Scheune vor dem Wagen meiner Oma. Ich hatte nicht gewusst, dass sie den silbergrauen Mercedes noch gefahren hatte. Der Wagen war einige Jahre älter als meine Schwester, aber immer noch total gut in Schuss. Pit reichte mir die Schlüssel. Und da mir – zumindest bis ich das Erbe offiziell ausschlug – momentan noch alles gehörte, würde ich den Wagen auch so lange fahren.

Kapitel 7

Entscheidungen waren manchmal dazu da, über den Haufen geworfen zu werden. Während ich mich wieder einmal schlaflos in meinem Bett herumgewälzt hatte, war mir eine Idee gekommen, wie ich Bertas Bedingungen umgehen würde, ohne das gesamte Erbe zu verlieren. Ich konnte kaum erwarten, dass es Morgen wurde. Als es draußen endlich hell war, stand ich auf und sprang unter die Dusche.

Während ich vor dem Spiegel meine widerspenstigen Haare föhnte, merkte ich, dass mir bereits die wenigen Tage auf dem Land eine gesunde Farbe ins Gesicht gezaubert hatten. Meine dunklen, schokofarbenen Augen strahlten. Ich war aufgeregt. Ich würde Omas Absichten durchkreuzen. Warum war ich eigentlich nicht sofort darauf gekommen?

Ich schlüpfte in eine bequeme Jeans und einen leichten dunkelgrauen Pulli, fütterte Fanny – so weit ging die Freundschaft bei Pauline nicht, dass sie wegen ihr so zeitig aufstand – und machte mich ohne Frühstück sofort auf den Weg zum Hof meines Cousins.

Unterwegs begegnete mir Willy auf seinem Motorrad. Er hielt neben mir an und zog den Helm vom Kopf.

»Guten Morgen, Hannerl«, begrüßte er mich laut, um den

Lärm des Motors zu übertönen. Er war der Einzige, dem ich diesen Spitznamen durchgehen ließ. Bei allen anderen konnte ich es überhaupt nicht leiden, wenn sie mich »Hannerl« nannten.

»Servus, Willy!«, schrie ich zurück.

»Gratuliere zum Erbe«, sagte er und lächelte süffisant unter seinem graumelierten Sieben-Tage-Bart hervor. Offensichtlich hatte sich die Nachricht im Dorf bereits herumgesprochen. Na bravo!

»Danke! Bis später, Willy.« Mehr sagte ich nicht, denn ich hatte es eilig.

Ich fand Max in der Gerätehalle, wo er den abgefahrenen Reifen einer Kartoffellegemaschine auswechselte.

»Guten Morgen, Max«, begrüßte ich ihn freundlich.

»Du bist ja zeitig wach!«, stellte er überrascht fest und wischte sich die ölverschmierten Hände an einem Tuch ab.

»Morgenstund hat Gold im Mund.« Und das in diesem Fall, wie ich hoffte, nicht nur sprichwörtlich.

»Du scheinst ja sehr vergnügt zu sein. Hast du über Nacht einen Bräutigam gefunden?«, witzelte er.

»Nein!«, strahlte ich. »Ich habe eine viel bessere Idee.«

»Ja?«

»Ich verzichte noch heute auf den Hof, und du gibst mir dafür die Dreiviertelmillion aus dem Barvermögen«, platzte es aus mir heraus.

Eine Dreiviertelmillion Euro. Hörte sich das nicht phantastisch an? Zu D-Mark-Zeiten wäre ich damit sogar eine eineinhalbfache Millionärin gewesen. Ich schaute ihn erwartungsvoll an. Und er schaute verdutzt zurück. Damit hatte er nicht gerechnet. Wahrscheinlich hatte es ihm vor lauter Freude die Sprache verschlagen.

»Und? Ist das nicht eine super Idee? Du bekommst den Großteil des Erbes, und ich brauche nicht zu heiraten und bekomme trotzdem ein Stückerl vom Kuchen ab.«

Er sagte immer noch nichts.

»Wir könnten das gerne heute noch schriftlich …«

»Nein!«

Dieses unerwartete kleine Wort brachte mich plötzlich aus dem Konzept.

»Nein?«

»Nein!«

Das Lächeln war aus meinem Gesicht verschwunden, dafür setzte er ein Grinsen auf. Ein böses Grinsen, wie ich fand.

»Warum sollte ich das tun, wenn ich nur drei Monate abwarten muss und dann alles haben kann?«, fragte er und verschränkte seine Arme vor der Brust.

»Aber Max …«

»Hast du wirklich gedacht, ich würde mich auf so einen Handel einlassen, Hanna?«

Ich nickte. Ja, das hatte ich gedacht. Der Max, den ich als Kind gekannt hatte, wäre wahrscheinlich sogar selbst auf diese Idee gekommen. Wie hatte ich mich nur so sehr in ihm täuschen können?

»Wenn ich heirate, bekommst du gar nichts«, erinnerte ich ihn.

»Ich weiß genau, dass du nicht heiraten wirst. Und damit die Bedingungen nicht erfüllen wirst. Wahrscheinlich schaffst du es noch nicht einmal, drei Monate lang jeden Tag auf dem Hof zu übernachten.«

Dieser selbstgefällige, geldgierige Kerl!

»Wenn du dich da mal nicht täuschst!«, fauchte ich, inzwischen so wütend, dass ich ihm am liebsten an die Gurgel gegangen wäre. Um das zu vermeiden – schließlich war ich in weniger aufregenden Zeiten ein sehr friedliebender Mensch – drehte ich mich um und stapfte aus der Gerätehalle.

Als ich auf dem Hof zurück war, hatte sich meine Wut kaum abgekühlt. Ich war gerade dabei, die Haustür aufzusperren, da kam der Briefträger und überbrachte mir ein dickes Einschreiben von der Bank. Darin lag eine noch von Berta unterschriebene Vollmacht für mich. In einem begrenzten Rahmen konnte ich in besagten drei Monaten, oder so lange, bis ich vorzeitig auf das Erbe verzichtete, über eines der Konten verfügen. Was sämtliche geschäftliche Vorgänge, die in dieser Zeit notwendig waren, mit einschloss. Ich war verblüfft, wie gründlich Oma den Fall ihres Todes vorbereitet hatte, obwohl sie vor dem Unfall in einer ausgezeichneten gesundheitlichen Verfassung gewesen war. Doch anscheinend hatte sie nichts dem Zufall überlassen wollen.

Ich setzte mich mit dem Schreiben auf die Bank vor dem Haus und schloss die Augen. Meine Wut war inzwischen verraucht, und ich war eher ratlos. Was sollte ich denn jetzt tun? Aufgeben? Wahrscheinlich wäre das wirklich das Vernünftigste. Aber sollte ich in diesem Fall vernünftig sein? Die französische Nationalhymne riss mich aus meiner Grübelei. Das Firmenhandy! Ich eilte in die Stube, wo mein Handy lag.

»BeauCadeau«, meldete ich mich hastig.

»Hallo, Bea, hier ist Frank Cornelius. Endlich erreiche ich Sie. Ich wollte nachfragen, ob Sie inzwischen schon eine Idee für das Geschenk haben?«, fragte er freundlich.

Oh Gott. Das hatte ich vor lauter Aufregung in den letzten beiden Tagen völlig vergessen.

Ich räusperte mich kurz. »Herr Cornelius! Wie schön, von Ihnen zu hören. Ich bin natürlich intensiv an diesem Geschenk dran«, log ich. Gleichzeitig gelobte ich still, mich umgehend mehr als intensiv damit zu befassen.

»Und gibt es schon eine Tendenz?«, fragte er neugierig.

»Eine Tendenz noch nicht. Erst einmal einige Überlegungen. Aber es soll ja auch etwas ganz Besonderes sein«, wand ich mich.

»Kann ich in ein paar Tagen mit einer Tendenz rechnen?«

»Aber selbstverständlich!«, antwortete ich mit einer gehörigen Portion Gottvertrauen.

»Sehr schön«, sagte er, und ich hörte eine gewisse Erleichterung in seiner Stimme.

Wir verabschiedeten uns und vereinbarten, dass wir uns nächste Woche in München treffen würden, um über den aktuellen Stand der Dinge zu sprechen.

»Puh«, stöhnte ich und musste mich setzen. Das war gerade nochmal gut gegangen.

»Können wir nicht noch ein paar Tage bleiben?«, fragte Pauline verschlafen. Sie war in einem ausgewaschenen Hannah-Montana-Schlafanzug hereingekommen, ohne dass ich sie bemerkt hatte. Gefolgt von ihrer neuen besten Freundin Fanny.

Ich musste trotz meiner vielen Probleme lächeln. Pauline sah so süß aus mit ihren verwuschelten rotbraunen Haaren! Gähnend rieb sie sich die Augen, die fast genauso braun waren wie meine. Ein Erbe unserer Mutter. In den letzten Wochen war Pauline plötzlich hochgeschossen und hatte mich schon jetzt größenmäßig eingeholt. Dabei war sie so schlank wie ein junges Fohlen. Pauline war noch ein Kind, aber auf der Schwelle zum Erwachsenwerden. Als ich in ihrem Alter war, hatte sich meine Kindheit schlagartig verändert. Deswegen war mir damals dieser Übergang selbst kaum bewusst gewesen.

»Biiitte, nur noch bis zum Wochenende!«

»Tut mir leid, Schwesterchen. Aber wir fahren heute. Ich muss unbedingt ins Büro, und außerdem brauche ich mehr Sachen zum Anziehen.«

»Mehr Sachen? Dann kommst du wieder hierher zurück!«, stellte sie fest. Sie war ein pfiffiges Mädchen, keine Frage.

»Ja, ich fahre am Nachmittag wieder zurück.«

»Darf ich dann wieder miiiihiiit?« Ihre Angewohnheit, Vokale in die Länge zu ziehen, brachte mich zum Lachen.

»Wenn Mama es erlaubt…«

»Coool!«, unterbrach sie mich lauthals.

»…und wenn du Schulsachen zum Lernen mitnimmst«, stellte ich zur Bedingung. Pauline besuchte ein neusprachliches Gymnasium, zählte aber nicht gerade zu den Leuchten in der Klasse. Ihr hübsches Gesicht verzog sich beim Gedanken an Vokabeln pauken. Doch gleich darauf grinste sie wieder.

»Na gut!«

»Dann zieh dich mal an.«

Nach einem ausgedehnten Frühstück fuhren wir im Auto meiner Oma nach München. Wir, das waren Pauline, Fanny und ich. Mit den zahlreichen Pferdestärken unter der Motorhaube schafften wir die Strecke in noch nicht mal eineinhalb Stunden. Nachdem ich bisher immer nur kleine Autos gefahren hatte, machte es mir einen riesigen Spaß, in Omas »Schiff« mal so richtig Gas zu geben.

Lauthals sangen Pauline und ich zur Musik aus dem Radio mit. Zum Glück waren wir beide musikalisch und mit guten Stimmen gesegnet. Unsere Mutter hatte dafür gesorgt, dass wir im Chor sangen und ein Musikinstrument lernten. Ich spielte Gitarre, und Pauline hatte sich für Klavier entschieden. Wir hatten zwar nicht so ganz den gleichen Musikgeschmack, was angesichts unseres Altersunterschiedes auch nicht ungewöhnlich war, aber bestimmte Songs gefielen uns beiden, wie *Digging in the Dirt* von Stefanie Heinzmann oder *Don't Gimme that* von The Boss Hoss. Als wir den Refrain von *Tage wie diese* sangen, begann Fanny auf dem Rücksitz laut zu jaulen. Entweder war der Hund ein echter Fan der Toten Hosen, oder sie konnte das Lied nicht leiden. Die Zeit verging wie im Flug, und schon waren wir in München. Ich lieferte Pauline samt Hund bei meiner Mutter ab und fuhr dann gleich ins Büro. Nicht ohne meiner Schwester hoch und heilig zu versprechen, sie später wieder abzuholen.

Zunächst verschwieg ich Daniela mein verzwicktes Erbe, damit sie sich auf unsere Arbeit konzentrieren konnte. Denn ich hatte neben Cornelius' Auftrag noch drei weitere Geschenke zu organisieren.

Innerhalb der nächsten zwei Stunden wählten wir, nach sorgfältigen Recherchen in den letzten Wochen, eine Suzuki GW 250, eine Amazonas-Expedition und einen Cavalier King Charles Spaniel Welpen, samt exklusiver Hunde-Erstausstattung. Das Motorrad war ein Geschenk zum 25. Hochzeitstag, mit der Expedition wurde eine 60-jährige Mutter beschenkt, und der Hund war für die Geliebte eines vielbeschäftigten Hoteliers gedacht.

Nachdem wir diese drei Punkte abgehakt hatten, die wieder ein wenig Geld in die Kasse bringen würden, machten wir ein erstes Brainstorming für Cornelius' Frau.

Doch ich konnte mich nicht richtig konzentrieren und platzte plötzlich mit der Nachricht über Bertas letzten Streich heraus. Wie ich schon vermutet hatte, war Daniela völlig aus dem Häuschen.

»Du darfst dir das auf keinen Fall entgehen lassen, Hanna!«, rief sie aufgeregt. »Schließlich steht dir das Erbe zu.«

»Meine Mutter ist da völlig anderer Ansicht«, seufzte ich. Ich konnte immer noch nicht verstehen, warum sie in diesem Fall nicht hinter mir stand.

»Unsinn! Wahrscheinlich hat sie ein schlechtes Gewissen, weil sie jetzt mit einem anderen Mann verheiratet ist. Aber das hat doch alles nichts mit dir zu tun, Hanna! Du musst das unbedingt machen!«

»Aber wie denn? Wo soll ich denn plötzlich einen Ehemann hernehmen, der noch dazu eine Ahnung von der Landwirtschaft hat?«

Sie zwirbelte wild an ihren Haaren. »Gibt es denn in diesem Halling keine geeigneten Junggesellen?«, fragte sie.

»Ehrlich gesagt habe ich mir darüber noch keine Gedanken gemacht«, gestand ich. »Aber vielleicht sollte ich die Männer dort mal unter die Lupe nehmen.«

»Natürlich solltest du das!«

»Aber ich hab gerade mal drei Monate Zeit!« Manche Frauen brauchten fast ein Leben lang, um einen Ehemann zu finden, einige schafften es nie, und ich sollte das in dieser kurzen Zeit bewerkstelligen?

»Jetzt stell dich nicht so an. Wenn man etwas wirklich will, dann schafft man es auch.«

Ich hatte Danielas Worte noch im Ohr, als ich am späten Nachmittag zu meiner Mutter fuhr, um meine Schwester und Fanny abzuholen. Meine Mutter war keinen Millimeter von ihrer Meinung abgewichen und redete mir noch einmal eindringlich ins Gewissen, auf den Hof zu verzichten. Ihre Argumente klangen sehr plausibel: Nur aus Geldgründen zu heiraten brächte kein Glück. Zudem wäre ich völlig ungeeignet, einen Hof zu führen, und würde ihn womöglich in den Ruin treiben.

Und ein letzter Punkt, in dem ihr ihre Anwaltskollegen, die auf Erbrecht spezialisiert waren, sicher nicht recht gegeben hätten: Den letzten Willen eines Menschen sollte man nicht anfechten!

Ich versprach ihr, noch einmal in Ruhe über alles nachzudenken, und war froh über meine quengelnde Schwester und die bellende Fanny, die darauf drängten, dass wir endlich losfuhren.

Ich hatte mir ausreichend Kleidung eingepackt, denn – egal wie es sich in puncto Männer entwickeln würde – die Klausel mit dem Übernachten würde ich auf jeden Fall erfüllen. Und wenn ich es nur tat, um Max zu ärgern! Damit ich nicht ständig wegen der Arbeit hin und her fahren musste, hatte ich auch meinen Laptop und verschiedene Arbeitsunterlagen im Kofferraum verstaut.

Pit war noch auf dem Hof, als wir ankamen, und berichtete mir, dass er bald mit dem Auslegen der Kartoffeln beginnen würde.

»Danke, Pit«, sagte ich und holte müde die Taschen aus dem Wagen. Pauline und Fanny waren schon im Haus verschwunden.

»Komm, ich helfe dir«, bot Pit freundlich an.

Als alles im Haus verstaut war, nahm ich aus dem Kühlschrank zwei Flaschen Bier und reichte Pit eine davon. Wir setzten uns in die Stube.

»Ich bin froh, dass du dich so gut um alles kümmerst, Pit«, sagte ich, ehrlich dankbar, dass ich ihn an meiner Seite hatte.

»Es ist meine Arbeit.«

»Trotzdem. Alleine wäre ich völlig hilflos.«

Er sah mich mit seinen hellblauen, ein wenig wässrig wirkenden Augen lächelnd an.

»Du musst das ja nicht alleine machen«, entgegnete er und nahm dann einen tiefen Schluck aus der Flasche. Ich tat es ihm nach.

Aus dem Wohnzimmer war der Fernseher zu hören. Irgendeine dieser unzähligen Casting Shows, nach denen Pauline geradezu süchtig war.

»Trotzdem muss ich es lernen. Sag mir bitte, wenn es was zu tun gibt, Pit.«

Er schaute mich von der Seite an. »Wenn du meinst.«

Wir tranken wieder. Eine Weile sagte keiner von uns etwas. Ich überlegte, ob ich Pit darauf ansprechen sollte, welche Single-Männer es im Ort gab. Doch da streckte Willy seinen Kopf zur Tür herein.

»Die Ilona hat gekalbt!«, rief er. »Ein kleiner Stier!«

Zehn Minuten später standen wir alle am Rande der Weide. Es war schon fast dunkel, aber wir konnten das Kälbchen noch erkennen. Es stand am anderen Ende der Weide in der Nähe des Unterstandes bei seiner Mutter und trank. Wir alle – sogar Willy – hatten diesen verzückten, leicht dämlich wirkenden Ausdruck im Gesicht, den der Anblick von kleinen Babys, Hundewelpen, Katzenkindern und anderem Nachwuchs bei den meisten Menschen hervorzauberte.

»Ist der süüüüß!«, schwärmte Pauline, und Fanny gab bellend ihre Zustimmung.

Pit, Willy und ich hatten uns zur Feier des Tages Bier mitgenommen und stießen auf das neue Mitglied der Herde an. Der zottelige, jetzt noch kleine Kerl würde ein phantastisches Leben haben. Mit vielen Kühen, die er beglücken durfte. Und er würde hoffentlich für eine Menge weiterer Kälbchen sorgen.

»Habt ihr schon einen Namen für ihn überlegt?«, fragte ich die beiden Männer. Sie schüttelten den Kopf.

»Ich bin für Dieter!«, rief Pauline fröhlich.

»Du möchtest ihn nach deinem Vater nennen?«, fragte ich amüsiert.

»Nein! Nach Dieter Bohlen natürlich!«, sagte unser Casting-Show-Junkie.

»Nein!«, kam es gleich dreifach und sehr bestimmt.

»Wie wär's mit Ringo?«, schlug Willy vor.

»Wer ist Ringo?«, wollte Pauline wissen.

Willy, Pit und ich schüttelten verständnislos den Kopf. Lernten denn die Kinder heute gar nichts Vernünftiges mehr? Willy gab Pauline eine kurze Einführung zum Thema Beatles und versprach, ihr am nächsten Tag ein paar Songs vorzuspielen.

Obwohl sie Ringo Starr nicht kannte, fand Pauline den Namen lustig, und so bekam der kleine Stier den Namen eines der berühmtesten, wenn auch nicht unbedingt besten Schlagzeuger der Welt.

kapitel 8.

Die nächsten Tage wurde ich von Pit und Willy dermaßen eingespannt, dass ich jeden Abend hundemüde ins Bett fiel. Zusätzlich zu der Arbeit auf dem Hof musste ich mich auch um das Haus kümmern. Waschen, putzen und nachdem ich die Gastfreundschaft meiner Tante nicht unbegrenzt in Anspruch nehmen konnte, stand auch das Kochen für alle auf dem Programm. Da ich in den letzten Jahren als Single für mich selbst nicht allzu aufwändig gekocht hatte, musste ich mich erst einmal daran gewöhnen, Portionen auf den Tisch zu bringen, die für zwei gestandene Männer und eine gefräßige Halbwüchsige reichten. Die Schonfrist war vorbei, und ich war fast rund um die Uhr eingespannt. Pauline streunte den ganzen Tag mit Fanny in der Gegend herum und schien glücklich zu sein. Wenigstens um sie musste ich mich kaum kümmern.

Max hatte sich seit unserem Streit nicht mehr blicken lassen. Dafür kam Tante Luise fast täglich vorbei.

Auch heute stand sie plötzlich in der Stube, als ich mir endlich einmal Zeit genommen hatte, im Internet wegen eines Geschenks für Frau Cornelius zu recherchieren.

»Grüß dich, Hanna. Ich hab euch einen Gugelhupf gebacken.«

»Oh, das ist lieb von dir, Tante Luise!«

Sicher erwartete sie, dass ich sie auf einen Kaffee einlud. Dabei hatte ich so viel zu tun. Ich verkniff mir ein Seufzen.

»Möchtest du eine Tasse Kaffee?«, fragte ich trotzdem höflich und fuhr den Rechner herunter.

»Gerne.«

Während ich mit der guten alten Maschine Filterkaffee kochte, deckte meine Tante den Tisch vor dem Haus. Die Sonne schien von einem wolkenlosen Himmel herab. In nur wenigen Tagen waren die Pflanzen und Sträucher in einer wahren Blütenpracht explodiert.

»Hanna, ich habe lange nachgedacht über meine Mutter und das Testament«, begann Luise vorsichtig, nachdem wir eine Weile über das Bepflanzen der Balkonblumenkästen gesprochen hatten.

»Ja?« Ich dachte auch oft über Oma nach. Und über das Testament. Und wie ich an mein Erbe kommen konnte, ohne zu heiraten.

»Weißt du, ich glaube, sie hat es nur gut gemeint.«

»Gut gemeint?« Was wären dann wohl erst die Bedingungen gewesen, wenn sie es böse gemeint hätte? Eine Geschlechtsumwandlung zum Mann oder das lebenslange Tragen von geblümten Schürzenkleidern?

»Naja. Ich weiß, es hört sich vielleicht eigenartig an. Aber … bitte sei mir nicht böse, wenn ich das jetzt so sage …«, stotterte sie unsicher herum.

»Sag es einfach frei heraus, Tante Luise.«

»Also die Frauen von heute, die … die lassen sich doch oft ziemlich lange Zeit mit einer Heirat. Und viele heiraten gar nicht mehr. Und vielleicht wollte meine Mutter, also deine Oma einfach nur, dass du einen Mann an deiner Seite hast, der sich um dich kümmert.«

»Du meinst, sie wollte, dass ich schnellstmöglich unter der Haube bin, damit ich nicht übrig bleibe?«, fragte ich verdutzt.

»Wenn du es so sagst, hört sich das so negativ an. Was spricht denn dagegen, zu heiraten und eine Familie zu gründen?«

»Dagegen ist gar nichts zu sagen. Solange man das aus freien Stücken und ohne Zeitdruck tun darf.« Ich versuchte, freundlich zu bleiben. Das gelang mir nur, weil ich Tante Luise sehr gerne mochte und wusste, dass hinter ihren etwas antiquierten Ansichten keine Boshaftigkeit steckte.

»Bitte Hanna, sei nicht böse auf deine Oma. Ich glaube wirklich, sie wollte nur das Beste für dich.«

Arme Tante Luise. Sie machte sich selbst etwas vor. Aber es war sicherlich nicht leicht, wenn die eigene Mutter sich mit einem dermaßen unmöglichen Vermächtnis aus dieser Welt verabschiedet hatte und man nicht mehr mit ihr darüber reden konnte. Womöglich würde ich auch nach einer freundlichen Erklärung suchen, wenn sie meine Mutter gewesen wäre.

»Vielleicht hat sie es ja wirklich gut gemeint«, lenkte ich deswegen ein, auch wenn ich nicht ihrer Meinung war.

»Ich glaube daran, dass du den passenden Mann findest und in drei Monaten glücklich sein wirst.« Sie lächelte mich an.

Meine Tante schien mir das Erbe wirklich zu gönnen. In Anbetracht der Tatsache, dass bei meinem Scheitern ihr Sohn alles bekommen sollte, fand ich das etwas verwunderlich.

»Warum versuchst du nicht, mir das Erbe auszureden?«

Sie spielte mit den restlichen Kuchenbröseln auf ihrem Teller, dann schaute sie mich an.

»Dein Vater hat dich vom ersten Tag an vergöttert Hanna. Er würde wollen, dass du den Hof bekommst«, sagte sie und wischte sich verstohlen eine Träne aus dem Gesicht.

»Max sieht das aber ganz anders.«

»Er will das Beste für den Hof«, sagte sie seufzend. Tja, und das Beste für den Hof war eben nicht ich.

»Kuuuchen!« Pauline kam angesaust, gefolgt von ihrem Schatten Fanny. »Krieg ich bitte auch was?«

Tante Luise schien erleichtert über die Unterbrechung des Gespräches zu sein und lächelte meine Schwester an.

»Freilich! Du kannst haben, so viel du möchtest.« Sie schnitt ein großes Stück ab und reichte ihr den Teller.

»Danke!« Pauline langte sofort ordentlich zu und bedachte auch den Hund mit einem kleinen Stück.

Ich sparte es mir, sie dafür zu schimpfen. Heute war ihr letzter Tag auf dem Hof. Meine Mutter würde sie später abholen.

Der Abschied war tränenreich. Und wir konnten Pauline nur von Fanny losreißen, weil wir versprachen, dass sie bald wieder an einem Wochenende kommen durfte.

»Tja Fanny. Jetzt musst du wieder mit mir alleine vorliebnehmen!«, sagte ich, als der Wagen vom Hof fuhr. Der Hund drehte sich um und verschwand im Haus.

kapitel 9

Ich saß mit meinem Laptop auf der Bank vor dem Haus und machte in einer Video-Konferenz mit Daniela eine Vorschlagsliste für Bettina Cornelius. In drei Tagen sollte ich mich mit ihrem Mann in München treffen und ihm eine Tendenz vorlegen.

»Und wenn wir sie auf eine Warteliste für Weltraumreisen setzen?«, schlug Daniela vor.

»Mit einer Million können wir sie mehrmals ins Weltall schicken. Aber gut, ich notier es mir mal.«

Wir brauchten ein paar wirklich gute Vorschläge. Warum fiel es mir in diesem Fall so schwer, mir etwas auszudenken? Sonst kamen mir die Ideen doch immer so schnell!

»Sollen wir das Liz-Taylor-Armband mit dem Rubin jetzt auch auf die Liste setzen?«, fragte Daniela.

»Bist du sicher, dass das wieder zum Verkauf steht?«

Daniela nickte. »Ja.«

»Na gut. Und dann schlagen wir noch das Rennpferd vor.«

»Ich recherchiere noch weiter und schick dir meine Ideen, wenn mir noch was einfällt.«

»Danke, Daniela!«

»Wie läuft es eigentlich in Sachen Hochzeit? Hast du dich schon nach passenden Single-Männern umgeschaut?«, fragte sie neugierig.

»Irgendwie komm ich hier zu gar nichts.« Bisher wusste ich nur sicher, dass mein Jugendfreund Stefan, der Wirt, nicht liiert war. Er hatte zwar keinen richtigen Hof, aber zum Wirtshaus gehörte ein kleines Sacherl, das er im Nebenerwerb bewirtschaftete. Das würde wohl im strengen Sinne als landwirtschaftliche Erfahrung gelten. Aber Stefan zu heiraten konnte ich mir beim besten Willen nicht vorstellen. Ich konnte mir ehrlich gesagt überhaupt nicht vorstellen, irgendjemanden zu heiraten. Außer vielleicht Orlando Bloom. Aber der war schon unter der Haube. Und die Wahrscheinlichkeit, dass er sich in den nächsten Wochen scheiden lassen und nach Halling verirren würde, war relativ gering.

»Hanna! So geht das nicht! Dir läuft die Zeit davon. Jetzt mach doch endlich mal!«, schimpfte Daniela.

»Ja ja. Ich hör mich um.«

»Versprichst du mir das?« Sie sah mich misstrauisch an.

»Ja! Ich verspreche es. Aber jetzt muss ich aufhören. Pit kommt. Ich glaube, er braucht mich.«

»Ist dieser Pit eigentlich …?« Mehr hörte und sah ich nicht mehr von ihr, ich hatte die Verbindung schon unterbrochen.

»Hanna, kommst du mal bitte?«, fragte Pit, mit etwas kratziger Stimme.

»Gibt es ein Problem?«

Er räusperte sich.

»Nein. Nein, nein. Ich möchte dir nur was zeigen.«

Ich schaltete den Rechner aus und folgte Pit in den Obstgarten. Bisher hatte ich noch nicht nachgefragt, welcher Baum es war, von dem Berta gefallen war. Und ich wollte es auch gar nicht wissen. Hoffentlich dachte Pit nicht, dass er mir die Stelle zeigen musste. Pit deutete nach rechts.

»Das ist übrigens der Baum, von dem Berta gestürzt ist.«

Nein! Ich bekam schlagartig eine Gänsehaut und versuchte, den Baum nicht weiter zu beachten. Was schwierig war, denn es war der einzige Zwetschgenbaum im Obstgarten.

Am Ende der Wiese lag eine große karierte Decke und darauf war ein Picknick angerichtet. Verwundert schaute ich Pit an.

»Ich dachte, weil du in letzter Zeit so viel gearbeitet hast und … weil du so viel Ärger hast … dass du dich vielleicht freust über das Picknick«, stotterte er herum und kniete sich auf die Decke.

»Das ist echt … nett!« Ich freute mich wirklich total. Ein Picknick – allerdings mit Champagner und Lachsschnittchen – hatte ich zum letzten Mal vor Jahren mit Simon an der Isar gemacht, um ihn nach seinem Physikum zu überraschen.

Ich setzte mich so auf die Decke, dass der Zwetschgenbaum nicht in meinem Blickfeld war. Pit packte aus einem Korb eifrig Papiertüten der hiesigen Metzgerei aus. Es gab Wurst- und Käsesemmeln, eingelegte Gewürzgurken und ein paar schmal abgeschnittene Stücke eines selbstgemachten Zitronenkuchens. Ein einfaches Essen, aber es schmeckte hervorragend.

Dazu öffnete er eine Flasche Sekt und schenkte in zwei Plastikbecher ein. Er reichte mir einen Becher und lächelte mich an. Pit war zwar kein sonderlich gut aussehender Mann, aber er war auch nicht gerade hässlich. Erst jetzt fiel mir auf, dass er heute zu seiner Jeans ein dunkelblaues Hemd trug. Mir schwante plötzlich, in welche Richtung sich das Picknick entwickeln sollte. Aber vielleicht täuschte ich mich ja?

»Zum Wohl, Hanna!«

»Prost, Pit! Und danke für diese Überraschung.«

»Das habe ich doch gerne für dich gemacht.«

Der Sekt war ein wenig zu warm und stieg mir sofort zu Kopf.

Doch Pit schenkte schnell nach und stieß gleich noch einmal mit mir an.

Ich hatte kaum Gelegenheit, den Becher wieder wegzustellen, da beugte er sich über mich.

»Heirate mich!«, flüsterte er, und bevor ich dazu irgendeinen Kommentar abgeben konnte, drückte er seinen Mund auf meine Lippen.

Ich wusste gar nicht, wie mir geschah. Es war einer der kürzesten Küsse meines Lebens. Kaum hatte ich so richtig realisiert, was da gerade passierte, wurde sein Kopf ruckartig nach hinten gerissen. Ich schaute nach oben und sah eine Frau mit rot gesträhnten langen Haaren, die Pit eine schallende Ohrfeige verpasste.

»Du gemeiner Lump!«, rief die Frau. Ihre hohe Stimme kam mir bekannt vor.

Pit legte seine Hand an die Wange, stand schnell auf und entfernte sich einige Schritte von ihr und von mir.

»Verena, bitte… Ich, ich… erkläre es dir.«

»Später!«, quietschte sie. Dann drehte sie sich zu mir. »Und du brauchst ja nicht zu denken, dass du einfach hier ankommen und unseren Männern den Kopf verdrehen kannst!«, keifte sie mich an.

Ich folgte Pits Beispiel und stand ebenfalls auf. »Hallo, Verena«, begrüßte ich meine ehemalige Banknachbarin aus der ersten Klasse freundlich. »Ich habe überhaupt nicht vor, irgendjemandem den Kopf zu verdrehen!«, versuchte ich sie zu beruhigen.

»Aha. Und deswegen machst du mit meinem Freund ein Picknick und versuchst ihn zu verführen?« Ihr Gesicht lief dunkelrot an.

»Er hat mich eingeladen… Und, wie bitte? Pit ist dein Freund?«, fragte ich völlig überrascht. Das hatte ich nicht gewusst.

»Ja, was denkst du denn? Dass er mein Opa ist?«

Jetzt konnte ich verstehen, warum sie wütend war. Das wäre ich an ihrer Stelle auch. So ein Mistkerl! Ich drehte mich zu Pit und erwartete, dass er seiner Freundin erklärte, wer für das Picknick verantwortlich war. Doch Pit dachte gar nicht daran, die Sache aufzuklären.

»Es tut mir leid, Hase, aber ich weiß auch nicht, was Hanna von mir will.«

Wie bitte? Was ich von ihm wollte? »Also, das ist doch die Höhe!«, rief ich, inzwischen stocksauer. »Du lockst mich in den Garten, zeigst mir den Todesbaum, den ich gar nicht sehen wollte, verpasst mir lauwarmen, billigen Sekt, machst mir einen Heiratsantrag, und dann tust du so, als ob ich was von dir wollte?«

»Heiratsantrag?« Verena war blass geworden. Erstaunlich, wie schnell sich ihre Gesichtsfarbe verändern konnte. Das lag wohl an ihrem eher hellen Teint.

»Jawohl, einen Heiratsantrag!«

»Hase, bitte, das ist ganz anders, als du denkst.«

»Ach ja?«

»Glaub mir, das hab ich nur für uns getan. Sie bekommt doch den Hof nur, wenn sie heiratet. Und dann hätte ich mich bald wieder scheiden lassen, und mit dem Geld hätten wir beide uns ein schönes Leben machen können. Ich liebe doch nur dich!«

Aha! So war das also! Er hatte mich also total linken wollen! Und ich hatte mich gefreut, weil er so nett zu mir war. Wie naiv war ich denn nur?

»Du bittest eine andere Frau, dich zu heiraten, und behauptest, dass du mich liebst? Denkst du, ich glaub dir ein Wort?«, schnaubte Verena.

»Ich will doch gar nichts von ihr. Schau sie dir doch an. Sie ist ja überhaupt nicht mein Typ …«

Wie? Na, Gott sei Dank war ich das nicht!

»… das hab ich doch nur gemacht, weil ich für dich – für uns – etwas aufbauen wollte…«

Ihr Blick fiel auf die Decke. Auf den Kuchen auf der Decke.

»Du hast meinen Kuchen mit zum Picknick gebracht!«, stellte sie entsetzt fest, und diese Tatsache schien das Fass für sie zum Überlaufen zu bringen.

»Ich sollte ihn für dich backen, weil du ihn angeblich so gerne magst, und dabei war er für sie!« Verena deutete auf mich.

»Aber Hase…!«

»Du kannst mich mal!«

»Und mich auch!«, setzte ich nach.

»Verena, so war das doch nicht… Hanna, ich hab doch nur…«

Pit redete sich um Kopf und Kragen, und innerhalb weniger Minuten war er sowohl seine Freundin als auch seinen Arbeitsplatz los.

Kapitel 10

Nachdem die beiden weg waren, brauchte ich unbedingt ein wenig Bewegung, um mich abzureagieren. Ich machte einen flotten Spaziergang zu den Weiden. Es war windig geworden, und Wolken hatten sich vor die Sonne geschoben. Der Anblick der Tiere beruhigte mich etwas. Vor allem der kleine Ringo, der hinter seiner Mutter herdackelte, zauberte ein kleines Lächeln auf meine Lippen. Trotzdem war ich immer noch sauer auf Pit. Er hatte mich komplett hinters Licht führen wollen. Doch ob ich ihn deswegen gleich hätte rauswerfen sollen? Konnte ich ohne seine Mitarbeit auf dem Hof klarkommen? Andererseits, wie sollte ich ihm jetzt noch vertrauen?

»Wenn du die Tiere weiterhin so grantig anschaust, wird die Milch sauer!«, tönte es hinter mir.

Ich drehte mich zu Max um, der mit dem Fahrrad angekommen war, ohne dass ich ihn bemerkt hatte. Ich war ganz in meine Gedanken versunken gewesen. Der hatte mir jetzt gerade noch gefehlt.

»Musst du dich so anschleichen?«, fuhr ich ihn an.

»Entschuldige! Das nächste Mal hänge ich mir eine Kuhglocke um.«

»Ach, lass mich in Ruhe!« Ich drehte mich weg und machte mich schnellen Schrittes auf den Weg zurück zum Hof.

»Welche Laus ist dir denn über die Leber gelaufen?«, fragte er, während er mir hinterherradelte.

Ich beachtete ihn gar nicht.

»Hast du einen Korb bekommen?«

Jetzt blieb ich so abrupt stehen, dass er mir gerade noch ausweichen konnte. Fast wäre er im Graben gelandet.

»He! Pass doch auf!«, schimpfte er.

»Jetzt hör mir mal zu. Ich weiß zwar nicht, was ich dir getan habe, doch dass du mich nicht mehr leiden kannst, hab ich inzwischen verstanden. Aber dann bitte… bitte… lass mich wenigstens in Ruhe.«

»Ich will doch nur wissen, wann du wieder zurückgehst nach München.«

Ich stand kurz davor zu explodieren. Ruhig bleiben, Hanna, ganz ruhig, sagte ich mir. Ich atmete langsam ein und aus.

»Übermorgen. Da habe ich einen Termin.«

»Aber du kommst am Abend wieder zurück, oder? Bisher hast du tatsächlich jeden Tag auf dem Hof geschlafen. Das hätte ich dir gar nicht zugetraut.«

»Woher weißt du, dass ich jeden Tag auf dem Hof schlafe?« Er würde mir doch nicht hinterherspionieren?

»Das wüsstest du wohl gerne«, sagte er mit einem frechen Grinsen und sah dabei unverschämt gut aus. Max hatte eine große Ähnlichkeit mit meinem Vater, vielleicht fiel es mir auch deswegen so schwer, ihn zum Teufel zu schicken.

»Und du wüsstest wohl gerne, wie es mit meinen Heiratsabsichten steht?«, konterte ich.

Er zuckte mit den Schultern. »Hanna, ganz ehrlich. Da mache ich mir überhaupt keine Gedanken. Ich bin mir sicher, dass du nicht heiraten wirst.«

Mit diesen Worten trat er in die Pedale und fuhr davon.

»Wenn du dich da mal nicht täuschst!«, schrie ich ihm hinterher. »Ich werde nämlich sehr wohl heiraten!«

Ich hörte nur noch sein Lachen, dann fing es von einer Sekunde auf die andere an, wie aus Eimern zu regnen.

Ich kam pitschnass am Hof an und ließ mir sofort ein heißes Bad ein. Während ich in der Wanne lag, versuchte ich, eine Weile mal nicht über meine verzwickte Situation nachzudenken. Leider gelang mir das nicht.

Am Abend saß ich vor dem Fernseher, langweilte mich unendlich und fühlte mich einsam. Fanny lag am anderen Ende des Zimmers und ignorierte mich wieder mal.

Seltsam, in meiner kleinen Wohnung in München, die insgesamt nur wenig größer als das Wohnzimmer hier war, kannte ich das Gefühl der Einsamkeit gar nicht. An einem Abend wie diesem wäre ich zu Freunden, ins Kino oder auf einen Sprung zu Mike in die Bar gegangen. Der hätte mir einen seiner ganz speziellen Drinks gemixt und mir ein wenig beim Jammern zugehört. Bis er davon genug gehabt und mir irgendeinen Tipp gegeben hätte, was ich tun oder lassen sollte. Bevor ich lange überlegen konnte, nahm ich mein Handy.

»Hi, Mike, ich bin's«, rief ich, glücklich, seine Stimme zu hören.

»Hanna? Du, es tut mir schrecklich leid, aber hier ist gerade die Hölle los. Einer der Bayern-Spieler feiert Geburtstag und …« Im Hintergrund ertönten laute Gesänge, und ich konnte Mike kaum noch verstehen.

»Schon gut, Mike … Bis bald!«

»Ciao, Bella! Und melde dich, wenn du wieder zurück bist! Du fehlst mir!«

»Du mir auch!«

Ich legte auf. Dann stand ich auf und ging zum Fenster. Draußen regnete es immer noch Bindfäden. Es war schon dunkel. Im Austragshäuschen brannte Licht. Willy war daheim! Der hätte sicher nichts dagegen, wenn ich ihn besuchen würde.

Ich flitzte in die Küche und öffnete den Kühlschrank. Mist. Kein Bier mehr da, das ich mitnehmen konnte. Ich ging in die Speisekammer und suchte nach einer Flasche Wein. Da fiel mir ein Steinguttopf auf, der im Regal stand.

Was war das denn? Ich nahm den schweren Topf und trug ihn in die Küche. Neugierig öffnete ich den Deckel und zog die Frischhaltefolie weg, die darunter war. Sofort stieg mir ein intensiver Duft nach Rum und Früchten in die Nase. Ein Rumtopf! Noch von Oma selbst angesetzt. Mit Erdbeeren, Kirschen, Heidelbeeren, Zwetschgen, roten und schwarzen Johannisbeeren und vor allem mit vielen Himbeeren, die ich besonders liebte.

Als ich noch ein Kind war, gab es den Rumtopf oft an Sonntagen über Eis oder Pudding. Leider immer nur für die Erwachsenen, was ich damals ziemlich gemein fand. Vater hatte mich ab und zu heimlich kosten lassen. Es hatte herrlich geschmeckt, süß und fruchtig. Wahrscheinlich hatte es vor allem deshalb so gut geschmeckt, weil es ja eigentlich für mich verboten war. Damals schwor ich mir, als Erwachsene so viel Rumtopf zu essen, wie ich wollte. Jetzt endlich konnte ich diesen Plan in die Tat umsetzen. Ich holte einen Löffel heraus und probierte.

»Hmmm!« Für einen Moment versetzte mich der Geschmack in die schönen Tage meiner Kindheit zurück, und ich sah das lächelnde Gesicht meines Vaters vor mir. Ich schloss den Deckel wieder, nahm den Topf und einen Regenschirm und machte mich auf den Weg zu Willy.

Laute Musik von Queen war von drinnen zu hören, als ich an der Tür klopfte. Es dauerte ein Weilchen, bis er mich hörte.

»Willy!«, rief ich. »Ich bin's.«

»Herein!«, rief er endlich, und ich betrat den einfachen kleinen Raum, der gleichzeitig Wohnzimmer und Küche war.

Willy saß in einem ausgewaschenen grauen Jogginganzug auf dem Sofa und hatte einen modernen Tablet-PC auf dem Schoß liegen. Er drehte die Musik leise.

»Stör ich?«

»Nur ein bisserl«, antwortete er und grinste schief. War das jetzt als Spaß gemeint?

»Soll ich wieder gehen?« Ich wollte mich ja nicht aufdrängen.

»Schmarrn. Setz dich. Ich bin gleich fertig hier.« Er zwinkerte.

»Ich habe uns Rumtopf mitgebracht.«

Ich stellte den Topf auf dem Tisch ab und holte zwei Gläser, einen Schöpfer und zwei kleine Löffel aus dem Küchenschrank.

Während er noch etwas unsicher im Zwei-Finger-System auf dem Tablet herumtippte, schenkte ich uns ein.

»Was machst du denn da?«, fragte ich neugierig und löffelte bereits die mit Alkohol vollgesogenen Früchte.

»Ich chatte.«

»Du chattest?«

»Habe ich doch eben gesagt.«

»Mit wem?« Wahrscheinlich mit einem seiner Motorradfreunde. Sicher war er in so einem Forum, in dem sich die Biker austauschten. Ohne mir was dabei zu denken, rutschte ich zu Willy auf das Sofa und schaute auf den Bildschirm.

Rasch nahm er ihn weg, und seine Wangen überzogen sich mit einem zarten Rot. Ich konnte es kaum glauben! Der sechzigjährige Willy errötete wie ein Schuljunge!

»Du chattest mit einer Frau!«, stellte ich amüsiert fest.

»Das ist ja nicht verboten, oder?«, brummte er.

Nein. Das war es ganz und gar nicht. Ich hätte damit nur nicht gerechnet.

»Und hast du vor, die Frau auch zu treffen?« Ich war ja wirklich kaum neugierig.

Er schüttelte den Kopf. »Nein!«

»Warum denn nicht?«

Er sah mich verschmitzt grinsend an. »Weil sie denkt, dass ich gerade mal achtunddreißig bin.«

»Willy!«

Dieser alte Schwerenöter! Ich schüttelte lachend den Kopf und schob ihm das Glas mit Rumtopf hin. Mir selbst schenkte ich auch nach, und wir stießen an. Willy verabschiedete sich von seiner Chatpartnerin und erzählte mir, wie es – völlig unabsichtlich natürlich – zu dem Missverständnis mit seinem Alter gekommen war.

»Und wie alt ist sie?«

»Fünfunddreißig.«

Wir lachten beide. Willy, der oft wie ein Lonesome Rider wirkte, war ein sehr unterhaltsamer Mann. Und eigentlich sah er auch gar nicht schlecht aus für sein Alter, wenn einem Männer der Marke sympathisches Raubein gefielen. Ich nahm einen weiteren Schluck. Der Rumtopf wirkte wohl schneller, als ich dachte, und ich ließ meine Gedanken schweifen. Plötzlich kam mir eine geniale Idee.

»Willy, hör mal zu!«, rief ich aufgeregt. »Was hältst du davon, wenn wir beide heiraten … Also, nur so pro forma«, schob ich sicherheitshalber ein, um keine Missverständnisse aufkommen zu lassen. »Wir machen einen Vertrag, und wenn ich den Hof habe, lassen wir uns wieder scheiden, und du kriegst … sagen wir mal zwanzigtausend Euro Abfindung … Oder besser fünfzigtausend!« Geld war ja genügend da.

Die Idee hatte ich von Pit geklaut. Doch im Gegensatz zu ihm spielte ich gleich mit offenen Karten. Das war doch wirklich die beste Lösung, oder nicht?

Willy schaute etwas erschrocken. Kein Wunder. Mit einem Heiratsantrag hatte er heute sicher nicht mehr gerechnet. Er nahm einen kräftigen Schluck.

»Nun, was sagst du?«, fragte ich ihn lächelnd.

»Ich würde dich wirklich gerne heiraten, Hannerl, glaub mir. Aber es geht nicht«, sagte er bedauernd.

»Warum geht es denn nicht? Meinst du wegen dem Altersunterschied? Da mach dir mal keine Sorgen. Die Ehe würde nur auf dem Papier stattfinden.« Es fiel mir schon ein wenig schwer, die Sätze zu formulieren.

Er schüttelte den Kopf. »Das ist es nicht.«

»Was denn dann? Wegen Max brauchst du dir keine Gedanken zu machen. Der verdient es nicht anders.«

»Es ist auch nicht wegen Max.«

Plötzlich kam mir ein unschöner Gedanke. Er fand mich nicht attraktiv genug.

»Findest du mich so hässlich?«, fragte ich kleinlaut. Ich wusste ja selbst, dass ich nicht zu den Frauen gehörte, bei deren Anblick die Männer zu sabbern begannen. Ich schätzte mein Aussehen eher als durchschnittlich ein.

»Nein.« Er lachte. »Ganz im Gegenteil. Du bist eine fesche Frau. Aber Hannerl, hör zu. Ich kann dich nicht heiraten. Weil … weil ich nämlich schon verheiratet bin.«

Hatte er eben gesagt, dass er schon verheiratet war?

»Du bist was?«, fragte ich verwirrt.

»Verheiratet. Seit fünfunddreißig Jahren!«

Jetzt schlug es aber dreizehn! Ich kannte Willy schon, seit ich denken konnte. Das hätte ich doch mitbekommen müssen!

»Willy, bitte verarsch mich nicht!«

»Tu ich nicht.« Und dann erzählte er mir seine Geschichte.

Als junger Mann hatte er sich Hals über Kopf in eine junge vietnamesische Studentin verliebt, die er in Passau kennengelernt hatte. Nicht lange darauf hatte er ihr einen Heiratsantrag gemacht. Und Lan – was so viel heißt wie Orchidee – hatte den Antrag glücklich angenommen. Zwei Jahre hatten die beiden in einer kleinen Wohnung in der Passauer Altstadt gelebt.

»Es war die schönste Zeit meines Lebens«, schwärmte er mit sehnsuchtsvollem Blick.

Willy hatte sich zu dieser Zeit mit einem Job als Kellner durchgeschlagen, damit Lan weiter studieren konnte. Doch dann kam eines Tages die Nachricht, dass Lans Mutter schwer krank war. Lan reiste nach Hause. Danach hatte Willy nie mehr etwas von ihr gehört. Er hatte alle Hebel in Bewegung gesetzt, um sie zu finden. Doch Lan war und blieb verschwunden. Während er erzählte, hatte ich Mühe, meine Tränen zurückzuhalten. Das war eine traurige Geschichte. Wie konnte eine Frau nur so gemein sein und ihren Mann einfach im Stich lassen? Oder war ihr vielleicht etwas passiert?

»Denkst du, dass … dass sie …« Ich konnte die Frage nicht stellen.

»Nein. Ich glaube nicht, dass sie gestorben ist. Das würde ich fühlen.« Unbewusst legte er bei diesen Worten seine Hand an sein Herz. »Ich bin mir sicher, dass Lan noch lebt.«

»Das tut mir sehr leid, Willy. Aber du könntest doch bestimmt die Ehe annullieren lassen, um mit einer anderen Frau glücklich zu werden«, meinte ich mitfühlend. Ich merkte, dass der Alkohol mich noch rührseliger machte, als ich es ohnehin war.

Willy schüttelte den Kopf. »Das werde ich auf keinen Fall tun. Eines Tages wird sie sich melden und mir sagen, warum sie verschwunden ist. Und bis dahin, naja, muss ich ja nicht als Mönch leben ... So, und jetzt will ich nicht mehr davon reden«, sagte er so bestimmt, dass ich mir weitere Fragen verkniff.

Wir schwiegen beide. Ich starrte abwesend auf die kleine Himbeere auf meinem Löffel und zog ein Resümee des vergangenen Tages: Ich hatte heute meinen ersten Heiratsantrag bekommen und meinen ersten Heiratsantrag gemacht. Beide mit negativem Ergebnis. Das bedeutete eine Erfolgsquote von null Prozent. Aus heiratsantragstechnischer Sicht konnte es nicht schlimmer werden. Was ja schon wieder positiv war.

Ich schob die Himbeere in meinen Mund und schenkte mir ein weiteres Glas ein, verzichtete aber jetzt auf die Früchte, die es in sich hatten. Willy war bereits nach dem ersten Glas auf Bier umgestiegen und holte sich eine neue Flasche.

»Ich verstehe nicht, warum du einen alten Mann wie mich fragst, ob er dich heiratet«, sagte er plötzlich und kratzte sich an seinem grau durchzogenen Bart.

»Naja. Du kennst doch meine Lage. Kein Hochzeiter in Sicht ... Und außerdem ... ich ... ich kann das nicht«, sagte ich mit etwas schwerer Zunge.

»Was kannst du nicht?«

»Männer ansprechen. Flirten. Mit einem anbandeln. Und all so was«, rutschte es mir heraus.

Ich war da wirklich nicht sonderlich erfahren. Und ich war nicht nur schlecht darin, selbst die Initiative zu ergreifen. Ich stellte mich fast genauso ungeschickt an, wenn ein Mann auf mich zukam. Daniela hatte mal zu mir gesagt, dass ich wohl erst dann merken würde, dass ein Mann mit mir flirtete, wenn über ihm eine große Leuchtschrift mit den Worten *Achtung, ich flirte mit dir!* erscheinen würde.

»Einer attraktiven Frau wie dir sollten eigentlich die Verehrer nur so hinterherrennen«, riss Willy mich aus meinen Gedanken.

Ach, das hatte er nett gesagt! Vielleicht sah ich ja doch hübscher aus, als ich mich fühlte? Und: Ja, er hatte recht! Sie sollten mir wirklich hinterherrennen, dachte ich trotzig. Nur, wo waren die Männer, wenn man sie dringend zu einem Marathonlauf der besonderen Art brauchte?

»Ich glaube, du gehst das alles völlig falsch an, Hannerl. Mach dir doch eine Gaudi aus deinem Heiratsvorhaben.«

»Eine Gaudi? Willy, ich *muss* heiraten. Das ist doch nicht spaßig!«, warf ich ein.

»Du siehst das alles nur vom Geschäftlichen her. Das ist total negativ und bringt dich nicht weiter. Es gibt tolle Männer da draußen. Und sicher ist einer dabei, der dir gefällt oder den du sogar gerne heiraten möchtest.«

»Meinst du wirklich?«, fragte ich unsicher.

Nach meinen nicht unbedingt berauschenden Erfahrungen in puncto Männer, und vor allem mit Simon, hatte ich so meine Zweifel, ob ich je den Richtigen finden würde. Trotzdem hatte der Gedanke, dass irgendwo ein passender Mann herumlief, der mir gefiel und dem ich gefiel, etwas Tröstliches.

»Wie lange bist du denn schon Single?«, fragte er neugierig.

»Ach, schon ziemlich lange. Drei oder vier Jahre oder so.« Wie lange genau wollte mir im Moment nicht einfallen. Außerdem kam es mir noch gar nicht so lange vor.

427

»Heiliger Bimbam! Das ist aber gar nicht gut!«

»Nicht?«

Er schüttelte mitfühlend den Kopf. Naja. Klar wäre es mal wieder schön, einen festen Freund zu haben. Jemanden, der die Schmetterlinge im Bauch wachkitzeln und zum Flattern bringen würde. Jemanden, auf den man sich verlassen konnte, mit dem man glücklich war.

Und guter, anständiger Sex wäre auch mal wieder nicht schlecht. Nach Simon hatte ich zwar eine kurze Affäre mit einem dänischen Kunsthändler gehabt, den ich bei meinen Recherchen kennengelernt hatte. Aber wir hatten schnell gemerkt, dass wir nicht zusammenpassten.

»Weißt du was? Ich nehme das jetzt mal in die Hand und helfe dir!«, sagte Willy, plötzlich sehr vergnügt.

Ich klatschte begeistert. »Oh ja!« Willy war einfach großartig, und in meiner momentanen Stimmung zweifelte ich keinen Moment daran, dass er es schaffen würde.

kapitel 11

Nie wieder würde ich einen Tropfen Alkohol anrühren! Ich schwor es! Nie, nie wieder! Und sollte ich meinen Schwur eines Tages brechen und doch wieder Alkohol trinken, dann sicherlich keinen Rum – egal, ob mit oder ohne Topf. Natürlich war ich selbst schuld, weil ich es am vergangenen Abend ganz einfach übertrieben hatte. Aber gestern hatte es so lecker geschmeckt! Im Nachhinein verstand ich, dass Kindern der Genuss des Getränks, dessen Namen ich nicht mehr aussprechen wollte, verboten war. Ich konnte mich nicht erinnern, dass ich mich jemals so elend gefühlt hatte.

Es war bereits Mittag, als ich endlich aufstehen konnte. Fanny knurrte mich grantig an und verschwand wie der Blitz nach draußen, als ich die Haustür öffnete. Mit wackeligen Beinen schlurfte ich in die Küche und setzte Kaffee auf. Doch als das dampfende Haferl dann vor mir stand, konnte ich mich nicht dazu überwinden, einen Schluck zu trinken.

»Wie geht es dir denn?«, fragte Willy fürsorglich. Er stand in der offenen Küchentür und schaute mich mitleidig an.

»Frag mich das am besten nächste Woche wieder«, stöhnte ich gequält.

Er trat in die Küche und grinste. »Das wird schon wieder. Am besten wäre jetzt ein eisgekühltes Weißbier«, riet er mir zwinkernd. »Das würde dir bestimmt helfen!«

Schon allein der Gedanke daran ließ mich erschaudern. Ich schüttelte den Kopf und zuckte gleich darauf zusammen. Mein Körper war noch nicht bereit für schnelle Bewegungen.

»Hast du es dir mit Pit nochmal überlegt?«, fragte Willy mich. Er hatte mir gestern vorgeschlagen, dass ich mich mit Pit aussprechen sollte. Denn ohne ihn würde es auf dem Hof schwierig werden.

»Ich lass ihn mal ein paar Tage schmoren, dann ruf ich ihn an«, sagte ich, denn so ganz ungeschoren sollte er auch nicht davonkommen. »Schaffst du es bis dahin alleine, Willy?«

»Na freilich. Das kriegen wir schon hin.«

»Danke!«

Erst jetzt bemerkte ich, dass er einen Zettel in der Hand hielt, den er vor meiner Nase auf den Tisch legte.

»Hier sind die Zugangsdaten und das Passwort für deine neue E-Mail-Adresse.«

»Welche E-Mail-Adresse?«, fragte ich nach.

»Für das Inserat, das wir gestern aufgegeben haben.«

Langsam schlich sich die Erinnerung in meinen Kopf. Stimmt. Wir hatten online eine Annonce für die Zeitung aufgegeben.

Ich schaute auf den Zettel.

»FrausuchtBauer@online.de … Oh lieber Gott! Was ist denn das für eine bescheuerte Adresse?«

»Gestern hast du sie lustig gefunden.«

Gestern hätte ich wahrscheinlich auch *Nagelpilz* oder *Jack the Ripper* lustig gefunden. Gestern hätte ich alles lustig gefunden!

»Wann ist das Inserat in der Zeitung?«

»Am Freitag.«

»Morgen schon?« Das ging aber schnell. Und jetzt fiel mir siedend heiß ein, dass morgen auch das Treffen mit Frank Cornelius in meinem Terminkalender stand. Und ich hatte nicht das Gefühl, dass eines der Geschenke, die wir uns überlegt hatten, ihn vom Hocker reißen würde.

Am nächsten Tag ging es mir Gott sei Dank wieder besser. Ich war sehr früh aufgestanden und drehte mit Fanny eine große Runde entlang der Felder. Der Spaziergang in der frischen Luft munterte mich auf, und ich bereitete mich innerlich auf das Gespräch mit Cornelius vor.

Zurück auf dem Hof schnappte ich mir die Zeitung und blätterte zu den Bekanntschaftsinseraten. Unseres stach mir sofort ins Auge. Ich zuckte zusammen. Was hatten wir uns nur dabei gedacht? Besser gesagt, was hatte sich Willy nur dabei gedacht?

Frau sucht Bauer!
Attraktive Blondine, 33, mit Hof,
sucht feschen Landwirt
zwecks baldiger Heirat im Landkreis Passau.
Nur ernstgemeinte Zuschriften mit Foto an
FrausuchtBauer@online.de

»Oh Gott!« Ich schloss die Augen. Und betete leise, dass Max die Seite mit den Inseraten in der Zeitung beim Lesen auslassen würde. Er würde nämlich sofort wissen, wer sich hinter der 33-jährigen Blondine mit Hof verbarg, die in dieser Gegend einen Bauern als Bräutigam suchte.

Mein Gott, wie peinlich war das alles! Ein Heiratsinserat war doch gleichbedeutend mit einer Bankrotterklärung in Sachen

Liebe. Denn wer glaubte denn schon wirklich, dass man per Annonce die große, echte Liebe fand? Letztlich suchte man sich aus den ganzen Kandidaten denjenigen aus, der am wenigsten von den Träumen und Vorstellungen abwich, die man irgendwann einmal gehabt hatte. Das geringste Übel eben. Das hatte so gar nichts mit der wunderbaren wahren Liebe zu tun, die einem aus heiterem Himmel passierte, die einen überrollte, wenn man am wenigsten damit rechnete.

Nein, die Liebe per Inserat bedeutete für mich Resignation, sie war eine Liebe mit Abstrichen, die man nahm, nur um nicht allein zu sein.

kapitel 12

Kurz vor Mittag saß ich mit Frank Cornelius wieder einmal im Café Himbeere. Obwohl das Wetter sich nach den Regenfällen in den vergangenen Tagen etwas gebessert hatte, war heute wesentlich mehr los im Café. Heute trug ich einen schwarzen Hosenanzug, dazu eine einfach geschnittene weiße Bluse und – wie mein Gegenüber – eine Sonnenbrille.

»Ich finde die Idee mit der Weltraumfahrt nicht schlecht«, meinte Cornelius nachdenklich, nachdem er die anderen Vorschläge bereits abgelehnt hatte. »Aber trotzdem fehlt mir hier noch das gewisse Etwas.«

»Das sehe ich ähnlich, Herr Cornelius. Aber wissen Sie, manchmal ist der entscheidende Hinweis für das gewisse Etwas gar nichts Spektakuläres, sondern eher alltäglich. So alltäglich, dass Sie selbst gar nicht bemerken würden, dass diese Kleinigkeit die alles verändernde Information ist. Deswegen muss ich Ihre Frau sehen und sie kennenlernen.«

»Aber genau das möchte ich nicht!«, warf er ein.

»Keine Sorge. Ich mache das so unauffällig, dass Ihre Frau mich absolut nicht mit dem Geschenk in Verbindung bringen wird.«

Er schob die Sonnenbrille nach unten, so dass ich seine hellblauen, fast grauen Augen sehen konnte.

»Sollte das nicht klappen, ist unsere Zusammenarbeit sofort beendet«, sagte er freundlich, aber mit einem unbarmherzigen Blick, der mir verriet, warum er als Unternehmer so überaus erfolgreich war.

Ich durfte das auf keinen Fall vermasseln! Er durfte sein Vertrauen in mich nicht verlieren!

Ich raffte sämtliches Selbstbewusstsein in mir zusammen und setzte mein Pokerface auf: »Dieses Vorgehen gehört zu meinem beruflichen Alltag, Herr Cornelius. Es gäbe mein Geschäft nicht mehr, wenn ich nicht absolut zuverlässig und professionell arbeiten würde.«

Ohne dass sich sein Gesichtsausdruck sonderlich veränderte, blitzten seine Augen plötzlich freundlich, und er nahm meine Hand. »Tut mir leid, Bea. Das wollte ich ja gar nicht anzweifeln. Es ist mir nur sehr wichtig, meine Frau zu überraschen.« Jetzt lächelte er. »Ich zerbreche mir ja selbst schon seit Monaten den Kopf wegen eines Geschenks. Aber noch nicht mal mir, ihrem Ehemann, der sie liebt, ist etwas eingefallen. Eigentlich ist das doch eine Schande, oder?«

Ich lächelte zurück. »Nein! Keine Schande. Was zählt ist, dass Sie ihr eine Freude machen möchten. Und so wie ich Bettina bisher einschätze, ist es eben deswegen nicht so einfach, weil sie eine ganz besondere Frau ist.«

»Das ist sie.« Er ließ meine Hand los. Wie immer, wenn er über sie sprach, war der Ton seiner Stimme besonders warm. Wie schön musste es sein, wenn man als Frau so geliebt wurde. Doch über so etwas durfte ich jetzt nicht nachdenken. Ich strich mir energisch eine Haarsträhne hinters Ohr.

»Und genau deswegen muss ich näher an sie heran«, sagte ich bestimmt.

»Sie haben recht, Bea. Allerdings dürfte das in den nächsten vier Wochen schwierig werden.«

»Wieso?«

»Bettina begleitet mich auf eine längere Geschäftsreise nach Südamerika. Wir fliegen schon morgen früh nach São Paulo.«

Oh! Oh! Das war gar nicht gut. Doch das durfte ich mir jetzt nicht anmerken lassen.

»Nun, in diesem Fall werde ich wohl einfach hier weitere Recherche betreiben. Wäre es möglich, dass wir trotzdem Kontakt halten können, zum Beispiel per Skype? Nur, falls ich noch Informationen benötige.«

»Selbstverständlich. Und, Bea, ich verlasse mich auf Sie.«

»Das können Sie ganz beruhigt tun«, sagte ich und lächelte zuversichtlich, auch wenn mir gar nicht danach war.

Bald darauf verabschiedeten wir uns. Er verließ das Café zuerst. Ich wartete noch einige Minuten, dann ging ich ebenfalls.

Kapitel 13

Ich hatte Pauline versprochen, dass sie bald wieder mit nach Niederbayern kommen durfte, und so holte ich sie für das Wochenende ab. Mutter war Gott sei Dank nicht daheim, und ich brauchte ihr nicht zu erzählen, dass ich jetzt doch heiraten wollte, um den Hof zu bekommen.

Als wir in Halling ankamen, machte ich Halt am kleinen Supermarkt im Ort. Die Vorräte waren ziemlich zur Neige gegangen, und ich musste dringend einkaufen. Heute Morgen hatte ich die letzte Dose Hundefutter geöffnet, und Fanny fände es sicherlich nicht lustig, wenn ich sie ab morgen auf Nulldiät setzen würde. Und auch eine dreizehnjährige Schwester konnte einiges verputzen.

»Beeil dich aber. Ich will zu Fanny!«, trieb mich Pauline an, die beschlossen hatte, im Wagen zu warten.

Als ich mit einem gut gefüllten Einkaufswagen in Richtung Kühltheke fuhr, tippte mir plötzlich jemand auf die Schulter.

Erschrocken fuhr ich herum.

Max stand hinter mir und grinste mich an. »Servus, Hanna!«

»Findest du das lustig?«, fragte ich grantig.

»Keine Ahnung, Cousinchen, warum du immer erschrickst, wenn ich dich anspreche!«

»Dann denk mal drüber nach.« Ich nahm Topfen und Frischkäse aus dem Regal, weil ich plötzlich Lust auf einen selbstgemachten Käsekuchen hatte.

»Du hast anscheinend vor, länger zu bleiben!«, stellte Max fest, als er die vielen Lebensmittel in meinem Einkaufswagen sah.

»Hast du was dagegen?«, fragte ich und beantwortete die Frage gleich selbst. »Natürlich hast du etwas dagegen. Blöd aber auch!«

»Die drei Monate sind noch lange nicht um. Ich bin zuversichtlich.«

»Na, dann lass dich mal überraschen.«

Ich wollte in Richtung Tierfutter weiter, doch Max hielt den Einkaufswagen fest.

»Hör mal, Hanna. Wie wäre es, wenn wir heute einfach mal einen Tag Waffenstillstand einlegen?«

Ich schaute ihn misstrauisch an.

»Diese Frage macht mir irgendwie Angst. Was hast du vor?«, fragte ich zögernd.

Er lachte.

»Heute ist das große Weinfest des Schützenvereins. Hast du Lust, mit mir da hinzugehen?«

Beim Gedanken an Alkohol meldete sich mein Magen mit einem Warnschrei. Außerdem fragte ich mich, warum er ausgerechnet mit mir dort hingehen wollte.

»Fürchtest du nicht, dass ich dir den Abend verderben könnte?«

»Würdest du das denn tun?«

»Wer weiß.«

»Darauf lasse ich es ankommen. Ich hole dich gegen acht Uhr ab. Und zieh dir was Schönes an. Vielleicht findest du ja einen Bräutigam.« Bevor ich darauf antworten konnte, war er auch schon verschwunden. So ein Blödmann. Ich würde auf keinen Fall mit ihm hingehen!

Um Viertel nach acht stand ich hübsch zurechtgemacht in der Stube. Ich trug ein braun und beige bedrucktes Kleid, dunkelbraune Stiefeletten und schlüpfte gerade in eine leichte Strickjacke. Meine Haare hatte ich zu einem lockeren Pferdeschwanz gebunden.

»Macht es dir wirklich nichts aus, alleine hierzubleiben?«, fragte ich Pauline zum bestimmt schon siebzehnten Mal. Sie verdrehte genervt die Augen.

»Neiheiiin! Fanny und ich schauen uns Top Star Search an. Nicht wahr, Fanny?«, fragte sie in Richtung Hund und kraulte ihn freundschaftlich hinter den Ohren.

Fanny drückte sich noch näher an meine Schwester. Das war wahre Liebe!

»Super… Der Käsekuchen ist in der Speisekammer. Er ist noch warm, aber du kannst dir später …«

»Ja ja. Ich weiß. Jetzt nerv nicht.«

Sie hatte recht. Ich hörte mich schon schlimmer an als meine Mutter. Rasch warf ich einen Blick auf die Uhr. Zwanzig nach acht, und Max glänzte durch Abwesenheit. Dabei war ich heute ausnahmsweise einmal nur ein wenig zu spät dran.

Plötzlich stieg ein Verdacht in mir auf. Wahrscheinlich wollte Max mich nur wieder mal ärgern. Ich stand hier in voller Ausgehmontur, und er würde mich gar nicht abholen.

Eigentlich hatte ich ja gar nicht vorgehabt mitzugehen. Ich hatte mich eigentlich weiter auf die Geschenkesuche für Bettina Cornelius machen wollen. Doch plötzlich war mir das Zeitungsinserat wieder eingefallen, und ich war neugierig, ob sich schon jemand gemeldet hatte.

Als ich die E-Mails abrief, war ich sprachlos. 73 Nachrichten waren in meinem Postfach! Alle mit dem mehr oder weniger abgewandelten Betreff: Ein Bauer für die Blondine.

Ich hatte die ersten drei Mails überflogen und war – entsetzt. Noch nicht mal so sehr von den Fotos der Kandidaten, für sein Aussehen konnte ein Mensch ja schließlich nichts. Wobei – für die Wahl des Motivs konnte ein Mensch schon was. Was hatte sich der Bewerber mit dem Ganzkörperfoto, das ihn nackt und ohne Kopf zeigte, wohl dabei gedacht?

Der erste Brief wimmelte nur so von Rechtschreib- und Grammatikfehlern, dabei hatte der Mann keine fünf Sätze geschrieben.

Der zweite Briefeschreiber hieß Kevin, war sieben Jahre jünger als ich und bot sich als Toyboy an mit genauer Beschreibung seiner körperlichen Vorzüge samt Vorstellungen über die Höhe seines zukünftigen Taschengeldes. Er war der Versender des kopflosen Fotos.

Die dritte Nachricht begann mit den Worten: »Nachdem ich in meinem Leben bisher immer nur Pech hatte und von allen Frauen nur verarscht worden bin, die nur immer mein Geld wollten, hoffe ich, dass du wenigstens eine anständige Frau bist und mich ...«

Mal ernsthaft? Welche Frau würde so einen Brief zu Ende lesen wollen?

Nach diesem wenig verheißungsvollen Auftakt hatte ich den Computer sofort heruntergefahren und beschlossen, mit meinem Cousin aufs Weinfest der Schützen zu gehen.

Kaum dachte ich wieder an Max, hupte es vor dem Haus.

Max hatte sich richtig in Schale geworfen und trug eine braune Lederhose mit einem beigen Trachtenhemd. Farblich passten wir gut zusammen, vom Stil her eher weniger. Anders als in der letzten

Zeit war er sogar recht freundlich mir gegenüber. Vielleicht würde ich den Abend ja genießen können?

Als wir am Festplatz ankamen, war aus dem Zelt bereits laute Live-Musik zu hören.

Unter einem Weinfest hatte ich mir eher eine kleine Veranstaltung vorgestellt. Doch der Schützenverein feierte in diesem Jahr sein 80-jähriges Bestehen, und deswegen waren neben dem riesigen Weinzelt ein Kettenkarussell, eine Schießbude und ein Stand mit Losen aufgebaut. Verschiedene Imbiss-Wagen boten Brathendl, Steckerlfisch, Käsespezialitäten, Kuchen und Eis an. Sämtliche Bewohner von Halling und Umgebung schienen hier zu sein, und es war jetzt schon proppenvoll im Zelt.

Max und ich ergatterten noch einen Sitzplatz am Tisch eines seiner Freunde aus einem Nachbarort, der mit Frau und Sprössling gekommen war.

Max stellte uns vor.

»Hanna, meine Cousine – und das ist mein Freund Karl Huber mit seiner Frau Lene, und der kleine Hosenscheißer da ist mein Namensvetter Maximilian.«

Wir nickten uns freundlich zu, und während Max und Karl sich bald über den ökologischen Anbau von Erdbeeren unterhielten, plauderte ich ungezwungen mit der sympathischen Frau, die etwa in meinem Alter war. Ihre Oberweite war mindestens doppelt so üppig wie meine. Obwohl ich eine Frau war, fiel es mir schwer, nicht andauernd in ihr offenherziges Dekolleté zu starren. Ihr kleiner Sohn schlief dabei seelenruhig in ihren Armen, ohne dass die laute Musik oder der Lärm ihn störten.

Irgendwie kam mir die Frau bekannt vor. Und tatsächlich stellte sich heraus, dass Lene Huber unter dem Namen Lene Koller einen bayerischen Liebesratgeber herausgegeben hatte, der vor zwei Jahren in den Medien für einigen Wirbel gesorgt hatte. Sie hatte darin die These aufgestellt, dass es auf Bairisch keinen eigenen Ausdruck für »Ich liebe dich« gab. Darüber war sie mit dem bayerischen Sprachforscher Karl Huber öffentlich heftig in Streit geraten. Doch am Ende waren die beiden ein Paar geworden. Und wie es aussah, ein ziemlich glückliches, wenn ich die verliebten Blicke der beiden richtig deutete.

»Was machst du denn beruflich?«, fragte Lene interessiert, nachdem sie ausführlich von sich erzählt hatte.

Diese Frage gehörte nicht unbedingt zu meinen Lieblingsfragen. Obwohl mein Beruf hochanständig war, konnte ich nie sagen, was ich wirklich tat. Und das fühlte sich so an, als ob ich etwas Illegales machen würde.

»Ich arbeite als Privatsekretärin für einen Unternehmer«, griff ich wieder mal zu meiner Notlüge.

»Oh. Das ist sicher ein sehr spannender und abwechslungsreicher Beruf«, meinte Lene interessiert.

»Das auf jeden Fall.« Ich lächelte.

»Und jetzt machst du Urlaub in Niederbayern?« Lene Huber konnte mir in puncto Neugierde problemlos das Wasser reichen.

»Ja, ich habe mir eine Auszeit genommen und …«

In diesem Moment ging Pit an unserem Tisch vorbei. Als er mich sah, drehte er den Kopf zur Seite und ging rasch weiter.

»Entschuldige bitte kurz«, sagte ich, stand auf und folgte Pit durch das Zelt nach draußen.

»Pit! Warte mal!«, rief ich ihm hinterher. Er steuerte auf den Schießstand zu.

»Pit!«

»Ja?«, fragte er in einem nicht gerade freundlichen Ton. Sein Atem roch nach abgestandenem Alkohol, und das Weiß in seinen

Augen war von roten Äderchen durchzogen. Ich wich einen kleinen Schritt zurück.

»Zehn Schuss!«, orderte er bei der jungen Dame im Stand.

»Sag mal, können wir vielleicht nochmal über alles reden?«, schlug ich vor.

»Warum?«

»Jeder macht mal einen Fehler. Aber wenn wir ...«

»Meine Freundin hat mich rausgeworfen. Wegen dir. Ganz zu schweigen davon, dass ich meine Arbeit verloren habe, die mir wirklich wichtig war.«

Er nahm das geladene Gewehr entgegen und legte an.

»Gerade darüber wollte ich mit dir nochmal reden, Pit.«

»Aber vielleicht will ich das nicht.« Er klang aggressiv und schoss. Jeder Schuss traf.

Moment mal. Was war das denn jetzt? Er tat ja so, als ob ich an der ganzen Sache schuld war. Dabei war doch eigentlich er derjenige, der sich zu entschuldigen hatte.

»Hör mal, Pit, du kannst doch nicht mir die Schuld ...!«

»Was ich kann oder nicht, geht dich einen Scheißdreck an«, unterbrach er mich derb und gab das Gewehr zurück. Gott sei Dank! Die Frau reichte ihm seinen Preis: Ein Puzzle mit dem Motiv des Passauer Doms. Fünftausend Teile. Damit war er eine Weile beschäftigt.

»Ich werde nicht mehr zurückkommen. Weil Max früher oder später den Hof übernehmen wird. Oder du doch noch einen Dummen findest, der dich heiratet ... Darauf bist du doch scharf, oder?«, fragte er schneidend. »Dann bin ich überflüssig. Das spar ich mir.«

»Pit, ich ...«

»Außerdem finde ich bald was viel Besseres!«

Damit drehte er sich um und verschwand unter den vielen Menschen, die ins Zelt drängten. Nach seinem aggressiven Verhalten – und der Demonstration seiner ausgezeichneten Schießkünste – war ich jetzt fast froh, dass er nicht mehr auf den Hof kommen würde. Der Kerl schien nicht ganz dicht zu sein. Wie man sich nur so in einem Menschen täuschen konnte.

Gleich nächste Woche würde ich beim Arbeitsamt anfragen und einen vorübergehenden Helfer suchen.

Nachdenklich ging ich zurück an den Tisch. Der kleine Maximilian war inzwischen aufgewacht und wurde von seiner Mama mit Obstbrei gefüttert.

»Schau nicht so grantig, sonst findest du nie einen Mann«, witzelte Max, als ich mich wieder setzte.

Mir war überhaupt nicht nach seinen Späßen zumute. Aber vor den sympathischen Hubers wollte ich nicht humorlos erscheinen, und so setzte ich eine freundliche Miene auf.

»Das grantig Schauen dient sicher einem Zweck, Max. Vielleicht möchte deine Cousine damit testen, welcher der Männer ihr gewachsen ist«, warf Karl Huber ein und zwinkerte mir freundlich zu.

Ich lächelte zurück. Dann stießen wir alle an. Die anderen mit Wein und ich mit einer Schorle. Mein Versprechen hatte ich nicht sonderlich lange gehalten. Aber eine Weinschorle war ja nicht so wirklich Alkohol. Vor allem nicht, wenn sie so verwässert war wie diese hier.

»Prost!«

»Prost. Darauf, dass Hanna schnellstens einen passenden Landwirt findet!«

Bei diesen Worten zuckte ich leicht zusammen. Hatte Max das Inserat inzwischen doch gelesen und spielte jetzt darauf an? Es sah ganz danach aus. Wenn er die Sache hier ausposaunte, würde ich ihm den Kopf abreißen.

»Wieso ausgerechnet einen Landwirt?«, fragte Lene überrascht.

»Sei doch nicht so neugierig, Lene!«, tadelte sie ihr Mann.

»Ach, das ist doch kein Problem«, sagte Max. »Die Geschichte ist wirklich ziemlich verrückt, nicht wahr, Hanna? Also, Berta, unsere Oma…«

Abrupt stand ich auf. Dieser Mann war einfach unmöglich! Er konnte doch nicht allen Ernstes glauben, dass ich hier sitzen blieb, während er diesen Leuten erzählte, dass ich krampfhaft auf der Suche nach einem Mann war.

»Ich… ich muss mal… kurz raus.«

Ich würde mir draußen ein Taxi bestellen und nach Hause fahren. Es tat mir zwar leid wegen der Hubers, aber das konnte ich jetzt auch nicht ändern.

Als ich mich in Richtung Ausgang kämpfte, ging die Musik gerade zu Ende. Der Sänger sprach ins Mikrofon.

»Liebe Gäste, vorhin habe ich einen Zettel zugesteckt bekommen, mit der Bitte, ihn vorzulesen. Es geht um eine Dame im zarten Alter von 33, die scheinbar heute hier in unserem Zelt ist und die dringend einen Bauern zum Heiraten sucht…«

Bei seinen Worten gaben mir fast die Beine nach. Wie bitte? Was war das denn jetzt?

»…wer Interesse an einer hübschen Blondine mit stattlichem Vermögen und Hof hat, kann sich die E-Mail-Adresse bei mir abholen. Sie lautet: FrausuchtBauer@online.de.«

Die Leute lachten amüsiert. In meinen Ohren rauschte es, und ich war kurz davor, ohnmächtig zu werden. Ich musste raus aus dem Zelt. Sofort! Ich verfluchte das Wasser in meinem Wein. Ein etwas weniger klarer Kopf wäre jetzt sicher besser gewesen.

»…schade, dass ich schon verheiratet bin, sonst würde ich mich glatt selber bei der geheimnisvollen Dame melden. So, aber jetzt genug mit der Heiraterei. Es geht weiter mit dem Lied *D'Liab kimmt von selba*…«

Endlich war ich draußen und schnappte nach Luft.

»Hanna!« Max kam mir hinterher. Dieser Pharisäer!

»Jetzt weiß ich, warum du mich unbedingt hierherschleifen wolltest. Du gemeiner Kerl!« Noch nie in meinem Leben hatte mich ein Mensch so erniedrigt.

»Hanna, hör zu. Damit habe ich nichts zu tun!«

»Ach! Und das soll ich dir glauben?«, schrie ich. Inzwischen war es mir egal, dass einige Leute um uns herum neugierig schauten. Darauf kam es heute auch nicht mehr an.

»Natürlich sollst du mir glauben! So etwas würde ich nie machen. Du kennst mich doch!«

»Eben! Dir ist doch jedes Mittel recht, mich von hier zu vertreiben! Aber lass dir eines gesagt sein: Jetzt werde ich mir erst recht einen Mann suchen und ihn vom Fleck weg heiraten. Hauptsache, du kommst an keinen Cent dieses Erbes!«

Während ich sprach, schossen mir Tränen in die Augen. Tränen der Wut, aber auch Tränen der Enttäuschung.

»Wenn du ernsthaft glaubst, dass ich hinter diesem Aufruf stecke, dann kann ich dir nicht helfen!« Er schaute mich wütend an.

Er hatte erkannt, dass sein Spiel nicht aufgegangen war. Natürlich war er deshalb wütend.

»Deine Hilfe brauche ich als Allerletztes!«, fauchte ich, aber plötzlich brach meine Stimme, und ich hatte Mühe, die Tränen zurückzuhalten.

»Komm, ich fahre dich nach Hause«, sagte Lene leise, die jetzt neben mir stand. Sie führte mich auf den Parkplatz zu ihrem Wagen.

Im Auto flossen meine Tränen ungehindert, was mir schrecklich peinlich war.

»Die wenigsten Leute wissen, dass du damit gemeint warst, Hanna«, versuchte sie mich aufzumuntern. »Ich hätte es ja auch nicht gewusst, wenn Max nicht plötzlich erschrocken aufgesprungen und dir nachgerannt wäre.«

Ich antwortete nichts darauf. Als wir auf dem Hof ankamen, sagte Lene: »Ich kenne zwar die Hintergründe für das alles nicht, aber ich bezweifle, dass Max so etwas tun würde.«

Ich putzte mir die Nase.

»Natürlich war er's. Sonst hat ja niemand einen Grund dafür.«

Ich stieg aus.

»Danke, dass du mich nach Hause gebracht hast, Lene.«

»Du kannst mich jederzeit anrufen, wenn du magst. Okay?«

»Danke.«

Und dann verschwand ich schnell ins Haus.

Pauline war vor dem Fernseher eingeschlafen. Ich versuchte vergeblich, sie zu wecken. Im Halbschlaf bugsierte ich sie nach oben ins Bett, wo sie sofort weiterschlief.

Ich ging zurück ins Wohnzimmer, setzte mich erschöpft aufs Sofa und schloss die Augen. Das war einer der peinlichsten Abende meines Lebens gewesen. Aber vor allem war ich enttäuscht von Max. Bisher hatte ich immer noch einen Funken der Freundschaft, die uns in der Kindheit verbunden hatte, spüren können. Jetzt hatte er diesen Funken ausgetreten. Am liebsten hätte ich meine Sachen gepackt und wäre nach Hause gefahren.

Plötzlich spürte ich etwas Warmes an meinem Oberschenkel.

Fanny saß vor mir und hatte ihren Kopf auf mein Bein gelegt. Es war das erste Mal, dass sie sich mir freiwillig näherte.

»Na du …«, sagte ich unglücklich.

Sie hob den Kopf und schaute mich an.

»Denkst du, es ist besser, wenn ich zurück nach München gehe?«

Sie legte den Kopf schief.

»Oder meinst du, ich soll das hier durchziehen?«

Fanny bellte und wedelte mit dem Schwanz.

Wollte sie, dass ich hierblieb? Sie konnte doch nicht verstehen, was ich gesagt hatte. Oder? Natürlich konnte sie das nicht. Ich musste plötzlich lachen über meine verrückten Gedanken.

In diesem Moment löste sich die ganze Anspannung und Wut in mir, und ich konnte wieder einigermaßen klar denken. Der Abend war nicht sonderlich gut verlaufen. Aber was war denn eigentlich schon Schlimmes passiert?

Dass ich einen Mann suchte, würde ohnehin bald kein Geheimnis mehr sein. Und dass Max alles versuchen würde, um den Hof zu bekommen, hatte ich auch vorher schon gewusst. Davon durfte ich mich jetzt nicht unterkriegen lassen.

Wichtig waren jetzt drei Dinge:

Erstens: ein neuer Mitarbeiter.

Zweitens: ein Ehemann. Und drittens musste ich mich endlich wieder richtig auf meine Arbeit konzentrieren.

Cornelius und seine Frau würden morgen früh nach Südamerika fliegen. Ich musste mir diese Frau vorher unbedingt noch persönlich anschauen!

kapitel 14

Obwohl ich in der letzten Nacht kaum geschlafen hatte, war ich auf der Fahrt in Richtung München erstaunlich frisch. Es war doch gut, dass ich gestern nur wässrige Schorle getrunken hatte. Tja, so war das mit der Sicht der Dinge. Mal wünschte man sich mehr, mal weniger Wasser in seinem Wein.

Es war noch sehr früh am Morgen, als ich am Flughafen ankam. Ich hatte im Internet die möglichen Flüge herausgesucht und stand nun in der Nähe des Abfertigungsschalters, an dem die beiden höchstwahrscheinlich einchecken würden. Zur Tarnung hatte ich eine kleine Reisetasche dabei. Meine Haare waren unter einer Baseballmütze von Pauline versteckt, die ich tief ins Gesicht gezogen hatte. Ich trug eine unauffällige, viel zu weite graue Freizeithose, ein schwarzes T-Shirt und eine Jeansjacke.

Aufmerksam schaute ich mich um. Nach fast einer Stunde erspähte ich endlich Frank Cornelius, der einen Gepäckwagen mit drei großen Koffern vor sich her schob. Und neben ihm seine Frau Bettina. Sie war wirklich eine unglaublich schöne Frau. Sie strahlte Selbstbewusstsein und Unabhängigkeit aus und doch spürte man sogar aus der Entfernung die enge Zusammengehörigkeit der beiden. Cornelius schob den Gepäckwagen zum Schalter.

Sie drehte sich nochmal um und winkte jemandem zu, den ich aus meiner Position leider nicht sehen konnte. Unauffällig machte ich Fotos von ihr mit meinem Handy.

»Entschuldigung, sprechen Sie bitte Deutsch?«, fragte mich eine ältere, etwas üppige Dame aufgeregt in fränkischem Dialekt. Hinter ihr stand eine weitere Frau, die sich mit einem bis oben vollgepackten Gepäckwagen abmühte.

»Ja. Ich spreche Deutsch«, antwortete ich höflich, obwohl mir diese Störung gar nicht gelegen kam.

»Wir müssen nach Dallas, aber wir finden den richtigen Schalter nicht.«

»Ich hab doch gesagt, dass wir hier falsch sind, Hilde!«, warf die andere, etwas kleinere aber genauso üppige Frau ein. Ich vermutete, dass die beiden Schwestern waren.

»Jetzt sei mal ruhig, Uschi. Die nette Dame hier kann uns sicher helfen.«

»In Nürnberg am Flughafen hätt ich mich ausgekannt«, konnte Uschi sich nicht verkneifen.

»Was steht denn auf Ihrem Ticket?«, fragte ich hilfsbereit und warf einen unauffälligen Seitenblick zum Ehepaar Cornelius, deren Gepäck eben abgefertigt wurde.

Hilde zog die Flugtickets aus ihrer Handtasche und hielt sie mir entgegen. Ich stellte meine kleine Reisetasche auf den Boden und nahm das Ticket in die Hand.

»Hier sind Sie schon richtig im Terminal 2.«

»Siehst du!«, sagte Hilde zu Uschi und wischte sich mit einem Taschentuch über das rot glänzende Gesicht.

»Aber hier steht doch nirgends Dallas.« Uschi gab nicht auf.

»Weil Sie in Philadelphia landen«, erklärte ich geduldig.

»Philadelphia? Aber wir müssen doch nach Dallas. Meine Tochter heiratet morgen!« Hilde griff sich erschrocken ans Herz. Sie war einem Ohnmachtsanfall nahe.

»Aber in Amerika ist das erst übermorgen!«, stellte Uschi klar. Hilde schien das alles sehr zu verwirren.

»Was sollen wir denn in Philadelphia?«

»Das ist nur eine Zwischenlandung. Dann geht es weiter nach Dallas«, beruhigte ich sie und lächelte Hilde aufmunternd zu.

Dann erklärte ich den aufgeregten Damen den Weg zu ihrem Schalter. Sie bedankten sich überschwänglich und zogen rasch von dannen. Ob die beiden rechtzeitig zur Hochzeit in Dallas auftauchen würden? Ich hatte da so meine Zweifel.

Als ich mich wieder umdrehte, waren Frank und Bettina Cornelius verschwunden. Verdammt nochmal! Kaum passte man mal zwei Minuten nicht auf.

Hoffentlich waren sie nicht in die Business Lounge verschwunden. Denn da hätte ich keinen Zugang. Falls nicht, konnten sie nicht weit sein. Ich schaute mich um. Und tatsächlich entdeckte ich sie in einem kleinen Café mit Selbstbedienung ganz in der Nähe. Während Frank Kaffee holte, setzte sich Bettina an einen kleinen Tisch. Graziös schlug sie die himmellangen Beine übereinander.

Rasch nahm ich sie genauer in Augenschein, während ich auf das Café zuging. Sie trug eine leichte weiße Sommerhose und darüber eine weite Bluse, die mit auffälligen bunten Blumen bedruckt war und ihr lässig über die schmalen Hüften fiel. Ihre Haare waren zu einem losen Zopf gebunden. Der wenige Schmuck war modisch, aber nach meiner Einschätzung nicht unbedingt sehr teuer.

Ich überlegte blitzschnell, was ich jetzt machen sollte. Langsam vorbeigehen und sie von Weitem beobachten? Oder mich an einen Tisch in ihrer Nähe setzen? Ich entschied für mich für Letzteres. Frank Cornelius kam mit zwei Tassen Kaffee an den Tisch zu seiner Frau. Er hatte mich nicht zur Kenntnis genommen, obwohl wir keine drei Meter voneinander entfernt standen. Kein Wunder. Neben Bettina fiel ich ebenso wenig auf wie ein Vollkornkeks neben einer Schwarzwälder Kirschtorte.

»Einen Espresso, bitte!«, bestellte ich bei der mageren Bedienung mit blondiertem Kurzhaarschnitt.

»Drei zwanzig!« Ihre Stimme war laut und ungewöhnlich dunkel. Gleich darauf schob sie mir eine kleine Tasse hin.

Ich wollte bezahlen. Mein Geldbeutel war … in meiner Tasche. Aber wo war meine Tasche? Oh nein!

»Entschuldigen Sie, ich habe meine Tasche irgendwo vergessen, ich muss sie nur schnell …«, sagte ich so ruhig wie möglich, um niemanden auf mich aufmerksam zu machen.

Doch die Bedienung machte mir einen Strich durch die Rechnung.

»Was soll das? Denkst du, du kannst mich verarschen? Einen Espresso bestellen und dann nicht zahlen! Ja, das mag ich!« Sie schien einen richtig schlechten Tag zu haben. Ihre Stimme war noch lauter geworden, und die Leute drehten sich zu uns um. Auch Frank und Bettina, jedoch nur kurz. Die beiden waren glücklicherweise zu kultiviert, um zu gaffen. Ich zog den Kopf ein.

»Bitte, jetzt beruhigen Sie sich doch. Ich hole das Geld und bezahle Ihnen den Espresso.« Ich flüsterte fast.

»Verschwinde! Solche Leute wie dich will ich nicht haben!«

Es hatte keinen Zweck, sie weiter zu beschwören. Wie ein begossener Pudel, mit eingezogenen Schultern und tief ins Gesicht gezogener Mütze verdrückte ich mich. Meine Aktion war gründlich fehlgeschlagen.

Hoffentlich ist wenigstens meine Tasche noch da, dachte ich auf dem Weg zum Schalter. Das hätte mir jetzt gerade noch gefehlt.

Die gute Nachricht war, dass die Tasche nicht gestohlen war. Es liefen also doch noch viele ehrliche Menschen herum. Die schlechte Nachricht war, dass zwei Polizisten und drei Sicherheitsleute mit ernsten Gesichtern um meine Tasche herumstanden. Einer der Männer sprach in ein Funkgerät.

Erst eine Stunde später kam ich mich hochrotem Kopf und meiner Tasche aus dem Flughafengebäude. Ich hatte mir ordentlich was anhören müssen, nachdem ich die Beamten davon überzeugt hatte, dass kein Sprengstoff und auch keine Drogen in meiner Tasche versteckt waren. Das alles war sehr peinlich für mich gewesen, aber trotzdem war ich irgendwie froh, dass man es mit der Sicherheit am Flughafen so ernst nahm.

Als ich später die kleine Straße entlangfuhr, die zu meinem Hof führte, kam mir Max auf seinem Traktor entgegen. Ohne ihn eines Blickes zu würdigen, fuhr ich an ihm vorbei.

Im Hof parkten drei Autos, die ich noch nie vorher gesehen hatte. Was war denn hier los? Hoffentlich war nichts mit Pauline! Ich hätte sie nicht so lange alleine lassen dürfen. Besorgt sprang ich aus dem Wagen und rannte ins Haus. Und staunte nicht schlecht. Um den großen Tisch in der Stube saßen drei Männer, die mir völlig unbekannt waren. Pauline schenkte ihnen Kaffee ein.

»Da bist du ja endlich!«, maulte sie sichtlich genervt.

Die Männer standen kurz auf und grüßten in meine Richtung.

»Äh, grüß Gott! Darf ich fragen, wer Sie sind?«, fragte ich verdutzt, aber freundlich.

Einer der Herren, er war schätzungsweise Mitte vierzig, hatte volles Haar und trug eine modische Brille, klärte mich auf.

»Ich bin wegen dem Heiratsinserat hier«, meinte er mit wohltönender Stimme. »Hans Kilger ist mein Name.«

Er warf einen undefinierbaren Seitenblick auf die anderen beiden Männer.

»Ich auch!«

»Aber ich war zuerst hier!«

»Wie kommen Sie darauf, dass ich …?«

Herr Kilger ließ mich nicht ausreden. »Gestern im Weinzelt, da hab ich es erfahren. Und ein Bekannter wusste, wer Sie sind«, erklärte er.

»Ich habe es auch gestern gehört«, bestätigte der Zweite. Verdammt nochmal! So hatte ich das nicht geplant.

Ich sagte erst einmal gar nichts mehr, packte Pauline am Arm und zog sie ins Wohnzimmer.

»Aua!«, beschwerte sie sich.

»Warum hast du die hier reingelassen?«

»Seit Stunden klingelt es ständig. Und du warst nicht da. Was hätte ich denn machen sollen?« Sie rieb sich über ihren Arm.

»Trotzdem, du kannst doch nicht einfach wildfremde Männer hereinlassen! Spinnst du?«

Ich hatte jetzt wirklich ein total schlechtes Gewissen, dass ich sie alleine gelassen hatte. Was da alles hätte passieren können! Trotzdem. In ihrem Alter hätte sie wissen müssen, dass sie das nicht durfte.

»Fanny hat ja auf mich aufgepasst«, sagte sie, jetzt doch ein wenig kleinlaut.

»Ach, Pauline …!« Nervös fuhr ich mir durch die Haare.

»Stimmt das? Ich meine, dass du jetzt doch einen Mann suchst?«

Ich druckste ein wenig herum.

»Naja …«

Pauline strahlte.

»Das ist doch suuuper! Dann erbst du alles. Und ich kann jedes Wochenende hierherkommen.«

»Jetzt mal langsam.« Ich hatte ja gar nicht vor, später dauerhaft hier zu leben. Meinen Lebensmittelpunkt und meine berufliche Zukunft sah ich in München. Wie ich das alles regeln würde, war mir allerdings noch schleierhaft. Aber um den Hof überhaupt zu bekommen, musste ich erst einmal heiraten.

Vielleicht sollte ich mir die drei doch mal genauer anschauen. Wenn sie jetzt schon mal hier waren …

Ich ging zurück in die Stube, schenkte mir eine Tasse Kaffee ein und setzte mich zu den Männern an den Tisch.

»Nun …«, begann ich zögernd. Was sagte man denn eigentlich zu potentiellen Heiratskandidaten?

»Wie kommt es, dass Sie persönlich vorbeigekommen sind und keine E-Mail geschrieben haben?«, begann ich schließlich.

»Mit Computern kenn ich mich überhaupt nicht aus«, sagte der Älteste des Trios. Er war bestimmt schon weit über sechzig. Zumindest optisch.

»Ich halte nichts davon, lange hin und her zu schreiben, und mache mir gerne gleich persönlich ein Bild«, erklärte Hans Kilger in einem Ton, der auch gut zu einem Feldwebel gepasst hätte.

»Ich habe Ihnen schon geschrieben, aber noch keine Antwort bekommen«, meinte der Letzte. Ein eher klein geratener Jüngling mit lichtem Haar.

Vielleicht müsste ich doch endlich mal meine E-Mails lesen und beantworten, dachte ich, mit einem Anflug von schlechtem Gewissen. Ich nahm einen Schluck Kaffee.

»Ich bin der Kevin«, setzte der Kleine noch hinzu.

Ich verschluckte mich fast. Kevin? Der Kevin mit dem Nacktfoto ohne Kopf? Es war mehr als eine Lebensaufgabe, mir diesen blassen Jüngling als Toyboy vorzustellen. Schließlich dachte man bei *Toyboy* eher an die aktuellen oder verflossenen Jungs weltbekannter Stars wie Madonna oder La Lopez. Dieser Kevin hier war im Vergleich zu jenen jungen Männern wie eine salzarme Haferflockensuppe gegen ein feuriges Chili con Carne. Ich unterdrückte ein Lachen.

»Wie viel Grund und Vermögen ist jetzt eigentlich da?«, fragte der ältere Mann ungeduldig. Anscheinend war er nicht nur auf eine Frau scharf, die halb so alt war wie er, sondern auch auf ihr Geld.

Ich seufzte innerlich. Keiner der Männer entsprach nur im Entferntesten den Erwartungen, die ich an einen Partner hatte. Mich weiter mit ihnen zu unterhalten war reine Zeitverschwendung. Ich stand auf. Irgendwie musste ich sie aus dem Haus bugsieren, ohne allzu unhöflich zu sein.

Glücklicherweise kam mir meine Schwester zu Hilfe und legte jedem der Männer ein Blatt Papier vor die Nase.

»Bitte schreiben Sie Ihren Namen, Ihre Adresse und Ihren Beruf auf. Meine Schwester wird sich dann in den nächsten Tagen bei Ihnen melden.«

»Aber wir sind doch hier noch gar nicht fertig!«, protestierte der Mann mit der Brille. Den Namen hatte ich schon wieder vergessen.

»Doch. Das sind wir. Ich habe nicht damit gerechnet, dass Sie unangemeldet bei mir erscheinen, deswegen bitte ich Sie, jetzt zu gehen.«

So deutlich hatte ich meine Wünsche bisher nur selten formuliert. Es fühlte sich gut an. Ich war stolz auf mich. Und die Männer waren grantig.

»Die hat für meinen Geschmack eh zu wenig Holz vor der Hütte«, brummte der ältere Kandidat beim Hinausgehen.

»Na sowas!«, schimpfte der Brillenmann.

Pauline folgte ihnen. Sie wollte sich wohl versichern, dass sie auch wirklich verschwanden.

Ich atmete erst einmal tief durch. So ging das alles nicht.

Wenn ich mich nicht weiterhin von wildfremden Männern überrumpeln lassen wollte, musste ich jetzt selbst aktiv werden.

Ich würde noch heute die E-Mails lesen und eine Vorauswahl treffen von Männern, die ich mir genauer anschauen wollte. Alle Männer, die unaufgefordert auf den Hof kamen, würde ich ab jetzt sofort wieder nach Hause schicken.

Von draußen hörte ich, dass Pauline sich mit jemandem unterhielt. Machte etwa einer der Männer Schwierigkeiten? Ich ging hinaus in den Hof.

»Kommen Sie ruhig rein!«, forderte meine Schwester eben einen dunkelhaarigen Mann auf. Er trug eine lässige Jeans und darüber einen leichten hellgrauen Sommerpulli. Sein Teint war dunkel und deutete darauf hin, dass er viel Zeit im Freien verbrachte. Rasch revidierte ich mein Vorhaben, alle Männer wegzuschicken. Bei dem hier würde ich eine Ausnahme machen.

»Schau mal, Hanna, da ist noch ein Heiratskandidat!«, rief Pauline fröhlich. Musste sie das ausgerechnet so formulieren?

Ich steuerte auf ihn zu und war plötzlich befangen. Warum hatte ich mich vorhin nicht umgezogen? Jetzt stand ich in diesen alten unförmigen Klamotten vor diesem Prachtexemplar von Mann, der gut einen Kopf größer war als ich, und mich neugierig anschaute.

Andererseits – auch er war ohne Anmeldung gekommen, und wir waren ja auf einem Bauernhof. Ein Kleid wäre für die Feldarbeit schließlich nicht die ideale Arbeitsbekleidung.

»Hallo!«, sagte ich und streckte ihm die Hand entgegen. »Ich bin Hanna.«

Er nahm meine Hand.

»Und ich bin Alex.«

Er schaute mich mit Augen an, die noch dunkler waren als meine. Und das kam nicht häufig vor.

»Freut mich, Alex. Komm doch rein auf eine Tasse Kaffee.«

Ohne zu fragen duzte ich ihn. Den Mann mit »Sie« anzusprechen, wäre mir irgendwie nicht richtig vorgekommen.

»Wenn ich nicht störe, gerne.«

Stören tat mich momentan nur eines, und zwar die Anwesenheit meiner kleinen Schwester samt ihrem vierbeinigen Anhängsel.

Alex folgte mir in die Stube. Eilig räumte ich das benutzte Geschirr weg und schenkte uns Kaffee ein.

»Hast du auch gestern auf dem Weinfest davon erfahren?«, fragte ich, um irgendwie mit ihm ins Gespräch zu kommen. Alex war bis jetzt noch nicht sehr redselig.

»Ja, natürlich. Auf dem Weinfest.« Seine Stimme hatte einen warmen, leicht rauen Ton, der mir ein Prickeln im Nacken bescherte. Er sprach Hochdeutsch, mit einem leichten oberbayerischen Akzent.

»Ist noch Käsekuchen da?«, fragte ich Pauline, die neugierig in der Tür stand.

»Ja.«

»Holst du ihn bitte?«

Pauline verschwand in die Speisekammer und kam gleich darauf mit dem Kuchen wieder.

»Hier!« Sie stellte ihn auf den Tisch und setzte sich zu uns.

»Möchtest du?«, fragte ich höflich meinen ungeladenen, aber willkommenen Gast.

»Gerne!«

Ich schnitt ihm ein Stück ab und schob ihm den Teller hin.

»Danke.«

Ich schaute ihm dabei zu, wie er das erste Stück in den Mund schob.

»Hmm. Schmeckt ausgezeichnet.«

Ich freute mich, dass er meinen Kuchen mochte.

»Danke! Es ist ein Rezept meiner Mutter. Die hat es noch von ihrer Mutter«, plapperte ich drauflos. Das passierte immer, wenn ich nervös war. »Kommst du aus Oberbayern?«, erkundigte ich mich. »Du hörst dich nicht so an, als ob du hier aus der Gegend wärst.«

»Das stimmt. Ich komme aus der Nähe von München.«

»Und was verschlägt dich nach Halling? Bist du zu Besuch hier?«

»Mehr oder weniger.«

Inzwischen hatte er den Kuchen verputzt, lehnte jedoch ein weiteres Stück freundlich ab.

»Was für einen Hof hast du denn?«, fragte Pauline. »Einen mit Kühen?«

Er schüttelte den Kopf. »Nein, Kühe habe ich keine.«

»Hast du Schweine?«

»Auch nicht.«

»Bist du Gemüsebauer?« Sie ließ nicht locker.

»Ja.«

»Was baust du denn an?« Anscheinend wollte meine Schwester das Gespräch jetzt alleine bestreiten. Dabei war es mir im Moment völlig egal, was für eine Art von Bauernhof er hatte.

»Naja. Karotten und Gurken und Krautköpfe und so«, erklärte er.

»Pauline, bring doch mal bitte den restlichen Kuchen zu Tante Luise rüber«, sagte ich, bevor sie ihn weiter ausfragen konnte.

»Muuuss das sein?«

»Ja, das muss sein. Und frag sie, ob sie ein paar Eier für uns übrig hat.«

Pauline war nicht begeistert über den Auftrag, verschwand aber trotzdem mit Fanny nach draußen.

»Tut mir leid, meine Schwester kann manchmal eine kleine Nervensäge sein«, entschuldigte ich mich bei ihm.

»Von nervigen kleinen Schwestern kann ich ein Lied singen«, sagte er und lächelte zum ersten Mal.

Meine Güte. Wie attraktiv der Mann war! Er war kein Schönling im herkömmlichen Sinn. Dafür waren seine Nase ein klein wenig zu groß und die Gesichtszüge zu kantig. Aber er hatte eine starke Präsenz und Ausstrahlung. Und es ging ein frischer, männlicher Duft von ihm aus, den ich sofort mochte.

»Wie viele Schwestern hast du denn?«

»Zwei. Und du?«

»Nur Pauline. Aber glaub mir, die reicht mindestens für zwei.«

Er lachte wieder, sagte aber nichts.

Worüber sollte ich denn jetzt mit ihm sprechen? Mir fiel absolut nichts ein, was äußerst selten vorkam. Vielleicht hätte ich Pauline doch nicht wegschicken sollen.

»Möchtest du noch Kaffee?«

»Nein, danke!«

Wir schauten uns an. Und mussten plötzlich beide lachen.

»Tut mir leid, ich war noch nie in so einer Situation«, entschuldigte ich mich.

»Kein Problem. Ich auch nicht. Erzähl mir doch ein wenig von dir. Bist du eine Bäuerin?«

Hier war sie wieder. Die gefürchtete Frage nach meinem Beruf.

Ich wollte ihm eigentlich keine Lüge auftischen und stand schon kurz davor, mein Berufsgeheimnis zu lüften. Doch in letzter Sekunde überlegte ich es mir anders. Was wusste ich denn schon von diesem Mann? Nur, dass er Alex hieß, aus der Nähe von München kam und Krautköpfe und anderes Gemüse anbaute. Und ziemlich gut aussah.

»Nein. Ich habe zwar meine Kindheit hier auf dem Hof verbracht, aber eigentlich wohne und arbeite ich in München«, begann ich meine Erklärung. Ich würde so weit es ging bei der Wahrheit bleiben und nur dort lügen – eigentlich war es ja eher ein Schwindeln als ein Lügen –, wo es für meinen Beruf wichtig war.

»Ich bin selbständig und arbeite als eine Art Privatsekretärin.« Es fiel mir mit jedem Mal schwerer, das zu erzählen. Er zog die rechte Augenbraue hoch.

»Eine Art Privatsekretärin?« Anscheinend wollte er es genauer wissen.

»Nun ja. Ich mache das freiberuflich, stunden- oder tageweise für verschiedene Auftraggeber.«

»Dann könnte ich mich ja bei dir melden, wenn in meinem Büro mal Not an der Frau ist!«, meinte er grinsend.

»Klar.« Was sollte ich auch sonst sagen?

»Wie heißt denn deine kleine Firma?« Puh, der war hartnäckig.

»Ich gebe dir gerne meine Handynummer, dann kannst du mich erreichen, wenn du einen Job für mich hast.« Natürlich würde ich ihm meine private Nummer geben.

Dieser Mann machte mich nervös.

»Und du suchst jetzt einen Heiratskandidaten.« Es war eher eine Feststellung als eine Frage.

»Tja, weißt du, das ist eine etwas ungewöhnliche Geschichte.«

»Ich höre gerne ungewöhnliche Geschichten.«

Mir wurde irgendwie heiß. Ich musste unbedingt an die frische Luft.

»Wie wär's, wenn ich sie dir bei einem Spaziergang erzähle?«, schlug ich vor.

Er warf einen Blick auf seine Armbanduhr.

»Normalerweise gerne. Aber ich glaube, dafür reicht die Zeit jetzt nicht mehr ganz. Ich muss heute noch zurück nach ... auf meinen Hof.«

Er wollte schon wieder weg? Anscheinend war ich nicht sein Typ. Es hätte mich auch gewundert, wenn es anders gewesen wäre. Männer wie er standen nicht auf Frauen wie mich.

»Das ist schade, aber ich weiß ja, wie viel Arbeit man hat als Bauer«, sagte ich betont verständnisvoll, um mir mein Bedauern nicht anmerken zu lassen.

»Kannst du mir die Geschichte nicht jetzt hier in Kurzform erzählen?«

Also hatte er es doch nicht so eilig. Vielleicht interessierte ich ihn wenigstens ein bisschen?

»Die Sache begann mit dem Tod meiner Oma vor ein paar Wochen ...«, begann ich und erzählte ihm von den Bedingungen des Erbes. Er hörte aufmerksam zu.

»... und jetzt habe ich nicht mehr so viel Zeit, einen Mann zu finden. Sonst hätte ich natürlich niemals ein Inserat aufgegeben. Vor allem nicht mit dem dümmlichen Text *Frau sucht Bauer*. Allerdings war daran auch der Rumtopf von Oma schuld ...« Alex musste sich auch noch diese Geschichte anhören. Ich redete und redete in der Hoffnung, dass er dann noch ein wenig länger bleiben würde.

»Das ist wirklich eine erstaunliche Geschichte«, warf Alex ein, als ich endlich mal ein paar Sekunden Pause machte, »aber so leid es mir tut, ich muss jetzt wirklich los.«

Er stand auf.

Ja, und jetzt? Fuhr er jetzt einfach zurück auf seinen Hof, und das war es dann? Ich wollte ihm gerne wie versprochen meine Handynummer geben. Aber er musste mich darauf ansprechen. Schließlich sollte er nicht den Eindruck haben, dass ich aufdringlich war.

»Warte, ich wollte dir doch meine Handynummer geben!«, rutschte es mir heraus. Verdammt, Hanna!

»Ich tippe sie gleich in mein Handy ein.« Er holte ein Smartphone aus seiner Hosentasche und gab die Nummer ein, die ich ihm diktierte.

»Danke!«

Gleich darauf klingelte mein Handy.

»Damit du meine Nummer auch hast«, sagte er lächelnd. Und dieses Lächeln schien mir ein vorsichtiges Versprechen zu sein, dass wir uns wiedersehen würden. Ich versuchte mich nicht zu offensichtlich darüber zu freuen.

»Es hat mich sehr gefreut, dass du gekommen bist, Alex«, sagte ich und strahlte wie ein Honigkuchenpferd.

»Was machst du denn morgen?«

Hatte er mich eben tatsächlich gefragt, was ich morgen machte?

»Ich … ich habe noch keinen Plan.«

»Es soll morgen wunderbares Wetter geben. Ideal für einen Spaziergang. Sicher hast du noch weitere interessante Geschichten auf Lager, die du mir erzählen kannst, Hanna.«

Er wollte mich morgen wiedersehen! Zum ersten Mal kam mir

der Gedanke, dass dieses Inserat vielleicht doch nicht so völlig verkehrt war.

»Stimmt. Ich kenne noch viele Geschichten«, sagte ich lächelnd.

Es klingelte an der Haustür.

»Vielleicht der nächste Kandidat?«

»Ich hoffe nicht«, sagte ich wahrheitsgemäß. Er folgte mir zur Haustür.

»Guten Tag. Bin ich hier richtig bei der Frau, die einen Bauern sucht?«, fragte ein Mann, der mindestens doppelt so schwer und zwei Köpfe größer war als ich. Er hielt einen riesigen Strauß bunter Frühlingsblumen in der Hand.

»Äh …!« Was sollte ich jetzt dazu sagen?

»Hier sind Sie richtig!«, übernahm Alex für mich. »Bis morgen, Hanna!« Dann verschwand er mit einem Grinsen auf dem Gesicht.

Ich stand dem riesigen Blumenmann gegenüber und schaute zu ihm nach oben. Er hatte ein erstaunlich attraktives Gesicht mit einem sehr weichen, freundlichen Blick.

»Mögen Sie Tulpen?«, fragte er sanft.

»Ja! Sehr!«

»Das freut mich«, sagte er strahlend.

Irgendwie brachte ich es nicht übers Herz, ihn gleich wieder nach Hause zu schicken. So bat ich ihn in die Stube, und wir tranken eine Tasse Kaffee. Sicherlich würde ich heute Nacht mit all dem Koffein intus kein Auge zutun.

Damit der knuffige und sympathische Bär – er hieß René Voiling – sich jedoch keine Hoffnungen machte, gab ich ihm beim Abschied zu verstehen, dass ich schon einen anderen Bewerber näher ins Auge gefasst hatte. Und damit hatte ich nicht gelogen. Auch wenn ich fast nichts über ihn wusste, konnte ich nicht aufhören, an Alex zu denken.

kapitel 15

Tatsächlich hatte ich auch diese Nacht wieder nur wenig geschlafen. Das hatte zum Teil mit dem vielen Kaffee zu tun, den ich getrunken hatte, aber vor allem mit Alex. Wir hatten vergessen, einen Zeitpunkt auszumachen, wann er heute kommen würde. Am liebsten hätte ich noch mitten in der Nacht eine SMS geschickt und nachgefragt. Ein paarmal hatte ich das Handy schon in der Hand. Aber dann ließ ich es doch.

Ich stand sehr zeitig auf. Als Fanny hörte, dass ich schon wach war, kam sie gähnend aus dem Zimmer meiner Schwester und trottete hinter mir her in die Küche.

Ich fütterte den Hund und ließ ihn dann hinaus. Der Himmel war jetzt schon wolkenlos blau, und es versprach tatsächlich, ein wunderschöner Tag zu werden.

Plötzlich bekam ich Lust auf frische Brezen mit Butter und Käse. Leider hatte die Bäckerei in Halling am Sonntag geschlossen. Spontan beschloss ich, nach Passau zu fahren. Dort hatten einige Läden am Vormittag geöffnet.

Ich kaufte nicht nur frischen Brezen und Semmeln für mich und Pauline, sondern auch für Willy. Und weil meine Tante mich kulinarisch immer so verwöhnte, wollte ich die Gelegenheit nutzen und mich mit einem Frühstücksgruß bedanken.

Als ich eben die Tüte mit dem Gebäck an ihre Haustür hängen wollte, öffnete sie sich und Max stand vor mir.

»Servus, Max!«

»Hanna? Was machst du denn schon hier?«

Ich streckte ihm die Tüte entgegen.

»Frühstücksservice.«

»Äh, danke.« Überrascht nahm er die Tüte.

»Sag deinen Eltern einen schönen Gruß von mir.« Damit drehte ich mich um und wollte gehen. Er folgte mir.

»Hanna, warte mal.«

»Was denn?«

»Ich war es wirklich nicht«, sagte er und schaute mich dabei so ernst und unschuldig an, dass ich glatt darauf hereingefallen wäre, wenn ich ihn nicht besser gekannt hätte.

»Schon gut, Max.« Ich war ihm ja gar nicht mehr böse. Ganz im Gegenteil. Wenn er diesen Aufruf im Weinzelt nicht veranlasst hätte, wäre Alex womöglich nie auf meinen Hof gekommen. Aber das würde ich meinem Cousin jetzt bestimmt nicht auf die Nase binden. Es schadete nicht, wenn er ein schlechtes Gewissen hatte.

Blendender Laune ging ich nach Hause, bereitete das Frühstück vor und deckte für Pauline, Willy und mich hinter dem Haus.

Es war gerade mal acht Uhr früh. Während ich die Frühstückseier kochte, überlegte ich, ob ich Alex jetzt schon eine SMS schicken konnte? Nein. Besser noch abwarten. Oder doch nicht? Warum stellte ich mich eigentlich so an? Es war doch gar nichts dabei, höflich nachzufragen, bis wann ich denn mit seinem Erscheinen rechnen konnte. Ich tippte die Nachricht und schickte sie ab. So.

Inzwischen hatte ich richtig Hunger bekommen. Ich würde die Bande jetzt aus dem Bett werfen. Zuerst klopfte ich bei Willy an und lud ihn zum Frühstück ein. Pauline war überraschenderweise schon wach und lernte – freiwillig! – Französischvokabeln.

Um zehn Uhr war das Frühstück längst beendet und das Geschirr gespült. Ich war frisch geduscht und trug einen bequemen Jeansrock mit einem dunkelblauen Shirt darüber. Alex hatte sich noch nicht gemeldet. Aber das musste natürlich nichts bedeuten. Vielleicht schlief er am Sonntag einfach nur länger. Oder der Akku seines Handys war leer, und er fand das Aufladekabel nicht. Oder jemand hatte das Handy geklaut. Oder ... er will einfach gar nicht kommen, flüsterte eine leise, gemeine Stimme in meinem Kopf, die ich zu ignorieren versuchte.

Um mich abzulenken, spielte ich mit Pauline Federball. Dann fragte ich sie die gelernten Vokabeln ab. Bis es Zeit war, das Mittagessen zu kochen. Da wir ausgiebig gefrühstückt hatten, gab es nur Salat und die restlichen Semmeln, die ich mit selbst gemachter Knoblauchbutter bestrich und im Ofen knusprig buk.

Er würde nicht kommen. Das war mir spätestens am Nachmittag klar. Warum war ich nur immer wieder so gutgläubig?

Da Pauline die wenigen Stunden, die sie noch hier sein würde, mit Fanny verbringen wollte und weder Lust auf Monopoly noch auf Fernsehen hatte, setzte ich mich an meinen Rechner. Du liebe Güte! Inzwischen hatten sich über 150 E-Mails angesammelt.

Beim Lesen merkte ich, dass ich den Schreibern unrecht getan hatte; der Großteil der Mails war sehr nett und höflich geschrieben. Einige Männer sahen auf den angehängten Fotos nicht nur sympathisch aus, sondern hatten auch noch witzige – und weitgehend fehlerfreie – Nachrichten geschickt. Sieben davon wollte ich mir später genauer anschauen.

Kevin der Toyboy hatte sich auch wieder gemeldet. Es stellte sich heraus, dass der Mailschreiber und der Besucher von gestern tatsächlich identisch waren. Der Kerl ließ nicht locker. Während er gestern eher schüchtern gewirkt hatte, sprühte er in seiner E-Mail nur so von erotischen Phantasien, die er mit mir ausleben wollte. Eine Antwort darauf ersparte ich mir.

Insgeheim hatte ich gehofft, dass ich eine Nachricht von Alex finden würde. Leider vergeblich.

Am späten Nachmittag wurde es Zeit, Pauline zum Bahnhof nach Passau zu bringen. Am liebsten hätte sie Fanny mitgenommen. Der Abschied von dem geliebten Hund fiel ihr von Mal zu Mal schwerer.

Während ich zurück zum Hof fuhr, zogen plötzlich dunkle Wolken auf, und es begann zu regnen. Genau der richtige Abschluss für diesen Tag, den ich blöde Kuh damit verbracht hatte, auf einen Mann zu warten, den ich überhaupt nicht kannte.

Als ich aus dem Auto stieg und im Regen zur Haustür rannte, hätte ich fast das Motorrad übersehen, das neben der Scheune abgestellt war. Und dann sah ich ihn: Alex! Er saß in schwarzer Motorradlederkleidung auf der Hausbank unter dem Dachvorsprung und grinste mir zu. Ich blieb vor ihm stehen. Und biss mir auf die Zunge, damit ich ihn nicht fragen konnte, wo zum Teufel er den ganzen Tag gesteckt hatte.

»Hast du einen großen Regenschirm?«, fragte er.

»Wozu?«

»Na, wir wollten doch spazieren gehen.«

Und so marschierten wir beide kurz darauf eng aneinandergedrängt unter dem alten grauen Regenschirm meiner Oma die matschigen Feldwege entlang.

»Tut mir leid, dass ich mich nicht gemeldet habe, aber ich

musste einiges organisieren«, sagte er laut, um das Trommeln der Regentropfen auf dem Schirm zu übertönen.

»Was denn?«, fragte ich ebenso laut nach und versuchte mir meine Neugierde nicht anmerken zu lassen.

»Ich brauchte jemanden, der für ein paar Tage für mich einspringt.«

»Einspringt?«

»Ja. Auf dem Hof.«

»Warum das denn?« Ich hoffte auf eine ganz bestimmte Antwort. Und wurde nicht enttäuscht.

»Ich möchte mir Halling und die heiratswilligen Damen hier mal genauer anschauen. Deswegen habe ich mir ein paar Tage Urlaub genommen.«

»Ja, Halling ist schön. Und sicher findest du einige Frauen hier, die sich gerne mit dir einlassen würden«, spielte ich seine Antwort herunter. Er sollte ja nicht merken, dass ich am liebsten vor Freude einen Luftsprung gemacht hätte.

»Mal sehen … Und wie läuft es bei dir mit deinen Bewerbern?«, fragte er nach.

»Nun ja. Einige scheinen nett zu sein«, antwortete ich unverbindlich.

»Nett? Das ist ja schrecklich. Nimm dir bloß keinen netten Mann. So einer langweilt dich zu Tode!«

Wir lachten beide.

»Was hältst du davon, wenn wir unseren Spaziergang für heute abbrechen?«, schlug er vor, als der Regen immer heftiger wurde.

»Klar.« Doch Regen hin oder her – eigentlich hätte ich nichts dagegen gehabt, weiter so nah an ihn geschmiegt durch die Gegend zu wandern. Es fühlte sich gut an. Normalerweise hatte ich immer das Bedürfnis, körperlichen Abstand zu halten. Gerade zu

Männern, mit denen ich nicht liiert war. Auch die typisch Münchner Bussi-Bussi-Begrüßung war mir eher zuwider. Aber jetzt genoss ich die wenigen Meter, die es zurück zum Haus waren, ganz eng an ihm dran.

»Hast du schon ein Zimmer hier?«

»Ja, beim Brunnenwirt. Aber ich habe nicht vor, jetzt schon schlafen zu gehen. Darf ich dich zum Essen einladen?«

Juhu! Das lief ja alles wie geschmiert! Ich konnte mein Glück kaum fassen.

»Darfst du. Aber erst brauch ich eine heiße Dusche.«

»Tolle Idee. Ich auch.«

»Ich spendiere dir heißes Wasser und Duschgel.«

»Sehr zuvorkommend, Hanna!«

»Ja, so bin ich.«

»Hättest du auch noch ein Handtuch übrig?«

»Ich glaube, da findet sich noch eines.«

Wir beeilten uns, zurück zum Hof zu kommen. Ich gab Alex zwei Handtücher und zeigte ihm das Gästebad. Dann sprang ich selbst unter die Dusche. Ich beeilte mich und war noch vor ihm fertig. Rasch schlüpfte ich in meine Lieblingsjeans und musste erschrocken feststellen, dass sie enger war als sonst. Verdammt! Seit ich hier auf dem Land war, hatten mein Appetit und damit auch mein Gewicht zugenommen. Dagegen musste ich schleunigst etwas unternehmen. Wenigstens bekam ich den Reißverschluss gerade noch so zu.

Während ich mir eine schwarze Bluse anzog, die hoffentlich die kleinen Fettpölsterchen an den Hüften kaschieren würde, klingelte es an der Haustür.

Noch barfuß lief ich nach unten und öffnete.

»Servus, Hanna. Entschuldige, dass ich hier so unangemeldet

aufkreuze«, sagte Lene Huber unter einem weiß-blau gemusterten Regenschirm.

»Lene! Komm doch rein«, forderte ich sie überrascht auf.

»Danke. Ich wollte nur fragen, wie es dir geht. Und dir etwas vorbeibringen.« Sie stellte den Regenschirm im Flur ab und reichte mir ein liebevoll eingewickeltes Päckchen.

»Es ist wieder alles in Ordnung«, versicherte ich. »Bitte komm rein und setz dich.«

Wir gingen in die Stube.

»Du strahlst ja richtig«, stellte sie fest.

»Nun ja…«

»Ich habe mir wirklich Sorgen gemacht nach dem Weinfest.«

»Das ist echt lieb von dir, Lene. Aber es geht mir gut.« Ich war wirklich gerührt. Sie kannte mich ja kaum! Ich betrachtete das Päckchen.

»Darf ich es aufmachen?«

»Natürlich!«

Ich öffnete das Geschenk und holte ein Buch heraus mit dem Titel *Auf der Suche nach der weißblauen Liebe – Ein Ratgeber*. Lenes Buch! Ich freute mich sehr.

»Vielen Dank, Lene.«

»Ich dachte, da du ja momentan auf der Suche nach einem Mann bist, findest du vielleicht ein paar nützliche Tipps.«

»Hanna, ich habe die nassen Handtücher…« Alex stand in der Tür. Seine Haare waren noch feucht, und mir war sofort klar, was Lene jetzt denken würde. »Oh, Entschuldigung…«, sagte Alex.

»Nein, Alex, komm doch rein. Das ist Lene Huber, eine Bekannte von mir. Lene, das ist Alex.«

Die beiden begrüßten sich freundlich. Ich bemerkte, dass Alex ganz kurz auf Lenes Oberweite starrte. Ich konnte es verstehen.

Mir war es bei unserer ersten Begegnung schließlich auch nicht anders ergangen. Sicher war Lene das gewöhnt.

»Wir sind beim Spazierengehen ziemlich nass geworden und haben deshalb schnell geduscht«, erklärte ich und merkte sofort, wie blöd sich das anhörte. Warum musste ich nur immer so unkontrolliert plappern, wenn ich nervös war?

»Es tut mir leid, ich wollte nicht stören«, sagte Lene höflich, und ich hatte den Eindruck, dass sie sich ein Grinsen verkneifen musste.

»Du störst wirklich nicht. Wir wollten zum Essen gehen, aber das können wir auch später noch machen.«

»Auf keinen Fall. Ich habe meine Mission hier erfüllt und muss auch gleich wieder nach Hause. Maxi bekommt einen Zahn und ist ziemlich unleidlich.«

Alex und Lene verabschiedeten sich, und ich begleitete sie zur Tür.

»Der ist ziemlich heiß«, flüsterte sie mir ins Ohr und zwinkerte mir beim Abschied zu.

kapitel 16

Ich hatte keine Lust, beim Abendessen womöglich über meinen Cousin, Onkel Alois oder gar Pit zu stolpern, die öfter im Wirtshaus Schafkopf spielten. Deshalb verzichteten wir auf einen Abend beim Brunnenwirt und fuhren mit meinem Wagen nach Passau in ein mexikanisches Lokal. Joe's Cantina war gut besucht, und wir bekamen den letzten freien Tisch in der Nähe der Theke. Es war meine erste Verabredung seit – oh Gott, ich konnte mich noch nicht mal mehr erinnern, wann ich das letzte Mal abends mit einem Mann aus gewesen war, mit dem ich nicht geschäftlich zu tun hatte. Oder doch. Jetzt fiel es mir wieder ein. Und ich wusste, warum ich es verdrängt hatte. Meine letzte Verabredung war kurz vor Weihnachten gewesen und hieß Urs-Gunter Lohnenkopf-Wirtzkopf. Kein Witz! Der Typ hieß tatsächlich so. Er war ein Anwaltskollege meiner Mutter, den ich auf der Geburtstagsfeier meines Stiefvaters Dieter kennengelernt hatte. Urs-Gunter war im gleichen Alter wie Dieter und zweimal geschieden. Der Doppelname stammte aus seiner zweiten Ehe. Er hatte ihn nach der Scheidung behalten. Alleine schon, dass er seinen Mandanten zumutete, ihn so anzusprechen, fand ich boshaft. Ganz zu schweigen davon, was er seinen armen Büroangestellten mit diesem Namen antat. Mir reichte schon die Vorstellung, mich am Telefon mehrmals täglich folgendermaßen zu melden: »Rechtsanwaltskanzlei für Mahn- und Vollstreckungswesen Urs-Gunter Lohnenkopf-Wirtzkopf und Partner, Sie sprechen mit Frau…« Das war wirklich ein Zungenbrecher!

Urs-Gunter sah gar nicht mal übel aus, wenn man auf dunkelhaarige große Männer stand, was ich zugegebenermaßen tat, aber ich hatte selten einen Typen mit so miesem Charakter kennengelernt. Nicht nur, dass er auf der Party ständig versucht hatte, mich zu begrapschen, er drängte auch penetrant darauf, mit mir essen zu gehen. Nachdem ich ihm zweimal einen Korb gegeben hatte, setzte er Dieter auf mich an. Damit endlich Ruhe war, stimmte ich einem Abendessen zu. Obwohl ich Urs-Gunter erklärte, dass ich keinen rohen Fisch mochte, reservierte er einen Tisch in einer Sushi-Bar. Er liebte Sushi und wollte, dass ich es auch aß.

Mit knurrendem Magen sah ich zu, wie die kleinen Fischhäppchen an mir vorbeizogen. Auch die vegetarische Variante überzeugte mich nicht. Urs-Gunter dagegen stopfte sich die Dinger nur so in den Mund. Bei seinem Appetit war es kein Wunder, dass die Fischbestände in den Weltmeeren deutlich schrumpften.

»Jetzt iss doch!«, hatte er gesagt. Und das war keine freundliche Aufforderung, sondern ein Befehl gewesen. Als ich trotzdem nicht reagierte, nahm er einen Teller vom Laufband und stellte ihn mir vor die Nase. Ich stand vor der Alternative, aufzustehen und zu gehen oder meinen Ekel zu überwinden und in das zugegebenermaßen farbenfrohe Röllchen zu beißen. Ich biss. Ich schluckte. Und würgte. Und dann rannte ich hinaus. Ich hatte gewusst, dass Sushi nichts für mich war! Ich hätte auf mich hören sollen.

Dank Urs-Gunter Lohnenkopf-Wirtzkopf hatte ich seitdem einen totalen Ekel vor Fisch, sogar wenn er gekocht oder gebraten war. Einzig Fischstäbchen mit viel Kartoffelpüree sorgten seit dem ersten und letzten Sushi-Abend meines Lebens noch für eine Basiszufuhr von tierischem Omega 3.

Der Ober kam an den Tisch und reichte uns die Speisekarte.

»Und wer passt jetzt auf deinen Hof auf?«, fragte ich, nachdem wir bestellt hatten. Diesmal wollte ich mehr über Alex erfahren.

»Ein guter Freund.«

»Wo ist denn dein Hof eigentlich genau?«

Er lächelte mich an. »Das verrate ich dir später.«

Es prickelte in meinem Nacken. Alex war irgendwie geheimnisvoll. Und das gefiel mir.

»Bei welchen Auftraggebern bist du denn momentan im Einsatz, Hanna?«

Warum wollte er denn das wissen? Hoffentlich biss er sich jetzt nicht wieder an meinem Job fest.

»Das kann ich leider nicht sagen.«

»Wieso? Ist das geheim?«

Ich drückste herum.

»Geheim nicht, aber ich spreche nicht über meine Kunden.«

»Sind das so besondere Kunden? Und was machst du denn da genau in deinem Job?« Er ließ wirklich nicht locker.

»Was man halt als Privatsekretärin so macht.«

Gott sei Dank kam das Essen – eine große mexikanische, völlig fischfreie Platte für zwei Personen – und ich hoffte, dass es ihn von seiner Fragerei ablenken würde. Ich konnte nicht verstehen, warum er sich nicht mehr für meinen Hof interessierte.

»Und davon kann man gut leben?«, fragte er jedoch munter weiter, nachdem er sich reichlich auf den Teller geschaufelt hatte.

Ich musste lachen.

»Mehr oder weniger. So, und jetzt erzähl mal von dir!« forderte ich ihn auf.

»Was willst du denn gerne wissen?«

»Alles!«

»Na, du bist ja bescheiden. Aber gut, meinen Namen kennst du bereits, und ich habe einen Bauernhof in Oberbayern.«

Er war ungefähr so mitteilsam wie eine Auster.

»Und wie alt bist du?«

»Schätz doch mal!« Er grinste spitzbübisch.

Oh nein! Es gab nichts Schlimmeres, als das Alter eines Menschen zu schätzen. Freundschaften sind darüber bereits zerbrochen, und vielleicht hatten auch einige Kriege ihren Ursprung in dieser fatalen Frage.

»Jetzt komm. Trau dich!«

Ich schaute ihn mir näher an. In seinen Augenwinkeln waren leichte Fältchen zu erkennen. Doch seine dunklen Haare schienen nicht gefärbt zu sein und zeigten kaum ein graues Haar. Allerdings durfte man danach auch nicht unbedingt gehen. Manche Menschen ergrauten schon sehr früh. Wie zum Beispiel meine Mitarbeiterin Daniela. Sie musste ihre ursprünglich schwarzen Haare schon seit Jahren färben, damit sie nicht aussah wie ihre eigene Mutter. Glücklicherweise hatte ich diese Probleme mit meinen naturblonden Haaren nicht.

»Neununddreißig«, rutschte es mir plötzlich heraus, und ich hoffte, dass ich ihn nicht zu alt gemacht hatte. Andererseits fand ich es lächerlich, wenn man jemanden nur aus Höflichkeit deutlich jünger schätzte.

»Fast. Ich bin einundvierzig. Aber danke für die zwei Jahre.«

»Aber immer gerne.«

»Und du?«

»Was und ich?«

»Verrätst du mir dein Alter freiwillig, oder soll ich dich auch schätzen?«

»Haha. Schätzen. Du weißt genau, wie alt ich bin.«

»Und woher soll ich das wissen?« fragte er verwundert.

Wollte er mich jetzt verarschen, oder hatte er es tatsächlich vergessen?

»Es stand im Inserat, und im Weinzelt wurde es auch noch einmal laut und deutlich verkündet«, erinnerte ich ihn.

»Ach ja, stimmt. Schlimm, dass ich es vergessen habe?«

»Sehr schlimm …«, ich lächelte, »… ist es nur, wenn du mich jetzt deutlich älter schätzt als ich bin.«

»Quatsch. Du siehst kein Jahr älter aus als zweiundfünfzig.« Er duckte sich leicht, als ob er einem Schlag vorbeugend ausweichen würde, und grinste schief.

»Total daneben. Aber danke, dass du mich jünger gemacht hast. Ich bin fünfundsiebzig, und dank meines Schönheitschirurgen schätzen mich die meisten Leute auf neunundsechzig.«

Er lachte wieder. Ein Mann mit Humor. Wunderbar. Bis jetzt hatte ich noch keinen Fehler an ihm gefunden. Es war fast schon ein wenig unheimlich.

»Jetzt sag, wie alt bist du, Hanna? Ich weiß es wirklich nicht mehr.«

»Na gut. Ich bin noch zweiunddreißig. Aber Willy fand, dass dreiunddreißig viel besser aussehen würde. Deswegen haben wir dreiunddreißig ins Inserat geschrieben.«

»Eine Frau, die sich freiwillig älter macht. Sehr interessant.« Er schmunzelte.

Während wir aßen, fragte Alex mich weiter aus. Aber nicht etwa über meine ohnehin kaum vorhandenen Hobbys oder über die

Hochlandrinder auf der Weide, geschweige denn über den Anbau von Kartoffeln oder die Anzahl der Hektar, die zum Hof gehörten.

»Und jetzt hast du dich selbst eine Weile lang beurlaubt von deinem Büro?«

»Nicht ganz. Ich arbeite von hier aus und fahre regelmäßig nach München.« Bevor er mich weiter ausquetschen konnte, packte ich den Stier bei den Hörnern: »Warum hast du dich auf das Inserat gemeldet? Willst du wirklich heiraten?«

Er legte den Kopf ein wenig zur Seite und schaute mich mit einem intensiven Blick an.

»Ich war neugierig… Und ja, irgendwann möchte ich auch mal heiraten.« Irgendwann? Irgendwann hörte sich nach… irgendwann an. Und irgendwann lag nicht unbedingt innerhalb der nächsten drei Monate. Halt. Inzwischen waren es gerade mal knapp zwei Monate.

Was sollte ich denn jetzt tun? Ihn nochmal daran erinnern, dass meine Hochzeit deutlich früher als »irgendwann« stattfinden musste? Auf keinen Fall. Aufdrängen würde ich mich ganz bestimmt nicht. Wir kannten uns ja schließlich insgesamt erst viereinhalb Stunden. Für einen Heiratsantrag war das eindeutig zu wenig.

»Meine Hochzeitsglocken müssen spätestens Anfang Juli läuten, wenn ich den Hof behalten möchte.« Mist. Warum gehorchte mein loses Mundwerk nie den Anweisungen meines Hirns?

»Ja, das verstehe ich«, sagte er ruhig.

Das war nicht die Antwort, auf die ich gehofft hatte. Aber worauf hatte ich denn gehofft? Dass er vor mir auf die Knie fiel und um meine Hand anhielt?

Sein Handy klingelte. Er schaute auf das Display.

»Entschuldige Hanna. Das Gespräch muss ich annehmen… Ja, schön, dass du dich meldest…« Er stand auf und ging hinaus.

Neugierig schaute ich hinterher. Mit wem er wohl telefonierte? Ich erkannte schlagartig, dass ich überhaupt nichts von dem Mann wusste, den ich in Gedanken schon neben mir am Traualtar gesehen hatte. Da wurde mir klar, wie verrückt meine Situation eigentlich war. Innerhalb weniger Wochen einen Bräutigam finden zu müssen! Das war ein klein wenig so, als ob man ein traumhaftes Kleid für einen ganz besonderen Ball kaufte, das es leider nur noch eine Größe zu eng gab. Doch man wollte das Kleid unbedingt haben! Und dann hatte man nur wenige Wochen Zeit abzunehmen, um in das Kleid zu passen. Ein Gefühl der Panik breitete sich schon bei dem Gedanken daran in mir aus. So ähnlich fühlte ich mich seit der Testamentsverlesung ständig!

Alex blieb eine Weile weg. Sein Gespräch dauerte wohl etwas länger. Lustlos stocherte ich in meinem Essen herum. Als er endlich zurückkam, hatte sich die Stimmung verändert. Er bemühte sich, freundlich zu sein, wirkte aber seltsam unterkühlt. Ich war auch nicht mehr so euphorisch wie zu Beginn des Abends. Als er vorschlug zurückzufahren, stimmte ich erleichtert zu. Auf dem Hof verabschiedete er sich von mir, setzte seinen Helm auf, stieg auf sein Motorrad und fuhr in Richtung Brunnenwirt davon. Ich sah ihm nachdenklich hinterher. Wir hatten kein weiteres Treffen vereinbart.

kapitel 17

Mit mehr als 180 Stundenkilometern preschte ich über die Autobahn in Richtung München. Fanny saß auf dem Rücksitz, was nicht so ganz ordnungsgemäß war. Ich musste unbedingt bald eine Transportbox für sie kaufen.

Schon früh am Morgen hatte Daniela aufgeregt angerufen. Das Finanzamt würde sich zwar auf eine Ratenzahlung einlassen, wollte aber trotzdem vorab schon einen weitaus größeren Betrag, als BeauCadeau ihn derzeit auf dem Bankkonto hatte. Und zwar innerhalb von einer Woche. Glücklicherweise gab mein wunderbarer Steuerberater mir noch einen weiteren Aufschub mit der Bezahlung seiner Rechnungen. »Zum Dank werde ich ihm einen Gutschein für einen Gratis-Geschenkevorschlag schicken«, versprach ich laut mit einem Blick in den Rückspiegel zu Fanny.

Doch nicht nur mit den Steuern gab es Probleme. Frank Cornelius hatte eine ärgerliche Mail geschickt, weil ich auf meinem Handy nicht erreichbar gewesen war. Als ich ihn zurückrufen wollte, war sein Telefon ausgeschaltet. Natürlich. Es war ja noch weit vor Morgengrauen in Südamerika. Und Frank Cornelius lag wahrscheinlich im Bett neben seiner Traumfrau und schlief. Oder vielleicht schlief er auch nicht neben ihr, sondern schlief mit ihr. Oder so.

Auf jeden Fall musste ich in der nächsten Zeit mein Handy

stets bereit haben, falls er sich wieder melden würde. Oder jemand anderes. Ich hatte ja noch weitere Kunden. Nicht immer konnte Daniela die Anrufe auf dem zweiten Handy entgegennehmen.

Jetzt wartete sie schon ungeduldig im Büro auf mich.

»Endlich bist du da, Hanna!«, begrüßte sie mich und schenkte mir eine Tasse Kaffee ein. Fanny bekam eine Schüssel mit Wasser und ein paar Leckerlis, die ich dabeihatte. Dann zog sie sich in eine Ecke zurück und schlief.

»Und das Finanzamt lässt gar nicht mehr mit sich reden?«, fragte ich, obwohl ich die Antwort schon kannte.

Daniela schüttelte den Kopf.

»Nein. Keine Chance. Aber es gibt auch gute Nachrichten: Wir haben drei neue Kunden. Bei zweien ist das Budget insgesamt 45 000 Euro.«

»Wunderbar. Hast du schon Ideen für Geschenke?«

Daniela nickte grinsend, und ich wusste, um die beiden Aufträge würde ich mich nicht persönlich kümmern müssen. Ich war so froh, Daniela zu haben! Gerade jetzt.

»Der Dritte will sich nur mit dir persönlich treffen. Du wurdest ihm von einem anderen Kunden empfohlen, er sagt aber nicht von wem. Keine Ahnung, wie hoch das Budget ist.«

»Na gut. Gibt es schon einen Termin?«

»Zwei Vorschläge: Morgen Abend. Oder am kommenden Freitag um die Mittagszeit.«

Ich überlegte. Wenn ich am Freitag fuhr, konnte ich meine kleine Schwester anschließend nach der Schule abholen und mit nach Halling nehmen.

»Gut. Dann Freitag. Wie heißt der Kunde?«

»Keine Ahnung.«

Ich war zwar nicht begeistert darüber, den Namen vorab nicht zu wissen, aber einige Männer bestanden darauf, ihn zumindest bis zu einem ersten Treffen geheim zu halten.

»Regelst du das mit dem Termin?«

»Klar. Aber was machen wir denn jetzt mit dem Finanzamt?«, wollte Daniela wissen.

Darüber hatte ich mir die ganze Fahrt über Gedanken gemacht. Und ich hatte eine Lösung gefunden. Sie war zwar nicht ganz astrein, aber einen anderen Ausweg sah ich momentan nicht, wenn ich meine kleine Firma nicht verlieren wollte.

»Ich werde das Geld vorübergehend vom Konto meiner Oma nehmen.«

»Hast du da eine Vollmacht?«

»Ja. Zwar nur eingeschränkt, aber der Betrag ist drin.«

Daniela schaute mich an und grinste wieder.

»Genau genommen ist es ohnehin dein Geld.«

»Nur wenn ich heirate. Ansonsten muss ich es Max zurückzahlen. Am besten noch vorher, damit er gar nicht mitbekommt, dass ich es genommen habe.«

»Hey, Hanna. Natürlich heiratest du! Dieses Erbe kannst du dir unmöglich entgehen lassen.«

Sie hatte ja recht. Wenn es nur einfacher wäre, den passenden Mann zu finden! Sofort musste ich an Alex denken. Was war gestern nur plötzlich passiert? Warum war er auf einmal so seltsam gewesen? Als ob meine Gedanken ihn angelockt hätten, meldete sich Alex plötzlich auf meinem privaten Handy.

»Hallo, Hanna. Wo bist du denn? Ich stehe hier auf deinem Hof, und Willy kann mir nicht sagen wo du bist.«

»Äh, hallo, Alex…« Ich räusperte mich. Einerseits freute ich mich, dass er mich sehen wollte, andererseits ärgerte es mich ein wenig, dass er sein Kommen nie ordentlich anmeldete. Sollte ich vielleicht den ganzen Tag daheimbleiben, für den Fall, dass er auftauchen würde? So weit waren wir noch lange nicht!

»Ich musste überraschend nach München in mein Büro«, erklärte ich.

»Schade. Ich dachte, wir könnten heute etwas unternehmen! Deswegen bin ich ja eigentlich in Halling.«

Ich hörte Enttäuschung und auch einen Anflug von Ärger aus seiner Stimme heraus. Erst als ich vorschlug, dass wir uns am Nachmittag treffen konnten, klang er wieder versöhnlicher. Ich verabschiedete mich und legte auf.

»Wer war das denn?«, fragte Daniela neugierig.

»Das war Alex.«

»Aha. Alex. Ein Heiratskandidat?«

»Das muss sich erst noch herausstellen. Aber jetzt lass uns arbeiten, bevor ich wieder zurück muss.«

Die nächsten zwei Stunden verbrachten wir damit, über Bettina Cornelius zu sprechen. Das Ergebnis waren zwei Geschenkideen, die ich Frank Cornelius sofort per E-Mail mitteilte. Eine sechzehn Meter lange Segeljacht in einer besonders edlen und exklusiven Ausführung, die ursprünglich für einen Scheich angefertigt worden war. Und ein antikes Smaragdcollier aus Ägypten, das aus einem Privatbesitz verkauft werden sollte.

Wie Daniela immer an diese Informationen kam, war mir schleierhaft. Sie tat wirklich alles Mögliche und Unmögliche auf. Plötzlich kam mir ein Gedanke.

»Ich hätte da eine ganz besondere Aufgabe für dich, Daniela.«

»Was denn?«, fragte sie gespannt nach. Sie liebte Herausforderungen.

»Ich möchte jemandem eine große Freude machen. Hör mal…« Ich erklärte ihr mein Vorhaben, und sie versprach, ihr Bestes zu tun.

kapitel 18

Als ich am Nachmittag zurück auf dem Hof war, wartete nicht Alex, sondern Max auf mich. Ich war noch nicht aus dem Wagen ausgestiegen, da fuhr er mich schon an.

»Sag mal, quartierst du dir jetzt deine Liebhaber schon in Halling ein?«

»Dir auch einen schönen Tag«, begrüßte ich ihn bemüht freundlich und ging auf das Haus zu. Fanny trottete hinter mir her.

Auf der Bank saßen zwei Männer, die ich nicht kannte. Ein sehr blasser Typ mit Sommersprossen und karottenfarbigen Haaren und ein Mann mit einer gewaltigen Bierwampe und einem lustigen Schnauzbart.

»Grüß Gott!«, sagte ich freundlich.

Sie grüßten höflich zurück, warfen aber beide einen vorsichtigen Blick auf meinen Cousin. Max hielt mich am Arm fest.

»Überall im Dorf wird geredet, dass du dich schon für einen Mann entschieden hast. Ist das wahr?«

»Ja, freilich.« Ich grinste. »Ich habe soeben auf dem Standesamt das Aufgebot bestellt.«

»Dann sind Sie schon vergeben?«, fragte der Mann mit dem Kugelbauch enttäuscht. Ich nickte.

»Schade.«

Mit einem kurzen Abschiedsgruß verschwanden die Männer. Ich ging ins Haus.

»Das ist jetzt nicht dein Ernst, oder?«, fragte Max, der mir gefolgt war.

Ich hob einen Packen Kuverts auf, die unter dem Briefschlitz der Haustür am Boden lagen.

»Nein.«

»Was jetzt?«

Ich ging in die Stube und legte die Briefe auf den Tisch. Dann drehte ich mich um zu Max.

»Ich war noch nicht auf dem Standesamt. Bist du jetzt beruhigt?«

Er verschränkte die Arme vor seiner Brust.

»Wer ist dieser Motorradtyp, der hier auf dem Hof war?«

»Das ist Willy.«

»Hanna!«

»Drück dich doch etwas genauer aus, dann bekommst du auch vernünftige Antworten.«

Ich setzte mich an den Tisch und begann die Kuverts zu öffnen. Bis auf einen Brief von der Bank mit Kontoauszügen waren es lauter Schreiben von Heiratsbewerbern.

Max setzte sich ebenfalls und atmete tief ein.

»Na gut. Wer ist der Mann, der mit seinem Motorrad hier auf dem Hof war und beim Brunnenwirt übernachtet? Du warst gestern mit ihm im Regen spazieren und bist anschließend mit ihm im Auto weggefahren.«

Ich musste lachen. Das war jetzt mal wirklich genau.

»Sag mal, beobachtest du mich heimlich?«

»Vielleicht hast du es in deiner Zeit in München vergessen, aber hier auf dem Land wissen die Leute schon, dass du weggefahren bist, bevor du überhaupt den Zündschlüssel umgedreht hast.«

Das war tatsächlich nur ganz leicht übertrieben.

»Dieser Mann heißt Alex und hat sich nach dem Aufruf im Weinzelt bei mir gemeldet. Welchen ich, nur mal so nebenbei bemerkt, dir zu verdanken habe. Er ist Landwirt in Oberbayern und möchte gerne heiraten.« Das *Irgendwann* verschwieg ich Max.

»Ich habe dir schon mehrmals gesagt, dass ich mit dieser Sache im Weinzelt nichts zu tun habe!«, protestierte er.

»Ja, ja… und Katzen können bügeln.«

»Willst du ihn heiraten?« Die Frage kam plötzlich sehr leise.

Ich blickte gerade auf das Foto eines der Heiratsbewerber. Und war verblüfft. Den kannte ich doch!

»Keine Ahnung. Vielleicht nehm ich auch den hier. Was meinst du?« Ich schob ihm das Schreiben mit dem Bild hin.

»Das ist doch der Wimmer Steffl!«, rief Max erstaunt. Es war tatsächlich Stefan, der Brunnenwirt.

»Ich weiß nicht, wen ich heiraten werde, Max. Aber bei den vielen Bewerbern ist es keine Frage mehr, ob ich heiraten werde. Das werde ich. Und zwar rechtzeitig.«

Ich lächelte ihn an. Erstaunlicherweise lächelte er zurück.

»Das wollen wir erst einmal sehen!«

Ich seufzte.

»Was willst du eigentlich schon wieder hier?«, fragte ich ihn.

»Natascha heiratet, und du bist eingeladen.«

»Natascha?« Ich schaute ihn fragend an. Wer war das denn?

»Natascha! Die Tochter von der Zacher Zenz natürlich«, erklärte er in einem Tonfall, als ob ich vergessen hätte, dass München die Landeshauptstadt von Bayern ist. Und jetzt fiel der Groschen tatsächlich.

Zenta Zacher, von allen nur die Zacherin oder Zacher Zenz genannt, lebte in einem Häuschen am Ortsrand von Halling. Sie war eine Verwandte von Max' Vater und schon immer eine sehr ungewöhnliche Frau gewesen, die optisch gesehen in der Flower-Power-Zeit hängengeblieben war. Sie verkaufte in einem kleinen Laden, eigentlich war es mehr ein kleiner Schuppen hinter ihrem Haus, Kräuter und Tees. Dazu gab es für jeden, der es hören oder auch nicht hören wollte, kostenlose Lebensweisheiten dazu. Außerdem war die Zacherin eine weit über den Landkreis hinaus bekannte Kartenlegerin, mit einem ordentlichen Kundenstamm, der bereit war, einen noch ordentlicheren Batzen Geld für einen Blick in die Zukunft hinzulegen. Finanziell gesehen war die Zacherin weich gebettet.

Doch nie hatte man einen Mann an ihrer Seite gesehen. Und als sie mit fünfundvierzig Jahren schwanger wurde, hatte es allerlei Gerüchte um die mögliche Vaterschaft gegeben.

Natascha, ihre Tochter, war fünf Jahre alt gewesen, als ich mit meiner Mutter nach München gezogen war. Ich konnte mich noch gut an sie erinnern, weil meine Mutter sich immer wieder mal bei der Zenta die Karten hatte lesen lassen. Natascha war ein unglaublich putziges Kind gewesen mit einem süßen braunen Lockenkopf und Stupsnase. Ein richtiges Katalogkind. Sicher war sie jetzt eine Schönheit.

»Wieso bin ich denn zur Hochzeit eingeladen?«, fragte ich verwundert.

Max zuckte mit den Schultern.

»Keine Ahnung. Die Zenz will dich eben dabeihaben. Schließlich bist du weitläufig mit ihr verwandt.« Max war einer der wenigen, der den Spitznamen Zacherin vermied. Obwohl ich Zenz auch nicht wesentlich besser fand.

»Kann ich Pauline mitbringen?«

»Freilich.«

Er lächelte. Max mochte meine kleine Schwester sehr. Der kleine Teufelsbraten hatte sich ganz schnell in die Herzen der Leute hier geschlichen.

»Na gut. Wann ist denn die Hochzeit?«

»Am Samstag.«

»Diesen Samstag?«

»Ja. Sonst hätt ich das Datum dazu gesagt.« Max klang genervt.

»Und wo?«

»Natürlich in der Kirche!« Er schüttelte den Kopf über meine für ihn völlig unnötige Frage.

»Schön«, ich grinste frech, »dann werde ich gut aufpassen bei der Trauung… für meine Hochzeit demnächst… Tam tam tam tam – tam tam tatam…«, trällerte ich Wagners Hochzeitsmarsch und drehte eine Pirouette.

Max schnaubte. Aber bevor er darauf antworten konnte, ertönte das laute Motorengeräusch von Alex' Motorrad auf dem Hof. Auweh. Dass die beiden Männer aufeinandertrafen, war mir jetzt gar nicht recht. Rasch ging ich hinaus, gefolgt von Max. Natürlich machte er keinerlei Anstalten zu gehen. Er verschränkte seine Arme und nahm Alex ins Visier.

»Wehe, du benimmst dich nicht!«, zischte ich ihm zu und ging zu Alex, der eben seinen Helm abnahm. Seine Haare waren zerzaust, und die dunklen Augen funkelten.

»Grüß dich, Alex!«, sagte ich lächelnd.

»Servus, Hanna«, begrüßte er mich. »Hallo!«, rief er in Richtung Max. »Ist das wieder ein Bewerber?«, fragte er mich.

»Nein. Das ist mein Cousin.«

»Der das Erbe bekommt, wenn du nicht heiratest?«, flüsterte er.

»Ganz genau der!«

Max kam langsam auf uns zu, die Arme noch immer verschränkt.

»Du bist also ein heiratswilliger Landwirt?«, fragte er gleich ganz direkt.

Alex zog die Handschuhe aus und öffnete den Reißverschluss seiner Lederjacke.

»Was dagegen?«

»Könnte gut sein.«

»Dein Problem.«

»Was baust du denn so an auf deinem Hof?«

»Ich wüsste nicht, was dich das angeht.«

Oh Gott. Was war das denn jetzt? Die zwei führten sich ja auf wie zwei Halbstarke. Ich musste sofort eingreifen.

»So. Ich finde, das reicht für eine erste Unterhaltung. Und tschüss, Max. Sag deiner Mutter einen schönen Gruß. Magst du was trinken, Alex?« Ich nahm ihn resolut am Arm und zog ihn Richtung Haustür. Er kam mehr oder weniger bereitwillig mit.

»Hanna!«, rief Max uns hinterher. Ich verdrehte genervt die Augen, blieb aber kurz stehen und schaute mich zu ihm um.

»Ja?«

»Heiratsschwindler sind keine Märchengestalten. Die gibt es auch im wahren Leben.«

Damit drehte er sich um und ging.

Eine halbe Stunde später dachte ich nicht mehr an Max. Ich saß hinter Alex auf seiner Maschine und genoss es, mich eng an seinen Körper gedrückt festzuhalten. Willy hatte mir einen Helm geliehen und eine alte Motorradlederjacke, die mir allerdings viel zu weit war. Doch das war mir im Moment egal.

Eigentlich saß ich ja nicht so gerne auf einem Motorrad, weil ich mir da sehr ausgeliefert vorkam. Aber jetzt machte es mir nichts aus. Alex war ein sehr sicherer Fahrer, der kein Risiko einging. Zumindest nicht mit mir als Sozia.

Wir fuhren nach Passau und hoch zur Veste Oberhaus. Von dort aus hatte man einen herrlichen Blick über die Stadt und die drei Flüsse Donau, Ilz und Inn, die an der Ortsspitze zusammenflossen.

Wir spazierten eine Weile durch die äußere Burganlage und redeten ausnahmsweise mal nicht über meine Arbeit, sondern über Passau und seine Besonderheiten. Dann holte Alex eine Decke heraus, und wir setzten uns auf eine Wiese.

»Hast du eigentlich vor, verheiratet zu bleiben? Oder lässt du dich scheiden, wenn die Erbschaft zu deinen Gunsten geregelt ist?«, fragte Alex mich plötzlich.

Was sollte ich jetzt darauf antworten? Ich wusste es ja selber nicht.

»Das kommt darauf an …« begann ich langsam.

»Auf was?«

»Naja … auf den Mann, den ich heirate.«

»Sagen wir einmal, wir beide würden heiraten.«

Bei dem Gedanken daran wurde mir plötzlich ganz heiß. Und das lag sicherlich nicht nur an den für Ende April ungewöhnlich hohen Temperaturen. Wenn Alex und ich heiraten würden … Irgendwie hatte ich ein wenig Angst davor, mich jetzt auf diesen Gedanken einzulassen. Aber vor allem wollte ich mich jetzt nicht mit irgendwelchen Geständnissen blamieren.

»Würdest du mich denn heiraten wollen?«, fragte ich stattdessen.

»Dazu kenne ich dich zu wenig«, antwortete er nach einem kurzen Zögern ehrlich.

»Siehst du. Mir geht es genauso. Deswegen kann ich dir auch nicht sagen, ob ich mit dir verheiratet bleiben würde … ähm, natürlich nur hypothetisch gesprochen, falls du mich überhaupt heiraten wollen würdest, was du natürlich jetzt nicht sagen kannst, weil du mich ja noch gar nicht kennst …«

Meine Güte, was redete ich da nur für einen Unsinn?

»Und wenn du keinen Mann findest?«

Diese Frage ärgerte mich ein wenig. Das hörte sich ja fast so an, als ob er mir nicht zutrauen würde, dass mich ein Mann heiraten wollte.

»Ich meine einen für dich geeigneten Mann«, setzte er hinzu, als ob er meine Gedanken erraten hätte. Das stimmte mich wieder versöhnlich. Ich zuckte mit den Schultern.

»Dann freut sich mein Cousin über einen ziemlichen Haufen Geld. Und ich werde …« Ich konnte den Satz nicht zu Ende bringen, denn in diesem Moment stimmte mein Handy die französische Nationalhymne an. So ein Mist! Gerade jetzt! Aber ich musste rangehen.

Das Handy steckte in einer Seitentasche meiner Lederjacke, die hinter Alex lag.

»Warte, ich gebe es dir«, sagte er hilfsbereit und schob seine Hand bereits in die Tasche.

»Nein! Ich mach das schon!«, rief ich. Doch er hatte das Handy schon herausgeholt und reichte es mir. Auf dem Display stand der Name meines Kunden, glücklicherweise abgekürzt: Frank C.

Ich entfernte mich ein paar Schritte, während ich mich so leise mit »BeauCadeau« meldete, dass Alex es hoffentlich nicht hörte.

»Bea! Endlich erreiche ich Sie!«

Ich drehte mich kurz zu Alex um. Er schaute mir neugierig hinterher. Aber egal. Er wusste schließlich nicht, worum es ging.

Trotzdem vermied ich es, bei meinem Gespräch Details zu nennen.

»Hallo. Ja. Es tut mir leid, ich war die letzten Tage verhindert. Aber es ist alles unter Kontrolle …«

»Der Vorschlag mit der Segeljacht gefällt mir. Können Sie mir weitere Fotos davon zukommen lassen?«, fragte er, und in diesem Moment fielen ganze Gebirge der Erleichterung von meinem Herzen. Er fand den Vorschlag gut! Das hatte ich gar nicht zu hoffen gewagt.

»Ja natürlich … gerne.«

»Wunderbar. Sie sind ein Schatz, Bea! Ich schau mir die Fotos an und melde mich wieder bei Ihnen.«

»Ja. Bis bald! Ich freu mich! Tschüss.«

Ich legte auf und schloss für einen kurzen Moment die Augen. Alles würde gut werden. Glücklich lächelnd drehte ich mich zu Alex und setzte mich wieder auf die Decke.

»Du strahlst ja richtig«, stellte er fest.

Ich nickte fröhlich.

»Ja.«

»Ein neuer Kunde? Oder wie sagt man das in deinem Fall? Ein neuer Kurzzeit-Chef?« Er klang amüsiert.

»Auftraggeber oder Kunde, egal. Und nein, kein neuer Auftraggeber, aber ein sehr wichtiger für mich.«

»Das freut mich für dich. Aber mit deinem Erbe hast du es bald nicht mehr nötig, dir wegen irgendwelcher Aufträge einen Kopf zu machen.«

Dieser Satz machte mich nachdenklich.

»Weißt du, vielleicht sollte ich es mir doch nochmal überlegen, ob ich diesen Kuhhandel mit der Hochzeit wirklich eingehen soll«, rutschte es mir heraus. Ich könnte mein Geschäft weiter ausbauen, jetzt wo es so gut lief. Und irgendwann einen Mann heiraten, der mich gut genug kannte. Und dem es nur um mich ging. Irgendwann ... Ich schluckte und schaute zu Alex, der inzwischen etwas näher an mich herangerutscht war.

»Soso. Ein Kuhhandel ist das also für dich«, sagte er und lächelte seltsam.

»Ich äh, nein, so habe ich es natürlich nicht gemeint. Aber ...« mehr konnte ich nicht sagen, da sein Finger plötzlich auf meinen Lippen lag.

»Ssst ...«, flüsterte er.

Dann strich er mit seinem Daumen langsam die Konturen meines Mundes nach. Diese Berührung löste sofort ein wildes Kribbeln in meinem Bauch und allen Bereichen darum herum aus. Dazu kam heftiges Herzklopfen. Hätte man mich jetzt an ein medizinisches Überwachungsgerät angeschlossen, würden wohl alle Lämpchen rot aufblinken. Alex tat fast nichts, und meine Sinne spielten völlig verrückt. Halleluja! Ob es daran lag, dass mich schon seit einer gefühlten Ewigkeit kein Mann mehr berührt hatte?

Bitte küss mich!, bettelte eine innere Stimme.

Doch Alex konnte sie nicht hören und streichelte weiterhin nur ganz zart mein Gesicht.

Küss du ihn doch!, riet die innere Stimme jetzt. Ein guter Vorschlag! Genau das würde ich jetzt tun.

Ich hob meinen Kopf und schaute ihm in die Augen. Doch bevor meine gespitzten Lippen die seinen berühren konnten, zog er plötzlich seine Hand weg und stand auf.

»Ich glaube, wir sollten jetzt besser zurückfahren.«

Es war, als hätte mich jemand gewaltsam aus einem wunderschönen Traum wachgerüttelt. Ich brauchte einen Moment, um mich zu fassen. Ich räusperte mich.

»Freilich.« Rasch stand ich auf und schlüpfte ohne ein weiteres Wort in die Lederjacke. Dann setzte ich schnell meinen Helm auf, froh, meinen hochroten Kopf darunter verstecken zu können.

Alex tat so, als ob nichts gewesen wäre. Auch er zog sich an, dann stiegen wir auf und brausten davon.

Seine wenigen Berührungen hatten mich total aufgewühlt. Dieser Mann hatte etwas Besonderes. Er *war* etwas Besonderes. Und ich musste mir eingestehen, dass ich mich womöglich in Alex verliebt hatte.

In diesem Moment fasste ich einen Entschluss. Wenn ich einen Mann heiraten würde, dann Alex. Und wenn er mehr Zeit brauchte, um mich kennenzulernen, dann würde ich ihm die Zeit geben und auf das Erbe verzichten!

Kapitel 19

Doch Alex die Gelegenheit zu geben, mich besser kennenzulernen, war gar nicht so einfach. Oder mir die Gelegenheit zu geben, ihn besser kennenzulernen. Denn als wir zurück waren, erklärte er mir bedauernd, dass er überraschend nach Hause zu seinem Hof musste. Noch immer wollte er mir nicht sagen, wo der sich befand. Aber ich war in einem seltsamen Zustand, wie auf Wolken, und wunderte mich nicht weiter darüber. Er versprach, dass er sich am Wochenende bei mir melden würde. Zum Abschied umarmte er mich. Und schon diese kurze Berührung reichte aus, um mich wieder auf Wolke Sieben zu befördern. Ich winkte ihm hinterher, als er aus dem Hof fuhr.

»Hannerl! Komm! Schnell!«

Jäh wurde ich aus meiner Glückseligkeit gerissen.

»Hannerl, los!«, rief Willy mir aufgeregt zu. Fanny lief neben ihm und bellte wild.

»Was ist denn los?«, fragte ich besorgt, denn Willy war normalerweise der ausgeglichenste Mensch, den ich kannte, und nur schwer aus der Ruhe zu bringen.

»Mit den Rindern stimmt etwas nicht!«

»Wieso, was haben sie denn?«

»Keine Ahnung!«

»Hast du den Tierarzt schon benachrichtigt?«

»Ja. Der ist unterwegs … Fanny, du gehst ins Haus!«, befahl er und hielt ihr die Haustür auf. Fanny folgte anstandslos.

Wir sprangen in meinen Wagen und rasten den Feldweg entlang zu den Weiden.

»Dort hinten!« Willy deutete nach links. »Schnell!«

Wir stiegen aus und eilten zu den Tieren. In der Nähe des Baches, der durch die Weiden floss und die Tiere stets mit frischem Wasser versorgte, lag Zeus, einer unserer besten Zuchtbullen, und sein Körper zuckte wie in einem Krampf. Neben im lag eine Kuh.

Ein weiteres Jungtier schwankte und brach zusammen.

»Um Himmels willen. Was ist denn da los?«, rief ich aufgeregt.

Willy nahm einen Eimer, tauchte ihn ins Wasser und schüttete es vorsichtig über den Stier.

»Ich weiß es nicht. Kümmere du dich um Lotte.« Er hielt mir den Eimer hin. Ich holte noch mehr Wasser und goss es über die Kuh. Ob es den Tieren zu heiß war?

Gott sei Dank kam endlich Doktor Fröschl. Mit einer Tasche in der Hand rannte er auf uns zu, schlüpfte unter dem Zaun durch und kniete sich als Erstes zu Zeus.

»Was haben die Tiere denn bloß?«, schrie ich hysterisch.

»Das werden wir bald wissen.« Fröschl öffnete die Tasche und zog dann eine Spritze auf, die er Zeus verabreichte.

»Ich versuche erst einmal, den Kreislauf zu stabilisieren.«

Er behandelte nacheinander die drei am Boden liegenden Patienten. Bis jetzt schienen keine weiteren Tiere betroffen zu sein. Hoffentlich blieb das so. Willy sah sich inzwischen um.

»Himme Herrgott Sakrament!«, hörte ich ihn plötzlich wild fluchen. So außer Fassung hatte ich ihn noch nie erlebt. Er kniete neben dem Zaun am Boden.

»Was ist denn?«, rief ich.

»Die Tiere wurden vergiftet!«

»Verdammt!«, sagte Max.

Wo war denn Max plötzlich hergekommen? Egal. Ich war froh, dass er da war.

»Eibe!« Willy und Max sahen sich an und nickten sich zu. Vor ihnen auf dem Boden lag ein Rest Heu, vermischt mit kleinen Zweigen, die wie Tannenzweige aussahen.

Da ich überhaupt nichts verstand, erklärte mir Willy, dass die Zweige von der Eibe stammten und bei Mensch und Tier zu tödlichen Vergiftungen führen konnten. Dafür reichten schon relativ geringe Mengen aus.

»Wo kommen die Eibenzweige denn her? Sind hier in der Nähe Eiben?«

»Nein. Hier nicht. Darauf wurde immer streng geachtet. Jemand muss sie mit dem Heu vermischt und den Tieren zum Fressen hingelegt haben«, brummte Max wütend.

»Wieso sollte denn jemand meine Rinder vergiften wollen?«, fragte ich völlig aufgelöst.

Keiner der Männer konnte mir diese Frage beantworten. Auch nicht die beiden Polizisten, die Doktor Fröschl gerufen hatte und die kurz darauf den Tatort am Weidezaun nach Spuren absuchten.

»Und wenn es Kinder waren? Vielleicht wollten sie die Tiere nur füttern und wussten nicht, dass die Eibe giftig ist«, sagte ich in der schwachen Hoffnung, dass es sich nicht um einen vorsätzlichen Giftanschlag handelte. Der Gedanke daran war einfach zu schrecklich.

»Warum sollten sie Heu und Eibe mischen? Nein. Das waren keine Kinder.« Willy ballte wütend die Fäuste. »Den Kerl wenn ich erwische! Dem dreh ich die Gurgel um! Und zwar dreimal!«

»Na, na!«, mahnte einer der beiden Polizisten. »Das lassen Sie mal schön bleiben.«

Während der Tierarzt, Willy und Max sich weiter um die Tiere kümmerten und sie zum Unterstand schafften, stellten mir die Polizisten einige Fragen.

»Hatten Sie in letzter Zeit mit jemandem Ärger, Frau Gruber?«, wollte der jüngere der beiden wissen. Er hatte eine gewisse Ähnlichkeit mit Bully Herbig, was ihn mir sofort sympathisch machte, obwohl seine Fragen nicht besonders erfreulich waren.

»Ärger direkt hatte ich keinen …«, begann ich. Dabei fiel mein Blick auf Max, der versuchte, zusammen mit Willy das Jungtier auf die Beine zu bringen. Max war der personifizierte Ärger. Aber egal, wie er sich mir gegenüber verhielt, einem Tier würde er niemals etwas zuleide tun. Im Gegenteil. Solange ich mich erinnern konnte, kümmerte er sich um verletzte Tiere, egal ob es sich um aus dem Nest gefallene Vögel, angefahrene Katzen oder um sonstiges hilfsbedürftiges Getier handelte. Als kleiner Junge hatte er sich sogar einmal geweigert, einen Regenwurm auseinanderzuschneiden, als ich herausfinden wollte, ob der Wurm tatsächlich zwei Köpfe hatte, die einzeln weiterleben konnten. Max hatte mir angedroht, nie wieder mit mir Monopoli zu spielen, falls ich es alleine versuchen würde. Ich muss gestehen, es war mir schwer gefallen, darauf zu verzichten, denn ich war schon immer sehr neugierig. Trotzdem hatte ich mich damals für Max und Monopoli entschieden und den Regenwurm an einem Stück von dannen ziehen lassen.

Max kam als Übeltäter sicher nicht in Frage. Und Willy selbstverständlich auch nicht.

»Und Ärger indirekt?«, fragte der Polizist weiter, da ich meinen Satz nicht beendet hatte.

»Naja. Ich habe einen Mann entlassen, der seit Jahren auf dem Hof gearbeitet hat. Pit heißt er. Der war schon etwas sauer«, gestand ich.

»Und sein Nachname?«

Ich überlegte.

»Tut mir leid, den weiß ich gar nicht ... Willy!«, rief ich, »Weißt du, wie Pit mit Familiennamen heißt?«

Willy kam zu uns.

»Sigler! ... Aber du denkst doch nicht, dass er es war, Hanna?«

»Eigentlich nicht. Aber ehrlich gesagt, weiß ich gerade überhaupt nicht, was ich denken soll.«

Der Polizist notierte den Namen.

»Sonst noch Leute, die sich über Sie geärgert haben?«

»Vielleicht einer der Heiratskandidaten, die du abgewimmelt hast in den letzten Tagen«, spekulierte Willy.

Die Polizisten sahen mich neugierig an. Ich merkte, dass ich rot wurde.

»Ich habe doch keinem von denen Hoffnungen gemacht«, warf ich schwach ein. »Außerdem war ich immer sehr freundlich!«

»Oder dieser Motorrad-Alex?« Natürlich musste auch Max seinen Senf dazu geben.

»Alex wer?«, wollte der Polizist sofort wissen.

»Äh ... tut mir leid, den Familiennamen kenne ich auch nicht. Aber Alex kann es nicht gewesen sein. Wir waren ja zusammen unterwegs.«

Doktor Fröschl kam zu uns herüber.

»Anscheinend haben Lotte und der kleine Stier nur ganz wenig von der Eibe abbekommen. Den beiden geht es schon wieder deutlich besser. Der Zustand von Zeus ist etwas kritischer. Aber auch bei ihm habe ich ein gutes Gefühl. Er wird es sicher überstehen. Ich vermute, dass dem Heu nur sehr wenig Eibe beigemischt war. Wenn es ein Giftanschlag war, dann wollte der Täter die Tiere nicht töten, sondern Ihnen einen Schrecken einjagen, Frau Gruber.«

»Aber warum denn nur?«, fragte ich erschüttert.

»Jetzt machen Sie sich mal nicht allzu viele Gedanken«, beruhigte mich der ältere Polizist, der bisher nur wenig gesagt hatte. »Es gibt auch schwachsinnige Deppen, die einfach nur einen Spaß daran haben, Lebewesen zu quälen. Das muss gar nichts mit Ihnen persönlich zu tun haben.«

Daran wollte ich gerne glauben, aber instinktiv wusste ich, dass die gemeine Giftattacke mir gelten sollte.

Es war ein langer, ereignisreicher Tag für mich gewesen, und eigentlich hätte ich todmüde sein müssen. Doch ich lag die halbe Nacht lang wach und machte mir Gedanken über das vergiftete Futter. Natürlich kam ich zu keinem Ergebnis. Am ehesten kam Pit für mich als Übeltäter in Frage, doch der war seit ein paar Tagen verreist, wie die Polizisten herausgefunden hatten.

Natürlich spukten mir auch noch andere Dinge im Kopf herum. Alex. Die Gedanken an ihn waren eindeutig der schöne Teil dieser schlaflosen Stunden.

Nachdem ich vergeblich versucht hatte, Ruhe zu finden, stand ich schließlich seufzend auf. Fanny, die nur bei mir nächtigte, wenn meine Schwester nicht da war, folgte mir nach unten in die Stube. Um mich abzulenken, schaltete ich meinen Laptop ein.

Plötzlich hatte ich eine Idee. Vielleicht fand ich ja irgendeinen Hinweis in den E-Mails der Bewerber, die ich – wie ich zu meiner Schande gestehen musste – immer noch nicht beantwortet hatte.

Einige Männer hatten mehrmals geschrieben, und der Ton der

Mails war dabei vorwurfsvoller geworden. Manche waren sogar richtig unverschämt geworden. Aber trotzdem – es würde doch keiner Tiere vergiften, nur weil er keine Rückmeldung auf seine E-Mail bekommen hatte! Wo kämen wir denn da hin?!

In den Mails fand ich keine Antworten. Dafür fiel mir siedend heiß ein, dass ich in dem ganzen Trubel völlig vergessen hatte, Daniela Bescheid zu geben, dass sie Frank Cornelius die Bilder der Segeljacht schicken sollte.

Rasch schrieb ich eine Mail, damit sie es gleich am Morgen erledigen konnte. Apropos vergessen. Die Überweisung fürs Finanzamt! Ich schlug mir auf die Stirn. Was war ich nur für ein Schussel in der letzten Zeit!

Ich ging ins Büro und setzte mich an den alten Schreibtisch, der schon in meiner Kindheit hier gestanden hatte. Stapelweise lagen Kuverts, geöffnet und geschlossen, Formulare, Rechnungen, Mahnungen, Listen, Kopien und Lieferscheine herum, die Willy und ich, und bis vor Kurzem auch noch Pit, dorthin geworfen hatten. Ich biss mir auf die Unterlippe. Hier musste dringend Ordnung gemacht werden.

Ich begann, die Kuverts zu öffnen und die Unterlagen zu sortieren. Doch schon bald gab ich auf. Büroarbeit war noch nie so wirklich mein Ding gewesen. Vielleicht sollte ich Daniela herholen? Sie hätte das Chaos innerhalb eines Tages in Ordnung gebracht. Ja. Das war eine gute Idee. Trotzdem musste ich schnellstens das Geld ans Finanzamt überweisen. Dazu musste es jedoch erst auf meinem Firmenkonto sein. Ich suchte in den Schubladen und fand ordentlich gestapelte Überweisungsformulare. Ich hatte richtig vermutet, dass meine Oma von Online-Banking nichts gehalten hatte.

Nachdem die Überweisung ausgefüllt war, beschlich mich ein

schlechtes Gewissen. Es war nicht rechtens, was ich hier tat. Vor allem nicht, da ich ja heute beschlossen hatte, unter Umständen auf das Erbe zu verzichten, falls Alex mehr Zeit bräuchte, um mich zu heiraten. Falls ich ihn überhaupt noch einmal sehen würde. Andererseits würde ich das Geld ja auf jeden Fall sofort zurückzahlen, wenn das Honorar von Cornelius auf meinem Konto eingegangen war.

»Jetzt mach dir keinen Kopf, Hanna!«, beruhigte ich mich selbst und steckte das ausgefüllte Formular in meine Handtasche. Morgen würde ich es zur Bank bringen.

Plötzlich überkam mich eine bleischwere Müdigkeit. Ich ging in mein Bett und schlief sofort tief und fest wie ein Baby ein.

Kapitel 20

Am nächsten Morgen führte mich mein erster Weg zu den Weiden. Willy stand am Zaun und lächelte mir zu.

»Sie haben es gut überstanden«, sagte er erleichtert. »Allerdings ist Zeus noch ein bisserl lädiert.«

Und tatsächlich machte der Stier einen deutlich angeschlagenen Eindruck. Er stand alleine am anderen Ende der Weide, weit weg von der Stelle, an der er gestern das vergiftete Futter gefressen hatte.

»Ich bin so froh, dass die Tiere überlebt haben.«

»Ich auch … Sag mal, Hannerl, hast du schon einen neuen Helfer für den Hof gefunden?«, fragte Willy dann.

Ich schüttelte den Kopf. »Es hat sich noch niemand auf meine Anfrage bei der Arbeitsagentur gemeldet. Bis wir jemanden haben, musst du mit mir vorlieb nehmen.«

Willy lächelte.

»Es gibt Schlimmeres.«

»Danke!«

»Wie läuft es denn eigentlich mit deinem Heiratsvorhaben?«

Ich schaute ihn an und verkniff mir ein Lächeln.

»Och. Mal schauen …«

»So so … mal schauen. Da tut sich doch was, oder?«

Ich zuckte mit den Schultern und grinste.

Die restliche Woche war ich von morgens bis abends mit Arbeit auf dem Hof und den Feldern eingespannt. Willy und ich waren ein gutes Team, und ich hatte den Eindruck, dass es auch ihm Spaß machte. Trotzdem musste ich bald jemanden finden, der zuverlässig mitarbeitete und sich auskannte. Die Polizei hatte wegen des Giftes nichts herausgefunden, und da nichts weiter passiert war, verdrängte ich die ganze Sache einfach.

Cornelius hatte die Fotos inzwischen bekommen, sich aber noch nicht dazu geäußert, was ich vorsichtig als gutes Zeichen wertete.

Alex hatte sich zweimal per SMS gemeldet, aber nichts darüber verlauten lassen, wann wir uns wieder sehen würden. Das gefiel mir gar nicht. Ob ich mich hier in etwas verrannte? Trotzdem – wenn ich an ihn dachte – und das passierte ziemlich oft am Tag und auch in der Nacht –, dann flatterten stets Schmetterlinge in meinem Bauch. Außerdem hatte es mir meinen Appetit verschlagen. Ein eindeutiges Zeichen, dass ich mich verliebt hatte.

Als ich wieder mal eine Nacht schlaflos im Bett lag, schnappte ich mir Lenes Buch, um mich abzulenken. Es war sehr amüsant geschrieben und mit lustigen Karikaturen von Lene versehen. Ich musste mehr als einmal laut lachen, als sie beschrieb, wie verliebte Frauen manchmal aus Unsicherheit oder aus Angst vor Zurückweisung von einem Fettnäpfchen ins nächste stolperten. Irgendwie machte das Buch mir Mut, dass diese ganze verrückte Sache mit dem Erbe und der Hochzeit für mich doch noch gut ausgehen könnte.

kapitel 21

Das Landleben – und natürlich auch Fanny – trieben mich immer sehr zeitig aus den Federn. Es war Freitag. Heute Mittag hatte ich den Termin mit dem neuen Kunden in München. Als Treffpunkt war Mikes Bar vereinbart. Ich freute mich riesig darauf, bei dieser Gelegenheit auch meinen besten Freund endlich wiederzusehen. Die Plauderstunden mit ihm fehlten mir inzwischen sehr.

Bevor ich losfuhr, machte ich noch schnell eines der Fremdenzimmer im Haus fertig. Daniela und ihr Sohn Benny würden das Wochenende über mit mir nach Halling kommen, zusammen mit Pauline. Daniela hatte sich sofort bereit erklärt, sich um meinen Bürokram auf dem Hof zu kümmern.

Als ich die Wagentür öffnete, kam Fanny angerannt und wollte einsteigen. Ich hatte immer noch keine Transportbox besorgt.

»Süße, heute geht das nicht. Du musst hierbleiben.«

Sie winselte. Und zwar herzerweichend. Aber ich blieb stark.

»Nein, Fanny.«

»Wuff!«

»Neihein!«

Sie legte den Kopf schief und wedelte mit dem Schwanz.

»Na gut, du lästiges Wimmerl. Steig ein!«

Verflixt nochmal! Wieder einmal war ich zu spät dran. Und das obwohl ich wirklich rechtzeitig losgefahren war. Aber auf der Autobahn hatte es einen Stau gegeben. Und natürlich war wie immer weit und breit kein Parkplatz in der Nähe von Mikes Bar zu finden.

Zusammen mit Fanny, die ich nicht alleine im Wagen lassen wollte, betrat ich endlich abgehetzt das Lokal.

Mike stand an der Theke und bereitete einen Espresso zu. Als er mich sah, kam er strahlend auf mich zu und gab mir zur Begrüßung einen schmatzenden Kuss auf die Wange.

»Hanna, Darling. Schön, dich endlich wiederzusehen. Gut schaust du aus! Das Landleben steht dir.«

»Danke, Mike! Du hast mir auch gefehlt… Aber jetzt…«

»Du bist busy. Ich weiß. Wir reden später.«

Ich warf ihm ein Bussi zu und arbeitete mich dann mit Fanny im Schlepptau zum letzten Tisch rechts am Fenster vor, der für die Verabredung reserviert worden war. Ich sah den Mann nur von hinten. Er war hellblond mit silbern gefärbten Strähnen und trug einen dunkelblauen Anzug. Gerade als mir durch den Kopf ging, dass mir die Haltung des Mannes seltsam vertraut vorkam, drehte er sich um. Ich blieb abrupt stehen.

»Simon!«, hauchte ich.

Dr. Simon Schober saß leibhaftig vor mir. Er war es zweifellos, auch wenn er mit dem Simon meiner Vergangenheit nicht mehr allzu viel Ähnlichkeit hatte. Das schöne Dunkelbraun seiner Haare war verschwunden. Die neue Nase hatte ich schon gesehen, allerdings in anderen Gesichtern. Sie schien ein beliebtes Modell zu sein. Und seine Kinnpartie hatte ich auch weit weniger markant in Erinnerung. Anscheinend war er selbst ein guter Kunde in der Schönheitsklinik seines Schwiegervaters. Und ein guter Kunde in Beautysalons. Seine Augenbrauen waren akkurat zurechtgezupft und passend zur Haarfarbe aufgehellt.

»Hanna!« Er stand auf und umarmte mich flüchtig. Sein reichlich aufgetragenes Rasierwasser zog mir in die Nase. Selbstverständlich hatte sich auch das verändert.

Fanny knurrte. Sofort trat er einen Schritt zurück.

»Schon gut. Fanny tut dir nichts.«

Fanny hörte auf zu knurren, schaute Simon aber weiterhin nicht gerade freundlich an.

»Das sagen Hundebesitzer immer. Ich möchte keine kosmetische Operation an meinem Bein machen lassen müssen.«

Es sollte ein Scherz sein. Ich lachte pflichtbewusst.

»Ja sag mal, das ist aber eine Überraschung, dich hier zu sehen!«

Sogar seine Aussprache hatte sich verändert. Er redete deutlich langsamer und wechselte die Tonlagen mehrmals in einem Satz. Ob er so mit seinen Patientinnen sprach, wenn er ihnen ein Facelifting oder eine Brustvergrößerung einredete?

Simon schaute mich von oben bis unten prüfend an. Ich war froh, dass ich heute in das elegante dunkelgrüne Designerkleid geschlüpft war, das ich vor zwei Monaten günstig im Ausverkauf ergattert hatte.

»Nicht wahr? So ein Zufall!«, flötete ich. Er durfte auf keinen Fall erfahren, dass ich Bea war. »Aber leider muss ich auch gleich wieder weg.«

»Ach ja? Wie schade. Dabei bist du eben erst gekommen.« Ich hörte eine gewisse Erleichterung in seiner Stimme. Er war natürlich nicht erpicht darauf, dass ich ihn mit Bea sah.

»Ja. Ich … ich …« Ich brauchte schnell eine überzeugende Erklärung, warum ich nicht bleiben konnte. »… war mit einer Freundin hier verabredet, aber sie hat eben eine SMS geschickt, dass sie eine Autopanne hat. Und jetzt muss ich sie ganz schnell abholen.« Das war doch eine geschickte Ausrede. Er nahm sie mir sofort dankbar ab.

Eine junge Bedienung kam zu uns.

»Was darf es denn sein?«, fragte sie höflich.

»Danke, nichts. Ich bin gleich wieder weg.«

»Ich hätte dich so gerne auf einen Latte eingeladen, aber leider musst du ja los.« Die Lüge kam ihm glatt über die Lippen.

»Ich wäre auch total gerne geblieben, aber du verstehst...«, log auch ich.

»Na klar. Melde dich doch mal.«

»Mach ich.«

»Und wenn du mal eine Lidstraffung machen lassen möchtest, sag Bescheid. Natürlich kriegst du bei mir einen Sonderpreis.« Er zwinkerte mir jovial zu.

Lidstraffung? Also bitte! Meine Lider brauchten bestimmt keine Straffung. Höchstens vielleicht sein Hirn. Das hatte sich in den letzten Jahren wohl etwas ausgeleiert. Oder war er immer schon so gewesen? Wo war der junge Simon geblieben, der voller Enthusiasmus war und später einmal entstellten Unfallopfern ein neues Gesicht geben wollte?

»Äh, ja.« Gab ich nur kurz zur Antwort und unterdrückte das Bedürfnis, ihm veilchenblaue Farbe auf eines seiner Augenlider zu zaubern.

Noch eine schnelle Umarmung zur Verabschiedung, und ich steuerte schon wieder Richtung Ausgang. Mike sah mich fragend an, als ich grußlos an ihm vorbeirauschte. Er kannte mich gut genug, um zu bemerken, dass etwas nicht stimmte. Kaum waren Fanny und ich draußen, kam er hinterher.

»Gibt's Probleme?«, fragte er besorgt

»Das war mein Ex. Er darf nichts von Bea wissen.«

»Simon? Sorry, Hanna, aber ich habe ihn nicht erkannt, sonst hätte ich dich vorgewarnt.«

Kein Wunder. Simon sah ja wirklich ganz anders aus als früher.

»Schon gut...« Ich holte mein Handy aus der Tasche und wählte Danielas Nummer.

»Bitte komm sofort her! Der Kunde ist Simon. Du musst dich als Bea ausgeben.«

Daniela hatte glücklicherweise nicht nur die bei Frauen übliche schnelle Auffassungsgabe, sondern eine ultraschnelle. Außerdem kannte sie die Geschichte von meiner Beziehung mit Simon in allen Einzelheiten. Ich brauchte nicht mehr viel zu erklären.

»Bin gleich da!«, rief sie ins Handy und legte auf.

Später im Büro hörte ich Daniela mit offenem Mund zu, als sie mir von der Besprechung erzählte.

»Ich habe ihm eingeredet, dass er sich den Termin falsch notiert hatte. Und nicht ich zu spät, sondern er zu früh gekommen war«, kicherte Daniela vergnügt. »Außerdem war er sichtlich froh, dass ich, also Bea, später dran war und dir nicht begegnet bin.«

Wir lachten beide.

»Und jetzt hör mir zu. Dein Ex möchte ein Geschenk für seine Frau zum Hochzeitstag und eines für...«

»...seine Schwiegermutter«, vollendete ich ihren Satz.

Doch Daniela schüttelte grinsend den Kopf. »Für seine Geliebte!«

»Er hat eine Geliebte?«, fragte ich atemlos.

Sie nickte.

Eigentlich wunderte mich das nicht. Simon hatte sich schon

immer bei allem im Leben die Rosinen herausgepickt und verzichtete grundsätzlich auf nichts.

»Hier sind die Fotos der beiden«, sagte Daniela und gab mir die Bilder. Es war das erste Mal, dass ich seine Frau sehen würde. Ich wusste nur, dass sie Sophia hieß.

»Die ist ja älter als er!«, rief ich verwundert. Die Frau auf dem Foto schien weit in den Vierzigern zu sein. Sie hatte ein ebenmäßiges, klassisch schönes Gesicht und erinnerte mich vom Typ her ein wenig an die Schauspielerin Gudrun Landgrebe.

»Das ist nicht seine Frau, das ist die Geliebte! Helga Veith. Eine Unternehmerin aus der Schweiz«, klärte Daniela mich auf.

»Wie?« Irritiert schaute ich das andere Foto an. Eine naturblonde junge Frau mit riesigen blauen Augen und Stupsnase lächelte mir schüchtern entgegen. »Das ist Sophia?«, fragte ich erstaunt. Die sah aus, als wäre sie gerade alt genug, um sich auf die Abiturprüfung vorzubereiten.

»Ja. Das ist Sophia. Und sie ist übrigens nur wenige Jahre jünger als wir.«

Erstaunlich! Ob sie das den guten Genen oder eher dem Messer ihres Vaters zu verdanken hatte?

»Wie hoch ist das Budget?«, fragte ich neugierig.

»Für Helga zehntausend. Ein Geschenk zum Geburtstag.«

»Und für Sophia?«

»Dürfen wir noch eine Null dran hängen.«

Ich lachte.

»Wow. Er hat ein ziemlich schlechtes Gewissen.«

»Denk ich auch.«

Plötzlich kam mir ein Gedanke. Wenn Simon freiwillig so hohe Summen ausgab, dann musste er inzwischen wirklich sehr reich sein. Vielleicht war das die Gelegenheit, mir wenigstens einen Teil von dem Geld zurückzuholen, das ich damals in seine Ausbildung investiert hatte.

»Ich finde, wir sollten das Budget für beide Frauen verdoppeln«, schlug ich grinsend vor.

Daniela schaute mich fragend an und zwirbelte an ihren Haaren.

»Aber wir können doch nicht einfach ...«

»Kein Aber. Dr. Simon Schober wird das bezahlen. Glaub mir.«

In diesem Moment fiel auch bei Daniela der Groschen. Sie grinste verschwörerisch.

»Du hast recht. Das ist eine hervorragende Idee.«

kapitel 22

Es war Samstag früh. Ich stand vor dem Spiegel und schlüpfte in das dunkelblaue Kleid, das ich zu Nataschas Hochzeit tragen würde.

Pauline wollte mich nicht begleiten, sondern lieber bei Daniela und Benny auf dem Hof bleiben. Meine Schwester war richtig vernarrt in den kleinen Benny. Und der kleine Benny war vernarrt in Pauline, die ihn überall mit hinschleppte.

Er war ganz aus dem Häuschen geraten, als er den großen Garten gesehen hatte, in dem er nach Herzenslust herumtoben durfte. Und beim Anblick unserer Rinder auf der Weide hatte er vor Freude in die Hände geklatscht.

Das Großstadtkind fühlte sich wie im Paradies und streunte mit Pauline und Fanny draußen herum. Zuerst verfolgte Daniela die drei auf Schritt und Tritt. Ganz die besorgte Großstadtmama. Bis sie schließlich merkte, dass Pauline ein zuverlässiger Babysitter war. Und mehr noch Fanny. Der kleine Junge hatte ihren Beschützerinstinkt geweckt.

»Willst du das wirklich anziehen?«, hörte ich Daniela fragen, die plötzlich in der Tür stand.

Ich drehte mich zu ihr um. »Ja. Warum? Gefällt es dir nicht?«

»Ja. Doch. Es ist schon schön. Aber ...« Sie sprach nicht weiter.

»Aber was?«

»Bitte sei mir nicht böse. Aber mir ist aufgefallen, dass du oft so konservative Sachen anziehst. Und fast immer dunkel. Du schaust darin so ... so bieder aus.«

»Bieder?« Ich zog mich doch nicht bieder an! Meine Garderobe bestand aus lauter hochwertigen Kleidern, die ich immer sehr günstig im Ausverkauf erstand. Ich war eine richtige Schnäppchenjägerin.

Doch Daniela sah das wohl nicht so. Sie nickte zaghaft.

»Ja ...«

Ich schaute wieder in den Spiegel. Es war ein solides Kleid. Klassisch geschnitten und zeitlos. Und vielseitig einsetzbar. Ich konnte es zu Besprechungen mit meinen Kunden anziehen oder eben auch zu einer Hochzeit.

»Das passt doch.«

Daniela holte tief Luft.

»Hanna. Du bist zweiunddreißig. Aber deine Mutter zieht sich flippiger an als du«, platzte sie heraus.

»Da hat sie eeecht recht«, sagte Pauline, die jetzt ebenfalls ins Schlafzimmer kam. »Und deine Frisur ist auch ultralangweilig.«

Das saß. Ich spürte, wie Tränen in meine Augen stiegen, was nur sehr selten passierte. Aber ich schluckte sie sofort hinunter.

Ich schaute nochmal in den Spiegel. Zugegeben, ich wollte mit den dunklen und einfach geschnittenen Sachen meine kleinen bis mittleren Problemzonen kaschieren. Und das eigentlich schon seit meiner Jugendzeit. Schwarz macht schlank, hieß es doch immer, oder etwa nicht?

Wenn ich jetzt so darüber nachdachte, hatte ich aber auch als Kind keine sonderlich farbenfrohen Kleider getragen. Und das war noch vor meiner Moppelphase gewesen.

Vielleicht hatten die beiden ja recht, ging es mir plötzlich durch den Kopf. Wenn ich ehrlich zu mir war, fand ich mich in diesem Moment auch nicht gerade umwerfend in dem Kleid.

»Habt ihr einen Vorschlag, wie ich das ändern kann?«, fragte ich bemüht fröhlich. Ich wollte mir nicht anmerken lassen, wie sehr ich getroffen war. Zu hören, dass man bieder aussah und sich langweiliger als die eigene Mutter anzog, war nicht sonderlich aufmunternd.

Daniela und Pauline schauten sich an und nickten sich grinsend zu.

»Wo ist Benny?«, erkundigte sich Daniela.

»Schläft auf dem Sofa«, antwortete Pauline. Kein Wunder, der Kleine war schon seit dem Morgengrauen auf den Beinen gewesen.

»Wunderbar! Dann legen wir mal los!«

Natürlich konnten wir nicht auf die Schnelle – und vor allem nicht in Halling – ein neues Kleid herbeizaubern.

Pauline und Daniela wühlten in meinem Kleiderschrank und zogen schließlich ein schwarzes Kleid heraus, das vorne durchgeknöpft war. Etwas Besseres war nicht zu finden.

»Die Länge ist ja schauderhaft!«, rief Daniela »So geht das nicht! Gibt es hier eine Nähmaschine?«

Ich nickte stumm.

»Wenigstens bist du mit deiner Unterwäsche nicht so konservativ«, stellte Daniela fest, und ich wurde rot.

Edle Dessous waren immer schon mein heimliches Laster. Vor allem zu wichtigen Besprechungen und Gesprächen trug ich immer meine schönsten Stücke. Das gab mir auf seltsame Weise Selbstvertrauen, das ich ansonsten leider nicht immer hatte. Auch für den täglichen Gebrauch musste meine Unterwäsche immer top sein. Ausgewaschene BHs oder Slips mit leiernden Bündchen gingen gar nicht und wurden sofort entsorgt.

Heute hatte ich einen nachtblauen Spitzenbody gewählt, der meine Brüste um eine Körbchengröße nach oben pushte.

Während sich Pauline mit einem Lockenstab und unzähligen Haarnadeln hingebungsvoll um meine Frisur kümmerte, schnippelte und nähte Daniela an dem Kleid herum.

Normalerweise schminkte ich mich kaum, und wenn, dann sehr dezent. Doch heute bestanden meine beiden selbsternannten Modeberaterinnen darauf, deutlich mehr Farbe aufzutragen. Pauline überließ mir zudem ihre großen silbernen Kreolen.

Auch wenn Daniela und ich von der Figur her doch sehr unterschiedlich waren, hatten wir glücklicherweise dieselbe Schuhgröße. Und so würde ich heute zum ersten Mal in meinem Leben High Heels tragen, und zwar in rot, passend zur Farbe des Lippenstiftes. Warum sie die Schuhe für ein Arbeitswochenende auf einem Bauernhof eingepackt hatte, war mir allerdings ein Rätsel. Trotzdem war ich jetzt froh darüber.

Schließlich schlüpfte ich in das Kleid und knöpfte es vorne zu. Die beiden schauten mich verzückt an.

»Ein bisserl kurz ist es schon«, sagte ich skeptisch mit einem Blick nach unten.

Die beiden verdrehten unisono die Augen und lachten dann.

»Es ist saucooool!«

»Wow!«, staunte Daniela. »Du hast so irre tolle Beine. Eine Schande, dass du sie immer versteckst!«

Jetzt durfte ich mich endlich im Spiegel anschauen und war verblüfft. Die Hanna, die mir entgegensah, schien eine jüngere, spritzigere Ausgabe von mir zu sein. Modisch und trotzdem elegant. Und meine Beine waren wirklich schön.

Pauline hatte mir eine Lockenfrisur gezaubert, die mir sehr gut stand und wesentlich schöner war als der Pferdeschwanz von vorhin, auch wenn sie für den Alltag weniger geeignet war.

»Woher kannst du das nur?«, fragte ich Pauline erstaunt.

»Aaach, das ist gar nicht so schwer. Michelle Hunziker sah letzte Woche in einer Show so aus. Naja, oder fast so …«, setzte sie stirnrunzelnd hinzu.

In diesem Fall war das Anschauen einer Casting-Show doch einmal für etwas gut gewesen, dachte ich amüsiert.

Als ich ganz automatisch den obersten Knopf am Kleid schließen wollte, klopfte mir Daniela auf die Finger.

»Das lässt du schön bleiben!«

Ich lächelte. Und nach einem kurzen Zögern öffnete ich mutig noch einen weiteren Knopf.

»Wenn schon, denn schon!«

»So sexy klappt's auch mit den Typen.« Pauline grinste.

Ich musste zugeben, das Umstyling hatte sich mehr als gelohnt.

In diesem Moment wurde mir bewusst, dass ich mein Aussehen schon seit vielen Jahren etwas vernachlässigt hatte. Seit zu vielen Jahren. Vielleicht war jetzt ein guter Zeitpunkt, das zu ändern? Es ging nicht darum, zukünftig ein aufgedonnertes Modepüppchen zu sein, aber ich könnte meinen Typ mit einigen Tricks ein wenig mehr unterstreichen.

Schade, dass Alex mich heute nicht sehen konnte. Er hatte sich gestern Abend am Handy gemeldet. Aber die Verbindung war so schlecht gewesen, dass ich kaum ein Wort verstanden hatte, bis sie dann plötzlich komplett abgerissen war.

»Und jetzt ab mit dir, Hanna!«, trieb Daniela mich an.

Als ich die Kirche betrat, stand das Hochzeitspaar bereits vor dem Priester. Aber zum ersten Mal seit langem hatte ich kein schlechtes Gewissen, dass ich zu spät kam. Dazu fühlte ich mich viel zu gut.

Die Kirche war so voll, dass einige Leute stehen mussten. Doch Tante Luise hatte mir ziemlich weit vorne einen Platz frei gehalten. Sie winkte mir, und ich stöckelte mit klackernden Absätzen zu ihr nach vorne.

»Du schaust toll aus«, flüsterte sie mir zu, während die letzten Klänge der Orgelmusik ertönten.

»Danke!«

Max schaute von der anderen Bankreihe her in meine Richtung, und ich musste grinsen, als ihm bei meinem Anblick fast die Kinnlade runterfiel.

Jetzt begann der Pfarrer mit seiner Begrüßung, und ich warf einen Blick auf das Brautpaar.

Die ehemals kleine und süße Natascha war zu einem – man konnte es nicht anders nennen – riesigen Mannweib geworden. In dem weißen Hochzeitskleid gab sie eine etwas ungewöhnliche Figur ab. Glücklicherweise konnte der Mann ihres Herzens körperlich mit ihr mithalten. Das Brautpaar überragte den Pfarrer und die meisten Hochzeitsgäste um fast einen Kopf.

Natascha musste die Statur ihres Vaters geerbt haben, denn ihre Mutter Zenta war eine kleine und zierliche Frau, die auch heute wieder ihrem Faible für schrille Mode aus den Siebzigern huldigte.

Die Zeremonie in der Kirche war sehr feierlich und berührend. Und trotzdem für mich auch ein klein wenig beängstigend. Würde auch ich in den nächsten Wochen einem Mann ein Eheversprechen geben und mein Erbe bekommen? Oder besser gefragt, würde Alex das *Irgendwann* deutlich nach vorne verschieben? Und war Alex überhaupt der Richtige?

Nachdem sich die Eheleute feierlich das Ja-Wort gegeben hatten, sang eine Solistin des Kirchenchores das Ave Maria in der Version von Gounod, begleitet von den Klängen einer Oboe. Es war wunderschön. Um nicht ebenfalls loszuheulen wie meine Tante, fast alle anderen Hochzeitsgäste und der Bräutigam, schaute ich mich in der Kirche um, in der ich als Kind viele Stunden verbracht hatte.

Beim Blick auf die hölzernen Beichtstühle fiel mir ein, wie ich mich einmal beim Versteckenspielen mit Max in einen hineingeschlichen hatte. Es war das erste Mal gewesen, dass mein Cousin mich nicht gefunden hatte. Als ich nach gut einer Viertelstunde genug hatte und den Beichtstuhl verlassen wollte, hörte ich Schritte und gleich darauf das Quietschen der Tür. Der damals frisch nach Halling versetzte Pfarrer Brenner hatte den mittleren Teil des Beichtstuhls betreten. Ich wäre fast zur Salzsäule erstarrt in meinem kleinen hölzernen Versteck und hatte kaum zu atmen gewagt. Als jemand die Tür auf meiner Seite öffnen wollte, hielt ich sie fest von innen zu.

Kurz darauf betrat der vermeintliche Eindringling den Beichtstuhl auf der anderen Seite. Eine Frau, wie ich gleich feststellte. Mit leiser Stimme flüsterte sie: »Im Namen des Vaters und des Sohnes und des heiligen Geistes.«

Der Pfarrer antwortete mit »Amen! Welche Sünden führen dich zu mir?«

Und schon legte die Frau los. Schon nach den ersten Worten hatte ich sie an ihrer etwas nuschelnden Stimme erkannt. Meine Biologielehrerin Erika Herzer.

Die stets auf jugendlich getrimmte Lehrerin hatte viele Dinge zu beichten, die ich als ihre Schülerin sicherlich nicht wissen sollte. Vor allem nicht, dass sie ein Verhältnis mit dem Vater einer

Mitschülerin hatte, der zufälligerweise auch noch der Bürgermeister von Halling war. Am liebsten hätte ich mir die Ohren zugehalten, denn was sie beichtete, war nicht unbedingt jugendfrei.

Ich atmete vor Erleichterung auf, als der Pfarrer ihr endlich ein ordentliches Bußwerk aufgab und sie entließ. Doch meine Erleichterung währte nicht lange. Denn kaum war sie draußen, drehte sich der Pfarrer in meine Richtung um.

»So, mein Kind. Und jetzt bist du an der Reihe!«

Ich glaube nicht, dass schon jemals ein Mensch seine Sünde so unmittelbar nach der Tat gebeichtet hat, wie ich damals. Sicherlich hatte ich den Geschwindigkeitsrekord in der katholischen Disziplin Sündenbeichten gebrochen.

Doch am Ende war ich froh darüber. Denn das schlechte Gewissen über meine unerlaubte Lauscherei hätte mich sicherlich viele Nächte lang nicht schlafen lassen.

An diesem Tag hatte ich gelernt, dass es gut tat, sein Gewissen zu erleichtern, und ich suchte noch heute ab und zu den Beichtstuhl auf, wenn mir etwas zu sehr auf der Seele lag.

Mein Blick schwenkte von den Beichtstühlen zu einer steinernen Predigtkanzel links von mir, die jedoch schon seit Jahrzehnten nicht mehr benutzt wurde. Sie war prachtvoll verziert. Eine pummelige Putte blickte mit einem fragenden Ausdruck in meine Richtung. Wie viele Menschen hatte sie hier in dieser Kirche wohl schon gesehen, die traurig, froh, ängstlich, glücklich, verzweifelt oder einfach nur gelangweilt waren?

Der ergreifende Gesang wurde plötzlich von *La Marseillaise* aus meinem Handtäschchen gestört. Himmel! Ich hatte vergessen, das Handy auszuschalten. Das war mir noch nie passiert! Wie peinlich!

Rasch griff ich nach der Tasche, die mir dabei aus der Hand rutschte und zu Boden fiel. Auch das noch! Die Leute drehten sich nach mir um und schauten mich vorwurfsvoll an. Als ich das Handy endlich herausgefischt hatte, endete die Hymne, gleichzeitig mit dem Ave Maria. Perfektes Timing zum unpassendsten Zeitpunkt.

Meine Wangen glühten. Ich wagte kaum, mich umzusehen, und spürte die grantigen Blicke mehr, als dass ich sie sah.

Einzig Pfarrer Brenner hatte ein leichtes Schmunzeln im Gesicht.

Kapitel 23

Nach der Kirche gratulierte ich dem Brautpaar herzlich und entschuldigte mich zerknirscht für meinen Fauxpas. Doch die beiden waren mir nicht böse.

»Genau so etwas gehört zu den Geschichten, über die wir später einmal lachen werden, wenn wir an unseren Hochzeitstag zurückdenken«, sagte der Bräutigam grinsend. Er hieß Benjamin, hatte freundliche graue Augen und strahlte seine Natascha immer wieder verliebt an.

»Genau«, stimmte sie ihm zu, »die italienische Nationalhymne in einer bayerischen Kirche beim Ave Maria vergisst man nicht.«

Ich verkniff es mir, sie zu verbessern. Auch ihrem Mann schien die Länderverwechslung nicht aufgefallen zu sein.

Und ich freute mich, dass ich mit meinem Handyklingelton unbeabsichtigt zu einem unvergesslichen Gelingen der Hochzeitszeremonie beigetragen hatte.

Nachdem das geklärt war, suchte ich ein ruhiges Plätzchen hinter einer Kastanie und holte mein Handy heraus. Der Anruf war von Cornelius gewesen. Er hatte keine Nachricht hinterlassen. Ich versuchte, ihn zurückzurufen, doch sein Handy war aus. Verdammt. Irgendwie verpassten wir uns ständig.

Nachdem alle Hochzeitsgäste dem Brautpaar die Hand geschüttelt hatten, zogen wir zu Fuß zum Brunnenwirt, der nicht weit entfernt war. Dort gab es vor dem Wirtshaus einen Sektempfang. Mein Gelöbnis nach dem Rumtopfdebakel erklärte ich endgültig für verjährt und stieß mit dem eisgekühlten Sekt auf die frisch vermählten Eheleute an.

Plötzlich spürte ich einen Blick auf mir ruhen. Ich drehte mich zur Seite und sah Pit, der auch unter den Hochzeitsgästen war. Ein leichtes Frösteln zog über meinen Nacken. Doch er nickte grüßend in meine Richtung, als ob nie etwas gewesen wäre. Als er sich wegdrehte, stieß er mit seiner Ex Verena zusammen, die ebenfalls geladen war. Ob sich die beiden wieder versöhnt hatten? Anscheinend nicht, denn sie drehte ihm sofort den Rücken zu und betrat das Wirtshaus. Pits Blick verfinsterte sich.

Jetzt saßen wir im großen Saal, in dem vor wenigen Wochen die Kremess meiner Oma stattgefunden hatte.

Mich hatte man zwischen Tante Luise und einer Schwester des Bräutigams platziert. Gegenüber saßen Onkel Alois und Max, der heute ungewöhnlich wortkarg war. Wir hatten kaum drei Worte miteinander gewechselt.

»Ihr Klingelton ist schön. Das ist doch der Gefangenenchor aus Nabucco, nicht wahr?«, fragte meine Tischnachbarin freundlich. Tante Luise drehte sich hüstelnd zur Seite.

Ich schüttelte den Kopf und war froh, als in diesem Moment der Vater des Bräutigams mit einem Löffel an sein Glas klopfte und um Ruhe bat. Mit ein paar netten Worten begrüßte er die Hochzeitsgesellschaft und endete nach zehn Minuten mit einem Trinkspruch, den wir alle mit erhobenen Gläsern brav wiederholten.

So eine Hochzeit auf dem Land war meist eine sehr aufwändige Angelegenheit mit einem proppenvollen Programm. Nach dem dreigängigen Menu, das aus einer Hochzeitsuppe, einem Rinderbraten mit Spätzle oder wahlweise Schweinefilet mit Kroketten und Eis zum Dessert bestand, begannen die zahlreichen Hochzeitsreden.

Das war immer der langweiligste Teil der Feier, fand ich. Man musste so tun, als ob man zuhören würde, und an den richtigen Stellen lachen und applaudieren. Ich orientierte mich an meiner Tante und ließ inzwischen meine Gedanken schweifen. Ob ich auch bald heiraten würde? Wie würde meine Hochzeit aussehen?

Ich war immer noch pappsatt, da wurden schon Kaffee und Kuchen serviert. Gleichzeitig wurden die Geschenke übergeben.

Ich stand vor Max in der langen Reihe der Gratulanten.

»Du schaust heute ganz anders aus«, sagte Max von hinten.

Der Mann konnte ja doch noch sprechen.

Ich drehte mich zu ihm um. »War das jetzt ein Kompliment?«

»Darüber denke ich noch nach«, antwortete er, grinste aber dabei.

Er sah heute ziemlich gut aus in seinem dunklen Anzug und dem weißen Hemd. Doch ich hütete mich, ihm das zu sagen.

Endlich stand ich vor dem Brautpaar. Da ich von Tante Luise wusste, dass die beiden für eine Hochzeitsreise nach Indien sparten, schenkte ich ihnen ein paar hübsch eingepackte Scheinchen.

Als endlich alle ihre Geschenke abgegeben hatten, war auch die Band so weit, um aufzuspielen. Nach dem Aussehen der Musiker zu urteilen, hatte die Brautmutter die Band ausgesucht.

Benjamin holte seine Liebste auf die Tanzfläche und schwebte mit ihr erstaunlich leichtfüßig zu den Klängen der Cover-Version von Prince' *The Most Beautiful Girl in the World* über die Tanzfläche. Dabei strahlten sich die beiden so verliebt an, dass einem das Herz aufging. Schönheit lag doch wirklich im Auge des Betrachters. Und das war auch gut so!

Musikalisch ging es im Musikstil der siebziger und achtziger Jahre weiter. Die fünf Musiker, die alle nur noch wenige Jahre bis zum offiziellen Rentenalter hatten, sorgten für eine Bombenstimmung im Saal.

Die Zacherin ließ kaum einen Tanz aus und wirbelte vergnügt über die Tanzfläche.

Auch ich wurde von zahlreichen Männern aufgefordert.

»Du bist doch die Blondine, die einen Mann zum Heiraten sucht? Vom Gruber-Hof oder?«, fragte der ein oder andere Tänzer neugierig.

»Ja. Die bin ich.« Was sollte ich auch sonst sagen?

»Schade, dass ich kein Bauer bin«, hörte ich an diesem Tag mehr als einmal.

Stefan, der Wirt, suchte immer wieder meinen Blick. Ich hatte ein schlechtes Gewissen, weil ich mich noch nicht auf sein Schreiben gemeldet hatte. Gut, dass er heute so viel zu tun hatte. Trotzdem musste ich wohl bald mit ihm reden.

»Wie wär's mit uns beiden?«, fragte Max plötzlich hinter mir. Seitdem die Musik spielte, hatte ich ihn nicht mehr gesehen.

Ich stand auf. »Wenn du mir nicht auf die Zehen trittst!« Inzwischen schmerzten meine Füße in den ungewohnt hohen Schuhen schon etwas.

»Ich werde mir Mühe geben.«

Wir gingen auf die Tanzfläche, und er legte seinen Arm um meine Hüfte. Just in diesem Moment entschloss sich die Band, mit *Imagine* von John Lennon in eine langsame, gefühlvolle Runde einzusteigen.

»Das war vorhin als Kompliment gemeint«, sagte er, während wir uns im Zeitlupentempo bewegten.

»So, so.«

»Ja, ja … Hey, du hast echt schöne Beine.«

Ich freute mich. Da musste ich so alt werden, um diesen Satz an einem Tag gleich zweimal zu hören.

»Ja, die Zeiten der greislichen Plunzn sind vorbei«, sagte ich und grinste.

»Du warst noch nie eine greisliche Plunzn.«

»So hast du mich aber genannt.« So, jetzt war es raus. Nach all den Jahren.

»Das habe ich nie gesagt!«

»Hast du schon!«

»Geh, Schmarrn!«

»Doch!«

»Wirklich?« Jetzt schien er sich langsam zu erinnern.

»Ja!«

Er grinste plötzlich. »Naja. Damals warst du vielleicht tatsächlich ein bisserl pumme …«, begann er.

Ich zwickte ihn in die Hüfte.

»Hörst du auf!«, sagte er lachend, als er zusammenzuckte. Fast stießen wir mit einem anderen Paar zusammen. Verena und Onkel Alois.

»Dann pass zukünftig auf, was du redest«, warnte ich ihn, jedoch nicht ernsthaft böse.

Daraufhin sagte er erst einmal eine Weile nichts mehr.

Die Band spielte den nächsten Song, nur wenig schwungvoller als das vorherige Lied. *November Rain* von Guns N' Roses.

Ich warf einen Blick in Richtung Zenta. Verzückt bewegte sie sich mit geschlossenen Augen alleine auf der Tanzfläche. Die

Hochzeit machte ihr mindestens genauso viel Spaß wie ihrer Tochter. Die tanzte jetzt mit einem jungen Mann, der wohl gerade mal die Hälfte des Gewichtes seiner Tanzpartnerin auf die Waage brachte und den Kopf weit nach hinten legen musste, um ihr beim Reden in die Augen schauen zu können.

»Warum hast du eigentlich keine Freundin?«, wollte ich plötzlich wissen.

»Wie kommst du darauf, dass ich keine habe?«, fragte Max zurück.

Ich war für einen Moment irritiert. Das hätte ich doch mitbekommen, oder?

»Äh … ich meinte nur …«, begann ich.

»Also gut. Momentan habe ich keine Freundin. Maria und ich haben uns vor ein paar Monaten getrennt.«

»Maria?«

»Ja. Maria Herbach. Ihr wart zusammen auf dem Gymnasium.«

»Ach, Maria!« Ich erinnerte mich. Wenn auch nicht so gerne. Wir waren in der Schule oft verwechselt worden. Und wer wollte schon so aussehen wie jemand anderes? Ich jedenfalls nicht.

»Wir waren drei Jahre lang zusammen. Aber das hat dich in München ja nicht interessiert.«

»Das stimmt nicht!«, protestierte ich halbherzig.

Aber ich war die letzten Jahre tatsächlich so damit beschäftigt gewesen, mein Geschäft aufzubauen, dass mich die Angelegenheiten meiner niederbayerischen Verwandtschaft kaum beschäftigt hatten.

Vielleicht wäre ein Hinweis in den Postkarten und Weihnachtsgrüßen zu finden gewesen, die Max mir trotz unserer Streitereien pflichtbewusst regelmäßig schickte. Leider hatte ich sie immer nur überflogen, wie man eben Ansichtskarten der Verwandtschaft überfliegt. Außerdem hatte er eine solche Sauklaue, dass ich seine Schrift nur schwer entziffern konnte. Vielleicht hatte Maria auf einigen der Karten sogar mit unterschrieben, und ich hatte es gar nicht bemerkt?

Bei meinen wenigen Besuchen in Halling war mir Maria nie über den Weg gelaufen.

»Warum habt ihr euch getrennt?«

»Maria wollte ihr Leben nicht auf dem Hof verbringen. Sie hatte andere Pläne.« Er sagte es in einem so unbeteiligten Ton, als ob er mir von seinem Frühstück heute Morgen erzählen würde.

Hmm. Maria. Sie war eine sehr gute und ehrgeizige Schülerin gewesen. In diesem Punkt hatten wir uns deutlich voneinander unterschieden. Rückblickend hätte ich nichts dagegen gehabt, ihr in Sachen Ehrgeiz ähnlicher zu sein.

»Das tut mir leid.«

»Braucht es nicht.«

»Na gut. Dann tut es mir nicht leid.« Was der Wahrheit entsprach. Max verdiente eine andere Frau als diese eingebildete Maria.

Er lachte.

»Und was tut sich bei dir?«, fragte er.

»Ach, mal sehen«, ich zuckte unverbindlich mit den Schultern.

»Warum gibst du nicht auf, Hanna?«

Er schaute mir tief in die Augen.

»Vielleicht tu ich das sogar«, rutschte es mir heraus.

Das brachte ihn so aus dem Konzept, dass er stehenblieb.

»Du gibst auf?«

»Ich habe gesagt, vielleicht. Vielleicht aber auch nicht. Und jetzt tanz gefälligst weiter, oder wir gehen zurück zum Tisch.«

Irritiert setzte er sich wieder in Bewegung.

»Und warum bist du jetzt nicht mehr sicher?«

Ich zögerte. Sollte ich ihm sagen, was mich bewegte? Schließlich war er ja eigentlich mein Gegner in dieser ganzen Erbschaftsangelegenheit. Aber die romantische Hochzeit heute, die Musik und auch der Sekt machten mich rührselig und lösten meine Zunge.

»Vielleicht möchte ich doch aus Liebe einen Mann heiraten und nicht wegen des Geldes ... Auch wenn es sich schon um eine stattliche Summe handelt«, setzte ich noch hinzu.

Bevor er darauf antworten konnte, beschloss die Band, endlich einen musikalischen Abstecher in die Gegenwart zu machen. Hubert von Goiserns *Brenna tuats guat* erklang, und dank der etwas deutlicheren Aussprache des Sängers konnte ich endlich auch mal den ganzen Text des Liedes verstehen. Max und ich hatten Mühe, in den schnellen Rhythmus zu finden. Genauso wie einige andere Tanzpaare. Aber es machte jede Menge Spaß, und bald wirbelten wir lachend über das Parkett, auch wenn die Schritte nicht immer so ganz zusammenpassten.

Als das Lied endete, waren wir beide atemlos. Wir grinsten uns an, und ich fiel ihm in einem plötzlichen Impuls um den Hals. Schon lange hatte ich nicht mehr so viel Spaß mit Max gehabt wie heute. Nach einem kurzen Zögern schlang er seine Arme um mich und drückte mich fest an seinen starken, vom Tanzen erhitzten Körper. Erstaunt stellte ich fest, dass ich mich geborgen fühlte wie schon lange nicht mehr. Doch der Augenblick war schnell vorüber, als plötzlich einige Leute aufgeregt riefen: »Die Braut wurde gestohlen!«

»Ich muss mal kurz raus«, sagte Max und vermied es, mich anzusehen. Er löste sich von mir und ließ mich auf der Tanzfläche stehen.

Innerhalb weniger Minuten waren vor allem die jüngeren Hochzeitsgäste verschwunden. Während der Bräutigam mit einigen seiner Kumpels an einem Tisch saß und sehnsuchtsvoll in Richtung Nebenraum schaute, in den seine Frau verschwunden war.

Dorthin wollte ich auch gerade gehen, als mich plötzlich jemand am Arm festhielt. Ich drehte mich um.

»Hanna, hast du meinen Brief bekommen?«, fragte Stefan. Er hatte ein rotes Gesicht und schwitzte heftig. Allerdings nicht vom Herumhopsen, sondern von der Arbeit.

Mist. Dabei hatte ich gedacht, ich könnte ihm heute aus dem Weg gehen.

»Ja. Hab ich.« Ich lächelte bemüht. »Bin leider noch nicht dazu gekommen, dir zu antworten«, sagte ich überflüssigerweise.

»Das habe ich schon gemerkt. Deswegen frage ich ja.«

Eigentlich müsste ich ihm jetzt sagen, dass er nicht in Frage kam. Aber irgendwie brachte ich es nicht übers Herz.

»Du Stefan, ich muss mir das alles erst durch den Kopf gehen lassen. So eine Heirat ist ja kein Pappenstiel.«

Er nickte.

»Natürlich. Das versteh ich schon. Aber ich dachte, das wäre doch was. Du und ich …« Als er plötzlich schüchtern lächelte, bemerkte ich sein Grübchen in der linken Wange. Dieses Grübchen hatte mir schon damals gefallen. Und jetzt wusste ich auch wieder, warum er der erste Junge war, der mich geküsst hatte. Er war damals richtig süß gewesen.

»Wir reden mal in den nächsten Tagen, okay?«

»Gut. Ich muss jetzt auch wieder weiterarbeiten.« Damit drehte er sich um und ging. Erleichtert schloss ich kurz die Augen und atmete tief ein. Jemand tippte mir auf die Schulter. Was wollte er denn noch?

»Ich freue mich sehr, dass du zur Hochzeit gekommen bist.« Die Stimme war rauchig und tief und gehörte eindeutig nicht Stefan, sondern der Zacherin.

»Danke für die Einladung!«, sagte ich höflich.

»Komm doch bitte mal mit, Hanna, ich möchte gerne mit dir sprechen!«

Ich folgte ihr in den Gastraum, der momentan so gut wie leer war. Wir setzten uns an einen Tisch am Fenster.

»Wie geht es deiner Mutter?«, fragte Zenta mich und schaute mir dabei tief in die Augen. Ihre Augen hatten mich schon als Kind fasziniert. Sie hatten unterschiedliche Farben. Das linke Auge war grün mit kleinen grauen Flecken, das andere hellgrau.

»Der geht es gut.«

»Sie war früher oft bei mir. Zusammen mit dir. Erinnerst du dich?«

Ich nickte. »Sie hat nochmal geheiratet und ein Mädchen bekommen.«

»Das weiß ich alles, Hanna. Ich wusste es schon vorher.«

»Vorher?«, fragte ich und ahnte, dass sie mit »vorher« vor dem Tod meines Vaters meinte.

»Hast du in den Karten gesehen, dass mein Vater so früh sterben wird?«, fragte ich atemlos.

»Über den Tod darf ich nicht sprechen. Aber über die Liebe. Ich habe ihr gesagt, dass sie noch einmal eine große Liebe finden wird.«

Und das war so. Dieter und Mama waren ein wundervolles Paar.

Plötzlich schoss mir ein Gedanke durch den Kopf.

»Kannst du mir auch die Karten legen?«

Sie lächelte.

»Auf diese Frage habe ich gewartet. Du willst wissen, ob du deinen Traummann heiraten wirst.«

»Ja, und ob…«, ich traute mich nicht weiterzusprechen.

»Und ob es einer der Männer ist, die sich auf dein Inserat gemeldet haben?«

Ich war baff. Woher wusste sie, dass ich das wissen wollte?

Obwohl… wenn sie das mit dem Inserat und meinen Heiratsplänen wusste, wie so ziemlich jeder im Ort, konnte sie ja eins und eins zusammenzählen. Das war keine Hexerei.

Die Zacherin griff in ihre kleine Handtasche und holte einen Satz Tarotkarten heraus.

»Wir werden sehen…«, sagte sie, während sie das abgegriffene Blatt sorgfältig mischte.

Sie ließ mich abheben und legte dann die Karten nacheinander in einem großen Rechteck aus. Eine Weile lang schaute sie auf das Blatt und sagte nichts. Ich wurde unruhig. Was las sie denn nur?

Plötzlich hob sie den Kopf und schaute mich seltsam an.

»Du wirst einen Mann heiraten, der sich nicht auf dein Inserat gemeldet hat.«

»Nicht auf das Inserat…?«, fragte ich und spürte, wie mich schlagartig eine große Enttäuschung überkam. Alex würde damit wegfallen.

»Die Entscheidung für den richtigen Mann wird dir sehr schwer fallen. Und du kannst sie auch erst dann treffen, wenn…«, sie verstummte.

»Wenn was?«, drängte ich sie, mir mehr zu erzählen.

Doch sie schüttelte den Kopf.

»Das darf ich dir nicht sagen, Hanna«, meinte sie bedauernd.

Wie? Und das war es dann jetzt mit ihrer Wahrsagerei? Sie

konnte mir doch nicht einfach so vor den Latz knallen, dass der einzige Mann, der mich interessierte und in den ich verliebt war, nicht in Frage kam?! Und wo bitteschön sollte ich jetzt innerhalb dieser kurzen Zeit einen Mann finden, der sich nicht auf mein Inserat gemeldet hatte? Und der mich trotzdem heiraten wollte? Oder würde ich ohnehin gar nicht so schnell heiraten und mein Erbe verlieren?

»Du wirst dein Erbe bekommen, Hanna«, sagte sie mit einem Blick, den ich nicht deuten konnte, und schob ihre Karten zusammen.

In dem kleineren Saal, in den die Braut »verschleppt« worden war, ging es hoch her. Als ich den Raum betrat, kniete der Bräutigam in Schürze und Kopftuch mit einem Besen in der Hand auf einem Holzscheit vor seiner Natascha.

»… und ich verspreche dir auch, dass ich niemals meine Socken im Bett anlassen werde!«, schwor der frisch gebackene Bräutigam unter dem Gelächter der Hochzeitsgäste. »Niemals!«

»Aber ich darf meine Strümpfe anlassen?«, fragte Natascha mit schelmischem Blick.

»Ja. Aber nur die, an die ich jetzt denke. Du weißt schon…« Seine Wangen wurden rot.

Obwohl mir der rätselhafte Blick in meine Zukunft die Stimmung verdorben hatte, musste ich beim Anblick des knienden Benjamin und seiner grinsenden Frau wieder lachen. Und schon bald saß ich neben meinem Cousin am Tisch und stieß mit Wein auf das Brautpaar an.

Uff, war mir heiß. Und auch etwas schwindelig vom Wein. Nach dem Brautstehlen musste ich unbedingt frische Luft schnappen. Ein kleiner Spaziergang um das Wirtshaus herum würde mir gut tun. Da mich die Schuhe inzwischen schon mächtig marterten, zog ich sie aus. Die teuren Strümpfe würde ich danach wegwerfen müssen, aber das war mir gerade egal. Es tat einfach zu gut, dem engen Fußgefängnis für eine Weile entkommen zu sein.

»Hanna!«

Ich drehte mich verdutzt um. »Alex?«

Er war es tatsächlich! Mit einer kleinen Reisetasche kam er mir vom Parkplatz hinter dem Haus entgegen. Anscheinend war er heute mit dem Auto unterwegs, denn er hatte weder Helm noch Lederjacke dabei. Rasch versuchte ich, wieder in die Schuhe zu schlüpfen, was in dem eng geschnittenen Kleid gar nicht so einfach war.

»Was machst du denn hier?« Er schaute mich von oben bis unten neugierig an.

Mein Herz pochte plötzlich wild, und ich wäre ihm vor Freude am liebsten um den Hals gefallen. Und das tat ich dann auch. Weil ich das Gleichgewicht verlor.

»Hoppalla!«, rief ich und genoss es, ihm für einen Augenblick so nah zu sein.

»Warte…« Er hielt mich am Arm fest, während ich einen neuen Versuch startete, in den Schuh zu schlüpfen.

Alex war gekommen! Dass die Zacherin mir prophezeit hatte, er würde nicht mein zukünftiger Bräutigam sein, wollte ich nicht hinnehmen. Wer glaubte denn auch schon an diese Kartenlegerei? Ich jedenfalls nicht!

»Hast du eine Verabredung?«, fragte er betont lässig.

»Ich feiere eine Hochzeit.«

»Deine?«

»Natürlich nicht! Eine Verwandte heiratet heute. Ganz entfernt. Natascha und Benjamin.« Ich kicherte.

Meine Güte, dass mich der Alkohol auch immer so albern machen musste!

»Schade. Dann kann ich dich ja heute Abend nicht zum Essen einladen«, stellte er mit Bedauern fest.

»Sehr schade.«

»Nichts soll heute schade sein! Ist das ein Freund von dir, Hanna?«, fragte plötzlich die Zacherin neben uns und steckte sich eine Zigarette an. Wo war die denn so plötzlich hergekommen? »Dann ist er natürlich auch bei uns als Gast herzlich willkommen.«

»Aber das kann ich doch nicht annehmen. Ich…«, sagte Alex höflich.

»Warum nicht?«, unterbrach ich ihn. »Ich finde, das ist eine gute Idee!«, rief ich und warf der frisch gebackenen Schwiegermutter einen grinsenden Blick zu. Sie konnte ja nicht wissen, dass Alex der Mann war, in den ich verliebt war. Und den ich – ja, ich gebe es zu – gerne heiraten wollte.

»Ich habe doch gar kein Geschenk«, warf Alex noch ein. Doch ich nahm ihn am Arm und zog ihn in Richtung Gasthaus. Irgendwie wollte ich ihn von der Zacherin weghaben. Sie beäugte ihn schon so neugierig. Womöglich käme sie noch auf den Gedanken, ihm auch die Karten zu legen, und dann hätten wir den Salat.

»Die beiden freuen sich über ein bisserl Bargeld für ihre Hochzeitsreise. Und das wirst du sicher dabei haben.«

»Na gut. Dann bringe ich nur noch das Gepäck auf mein Zimmer.«

Schon ein paar Minuten später war er wieder zurück. Und hatte sich sogar umgezogen. Statt seines T-Shirts trug er zur dunklen

Jeans jetzt ein hellgraues Hemd. Da auch die meisten anderen Männer inzwischen ihre Anzugjacken ausgezogen hatten, würde er damit nicht weiter auffallen.

Während sich die Gäste im Nebenraum beim Brautstehlen aufgehalten hatten, war im Saal ein großes kaltes Buffet aufgebaut worden. Viele schauten uns neugierig an, als wir gemeinsam den Saal betraten.

Alex gratulierte dem Brautpaar und drückte Benjamin einen Schein in die Hand.

Dann setzten wir uns an den Tisch. Einige der Gäste waren schon gegangen. So auch meine Tischnachbarin, die nach dem Brautstehlen so einen sitzen gehabt hatte, dass sie nach Hause gebracht werden musste.

»Darf ich vorstellen: Das ist Alexander!«

»Freut mich sehr«, begrüßte Tante Luise ihn und reichte ihm die Hand.

»Gleichfalls.«

»Wir kennen uns schon«, sagte Max und schien nicht sonderlich begeistert über den Neuzugang am Tisch zu sein.

»Allerdings.«

Jetzt bekam ich Zweifel. Ob es wirklich so eine gute Idee gewesen war, Alex mit hierher zu nehmen?

»Das Buffet ist eröffnet!«, rief der Bräutigamvater laut. »Leute, greift nach Herzenslust zu!«

Die Stimmung beim Essen war nicht gerade euphorisch, aber Tante Luise schien Gefallen an Alex zu finden.

»Haben Sie sich auf das Heiratsinserat gemeldet?«, fragte sie neugierig.

Alex nickte höflich.

»Ach. Ich finde, ihr beide wärt ein schönes Paar.«

Das fand ich auch.

»Luise!«, mahnte ihr Mann. »Misch dich da nicht ein!«

»Aber es stimmt doch, oder?«, wandte sich Tante Luise an mich.

»Entschuldigt. Mir ist der Appetit vergangen.« Max stand auf und ging mit wütendem Blick hinaus.

»Sie müssen es meinem Sohn nachsehen, Alexander. Er hofft darauf, dass Hanna nicht heiraten wird. Eine ziemlich dumme Sache ist das alles, die mir gar nicht gefällt.« Sie seufzte. An ihren roten Bäckchen konnte ich erkennen, dass sie wohl auch schon ein Gläschen mehr als üblich intus hatte.

Die Unterhaltung verlief danach sehr stockend, und ich bereute inzwischen, dass ich Alex mitgenommen hatte. Viel schöner wäre es gewesen, wenn wir den Abend in einem netten kleinen Lokal alleine verbracht hätten. Gott sei Dank begann nach dem Essen die Band wieder zu spielen.

Seitdem Alex neben mir am Tisch saß, hatte mich kein anderer Mann mehr zum Tanz aufgefordert.

Während die meisten Leute jetzt auf der Tanzfläche waren oder an der Bar schnapselten, saßen Alex und ich alleine am Tisch.

»Ich freue mich sehr, dass du gekommen bist«, rutschte es mir plötzlich heraus.

Er schaute mich an. »Ja? Wirklich?«

Ich nickte. »Wirklich.«

»Ich bin nicht gerade in Übung, aber wenn du Lust hast...?«, fragte er plötzlich.

»Oh ja!«

Wir gingen auf die Tanzfläche.

Die Musiker spielten gerade *Unchained Melody*. Sofort musste ich an den Film *Ghost – Nachricht von Sam* denken. Das war einer meiner Lieblingsfilme, den ich bestimmt schon zwanzig Mal gesehen hatte. Und jedes Mal heulte ich, wenn Sam sich endgültig von seiner Molly verabschiedete.

Als Alex seine Hand an meine Hüften legte, war es, als ob ein leichter Stromstoß durch meinen Körper rauschen würde. Ich hob den Kopf und schaute ihn an. Er erwiderte meinen Blick.

»Du siehst phantastisch aus.«

Ich konnte nicht antworten, sondern lächelte nur. Und freute mich. Während des Liedes schwiegen wir beide. Doch in meinem Kopf ging es alles andere als ruhig zu. Ich hatte mich in diesen Mann verliebt. Und ich wollte ihn heiraten. Am besten natürlich noch innerhalb der Frist.

Da ich nicht mehr alle Zeit der Welt hatte, und Alex sehr zurückhaltend war, musste ich die Sache jetzt wohl selbst in die Hand nehmen. Inzwischen wunderte es mich nicht mehr, dass er noch keine Frau hatte, obwohl er wirklich ein außergewöhnliches Exemplar von einem Mann war. Womöglich kam er aus einem sehr kleinen Dorf und hatte auf seinem Bauernhof nicht gelernt, wie man mit einer Frau flirtete. Dem musste ich jetzt dringend irgendwie nachhelfen! Die erste Maßnahme, die mir in den Sinn kam, war einfach. Ich drückte mich näher an ihn. Und seufzte innerlich. Es fühlte sich so gut an. Ach, am liebsten hätte ich die ganze Nacht hindurch so getanzt. Wenn nur … Ja, wenn nur die Schuhe nicht so mörderisch gedrückt hätten. Jetzt bekam ich zu spüren, dass meine Füße, was richtige High Heels anging, vor diesem Tag noch jungfräulich gewesen waren. Ich biss die Zähne zusammen. Diese roten Folterwerkzeuge würden mir diesen Augenblick nicht kaputtmachen!

Ich spürte, dass Alex mir ganz sanft über den Rücken streichelte, und schloss die Augen.

Langsam klang das Lied aus, und ich hoffte auf einen weiteren kuscheligen Song.

Doch die Musiker wollten wieder etwas Stimmung in die Bude bringen und rissen die überwiegend engumschlungenen Pärchen mit dem Rhythmus von Bruno Mars' *Marry You* gnadenlos auseinander.

Dabei stellte sich heraus, was ich ohnehin schon wusste: Ich war keine begnadete Tänzerin vor dem Herrn. Ganz im Gegensatz zu Alex. Gleich würde ich mich sauber blamieren. Na toll!

»Hey, ganz locker bleiben, Hanna!«, ermahnte er mich plötzlich.

Ich hörte auf, krampfhaft zu versuchen, in den Rhythmus zu finden, und überließ mich ganz seiner Führung. Und oh Wunder! Es klappte tatsächlich. Er wirbelte völlig im Einklang mit mir über die Tanzfläche, als ob wir beide nie etwas anderes gemacht hätten. Und was für ein passendes Lied. »I think I wanna marry you.« Genau das wollte ich auch! Immer wieder lächelte er mir zu, und ich schmolz mehr und mehr dahin. Meine Füße würde ich morgen allerdings nicht mehr gebrauchen können.

»Wo hast du nur so gut Tanzen gelernt?«, fragte ich bewundernd.

»Beim Jungbauernverein«, antwortete er und grinste schelmisch.

Plötzlich stand jemand direkt neben mir auf der Tanzfläche. Bevor wir ausweichen konnten, rumpelte ich auch schon mit Schwung dagegen.

»Huch!«, rief ich erschrocken aus, als es plötzlich eiskalt wurde in meinem Dekolleté.

»Oh entschuldige, Hanna!« Es war Verena, die mit einem jetzt fast leeren Cocktailglas neben uns stand und mich zerknirscht anschaute.

»Was machst du denn mitten auf der Tanzfläche?«, rief ich

laut, um die Musik zu übertönen. Am liebsten hätte ich noch »du blöde Kuh« an meine Frage gehängt.

Ärgerlich besah ich die Bescherung auf meinem Kleid. Milchig weißes, klebriges Zeug machte sich langsam auf den Weg nach unten – und leider nicht nur auf dem Kleid, sondern auch darunter. Ein widerliches Gefühl!

Dass es sich um Piña Colada handelte, brauchte Verena nicht zu sagen. Der Duft nach Ananas und Kokosnuss war unverkennbar.

Alex zog uns von der Tanzfläche weg, bevor wir mit weiteren Leuten zusammenstießen.

»Es tut mir leid«, entschuldigte Verena sich nochmal zerknirscht, »ich wollte eine Abkürzung zu meinem Tisch nehmen.«

Eine Abkürzung durch eine wild tanzende Menschenmenge? Ich sparte mir eine Antwort. Wie blöd bitteschön konnte man sein? Naja, von jemandem, der mit einem Mann wie Pit zusammen gewesen war, durfte man vielleicht nicht zu viel erwarten.

Mein Kleid war ruiniert und der Abend für mich gelaufen. Das würde sich auch nicht ändern, wenn ich meinem Wunsch nachgab und ihr den Hals umdrehte.

»Komm mit«, sagte Alex und schob mich hinaus.

kapitel 24

Prustend stellte ich das Wasser ab und trocknete mich mit einem großen weißen Handtuch ab. Ich stieg vorsichtig aus der Dusche und schaute zu meinen schmerzenden Füßen hinunter. Sie waren rot und geschwollen. An den Fußballen und an den Fersen hatte ich böse Blasen. Die Bestrafung für allzu eitle Frauen? Oder die schlechte Qualität der billigen Schuhe?

Sollte ich je wieder in einen Schuh mit mehr als fünf Zentimeter Absatz steigen, dann nur in wirklich guter Qualität!

Vorsichtig drückte ich das klebrige Piña-Colada-Kleid im Waschbecken aus und hängte es auf einen Kleiderbügel. Auch meinen schönen Body hatte es natürlich erwischt. Vorsichtig wusch ich das zarte Gewebe im Waschbecken und trocknete es mit dem Föhn auf leichtester Stufe.

»Ich hatte gar nicht damit gerechnet, dass du heute Nacht nur in ein Badetuch gehüllt auf meinem Bett sitzen würdest«, sagte Alex wenig später.

Er grinste und schenkte aus einer angebrochenen Flasche Wein, den ich auf dem Weg nach oben von einem Tisch im Saal gemopst hatte, in zwei Wassergläser ein.

»Und ich dachte, bei dir würde so was jeden Tag vorkommen.«

Er reichte mir das Glas und setzte sich neben mich.

»Klar. Auf meinem Bauernhof wimmelt es nur so von Frauen in Badetüchern.«

»Schwerenöter!«

Ich nahm einen großen Schluck Wein. Sollte ich jetzt nervös sein oder mich freuen, dass mein Plan, die Sache zwischen uns beiden deutlich zu beschleunigen, dank Verena so unerwartet schnell aufgegangen war? Besser hätte ich es ja gar nicht inszenieren können.

Und jetzt? Sollte ich ihn küssen?

»Du bist eine ungewöhnliche Frau, Hanna«, sagte er leise knöpfte langsam sein Hemd auf. Ich schluckte.

»Ungewöhnlich?« Meine Stimme krächzte, und ich räusperte mich.

»Eigentlich bin ich gar nicht ungewöhnlich. Wirklich nicht. Ich bin eher … un-ungewöhnlich.«

Er lächelte. »Ich weiß gar nicht so recht, was ich mit dir anfangen soll.«

Er schlüpfte aus dem Hemd. Alex hatte einen schönen gebräunten Oberkörper. Er war zwar nicht ganz so muskulös wie Max, aber man erkannte, dass Alex körperlich aktiv war auf seinem Hof. Geld für ein Fitness-Studio gab er sicher keines aus. Im Gegensatz zu den ganzen Bürohengsten bekam er seine Muskeln quasi als Nebenprodukt zur Arbeit gratis dazu.

Die wenigen dunklen Brusthaare machten ihn ziemlich attraktiv – für meinen Geschmack.

»Och, ich hätte da schon ein paar gute Ideen«, rutschte es mir heraus.

»Ja? Welche denn?«

Er rückte näher an mich heran. Sollte ich es wagen? Ich zögerte. Nicht nur, weil ich von Haus aus keine Draufgängerin war. Eigentlich wollte ich, dass er den ersten Schritt machte. Dass er mich begehrte. Und dass er mir zeigte, wie sehr er mich begehrte.

Du wirst einen Mann heiraten, der sich nicht auf dein Inserat gemeldet hat, hörte ich plötzlich die Zacherin sagen. *Du kannst mich mal!,* antwortete ich ihr in Gedanken und gleich darauf lagen meine Lippen entschlossen auf seinen.

Es schien Alex nichts auszumachen, dass ich meine Ideen nicht zuerst verbal vorstellte, sondern direkt in die Tat umsetzte. Mit meinem ersten Vorschlag schien er einverstanden, wenn ich den heiß erwiderten Kuss richtig deutete. Nach einem ersten gegenseitigen Erkunden, küssten wir uns bald wild und hemmungslos.

Es gab ja Küsse, die waren angenehm und schön. So wie ein warmes Schaumbad mit einem guten Buch. Oder wie eine Schüssel Vanilleeis mit heißen Himbeeren, während man sich eine neue Folge von Grey's Anatomy anschaute.

Und dann gab es Küsse, die waren wie eine Fußmassage in einer Achterbahn mit einem Glas prickelndem Champagner. Genau so fühlte sich der Kuss mit Alex an. Absolutes Wohlgefühl traf auf Adrenalinexplosion. Ich hätte am liebsten nie wieder aufgehört.

Alex zog ungeduldig an meinem Handtuch, aber es war so eng um meinen Körper gewickelt, dass er es nicht losbekam.

»Heb mal deinen Po hoch«, bat er, und ich tat ihm den Gefallen allzu gerne.

Nachdem ich endlich nackt vor ihm lag, setzte er seine Küsse an anderen Stellen fort. Ich verging schier vor Lust. Wenn er jetzt aufgestanden und gegangen wäre, hätte ich mir wahrscheinlich die Kugel gegeben. Alex löste sich von mir und stand auf. Nein!

»Wage es nicht zu gehen!« Ich war bereit, aus dem Bett zu springen und ihn zurückzuzerren.

Er schaute mich kurz irritiert an. Dann lächelte er und öffnete seine Reisetasche.

»Wenn wir weitermachen wollen, brauchen wir das hier.« Er streckte mir ein kleines Päckchen entgegen.

Kondome! Natürlich!

Einen kleinen Augenblick lang hatte ich ein schlechtes Gewissen wegen meiner Gedankenlosigkeit. Es war doch Gedankenlosigkeit und nicht etwa – ähm – so ein klitzekleines bisschen Berechnung? Da ich schon lange Single und damit fremdsexlos war, nahm ich weder die Pille noch ein anderes Verhütungsmittel. Wozu auch?

So ein Baby mit Alex wäre... Stopp! Das ist absolut nicht die richtige Reihenfolge, Frau Gruber!, schalt ich mich selbst. Oh nein!

Heute ging es nur um Genuss. Dann erst war die Heirat an der Reihe, und über Kinder konnten wir uns später immer noch Gedanken machen.

Alex kam ins Bett zurück, und wir streichelten und küssten uns wieder, nicht mehr ganz so wild wie zuvor, dafür noch leidenschaftlicher und intensiver.

Plötzlich hielt er still. Er lag über mir und sah mich mit seinen dunklen Augen eindringlich an.

»Willst du mich?«, fragte er heiser. Was für eine dumme Frage! Mein Körper war mehr als bereit!

»Jaaa!«

Ein leises Brummen weckte mich auf. Für einen kurzen Moment musste ich mich orientieren, wo ich war. Doch der eng an meinen Rücken geschmiegte warme Körper brachte es mir sehr schnell in Erinnerung.

Ich lächelte glückselig. Alex und ich hatten miteinander geschlafen, und es war unglaublich schön gewesen. Und das lag sicher nicht nur daran, dass ich so lange enthaltsam gelebt hatte. Das Brummen hörte auf. Und jetzt erst realisierte ich, was es war. Mein Handy, das ich in der Kirche auf Vibrationsalarm gestellt hatte.

Vorsichtig, um ihn nicht zu wecken, löste ich mich von Alex und stand auf. Aua! Meine Füße! Ich unterdrückte ein Jammern, nahm meine Handtasche und humpelte leise ins Badezimmer.

Natürlich war der Anruf von Frank Cornelius gewesen. Ich wählte seine Nummer.

»Hallo, Bea?«, rief er laut ins Handy.

»Ja«, flüsterte ich.

»Ich versteh Sie nicht. Bea können Sie mich hören?«

»Ja«, kam es nur wenig lauter von mir. Doch es reichte wohl aus, dass er mich verstand.

»Die Fotos sind toll! Ich glaube, das Segelboot könnte ihr gefallen. Mich hat es auf jeden Fall schon überzeugt.«

»Das freut mich.« Und ich war tatsächlich sehr, sehr froh darüber.

»Sie hören sich so heiser an. Sind Sie krank?«

»Nein, ich ähm, bin nur...«

»Ach du meine Güte!«, unterbrach er mich. »Ich habe völlig vergessen, dass es in Deutschland mitten in der Nacht ist. Das tut mir leid, Bea! Wirklich!«

»Ach. Kein Problem!«, beruhigte ich sein schlechtes Gewissen. Ich war ja froh über die gute Nachricht.

»Hören Sie, Bettina und ich werden für eine Woche nicht erreichbar sein. Wir machen eine Flussfahrt auf dem Rio Negro.«

»Gut. Aber nicht verplappern. Nicht dass es Bettina am Ende doch noch rausfindet.«

»Ich bitte Sie! Natürlich nicht... Aber das Handy wird dort keinen Empfang haben.«

»Ich verstehe...«

»Warten Sie. Ich gebe Ihnen eine andere Nummer. Haben Sie etwas zum schreiben?«

»Äh ja...« Ich kramte rasch in meiner Tasche nach einem Stift. Da ich keinen Zettel dabei hatte, schrieb ich seinen Namen auf ein Papiertaschentuch und begann, die Nummer zu notieren. Bevor ich fertig war, brach die Verbindung jedoch plötzlich ab. Dabei wollte ich ihn ja noch fragen, ob der Auftrag jetzt definitiv fix war.

Ich versuchte noch ein paarmal, ihn zu erreichen, aber vergeblich. Ich warf das Taschentuch in den kleinen Abfalleimer. Eine unvollständige Telefonnummer war schließlich nutzlos.

Ein leises Geräusch erschreckte mich kurz. Doch gleich darauf wurde es wieder ruhig. Ich warf einen Blick in den Spiegel. Die zerzauste blonde Mähne, meine geschwollenen Lippen und ein Funkeln in den Augen, das es bei mir schon lange nicht mehr gegeben hatte, sagten deutlich, was ich in den letzten Stunden gemacht hatte. Ich schaute auf die Uhr auf meinem Handy. Es war kurz nach zwei. Ich sollte mich rasch wieder zu Alex legen und schlafen. Oder ihn vielleicht auf besondere Weise wecken und nicht schlafen? Ich lächelte beim Gedanken daran, wie ich ihn ganz schnell wach bekommen könnte.

Plötzlich wurde mir heiß. Allerdings nicht vor Erregung. Ich hatte vor lauter Alex völlig vergessen, dass ich bis zum Ablauf der Frist jeden Tag auf dem Hof übernachten musste! Ich hoffte nur, dass das nicht so streng ausgelegt werden würde wie bei Aschenputtel, die um Mitternacht daheim sein musste. Dabei wusste ich immer noch nicht, ob und wenn ja durch wen das eigentlich kontrolliert wurde. Trotzdem. Sicher war sicher. Ich musste mich sputen und sofort nach Hause.

Rasch schlüpfte ich in meinen Body. Das Kleid war klamm und kalt und fühlte sich am Körper schauderhaft an, aber es war mir trotzdem lieber, als mitten in der Nacht im weißen Hotel-Bademantel unterwegs zu sein.

Ich nahm meine Handtasche und die Schuhe und schlich mich zurück ins Schlafzimmer. Beim Anblick des tief schlafenden Alex lächelte ich zärtlich. Ich widerstand nur schweren Herzens der Versuchung, ihn sanft auf die Stirn zu küssen.

Vorsichtig öffnete ich die Zimmertür und wollte sie eben hinter mir schließen und zur Treppe gehen, da hörte ich von unten lautes Poltern und Gelächter. Ich schaute um die Ecke und warf einen vorsichtigen Blick nach unten. Das Brautpaar, das seine Hochzeitsnacht ebenfalls hier verbrachte, war lachend und singend auf dem Weg nach oben. Allerdings konnte der Bräutigam das nicht mehr ohne Hilfe.

Links und rechts stützten ihn zwei Männer, die ihn nun die Treppe hochzogen. »Ich mag nicht mehr weitergehen!«, lallte er laut, machte sich los und setzte sich auf die Treppe. »Ich bleib jetzt hier sitzen!«, sagte er trotzig und rülpste unüberhörbar.

»Jetzt komm schon, du Held! Deine Braut will ins Bett!« Erst jetzt erkannte ich an der Stimme, dass einer der Männer Max war.

Ich zuckte zurück. Oh nein! Ausgerechnet Max! Er durfte mich hier nicht sehen! Er würde sofort wissen, wo ich gewesen war. Und dass er das wusste, wollte ich in diesem Moment ganz und gar nicht. Auch wenn ich nicht wusste, warum ich das nicht wollte.

Ich tippelte auf schmerzenden Füßen zurück in Alex' Zimmer, der Gott sei Dank den Schlaf der Gerechten schlief.

Was sollte ich denn jetzt nur tun? Abwarten, bis die Männer

das Brautpaar abgeliefert hatten? Das konnte womöglich noch länger dauern.

Inzwischen war mir in dem nassen Kleid so kalt, dass ich zu zittern begann. Ich würde mir den Tod holen, wenn ich es nicht bald auszog.

Mein Blick fiel auf die Balkontür. Ich schlich mich hinaus und zog die Tür leise hinter mir zu. Das Zimmer lag im ersten Stock. Es war zwar nicht sonderlich hoch, aber hinunterzuspringen traute ich mich trotzdem nicht. Am Ende des Balkons entdeckte ich ein hölzernes Blumengitter. Würde das funktionieren? Hoffentlich, denn eine andere Fluchtmöglichkeit gab es im Moment definitiv nicht.

Der erste Versuch, über das Balkongeländer zu steigen scheiterte an meinem engen Kleid. So ging das nicht. Entschlossen öffnete ich mit vor Kälte zitternden Fingern die Knöpfe und zog das Kleid kurzentschlossen aus. Gleich fühlte ich mich wohler. Ich ließ es nach unten fallen und stieg in meinem Body vorsichtig über das Geländer.

Leider war das Holzgerüst nicht annähernd so stabil, wie es aussah. Auf dem halben Weg gab eine der Sprossen unter meinem Gewicht nach, und ich krachte hinunter. Unsanft landete ich auf meinem Hinterteil. Überall an meinem Körper spürte ich Kratzer, und meine Füße schmerzten noch mehr als zuvor.

»Hallo? Ist da jemand?«, rief vom zweiten Stock eine weibliche Stimme aus dem Fenster. Ich hielt kurz den Atem an. Gott sei Dank war es so dunkel. Aber ich musste schleunigst hier weg. Ich rappelte mich hoch, packte das Kleid und rannte los, um nicht entdeckt zu werden. Meine Füße spürte ich in diesem Moment nicht mehr.

Mein Herz klopfte wie wild, und ich fragte mich ernsthaft, was ich hier eigentlich tat. Ich musste den Verstand verloren haben, anders konnte ich mir meine dumme Aktion kaum erklären. Dabei hätte ich doch einfach an Max vorbeimarschieren können.

Jetzt zieh dein Kleid an, und mach, dass du nach Hause kommst!, schalt ich mich selbst. Hinter einem Kastanienbaum blieb ich stehen.

»Hanna? Hanna Gruber?«

Ich erschrak fast zu Tode.

Bitte, lieber Gott, mach, dass jemand anderes hinter mir steht als ich denke. Bitte, bitte!, sandte ich ein Stoßgebet zum Himmel und hielt mir das Kleid vor meinen Körper. Doch der liebe Gott schlief wohl um diese Zeit schon. Oder war mit anderen Dingen beschäftigt. Vielleicht war er auch zu einem Späßchen aufgelegt. Auf jeden Fall erhörte er mein Gebet nicht. Ich drehte mich langsam um.

»Herr ... Herr Pfarrrrerrr ...«, stotterte ich fassungslos, teils vor Schreck, teils vor Kälte. Was um Himmels willen tat der denn um diese Uhrzeit hier?

»Geht es dir gut?«, Pfarrer Brenner sah mich besorgt, aber auch etwas neugierig an.

Was er jetzt wohl von mir dachte? Eine Frau, die mitten in der Nacht nur mit einem sexy Body bekleidet und völlig zerzaust mit Kratzern am ganzen Körper auf der Straße unterwegs war. Das sah er bestimmt nicht alle Tage.

»Ja. Doch. Schon. Wobei – gut ist vielleicht nicht ganz das richtige Wort«, gab ich zu und grinste schief. Doch plötzlich begann ich zu weinen. Vor Schmerzen, vor Scham und weil an diesem Tag sehr viel passiert war. Zugegebenermaßen auch viel Schönes.

Die Tränen liefen nur so über meine Wangen. Dabei hasste ich es zu heulen. Ich hatte schon so lange nicht mehr richtig geweint, dass ich mich gar nicht mehr daran erinnern konnte.

Hilflos stand Pfarrer Brenner vor mir.

»Ich muss nach Hause«, schniefte ich.

»Aber so kannst du doch nicht gehen.«

»Aber mein Kleid ist so nass.« Damit er mir glaubte, hielt ich es ihm entgegen. Nicht um alles in der Welt würde ich es jetzt nochmal anziehen.

Plötzlich lächelte er. Ohne einen weiteren Kommentar schlüpfte er aus seiner Jacke und half mir hinein. Die Wärme tat mir gut, doch ich bibberte noch immer.

»Ich bringe dich nach Hause«, sagte er und legte beruhigend einen Arm um mich.

»Danke.« Ich schniefte erleichtert, setzte jedoch hinzu: »Ich will Sie aber nicht aufhalten.«

»Ach weißt du, derjenige, zu dem ich gerufen wurde, kann warten. Er ist schon vor einer Stunde verstorben. Da kommt es auf ein paar Minuten mehr auch nicht an.«

Ich schluckte. Das war wohl richtig. Und ich war froh, dass sich jemand um mich kümmerte.

Langsam, wegen meiner zerschundenen Füße, die sich jetzt mit aller Deutlichkeit zurückmeldeten, machten wir uns auf den glücklicherweise kurzen Weg zum Hof.

Doch wir waren nicht die einzigen Leute, die um diese Uhrzeit noch unterwegs waren.

»Herr Pfarrer Brenner!«, rief die Altmannseder Vroni plötzlich. Ihres Zeichens die größte Ratschkattl von Halling. Mindestens genauso schlimm wie die Krösa Maja bei Michel aus Lönneberga. Sie drehte eine nächtliche Gassirunde mit ihrem Dackel. Bei unserem Anblick schnappte sie ein paarmal hörbar nach Luft.

»Frau Altmannseder! Grüß Sie Gott!«, sagte Brenner fröhlich. Er tat völlig unbeeindruckt von ihrem Auftauchen, und auch ich versuchte unbeteiligt zu wirken. Was mir nicht gerade leicht fiel. Ausgerechnet sie musste uns über den Weg laufen.

»Aber Herr Pfarrer! Was machen Sie denn mit mit mit…« Sie blickte mich mit zusammengekniffenen Augen an und konnte vor Empörung gar nicht weitersprechen.

»Ein Notfall.«

»Aber…« So ganz wollte sie uns das nicht glauben. Und sicherlich würde morgen ganz Halling von der Geschichte erfahren. Doch Pfarrer Brenner blieb ruhig und schaute sie plötzlich eindringlich an.

»Lassen Sie die Sünden wieder einmal nicht zur Ruhe kommen, liebe Frau Altmannseder?«, fragte er in einem besorgten Ton, den ich ihm nicht so ganz abnahm.

Seine Frage schien sie aus dem Konzept zu bringen. Plötzlich hatte sie es eilig, mit ihrem Dackel nach Hause zu kommen.

Er schmunzelte. Und ich war sehr erleichtert.

»Vielen Dank, Herr Pfarrer. Das letzte Stück schaffe ich alleine«, sagte ich und wollte aus seiner Jacke schlüpfen.

»Nein, nein!«, rief er erschrocken. »Lass sie ruhig an, Hanna. Du kannst sie mir ja morgen vorbeibringen.«

Ich lächelte ihn dankbar an. »Das werde ich.«

Er verabschiedete sich und ging auf dem Weg, den wir gekommen waren, wieder zurück. Dann hielt er nochmal kurz inne und drehte sich zu mir um.

»Morgen bin ich ab 15 Uhr im Beichtstuhl. Nur für den Fall…« Er zwinkerte mir zu und ging.

kapitel 25

Mit dem ersten Licht des Tages starteten Andreas Pinter und seine Freundin Lisa Tinhof den Aufstieg. Die beiden waren gute Kletterer und erfahrene Bergsteiger. Während Andreas sogar schon eine Watzmannüberschreitung hinter sich hatte, war es für Lisa das erste Mal, dass sie den von Wolfgang Ambros besungenen Berg besteigen würde.

Nach etwa zwei Stunden machten die beiden eine Pause. Lisa hatte noch keinen Hunger. Doch Andreas schlug wie immer ordentlich zu und verschlang drei große Schinkenbrote und zwei Müsliriegel. Der schlanke junge Mann mit dem durchtrainierten Körper war immer hungrig.

»Hey! Heb mir ja noch was für später auf, du Vielfraß!«, mahnte ihn seine Freundin.

»Ja, klar!« Er schnappte sich einen Apfel und biss herzhaft hinein.

»Schau mal, dort liegt was«, sagte Lisa und deutete steil nach unten auf einen kleinen Felsen einige Meter weiter links.

»Da hat bestimmt wieder irgend so ein Idiot seinen Müll nicht mit nach Hause genommen.« Andreas ärgerte sich immer sehr darüber, wie achtlos viele Leute waren.

Inzwischen war Lisa aufgestanden und näherte sich neugierig der Felskante.

»Sei vorsichtig, Lisa!«, mahnte Andreas und stand ebenfalls auf.

»*Das ist kein Müll. Kannst du mich mal festhalten, bitte?*«

»*Ach komm. Lass das!*«

Doch wenn Lisa sich einmal etwas in den Kopf gesetzt hatte, konnte sie kaum jemand wieder davon abbringen. Andreas seufzte. Er nahm ihre Hand und hielt sie fest, während sie sich nach unten beugte.

»*Ein Rucksack!*«, rief sie und zog sich mitsamt ihrer Beute nach oben.

»*Wäh. Der ist ja total verdreckt.*« Andreas verzog das Gesicht.

»*Jetzt hab dich nicht so.*«

Doch tatsächlich war der Rucksack nicht nur dreckig, sondern zerschlissen und auch an einigen Stellen aufgerissen.

»*Der ist ziemlich alt*«, stellte Lisa fest und platzte fast vor Neugierde. Vorsichtig öffnete sie die brüchigen ledernen Riemen.

»*Dir graust es wohl vor gar nichts?!*« Andreas wandte sich ab. Er erwartete verschimmelte Essensreste, und das wollte er jetzt ganz bestimmt weder sehen noch riechen.

Lisa achtete gar nicht mehr auf ihren Freund. Der Rucksack roch zwar leicht modrig, doch sie empfand das nicht als sonderlich unangenehm. Als Erstes zog sie eine Sonnenbrille heraus, an der ein Bügel fehlte. Ein völlig verwittertes Päckchen Bison-Tabak folgte sowie ein abgebrochener Bleistift.

Da Lisa nichts sagte, drehte Andreas sich jetzt doch wieder zu ihr um. Gerade holte sie eine Brotzeitdose aus dem Rucksack.

»*Lass die bloß zu!*«, warnte er.

Lisa schüttelte sie vorsichtig. »*Das klingt aber nicht nach Essen*«, sagte sie. Und tatsächlich hörte man eher ein Klappern wie von einem kleinen Gegenstand und eine Art Rasseln.

»*Woher willst du wissen, wie sich seit Jahren eingesperrtes Essen anhört?*«, blaffte er sie an.

»Du bist vielleicht eine Memme. Ich mach das jetzt auf!«

Entschlossen öffnete Lisa die Dose. Andreas hielt sich vorsichtshalber die Nase zu. Doch das war völlig unnötig.

»Schau mal!«, rief sie aufgeregt. »Eine Kette, ein Taschenmesser und ... ein Brief!«

Vorsichtig zog sie eine schwarz angelaufene Kette heraus, an der ein Onyx befestigt war. Ob sie aus Silber war? Andreas nahm das kleine Taschenmesser und griff nach dem zusammengefalteten Blatt Papier. Doch Lisa nahm es ihm weg.

»Nichts da!«

»Hey. Ich will doch nur mal sehen, was da drin steht.«

»Hier steht eine Adresse drauf. Das ist ein Brief. Den kannst du nicht so einfach lesen! Oder hast du noch nie was vom Briefgeheimnis gehört?«

Lisa war empört. Und Andreas verblüfft. Ausgerechnet seine neugierige Freundin wollte nicht wissen, was in dem Brief stand?

»Was willst du denn damit machen?«, fragte er.

»Was soll ich schon damit machen wollen? Wir schicken die Sachen an diese Adresse, sobald wir wieder zu Hause sind!«

»Aber da ist ja noch eine uralte Postleitzahl drauf!«

»Na und?«

kapitel 26

In dicken Wollsocken und ausgelatschten Filzpantoffeln, die ich im Schuhschrank gefunden hatte, schleppte ich mich auf meinen schmerzenden, pflasterverklebten Füßen in den Garten. Immer darauf bedacht, dass mein Blick nicht versehentlich beim Zwetschgenbaum landete.

Pauline und Benny spielten mit Fanny. Sie warfen abwechselnd ein Stöckchen und einen Tennisball. Fanny rannte aufgeregt hinterher und brachte die Sachen schwanzwedelnd wieder zurück.

»Da bist du ja!«, rief Daniela. »Guten Morgen!«

Sie hatte bereits Frühstück gemacht und den Tisch im Garten gedeckt.

»Morgen.«

Obwohl ich noch müde war und so ziemlich jeder Zentimeter meines Körpers schmerzte, fühlte ich mich so glücklich wie schon lange nicht mehr.

»Du grinst ja wie ein Honigkuchenpferd.« Daniela schaute mich neugierig an.

»Naja …« Ich setzte mich – und das Grinsen verschwand kurzzeitig aus meinem Gesicht. Aua! Mein Popo!

»Was ist denn los mit dir? Und was hast du da überall für Kratzer?« Daniela klang jetzt besorgt.

Weil ich wusste, dass sie keine Ruhe geben würde, bis sie nicht alles haarklein erfahren hatte, erzählte ich ihr, was gestern passiert war. Zuerst den schönen Teil mit Alex.

Mit offenem Mund hörte sie mir zu.

»Du hast mit ihm geschlafen?« Sie zwirbelte an ihren Haaren.

Ich nickte glücklich.

»Der ist aber ganz schön wild!«

»Nein, die Kratzer sind nicht von ihm.« Ich kicherte. Zumindest nicht viele.

»Beruhigend.« Sie grinste.

»Es war so … so eine Wahnsinnsnacht!«

»Das ist toll! Und jetzt?« Sie war ganz aufgeregt.

»Jetzt?« Jetzt wartete ich sehnsüchtig darauf, dass er sich endlich bei mir meldete.

Noch in der Nacht war ich drauf und dran gewesen, ihm eine SMS zu schicken. Aber jedes Mal, wenn ich angefangen hatte zu schreiben, löschte ich die Worte wieder. Es wäre viel zu viel zu erklären gewesen. Das wollte ich lieber persönlich tun. Und ihm dabei in seine dunklen Augen schauen, die mich so verrückt machten.

»Hallo! Daniela an Erde!« Sie wedelte mit ihrer Hand vor meinem Gesicht. »Bist du noch da?«

»Äh. Ja.« Zumindest körperlich war ich das.

»Und was wirst du jetzt tun? Er wird dich doch heiraten, oder?«

»Natürlich wird er das!«, rief ich und war mir meiner Sache völlig sicher. Er war so leidenschaftlich und trotzdem so zärtlich gewesen. Das konnte man doch nur sein, wenn man in jemanden verliebt war, oder? Außerdem hatte er sich ja schließlich auf mein Heiratsinserat gemeldet. Das *Irgendwann* sah ich nach den Vorkommnissen der letzten Nacht in ziemliche Nähe gerückt und ersetzte es insgeheim mit dem viel kürzeren Wort *Bald*.

Was machte ich mir überhaupt so viele Gedanken? Es würde alles gut gehen. Sagte mein Bauchgefühl. Und das hatte sich nur selten getäuscht. Wenn man von Simon mal absah. Aber damals war ich ja auch viel jünger gewesen.

»Und wo kommen jetzt die ganzen Kratzer her?« Daniela wollte auch noch den Rest der Geschichte wissen.

Als ich ihr von dem peinlichen Ende des Abends berichtete, konnte sie sich vor lauter Lachen kaum mehr halten.

»Deswegen schaust du heute aus, als ob dich jemand verprügelt hätte«, stellte sie fest, nachdem sie sich endlich wieder beruhigt hatte.

»Naja. Ich kann wohl von Glück sagen, dass ich mir nichts gebrochen habe.«

»Dann hättest du von deiner Unfallversicherung wenigstens Gipsgeld bekommen«, witzelte meine angestellte Freundin fröhlich.

»Ich bin zwar knapp bei Kasse, aber soo knapp dann auch wieder nicht.«

»Das war doch nur ein Spaß. Ich bin ja froh, dass dir nichts passiert ist … Aber so kannst du uns heute nicht zurück nach München fahren«, stellte Daniela plötzlich fest.

Das war mir auch schon durch den Kopf gegangen, und ich hatte bereits für Ersatz gesorgt.

»Deswegen habe ich Willy gefragt, ob er euch fährt.«

»Ach was. Wir nehmen einfach den Zug.«

»Nein. Nein! Er macht das gerne. Allerdings würde er lieber etwas früher losfahren, weil er am Abend ein Fußballspiel anschauen möchte.«

»Klar, kein Problem!«

Ich fand die frühere Abfahrt in diesem Fall auch gar nicht so schlimm, weil ich darauf hoffte, dass Alex mich heute noch sehen wollte. Beim Gedanken daran kribbelte es ganz wohlig in meinem Bauch.

»Wie weit bist du denn mit den Bürosachen gekommen?«, fragte ich, als mir plötzlich wieder einfiel, warum Daniela eigentlich hier war.

»Auf dem Schreibtisch liegt eine Mappe, da brauch ich noch ein paar Unterschriften. Ansonsten ist das meiste erledigt. Aber da sind noch so ein paar Sachen, da kenn ich mich gar nicht aus. Vielleicht fragst du da mal deinen Cousin.«

Ich umarmte Daniela.

»Du bist eine coole Breze. Erinnere mich daran, dass ich dir eine Gehaltserhöhung gebe, wenn ich das Geld habe.«

»Worauf du dich verlassen kannst...«, sagte sie breit grinsend.

Plötzlich hörten wir ein lautes Jaulen und das aufgeregte Rufen der Kinder. Es war sofort klar, dass etwas passiert sein musste.

»Benny!«, rief Daniela erschrocken. Sie sprang auf und rannte los, als ob sie den Weltrekord im 100-Meter-Lauf brechen wollte. Ich rappelte mich ebenfalls hoch und wackelte ihr so schnell ich konnte – und das war nicht sonderlich beeindruckend – hinterher.

»Hanna, schnell! Fanny...!«, rief Pauline heulend. Die Kinder sahen auf den Hund herunter, der in einer seltsam gebeugten Haltung auf der Wiese stand. Als Benny sich nähern wollte, knurrte Fanny ihn böse an.

»Benny! Geh von dem Hund weg!«, rief Daniela. Sie packte den Jungen und hob ihn weg. Dann drückte sie ihn fest an sich und küsste ihn vor Erleichterung ab.

»Sie hängt mit ihrem Bein fest!«, schrie Pauline. Auch sie durfte Fanny jetzt nicht zu nahe kommen.

»Geht alle weg von Fanny!« Ich erkannte, was passiert war. Fanny war mit der Vorderpfote in eine Schnappfalle geraten, die über eine Schnur an einem Haken im Boden befestigt war. Über die Frage, was die auf unserem Grundstück zu suchen hatte, würde ich mir später Gedanken machen. Jetzt musste ich Fanny schnellstens helfen! Nur wie? Wahrscheinlich würde sie mich zu Hackfleisch machen, wenn ich sie berührte. Aber etwas anderes blieb mir nicht übrig. Ich würde sie keine Minute mehr leiden lassen!

Pauline schluchzte. »Bitte tu doch was!«

»Ja. Aber sei jetzt ruhig!«

Ich wandte mich an den Hund.

»Fanny. Hör mir zu«, sagte ich so ruhig wie möglich und näherte mich ihr Zentimeter für Zentimeter. »Ich tu dir nichts! Ich will dir nur helfen.«

Sie knurrte und versuchte wieder, sich selbst zu befreien. Das hatte ein lautes, schmerzvolles Winseln zur Folge. Es brach mir fast das Herz. Ich schluckte. Mit ruhig und verständnisvoll kam ich hier nicht weiter. Ich musste meine Taktik ändern.

»Fanny, Platz! Und still!«, befahl ich in einem Ton, der einer Domina alle Ehre gemacht hätte. Und siehe da. Der Hund folgte und schaute mich an. Jetzt musste ich schnell machen. Ich griff zur Falle, die Gott sei Dank nicht sonderlich groß war, und zog sie mit einem Rutsch auseinander. Fanny jaulte und schnappte reflexartig nach meinen Händen. Doch ich war schneller, und sie biss glücklicherweise ins Leere.

Dann drehte sie sich weg und humpelte so schnell sie konnte auf drei Beinen weg in Richtung Haus.

Pauline lief ihr – jetzt vor Erleichterung heulend – hinterher.

»Faaaanniie!«

»Sei vorsichtig!«, rief ich.

Eine halbe Stunde später kam Doktor Fröschl und verarztete den Hund. Die Kinder und Daniela hatte ich rausgeschickt, weil Fanny in ihrer Anwesenheit so unruhig war.

»Gebrochen ist wohl nichts«, meinte er, als er die Pfote untersuchte. Glücklicherweise waren keine scharfen Zacken an der Falle gewesen. Fanny hatte sich allerdings die Haut aufgerissen beim Versuch sich zu befreien.

»Gutes Mädchen!« Er streichelte ihr ein paarmal über den Kopf, nachdem er die Wunde an der Pfote desinfiziert und verbunden hatte.

»Danke, dass Sie so schnell gekommen sind.«

»Kein Problem! Das ist ja schließlich meine Aufgabe.« Er lächelte.

»Denken Sie, das war derselbe, der die Rinder vergiftet hat?«, fragte ich und sprach endlich aus, was mich bedrückte.

Fröschl zuckte mit den Schultern.

»Ich weiß es nicht. Vielleicht liegt die Mausefalle schon länger dort, und Fanny ist eben nur zufällig reingetreten... andererseits...« Er kratzte sich gedankenverloren am Kopf.

»Ja?«

»Wer bindet eine Mausefalle in einer Wiese fest...?«

Eben. Die Gefahr, dass eine Maus sich mit der Falle aus dem Staub machen würde, war relativ gering.

»Was ist mit Fanny?« Willy kam in die Stube gepoltert. Er schaute äußerst grimmig. Ich hätte mich gefürchtet, wenn ich ihn nicht so gut gekannt hätte. Bei seinem Anblick wedelte Fanny mit dem Schwanz.

»Halb so schlimm, Willy«, beruhigte ich ihn, damit er sich nicht noch mehr reinsteigerte.

Er kniete sich vor den Hund und streichelte ihm liebevoll den

Kopf. Fanny leckte über sein Gesicht. Und ich hätte schwören mögen, dass sie die Aufmerksamkeit inzwischen in vollen Zügen genoss.

In wenigen Worten erklärte ich Willy, was passiert war.

»Ich werde morgen die Wiese absuchen«, sagte er entschieden.

»Ich helfe dir dabei!«

Als ich Doktor Fröschl zur Tür begleitete, schaute er mich besorgt an.

»Sie scheinen ja auch einige Blessuren zu haben.«

Ich grinste schief.

»Nur ein kleiner Sturz... und Blasen... vom Tanzen!«

»Soll ich mal einen Blick drauf werfen?«, fragte er fürsorglich.

Wie? Er war doch Tierarzt. Andererseits, warum nicht? Meine Füße schmerzten wirklich mörderisch. Vor allem der linke.

»Das wäre super!«

Ich setzte mich auf den Stuhl, zog meine Socken aus und streckte Doktor Fröschl meine Füße entgegen. Der nahm die Pflaster ab und zog dann scharf die Luft ein.

»Das muss ja ein wildes Tänzchen gewesen sein!«, stellte er fest und öffnete noch einmal seine Arzttasche.

Kurz nach Mittag lagen Fanny und ich auf dem Sofa. Sie hatte die rechte Vorderpfote eingebunden und ich den linken Fuß. Willy war inzwischen mit Daniela und den Kindern losgefahren. Die Jacke des Pfarrers hatte ich ihm mitgegeben samt einer guten Flasche Wein als Dank. Willy würde sie auf dem Weg nach München im Pfarrhaus abliefern. Und das mit dem Beichten würde ich später nachholen. Außerdem, angestellt hatte ich ja eigentlich gar nichts.

Ich hatte ein sehr ungutes Gefühl wegen der Falle und wünschte mir inständig, dass sie tatsächlich nur Mäusen gegolten hatte.

Von Alex hatte ich noch nichts gehört. Dass er jetzt noch schlief, war alles andere als wahrscheinlich. Mein euphorisches Gefühl von vorhin war etwas abgekühlt. Verdammt! Warum meldete er sich nicht bei mir?

Plötzlich hielt ich die Ungewissheit nicht mehr aus. Wer sagte denn eigentlich, dass der Mann sich nach so einer Nacht zuerst melden musste? Schließlich lebten und liebten wir schon längst im Zeitalter der Gleichberechtigung. Das galt auch für den Telefonanruf nach der ersten sexuellen Begegnung.

Ich nahm mein Handy und wählte seine Nummer.

Sofort war die Mailbox dran. Das Handy war also aus. Sicher gab es eine gute Erklärung dafür. Angefangen bei einem leeren Akku über ein plötzliches Funkloch beim Brunnenwirt bis hin zur Notwendigkeit seiner sofortigen Rückkehr nach Oberbayern auf seinen Hof. Trotzdem. Ich hätte jetzt so gerne seine Stimme gehört!

»Mist!«, sagte ich laut. Fanny hob den Kopf und schaute mich fragend an.

»Schon gut, Süße ... Sag mal, hast du auch so einen Hunger?«

»Wuff!«

Das war eine eindeutige Antwort. Wir humpelten gemeinsam in die Küche, und ich plünderte die Speisekammer: Käse, Geräuchertes, Brot und Butter, Essiggürkchen, ein riesiges Stück Nusskuchen, das von gestern noch übrig war, eine Tüte Chips, einen Apfel, Vanillepudding und Würstel für Fanny. Ich lud alles irgendwie Essbare auf ein großes Holztablett. Nur um kurz darauf festzustellen, dass ich es vermutlich nicht ohne größere Verluste ins Wohnzimmer transportieren können würde. Seufzend nahm ich die Leckereien wieder vom Tablett und brachte alles nach und nach ins Wohnzimmer. Fanny folgte mir wie ein Schatten.

»Bekommst du Besuch?«, fragte Max plötzlich hinter mir.

Ich erschrak fast zu Tode, und das Glas mit den Cornichons rutschte mir aus den Fingern. Genau auf meine rechte große Zehe! Fanny sprang zur Seite.

»Aua!«

Erstaunlicherweise blieb das Glas heil. Meine Zehe und der dicke Teppich, auf dem ich stand, hatten Schlimmeres verhindert.

»Das wollte ich nicht!«, sagte Max entschuldigend.

Ich zog vor Schmerzen die Luft ein und schloss gequält die Augen.

»Musst du mich immer so erschrecken?«, fragte ich mit zusammengebissenen Zähnen.

»Tut mir leid! Wirklich!« Erst jetzt schien er meinen eingebundenen Fuß und Fannys verletzte Pfote zu bemerken.

»Was ist denn mit euch passiert?« Sein Gesicht verzog sich plötzlich zu einem Grinsen.

»Macht ihr einen auf Partnerlook?«

»Wenn du lachst, kastrier ich dich!«, drohte ich ihm böse. Doch er schien sich um seinen zukünftigen Nachwuchs keine Gedanken zu machen und prustete laut los.

»Ihr seht aber ... wirklich komisch ...«

Ich schlug nach ihm, er duckte sich, und ich verlor das Gleichgewicht. Plötzlich spürte ich seine Arme unter meinen Kniekehlen, und ich schwebte in der Luft.

»Das kann man ja nicht mitanschauen.«

Er trug mich zum Sofa und legte mich einigermaßen sanft ab.

Mein Zeh pochte wie wild. Und mein Appetit von vorhin war wie weggeblasen.

»Zeig mal her.« Er rutschte ans Ende des Sofas und besah sich meinen geschundenen Fuß, der an der Ferse mit einem riesigen

Pflaster beklebt war. Der Zehennagel war inzwischen dunkel. Na toll! Der war hinüber. Es würde lange Wochen dauern, bis er herausgewachsen war. Ich verkniff es mir, etwas zu sagen.

»Das kommt davon, wenn man so enge hohe Schuhe trägt!«, schimpfte er.

»Das weiß ich selbst!« Aber er brauchte jetzt gar nicht so scheinheilig tun. Warum zogen wir denn diese Mörderschuhe überhaupt an? Wegen uns? Sicher nicht. Sonst würden wir ja überall damit rumlaufen. Ich kannte aber keine Frau, die freiwillig zum Putzen High Heels trug. Wir ertrugen die hohen Dinger doch bloß, um besser und schlanker auszusehen. Und für wen wollten wir besser und schlanker aussehen? Eben!

Ich zog meinen Fuß von ihm weg. Er schaute mich besorgt an.

»Du musst aufpassen. Ein alter Freund meiner Mutter ist wegen einer Blase gestorben.«

»Schmarrn!«

»Doch. Er hat sie sich auf einer Fußwallfahrt nach Altötting geholt.«

»Wegen einer Blase stirbt man doch nicht gleich!«

»Er bekam eine Blutvergiftung. Und wenn du mir nicht glaubst, kannst du ja meine Mutter fragen.«

Sein Blick sagte mir, dass er es völlig ernst meinte.

»Doktor Fröschl hat es sich schon angeschaut.« Jetzt war ich froh darüber.

»Der Tierarzt?« Max schaute mich verwundert an.

»Naja. Als er wegen Fanny hier war.«

»Was ist mit Fanny?«

Ich erzählte ihm die Geschichte mit der Falle. Er hörte mir aufmerksam zu.

»Das kann doch alles kein Zufall sein, oder?«, fragte ich ihn.

Er schüttelte den Kopf.

»Nein. Das ist kein Zufall. Eine Mausefalle auf einer großen Wiese auszulegen ist ungefähr so unnütz wie der Versuch, einen Bach mit einem Eimer zu leeren. Nein! Die Falle wurde bestimmt nicht wegen Mäusen ausgelegt.«

»Willy wird morgen die Wiese absuchen.«

»Das ist vernünftig. Und wenn ihr mich braucht, sagt Bescheid.«

»Danke!«

»Bitte!«

»Und … ähm Max, ich könnte dich vielleicht auch für etwas anderes brauchen.«

»Ja? Was denn?«

»Hättest du mal Zeit, dir ein paar Bürosachen anzuschauen? Da sind lauter so landwirtschaftliche Listen und so statistisches Zeugs und was weiß ich noch alles, und ich hab echt keinen Schimmer, was ich damit machen muss.«

Er sah mich amüsiert an.

»Na gut. Ausnahmsweise.«

»Danke!«

»Bitte.«

Irgendwie tat es mir gut, dass er mich ernst nahm und dass er mir helfen wollte, ohne Zicken zu machen.

»Und gewöhn dir an, die Haustür abzusperren«, ermahnte er mich. »Da kann jeder raus und rein wie er will.«

»So wie du?« Aber er hatte recht. Ich musste achtsamer sein. Irgend etwas ging hier nicht mit rechten Dingen zu. Gott sei Dank war bisher immer alles gut ausgegangen.

Oder waren es doch einfach nur ganz banale Zufälle? Möglich war ja vieles.

»Ist dir eigentlich schon aufgefallen, dass jedes Mal was passiert, wenn dieser Alex in Halling ist?«, fragte Max und schaute mich ernst an.

»Was meinst du damit?«, fragte ich, obwohl ich genau wusste, was er damit meinte.

»Nun ja. Als die Rinder vergiftet wurden, war er auch zuvor hier.«

»Jetzt mach aber mal halblang!«, rief ich. »Warum sollte Alex mir was Böses wollen?« So ein Unsinn!

»Das frag ich dich!« Er wurde lauter. »Wo ist er denn überhaupt, dein Wundertänzer?«

»Das geht dich gar nichts an!«

»Hast wohl nicht bei ihm landen können?« Sein Ton war hämisch.

»Und wie ich bei ihm gelandet bin. Und zwar in seinem Bett!«, rutschte es mir heraus. Gleich darauf hätte ich mir am liebsten die Zunge abgebissen.

Damit schien Max nicht gerechnet zu haben. Er stand auf und sah mich von oben herab an.

»Das geht aber ganz schön schnell bei dir!«

»Das geht dich gar nichts an!«, fauchte ich. Dabei war ich eher sauer auf mich selbst, weil ich mein Mundwerk einfach nicht besser unter Kontrolle hatte. Da hätte ich mir meinen Abstieg über das Blumengerüst gestern auch sparen können und gleich an ihm vorbeispazieren können.

»Du hast recht. Es geht mich nichts an. Absolut nichts! Aber vielleicht schaltest du mal dein Hirnkastl ein und überlegst, ob er nicht doch etwas mit den Vorkommnissen zu tun hat.«

»Ich sag dir, dass er es nicht war!«, protestierte ich laut.

»Und woher weißt du das?« Er konnte mit dem Level meiner Lautstärke durchaus mithalten.

»Weil … weil … weil ich es eben weiß. Du kannst ihn doch nur nicht leiden, weil er mich heiraten will!«

»So? Er will dich heiraten? Und warum glaub ich das nicht?«

Der kurze Waffenstillstand von vorhin war schon längst wieder Geschichte.

»Weil du ein selbstgefälliger Bauerntrampel bist!«

»So! Ich bin also ein Bauerntrampel?«

»Ja. Und ein ziemlich boshafter noch dazu!«

»Denkst du das wirklich von mir?«

»Ja!« Ich verschränkte die Arme und drehte mich weg.

Erstaunlich, dass der Mund manchmal andere Dinge sagte, als das Hirn dachte. Max war sicherlich kein Bauerntrampel. Und boshaft war er nur manchmal. Aber ich hätte ihn trotzdem am liebsten gerade erwürgt.

»Weißt du, was ich glaube?«

Ich reagierte nicht, sondern starrte auf das Sofakissen.

»Ich glaube, dass dir das Erbe total zu Kopf gestiegen ist. Inzwischen würdest du für das Geld alles machen.«

Ich drehte mich zu ihm und konnte es nicht fassen, dass er so von mir dachte.

»Das sagst ausgerechnet du? Wer von uns beiden ist denn derjenige, der nicht genug kriegt?«

Er ging zur Tür und drehte sich nochmal zu mir um.

»Im Gegensatz zu dir geht es mir wirklich um den Hof.«

Ich zuckte zusammen, als die Tür knallte. Danach saß ich lange bewegungslos auf dem Sofa und dachte über seine Worte nach. Das Geld war mir bestimmt nicht zu Kopf gestiegen. Ganz im Gegenteil. Ich würde notfalls sogar darauf verzichten, wenn Alex … Alex … Ich griff nach dem Handy. Keine Nachricht und kein verpasster Anruf von ihm.

Es klopfte. Vielleicht war er das ja! Ich rutschte auf dem Sofa hoch und zupfte rasch an meinen Haaren.

»Ja?«

Langsam öffnete sich die Tür, und ein mir unbekannter junger Mann trat herein, der einen modischen Trachtenanzug trug.

»San Sie de heiratswillige Blondine?«, fragte er in einem österreichischen Dialekt.

Das war der besagte Tropfen, der das Fass für heute zum Überlaufen brachte.

»Raus!«, rief ich.

»Aber i komm extra …!«

»Raus hab ich gesagt!«

Ich packte ein Wienerwürstchen und warf es in seine Richtung.

»Hey!«, rief er erschrocken.

Er konnte sich gerade noch ducken und verschwand dann Hals über Kopf nach draußen. Mit einer wild mit Wurst um sich schmeißenden Braut konnte er wohl nichts anfangen. Er war kaum weg, da hatte ich auch schon ein schlechtes Gewissen. Der arme Mann konnte ja nichts dafür. Was war denn nur los mit mir? So kannte ich mich gar nicht. Ich schloss kurz die Augen und atmete ein paarmal tief aus und ein. Dann stand ich auf und versperrte die Haustür.

Fanny war mir gefolgt und stupste mich an, als ich wieder im Wohnzimmer war.

»Was ist denn?«

Ihr sehnsüchtiger Blick war auf die Tüte mit Würstel gerichtet.

»Hier, meine Süße!« Ich fütterte sie. Dann begann ich, langsam alles zu verputzen, was auf dem Tisch war.

Kapitel 27

Es dauerte nur wenige Tage, bis Fanny und ich wieder fit waren. Willy hatte auf der Wiese noch vier weitere Fallen gefunden. Wir überlegten hin und her, ob wir es der Polizei melden sollten. Wir ließen es schließlich bleiben. Die konnte ohnehin nichts machen. Wir mussten einfach die Augen offenhalten und den Täter in flagranti erwischen, falls er überhaupt noch einmal zuschlagen würde. Was ich nicht hoffte. Sicherheitshalber schauten wir jetzt öfter bei den Rindern vorbei. Und Fanny stand auch unter Beobachtung, soweit sie das zuließ.

Alex hatte sich nicht bei mir gemeldet, und sein Handy war immer aus. Ich konnte noch nicht mal eine Nachricht für ihn hinterlassen. Tapfer versuchte ich, die Enttäuschung darüber irgendwie zu unterdrücken. Aber es gelang mir nicht wirklich, denn ich konnte überhaupt nicht verstehen, was mit ihm los war. Es waren so wundervolle Stunden gewesen. Es konnte doch nicht sein, dass ich ihm völlig egal war? Vielleicht war ihm aber auch etwas passiert? Doch in den Zeitungen konnte ich nirgendwo etwas über einen Unfall lesen, der sich zwischen Passau und München ereignet hatte. Es blieb mir nur, auf ein Lebenszeichen von ihm zu warten. Sonst konnte ich nichts tun. Denn das Dumme war, dass ich weder seinen Familiennamen kannte, noch eine Ahnung hatte, wo er wohnte.

»Wie dämlich bin ich denn eigentlich?«, fragte ich Fanny an diesem Tag mindestens zum vierundzwanzigsten Mal.

Und tatsächlich konnte ich mich selbst nicht verstehen. Mit einem Mann zu schlafen, von dem ich nur den Vornamen kannte, war mehr als blauäugig gewesen. Ich konnte es nur damit entschuldigen, dass ich mich tatsächlich Hals über Kopf in ihn verliebt und ihm vertraut hatte. Und genau deswegen tat es auch so weh, dass er sich nicht meldete.

Um mich irgendwie abzulenken, arbeitete ich von früh bis tief in die Nacht auf dem Hof. Obwohl wir kaum ein Wort wechselten, kam Max und kümmerte sich um meine Bürosachen. Als ich ihm danken wollte, brummte er nur grantig und scheuchte mich aus dem Zimmer.

Wenn ich nicht auf dem Hof arbeitete, besprachen Daniela und ich via Skype die neuesten Aufträge und recherchierten ausgefallene Geschenke. Für Simons Frauen stellten wir eine lange Liste mit Vorschlägen zusammen. Doch ich war noch nicht zufrieden. Ich wollte etwas ganz Besonderes finden.

Frank Cornelius und seine Bettina waren noch immer auf ihrer Dschungelbootstour unterwegs. Er hatte sich noch nicht wieder gemeldet.

Inzwischen war es Ende Mai, und ich hatte nur noch gut vier Wochen bis zum Ablauf der Frist. Immer wieder stand ich kurz davor, alles hinzuschmeißen und nach München zurückzugehen. Einmal hatte ich sogar schon meine ganzen Sachen gepackt. Doch immer hielt mich etwas zurück. Die Hoffnung. Die Hoffnung, dass am Ende doch alles gut werden würde.

kapitel 28.

Halling war viel zu klein für eine eigene Postfiliale. Aber es gab einen kleinen Postschalter im Supermarkt, um den sich die Verkäuferinnen kümmerten.

An einem Freitag vor den Pfingstfeiertagen hatte die junge Martina alle Hände voll zu tun. Eine Kollegin war dauerkrank, und die andere machte Urlaub auf Rügen. Und die neue Aushilfskraft stand auch mehr im Weg als Martina wirklich Arbeit abzunehmen. Immer wieder schaute die junge Verkäuferin verstohlen auf ihre Uhr. Es war fast Mittag. Bald würde Ferdinand kommen.

Ferdinand war der Postbote in Halling. Martina war schon lange in ihn verliebt. Trotzdem tat sie immer so, als ob er sie gar nicht interessieren würde. Sie hatte Angst, dass er sich sonst womöglich über sie lustig machen könnte. Dann würde ihr Traum zerplatzen wie eine Seifenblase. Und das wollte sie vermeiden.

Als er endlich das Geschäft betrat, überzog eine zarte Röte ihre Wangen. Gott sei Dank war genau jetzt ein wenig Ruhe in den Laden eingekehrt.

»Dieses Päckchen kann ich nicht zustellen. Die Leute wohnen da nicht mehr«, sagte Ferdinand und hielt ihr ein kleines Paket unter die Nase. »Und die Nachbarn sind im Urlaub. Sagt dir der Name was?«

Martina schaute auf die Adresse und schüttelte den Kopf.

»Nein. Gar nichts. Lass es doch zurückgehen«, schlug sie vor.

»Ha, ha. Guter Witz. Siehst du hier irgendwo einen Absender?« Ferdinand klang genervt, und Martina ärgerte sich über ihre Unachtsamkeit.

»Tut mir leid, das habe ich nicht bemerkt«, stotterte sie hilflos und wurde noch röter im Gesicht.

»Was mach ich denn jetzt damit?« Ferdinand kratzte sich nachdenklich am Kopf.

»Lass es doch hier. Wenn meine Kollegin aus dem Urlaub zurück ist, frag ich sie. Die ist schon so alt, dass sie bestimmt weiß, wer da früher gewohnt hat.«

Der Vorschlag war gut gemeint, auch wenn sich die Kollegin über die wenig schmeichelhafte Andeutung ihres Alters – sie war gerade mal fünfzig geworden – sicherlich nicht unbedingt gefreut hätte.

Da Ferdinand keine Lust hatte, überall rumzufragen, überließ er Martina das Päckchen gerne.

»Dafür hast du was gut«, sagte er und winkte ihr zum Abschied zu. Er hatte es eilig, nach Hause zu kommen. Er würde schnell ein paar Sachen zusammenpacken und dann nach München fahren. Zu seinem Freund. Von dem in Halling niemand wusste.

Martina sah ihm mit glänzenden Augen nach. Dann legte sie das Päckchen seufzend beiseite.

Kapitel 29

Ich rannte barfuß über die Wiese hinter dem Haus und schaute mich immer wieder angstvoll um. Tausende von Ratten und Mäusen verfolgten mich. Plötzlich sah ich meine Oma. Sie saß im Nachthemd auf einem dicken Ast des Zwetschgenbaums, von dem sie gefallen war. Der Baum trug große, dunkel schillernde Früchte. »Wo sind die Mausefallen?«, schrie ich laut und rannte auf sie zu. Die kleinen gierigen Nager kamen immer näher.

»Du wirst es nicht schaffen«, sagte Oma und schüttelte mit unbewegter Miene den Kopf.

Doch ich wollte nicht aufgeben und rannte noch schneller. Endlich war ich am Baum angelangt. Er war meine Rettung. Oben würden mir die Mäuse und Ratten nichts mehr anhaben können.

»Hilf mir!«, rief ich. Sie zögerte kurz und streckte mir dann die faltige weiße Hand entgegen. Doch als ich sie packte, um mich daran nach oben zu ziehen, kippte Oma plötzlich nach vorne und landete mit einem dumpfen Geräusch neben mir auf dem Boden.

Schweißgebadet und mit wild klopfendem Herzen schrak ich im Bett hoch. Was war das nur für ein gruseliger Albtraum gewesen? Ich knipste die Nachttischlampe an. Fanny, die neben mir auf dem Teppich geschlafen hatte, hob den Kopf.

»Schon gut, Süße. Schlaf weiter.«

Doch Fanny dachte nicht daran. Sie folgte mir nach unten in die Stube. Ich nahm eine Flasche mit Mineralwasser und trank in tiefen Zügen.

Wie zerschlagen setzte ich mich an den Tisch. So ein Traum konnte einen ganz schön aus der Fassung bringen. Ich schaute auf die Uhr. Es war kurz nach vier Uhr morgens, und an Schlaf war nicht mehr zu denken.

Um mich abzulenken holte ich mein Notebook. Mit schlechtem Gewissen öffnete ich mein E-Mail-Postfach und dachte an die Bewerber, denen ich immer noch nicht geantwortet hatte. Ich seufzte. Die Zeit lief mir davon. Was sollte ich denn nur tun? Alex ab- und die Bewerber anschreiben?

In diesem Moment fasste ich einen Entschluss. Wenn Alex sich nach dem Pfingstwochenende immer noch nicht gemeldet hatte, würde ich versuchen, ihn zu vergessen, und irgendeinen der anderen Männer heiraten. Vorausgesetzt, dass irgendeiner von denen mich überhaupt noch wollte. Der Einzige, der mir spontan einfiel, war Stefan.

Plötzlich schoss mir ein Gedanke durch den Kopf. Stefan! Er konnte mir helfen! Warum war ich nicht schon längst auf die Idee gekommen? Seitdem ich unter diesem Heiratsdruck stand, schien mein gesunder Menschenverstand Urlaub in Sibirien zu machen.

Meine Güte, war ich jetzt aufgeregt! Ich konnte es wieder einmal kaum erwarten, bis es endlich Morgen wurde.

Kapitel 30

»Nein! Das werde ich ganz sicher nicht tun!« Stefan schaute mich nur kurz an und räumte dann weiter Flaschen in die Kühlung.

»Bitte, Stefan! Ich brauch doch nur seinen Namen!«

»Du weißt, dass ich das nicht darf. Also nochmal nein!«

Er ließ nicht mit sich reden. Dabei hatte ich es mir so einfach vorgestellt.

»Bitte, Stefan.« Ich setzte mein charmantestes Lächeln auf.

»Wenn er dir seinen Namen nicht selbst gesagt hat, dann wird das schon seinen Grund haben.«

»Aber ich …«

Stefan schloss die Kühlung und schaute mich ernst an.

»Die Daten meiner Gäste sind vertraulich. Wenn ich sie weitergebe, mache ich mich strafbar.«

»Ach komm. Das ist doch nur eine Lappalie. Ich verrate auch nicht, dass ich sie von dir habe.« Er sollte sich nicht so anstellen! Bei meinen Recherchen für BeauCadeau hatte ich mir schon ganz andere Informationen besorgt.

Und er bräuchte doch nur einen einzigen Blick in seinen PC zu werfen, und schon wäre das Geheimnis um Alex' Nachnamen für mich gelöst.

»Nein!« Er verschränkte die Arme.

Mir kam plötzlich ein Verdacht.

»Du würdest mir seinen Namen auch nicht sagen, wenn du dürftest. Nicht wahr?«

Er stritt es noch nicht mal ab. »Stimmt!« Dann lächelte er, und sein Grübchen war zu sehen. »Weil ich immer noch hoffe, dass du mir vielleicht doch eine Chance gibst.«

Aha! So war das also! Wie sagte man so schön? Im Krieg und in der Liebe war alles erlaubt. Ob das auch immer zum Ziel führte, war allerdings eine andere Sache.

»Dann hoff mal schön weiter! Bis du schwarz wirst!«, sagte ich beleidigt, drehte mich um und verschwand.

Wenig später stand ich am Grab meiner Oma. Seit der Beerdigung war ich nicht mehr hier gewesen. Vielleicht hatte ich deswegen diesen Albtraum gehabt? Die Blumenkränze und -schalen waren inzwischen verschwunden, und die Grabstätte war neu bepflanzt worden. In den hellgrauen Grabstein war der Name sowie das Geburts- und Sterbedatum von Oma eingraviert. Sicher hatte sich meine Tante Luise um alles gekümmert. Ich hatte ein schlechtes Gewissen. Zumindest hätte ich ihr dabei helfen können. Ich würde ihr demnächst einen schönen Blumenstrauß als Dankeschön vorbeibringen und ein paar Rätselzeitschriften, die sie so gerne ausfüllte, wenn sie abends vor dem Haus saß.

Ich öffnete die kleine Laterne und zündete eine Kerze an, die ich am Friedhofseingang aus einem Grabkerzenautomaten gezogen hatte. Meine Erinnerungen führten mich kurz zu meinem Vater und zu meinem Opa, die hier ebenfalls lagen. Doch eigentlich war ich wegen meiner Oma hier. Ich hatte ein Hühnchen mit ihr zu rupfen.

Weißt du überhaupt, was du mir mit diesen Bedingungen alles an-

tust?, begann ich in Gedanken zu wettern. *Aber du warst ja immer schon gemein zu mir. Seit ich denken kann. Zu Max warst du nie so boshaft.* Ich lud den ganzen Frust der letzten Wochen bei ihr ab und merkte dabei gar nicht, wie ich immer wütender wurde. *Warum hast du nicht gleich Max zu deinem Erben gemacht?*

»Hanna! Wenn man dich anschaut, kriegt man ja gleich Angst.«

Ich erschrak. Ich hatte gar nicht bemerkt, dass sich jemand genähert hatte. Als ich mich umdrehte, schaute ich in das schmunzelnde Gesicht vom Pfarrer Brenner.

»Grüß Gott, Herr Pfarrer.« Seit unserem nächtlichen Spaziergang hatte ich ihn nicht mehr gesehen.

»Die Bedingungen des Erbes machen dir etwas zu schaffen, nicht wahr?«

Klar wusste auch er darüber Bescheid. So wie jeder in Halling und um Halling herum.

Ich nickte betreten. Es war mir schon etwas peinlich, dass man es mir so deutlich ansah, wie ich mich ärgerte.

»Weißt du, Hanna. Deine Oma mag zwar nicht zu den freundlichsten Zeitgenossen gezählt haben, aber wirklich böse war sie nicht.«

»Mich mochte sie nie«, sagte ich unglücklich. Ein dicker Kloß steckte in meinem Hals. Es war kein schönes Gefühl, von der eigenen Oma nicht gemocht zu werden. Und das schleppte ich schon mein ganzes Leben lang mit mir herum.

»Woher willst du das wissen?«, fragte er sanft.

Ich hob den Kopf und schaute ihm in die Augen.

»Das spürt man doch, wenn einen jemand nicht leiden kann.«

Er legte seine Hand auf meine Schulter.

»In Menschen gehen oft seltsame Dinge vor, und deswegen verhalten sie sich nicht immer so, wie man es sich vielleicht wünscht.

Aber glaub mir, es liegt nicht an dir, dass Berta so war, wie sie war.«

Bei diesen Worten schaute er mich eindringlich an. Und ich erkannte, dass er mehr wusste, als er mir sagen konnte. Natürlich. Sein Beruf machte ihn zu einem großen Geheimnisträger. Oma war sehr gläubig gewesen und hatte ihm im Beichtstuhl sicherlich einiges anvertraut.

Plötzlich wurden meine Gedanken Berta gegenüber ein wenig nachsichtiger. Vielleicht hatte sie in ihrer Kindheit etwas Schlimmes erlebt und war deswegen so kratzbürstig geworden? Womöglich hatte ihre dauerhaft schlechte Laune gar nichts mit mir zu tun gehabt? Ihren boshaften letzten Willen ließ ich dabei erst einmal großzügig außer Acht.

»Danke, Herr Pfarrer«, sagte ich aufrichtig. Das kurze Gespräch mit ihm hatte mir wirklich gut getan.

»Keine Ursache.«

Als wir gemeinsam den Friedhof verließen, kam uns eine alte Bekannte entgegen: die liebe Frau Altmannseder. Samt ihrem Dackel, der heute ein neckisches Strohhütchen auf dem Kopf trug. Armer Hund! Recht glücklich sah er damit nicht aus.

»Oh nein. Nicht schon wieder«, seufzte Pfarrer Brenner leise und verdrehte die Augen. Ich konnte mir kaum ein Lachen verkneifen. Dann zwinkerte er mir vergnügt zu. »Jetzt ärgern wir sie ein bisserl«, flüsterte er und hielt mir seinen Arm hin. Ich hängte mich bei ihm ein.

»Grüß Gott, Frau Altmannseder«, sagten wir unisono, als wir an ihr vorbeigingen.

Ihr Blick sprach Bände. Und wir beeilten uns davonzukommen.

Auf dem Rückweg nach Hause fuhr ich zum Supermarkt. Ich musste unbedingt für die Feiertage einkaufen. Auch wenn weder Pauline noch Daniela mit Benny kommen würden. Was mich etwas traurig machte. Denn morgen war mein Geburtstag. Der dreiunddreißigste. Und da hätte ich meine Lieben doch sehr gerne dabei gehabt. Aber Pauline und Mutter würden zusammen mit Dieter seine Verwandtschaft in Bremen besuchen. Und Daniela und Benny hatten sich einen bösen Darmvirus eingefangen.

Ich lud den Einkaufswagen so voll, als ob in Halling in nächster Zeit die Lebensmittel rationiert werden würden. Und da ich nicht vorhatte, an den Feiertagen für mich alleine aufwändig zu kochen, griff ich vor allem zu Obst, Schokolade, Keksen und Chips. Genau die richtigen Leckereien, um für eine ordentliche Dosis Glück zu sorgen.

Auf dem Weg zur Kasse wäre ich fast über einen Mann gestolpert, der am Boden kniete und Hygieneartikel in ein Regal räumte.

»Pit!«, rief ich überrascht, als ich ihn erkannte.

Was machte der denn hier? Und noch dazu in einem Kittel mit dem Schriftzug des Supermarktes? Arbeitete er etwa hier?

Es schien ihm ziemlich peinlich zu sein, mich hier zu treffen. Rasch stand er auf.

»Hallo«, begrüßte er mich leise und räusperte sich dann, sagte aber nichts weiter.

Ich wusste nicht, was ich mit ihm reden sollte, und schob meinen Wagen weiter zur Kasse. Doch mit einer plötzlichen, entschlossenen Bewegung hielt er mich zurück. Was hatte er vor? Mir kamen die vergifteten Highlands und die Mausefallen in den Sinn.

»Bitte warte, Hanna.«

Mein Puls beschleunigte sich. Er würde mir doch hier im Supermarkt nichts antun?

»Was willst du, Pit?«

»Es ist viel schwieriger, eine Arbeit zu finden, als ich dachte«, gestand er.

»Aber du scheinst doch etwas gefunden zu haben.«

Er schaute sich vorsichtig um, und seine Stimme wurde so leise, dass ich ihn kaum verstand.

»Ja. Aber das ist doch keine Arbeit für mich. Ich muss raus. Auf die Felder. Zu den Tieren …«

In diesem Moment war meine Angst verschwunden, und ich bekam Mitleid mit ihm. Egal, wie er sich mir gegenüber verhalten hatte, seine Arbeit hatte er immer gut gemacht.

»Aber was soll ich …«

»Bitte, Hanna«, unterbrach er mich »lass mich wieder auf dem Hof arbeiten.«

Es kostete ihn sichtlich Überwindung, mich darum zu bitten. Ich wusste nicht, was ich ihm antworten sollte. Spielte er mir hier etwas vor, damit er mir noch mehr schaden konnte? Oder hatte er nichts mit den Anschlägen zu tun und bereute sein Verhalten beim Picknick und vor dem Weinzelt wirklich?

Die Vorstellung, ihn jeden Tag auf dem Hof zu sehen, bereitete mir etwas Unbehagen. Auf der anderen Seite würden wir bald jemanden brauchen, der auf dem Hof mithalf. Spätestens, wenn es mit der Ernte losging. Und es war schwer, zuverlässige, gute Leute zu finden. Ich würde mich mit Willy beratschlagen.

»Komm nach den Feiertagen vorbei, dann reden wir in Ruhe darüber.« Es war eine vorsichtige Zusage, und Pit erkannte es auch als solche.

Ein zaghaftes Lächeln spielte um seine Lippen. Dann machte

er sich wieder an die Arbeit und griff nach dem nächsten Karton mit Slipeinlagen.

Als ich den großen Karton mit Lebensmitteln aus dem Kofferraum hob, hörte ich Fanny im Haus wild bellen.

»Ich komm ja schon!«, rief ich laut und steuerte auf die Haustür zu. Ich stellte die Sachen ab und sperrte die Tür auf. Kaum war sie offen, schoss Fanny heraus und sprang laut bellend an mir hoch. So aufgedreht war sie sonst nur bei Pauline.

»Ja, meine Süße. Ich bin ja schon wieder da. Und ich hab uns viele leckere Sachen mitgebracht.«

Als ich die Sachen ins Haus tragen wollte, bemerkte ich auf der Hausbank einen Strauß Blumen. Lachsfarbene Rosen. Nanu? Wo kamen die denn her?

Alex? Hoffnungsvoll schaute ich mich um. Doch niemand war zu sehen. Ich nahm den Blumenstrauß und sog mit geschlossenen Augen den süßlichen Duft der Blumen ein. Ich brachte die Rosen ins Haus und stellte sie in eine gläserne Vase.

»Was meinst du, Fanny, sind die Blumen von Alex?« Ich wünschte es mir so sehr! Fanny bellte aufgeregt.

»Schon gut, Fanny. Sei schön ruhig!«

Gedankenverloren kratzte ich meine Wangen. Und mein Dekolleté. Und meine Hände. Ich konnte plötzlich gar nicht mehr damit aufhören zu kratzen. Es juckte überall. Als ich meine Hände anschaute, erschrak ich. Sie waren ganz rot.

Ich rannte ins Badezimmer und schaute in den Spiegel. Auch mein Gesicht und mein Hals waren rot. Was war das denn? War ich allergisch auf die Blumen?

Der Juckreiz wurde immer stärker. Rasch ließ ich kaltes Wasser über die Hände laufen, und dann wusch ich sorgfältig mein Gesicht. Das Jucken hörte auf, doch die Haut war immer noch stark gerötet. Da ich nicht wusste, was mit mir los war, zog ich mich aus und sprang unter die Dusche. Lange ließ ich zuerst ganz heißes, dann lauwarmes Wasser über meinen Körper laufen.

Ich starrte auf die Blumen und entdeckte eine feine weiße Schicht Pulver darauf, die mir vorher nicht aufgefallen war. Vor allem die grünen Blätter waren damit überzogen. Meine Nackenhaare sträubten sich. Jemand hatte die Blumen absichtlich manipuliert! Schaudernd sah ich wieder auf meine Hände. Inzwischen sahen sie fast wieder normal aus, und auch mein Gesicht fühlte sich wieder gut an.

In meinen Augen brannten Tränen. Wer wollte mir nur etwas Böses? War es wirklich Alex? Zum ersten Mal erlaubte ich mir für einen Moment diesen Gedanken. Doch dann schüttelte ich den Kopf. Ein Mann, der im Bett so leidenschaftlich war, konnte so etwas nicht tun.

Ich stülpte eine Plastiktüte über die Blumen und trug sie hinaus. Entschlossen stopfte ich sie in die Mülltonne. Wer immer das auch war, er würde es noch bereuen! Ich würde mich von niemandem unterkriegen lassen!

kapitel 31

Ich lag im Bett und schaute aus dem Fenster. Es regnete in Strömen, und in der Ferne war schwaches Donnergrollen zu hören. Das Wetter war so, wie ich mich fühlte und damit der richtige Auftakt für diesen Tag. Meinen Geburtstag. Den ich wohl ganz alleine verbringen würde. Willy hatte mich gestern Abend gefragt, ob es mir was ausmachen würde, wenn er die beiden Pfingstfeiertage mit dem Motorrad unterwegs war. Da er ohnehin so viel auf dem Hof arbeitete, konnte ich verstehen, dass er weg wollte. Sicher wusste er auch gar nichts von meinem Geburtstag.

Vielleicht hatte ja wenigstens Tante Luise Zeit, am Nachmittag auf eine Tasse Kaffee vorbeizukommen. Oder ich blieb heute einfach den ganzen Tag im Bett liegen. Ja. Das war ein guter Plan!

Ich drehte mich zur Seite und zog die Bettdecke über meinen Kopf. Sollten mich doch alle mal gernhaben.

Doch das schien Fanny nicht zu gefallen. Sie begann zu winseln. Ich steckte den Kopf hervor. Wenigstens irgendjemand, der mich sehen wollte. Oder einfach nur Hunger hatte?

»Ja. Ist ja schon gut, meine Süße. Ich steh ja schon auf.«

Nach einem ausgedehnten Frühstück zog ich eine Regenjacke und Gummistiefel an und machte mich mit Fanny auf den Weg zu den

Weiden. Die Rinder standen in kleinen Grüppchen zusammen, und alles schien in bester Ordnung zu sein.

Ich hatte eine große Tasche voller altbackener Semmeln und einige Karotten und Äpfel dabei. Schließlich war heute mein Geburtstag. Und wenn ich sonst schon keine Gäste hatte, die ich bewirten konnte, sollten wenigstens meine vierbeinigen Freunde etwas von diesem Tag haben.

Auch für Fanny würde ich später eine besondere Leckerei zubereiten: leicht angebratene Hühnerleber. Das mochte sie ganz besonders gerne.

Nach und nach kamen meine zottligen Lieblinge an den Zaun und fraßen mir aus der Hand. Auch der kleine Ringo kam angelaufen. Doch ich wusste nicht so recht, ob er das mitgebrachte Futter schon essen durfte. Vorsichtshalber gab ich ihm und den anderen beiden Kälbern, die nur wenig älter waren als er, nichts davon. Ich musste mich unbedingt für die Zukunft ein bisserl schlauer machen.

Die Zukunft. Nie schien sie mir ungewisser zu sein als in diesem Moment. Wie würde sie in vier Wochen aussehen? Würde ich verheiratet sein? Hier auf dem Hof leben? Oder irgendwo auf dem Land in Oberbayern? Oder wäre ich wieder allein in meiner kleinen Wohnung in München?

In den letzten Jahren hatte ich so viel mit dem Aufbau meines Geschäftes zu tun gehabt, dass ich mir über meine persönliche Zukunft kaum Gedanken gemacht hatte. Langfristige Pläne hatte ich nicht.

Jetzt aber hing so viel von den Geschehnissen im nächsten Monat ab.

Ich gab Zeus den letzten Apfel und machte mich dann mit Fanny auf den Rückweg. Inzwischen hatte sich das Frühlingsgewitter verzogen, und durch die Wolken konnte man an einigen Stellen den blauen Himmel sehen. Die Luft roch erdig würzig, und es war so warm geworden, dass ich die Jacke auszog.

»Alles Gute zum Geburtstag, meine liebe Hanna«, gratulierte Tante Luise mir am Telefon. »Es tut mir leid, dass ich mich erst so spät melde, aber ich war den ganzen Tag so beschäftigt.«

»Macht doch nichts«, sagte ich tapfer. Inzwischen war es Abend geworden und meine Stimmung auf einem Tiefstand angekommen. Einzig meine Mutter und Pauline hatten sich von unterwegs aus gemeldet und mir gratuliert. Sonst schienen mich alle vergessen zu haben. Sogar Daniela! Es musste ihr wirklich sehr schlecht gehen, wenn sie noch nicht einmal anrufen konnte.

»Ich habe einen Kuchen für dich gebacken. Wenn du magst, kannst du ihn dir abholen. Leider kann ich gerade nicht weg hier ...«

Toll. Jetzt musste ich mir sogar das einzige Geschenk, das ich bekommen würde, selbst abholen. Am liebsten hätte ich aufgelegt. Aber das tat ich natürlich nicht.

»Na gut. Wenn ich später nochmal mit Fanny eine Runde drehe, komm ich vorbei.«

»Später bin ich leider nicht mehr daheim. Kannst du nicht gleich kommen?«

»Na klar. Ganz wie du möchtest.« Gut, dass wir nicht per Videotelefon miteinander sprachen. Sonst wäre Tante Luise bei meinem grimmigen Anblick wohl die Lust vergangen, mir gleich zu begegnen. Klar war mein Geburtstag nicht so wichtig, aber es hätte mich doch gefreut, wenn ich ihn nicht ganz alleine hätte verbringen müssen.

»Tante Luise?« Ich klopfte am Küchenfenster. Aber sie antwortete nicht. Die Haustür war abgesperrt. Hatte sie nicht einmal zehn Minuten warten können?

Ärgerlich drehte ich mich um, um mich mit Fanny auf den Rückweg zu machen. Doch Fanny wollte nicht mit.

»Jetzt komm. Wir gehen heim!« Ich zog an der Leine. »Los!« Schließlich setzte sie sich doch in Bewegung.

»Was willst du denn hier?«, fragte Max verwundert, der gerade aus der Scheune kam.

»Von dir nichts«, patzte ich zurück. Max wusste ganz genau, dass ich heute Geburtstag hatte, weil dieser Tag auf ein besonderes Datum fiel. Genau wie bei ihm. Ich hatte am 6. 6. und er am 8. 8. Geburtstag. Das konnte man einfach nicht vergessen. Er war früher immer auf meinen Kinderpartys gewesen. Damals. Als Papa noch gelebt hatte. Papa hatte sich an meinem Geburtstag immer arbeitsfrei genommen und eine Riesenparty organisiert. Es hatte immer eine besondere Überraschung für mich und meine kleinen Gäste gegeben. Einmal waren es vier Ponys, ein anderes Mal ein Flohzirkus oder eine Bootsfahrt auf der Donau. An meinem letzten gemeinsamen Geburtstag – also genau heute vor zwanzig Jahren – hatte er ein riesiges Lagerfeuer gemacht, um das wir abends saßen und Würstel und Stockbrote ins Feuer hielten. Damals war es mir fast schon ein wenig peinlich vor meinen Freunden gewesen, wie sehr er sich um uns gekümmert hatte.

Später dann in München waren meine Geburtstage nicht mehr sonderlich aufregend gewesen. Meist kam eine Freundin, oder Mama ging mit mir ins Kino oder Eis essen. Und Max hatte immer eine seiner Karten geschickt.

»Was solltest du auch von mir wollen …«, riss er mich aus meinen Erinnerungen.

»Tante Luise hat mich angerufen. Ich soll was abholen.«

»Sie ist in der Scheune.«

Also war sie doch noch nicht weg. Ich ging über den Hof und öffnete die Tür der Scheune.

»Überraschung!«, rief ein vielstimmiger Chor, und ich stand völlig überrumpelt in einem bunten Konfettiregen. Max war plötzlich hinter mir und schob mich in die Scheune, die mit Luftballons, Girlanden und vielen Blumen geschmückt war.

Tante Luise stand grinsend neben Onkel Alois und hatte eine Geburtstagstorte in der Hand.

Da waren sie alle. Meine Familie und meine besten Freunde! Mama, Dieter und Pauline, die noch immer Konfetti über meinem Kopf in die Luft warf. Daniela mit Benny, Willy, der mir zuzwinkerte.

»Alles Gute, altes Mädchen«, sagte Max und gab mir rasch einen Kuss auf die Wange.

»Danke ...«, sagte ich gerührt.

Mann, hatten die mich alle geleimt! Aber wie konnte ich ihnen böse sein? So viele Jahre hatte niemand mehr für mich eine Überraschungsparty organisiert. Ich war wirklich überwältigt.

Auch Lene und Karl Huber waren gekommen, was mich besonders freute, und ... und ... ich traute kaum meinen Augen: Mike war auch da!

Tränen schossen in meine Augen. »Ihr seid ja ... alle vogelwild ...« Es gelang mir nicht weiterzusprechen. Und das brauchte es auch gar nicht. Nach der Reihe umarmten mich alle und gratulierten mir auf mehr oder weniger charmante Weise.

»Ich freue mich so, dass du gekommen bist, Mike ...«

Mein bester Freund drückte mich ganz fest. »Daniela hätte meine letzten Haare wegskalpiert, wenn ich mich geweigert hätte.«

Ich kicherte. »Es ist so schön, dass du da bist …«

»Ich hoffe, du hast ein Zimmer für mich. Denn heimfahren tu ich heute sicher nicht mehr.«

»Das will ich dir aber auch geraten haben.«

Dass sogar Dieter mitgekommen war, wunderte mich besonders. Er machte sich gerne etwas über das Landleben und die rückständigen Provinzler lustig. Vor allem die Niederbayern lebten für ihn hinterm Mond.

»Du hast doch nichts dagegen, dass Pauline in den Pfingstferien bei dir bleibt? Dieter und ich sind auf dem Weg nach Südfrankreich, und sie will einfach nicht mit uns mit«, sagte meine Mutter, nachdem sie mir gratuliert hatte. Aha. Jetzt war mir klar, warum Dieter mit dabei war.

»Natürlich kann sie bleiben.«

»Ich konnte dich ja vorher nicht fragen, sonst hätte ich die Überraschungsparty verraten.«

»Klar. Das passt schon. Ich freue mich, wenn sie hier ist.«

Pauline jubelte laut, als sie das offizielle Okay für die Ferienzeit in Niederbayern erhielt.

Bald darauf saßen wir alle um einen großen Biertisch und ließen uns Erdäpfelkäs und ein pikantes Gulasch schmecken, das Willy und Max gemeinsam fabriziert hatten. Seit Stunden hatte es in einem Kessel über einem kleinen Lagerfeuer hinter dem Haus vor sich hin geköchelt. Dazu gab es Bauernbrot und ein gut gekühltes Fässchen Bier aus einer hiesigen Brauerei.

Noch vor einer halben Stunde hätte ich nicht zu träumen gewagt, dass sich dieser verkorkste Tag noch auf eine so wundervolle Weise ändern würde. Sonst hätte ich sicherlich etwas anderes angezogen als eine alte Jeans und einen dunkelblauen Pulli. Aber was bedeutete schon Kleidung, wenn man dafür so viele liebe Menschen um sich hatte?

Als Nachspeise gab es die traumhafte Windbeutel-Überraschungs-Torte von Tante Luise. Bevor diese jedoch angeschnitten wurde, musste ich die dreiunddreißig Kerzen darauf ausblasen.

»Du musst dir was wünschen. Was gaaaanz Cooles!«, rief Pauline aufgedreht.

»Und beim Wünschen schön die Augen zumachen!«, riet Lene. Das Bier hatte ihr eine hübsche Röte auf die Wangen gezaubert.

Alle sahen mich erwartungsvoll an. Also gut. Ich schloss die Augen. Und nun ging es darum, mir etwas zu wünschen. Puh. Was wollte ich denn? Plötzlich war mein Hirn wie leergefegt. Es gelang mir nicht, einen Wunsch zu formulieren. Was wünschte ich mir eigentlich wirklich? Alex als meinen Ehemann? Das Erbe? Oder mit BeauCadeau zu expandieren? Den Weltfrieden? Alles auf einmal?

»Das ist aber ein langer Wunsch von Hanna, Mami«, hörte ich Benny sagen.

»Jetzt mach mal! Wir müssen bald los«, drängte Dieter.

»So schwer kann das doch nicht sein! Wir wollen endlich Torte!« Das war Mike.

Da ich immer noch nicht wusste, was ich genau wollte und die anderen nicht mehr warten sollten, ließ ich es bei dem Wunsch bewenden, der mir jetzt gerade durch den Kopf ging.

Ich wünsche mir, Alex bald wiederzusehen, dachte ich und öffnete dann die Augen.

»Das muss ja ein komplizierter Wunsch gewesen sein«, brummte Max.

»Ich glaub, ich weiß, was es war!«, rief Daniela und zwinkerte mir vergnügt zu.

Sie saß neben Max, und in diesem Moment schoss mir durch den Kopf, dass die beiden eigentlich ein wundervolles Paar abgeben würden.

»Blasen!«, forderte Benny, dem das alles zu lange dauerte.

Ich holte ganz tief Luft und blies die Kerzen aus. Zumindest die meisten.

»Oh … Schade … fester blasen!«, kamen die Kommentare meiner Gäste.

Ich probierte es nochmal. Doch es gelang mir nicht, alle auszublasen. Benny half mir und pustete mit. Juhu! Die Kerzen waren aus. Doch nur für eine Sekunde. Dann brannten sie wieder. Alle lachten, und ich erkannte, dass sie mich mit Zauberkerzen ärgern wollten. Kurzerhand zog ich die widerspenstigen Dinger aus der Torte und steckte sie umgedreht in ein Bierglas, das fast leer war. Wieder lachten alle und applaudierten mir dazu.

Endlich konnten wir die Windbeutel-Überraschungstorte anschneiden. Sie schmeckte einfach phantastisch. Kleine – selbstverständlich selbst gemachte – Windbeutel waren auf einem Rührkuchenboden unter einer Sahnekuppel versteckt. In den Windbeuteln steckten ganz unterschiedliche Überraschungen, so dass man nie wusste, was einen geschmacklich erwartete. Dieses Mal hatte Tante Luise viererlei Füllungen gemacht: Schokocreme, Eierlikörsahne, Vanille-Schmand und als fruchtige Komponente glasierte, beschwipste Erdbeeren. Ein wahres Geschmacksfeuerwerk!

»Das Rezept brauch ich unbedingt für mein nächstes Buch«, rief Lene begeistert. Tante Luise freute sich sehr über die vielen Komplimente für ihre Torte. Sie hatte sich wirklich viel Arbeit gemacht und für die Kinder noch zusätzlich Auszogne und einen alkoholfreien Schoko-Nuss-Kuchen gebacken. Und überhaupt.

Dass sie sich diese Überraschungsparty für mich ausgedacht hatte fand ich einfach nur wundervoll! Sie war wirklich eine ganz besondere Tante. Ich umarmte sie und drückte sie fest.

Nachdem wir uns mit all den Schmankerln so richtig vollgeschlagen hatten, durfte ich meine Geschenke aufmachen.

»Das ist ja fast wie Weihnachten«, sagte ich begeistert.

Von Tante Luise und Onkel Alois bekam ich eine Schürze, mit einem lustigen Kuh-Motiv darauf. Lene und Karl schenkten mir einen Gutschein für ihren Biohofladen mit dem Zusatz, dass ich sie dort unbedingt bald besuchen musste.

Willy drückte mir eine Flasche Sekt und eine Pralinenschachtel in die Hand, und Mike lud mich zu einem Abendessen in ein Restaurant meiner Wahl in München ein.

Daniela hatte ein knallrotes, schulterfreies Kleid für mich gekauft.

»Damit mal etwas mehr Farbe in deinen Kleiderschrank kommt... Es müsste dir passen, und wenn nicht, dann ändere ich es dir ab«, sagte meine Freundin. Wahrscheinlich hatte sie das Kleid irgendwo günstig bekommen, trotzdem war ich total gerührt, da ich ja wusste, dass sie jeden Cent dreimal umdrehen musste. Ich drückte sie fest.

»Es ist toll! Wirklich! Danke, Daniela!«

»Für eine besondere Gelegenheit, die sich hoffentlich bald wieder ergibt«, flüsterte sie mir ins Ohr, und ich hoffte inständig, dass sie laut genug gesprochen hatte, dass Gott diesen Wunsch auch mitbekommen hatte.

Von Pauline bekam ich eine selbstgebastelte Kette, und meine Mama drückte mir ein Kuvert in die Hand – wie jedes Jahr.

»Von Dieter und mir. Kauf dir was Nettes«, sagte sie lächelnd – auch wie jedes Jahr.

»Hermine, kommst du? Wir müssen los«, drängte Dieter meine Mutter.

»Einen kleinen Moment noch, Schatz.« Sie zog mich etwas zur Seite. Das Lächeln, mit dem sie eben noch ihren Mann bedacht hatte, verschwand aus ihrem Gesicht.

»Glaub nicht, dass es mir inzwischen besser gefällt, dass du noch hier bist.«

»Aber Mama, ich …« Sie ließ mich nicht ausreden.

»Geh zurück nach München, und vergiss das alles hier.«

Ich konnte meine Mutter nicht verstehen.

»Warum willst du nicht, dass ich Omas Erbe bekomme?«

»Weil es dich nicht glücklich machen würde.«

Sie schaute mir sorgenvoll in die Augen. Dann drückte sie mich kurz und verabschiedete sich von mir. Ich schaute ihr nach, wie sie mit Dieter aus der Scheune verschwand.

Hatte sie recht? Würde mich das Erbe wirklich nicht glücklich machen?

»Komm mal mit!«

Max riss mich buchstäblich aus meinen Gedanken, indem er mich an der Hand nahm und hinauszog.

»Wohin denn?«, fragte ich misstrauisch. Bei ihm konnte man irgendwie nie wissen, woran man war.

»Zu dir.«

»Zu mir? Aber was willst du dort?«

»Ich habe auch ein Geschenk für dich.«

Das machte mich nun doch neugierig. Wir spazierten den kurzen Weg schweigend nebeneinander her. Auf dem Hof angekommen gingen wir um das Haus herum in den großen Obstgarten. Vor zwei Tagen war Vollmond gewesen, und das Licht des Erdtrabanten erleuchtete den Garten auf eine fast gespenstische Weise.

Ich vermied den Blick auf den Zwetschgenbaum, vor lauter Angst, dort oben meine Oma im Nachthemd zu sehen. Der Albtraum von neulich hing mir immer noch ziemlich nach.

»Und wo ist jetzt mein Geschenk?«

»Dort!« Er deutete zwischen zwei Apfelbäume, und jetzt erst sah ich es.

»Eine Hängematte!«, rief ich erfreut. Als ich näher kam, sah ich, dass sie aus buntem Stoff gefertigt war und so groß, dass zwei Leute locker darin Platz fanden. Fast genau so eine Hängematte hatte ich als Kind gehabt. Max und ich hatten darin viel Zeit miteinander verbracht. Wir hatten Quartett gespielt oder uns über für Kinder äußerst wichtige Fragen des Lebens unterhalten, während wir uns den Bauch mit pflückfrischem Obst vollgeschlagen hatten. Ich drehte mich glücklich lächelnd zu ihm um.

»Gefällt sie dir?«

»Sie ist super! Vielen Dank, Max.«

Eine Woge spontaner Zuneigung überrollte mich, und rasch gab ich Max einen dicken Kuss auf die Wange. Da nahm er mich plötzlich in den Arm und drückte mich fest an sich. Es fühlte sich gut an, fast wie eine Zeitreise in meine Kindheit, als Max und ich noch die besten Freunde waren. Langsam löste er sich von mir und gab mir ebenfalls einen Kuss auf die Wange. Dann schaute er mich lächelnd an.

»Warum probierst du sie nicht gleich aus?«, fragte er leise.

Ja, warum eigentlich nicht? Ich schlüpfte aus den Schuhen und legte mich hinein. Max gab mir einen sanften Schubs, und ich schaukelte hin und her. Glücklich schaute ich in den funkelnden Sternenhimmel. Was für eine zauberhafte Nacht! Jetzt fehlte nur der richtige Mann, mit dem ich sie genießen konnte.

Ich dachte plötzlich an Alex, und die schöne Stimmung von

eben löste sich schlagartig in Luft auf. Ich rappelte mich hoch und stieg aus der Hängematte.

»Das war wirklich eine super Idee von dir, Max. Aber jetzt sollten wir besser zurückgehen.«

»Wenn du meinst ...«

»Trotzdem ... nochmal vielen Dank!«

»Schon gut. Sag mal, ist eigentlich nochmal etwas passiert auf dem Hof?«, fragte er unvermittelt.

Ich dachte sofort an die Rosen. Und schüttelte den Kopf.

»Nein. Nichts mehr.« Ich wollte es ihm nicht sagen. Warum auch immer. Vielleicht weil ich mir nicht hundertprozentig sicher war, ob Alex doch etwas damit zu tun hatte?

»Sehr gut. Aber falls nochmal was ist, sag mir bitte Bescheid.«

»Mach ich ... Du äh, sag mal, wie findest du eigentlich Daniela?«, fragte ich ihn, um von dem unangenehmen Thema abzulenken.

»Daniela? Ganz nett, soweit ich das nach der kurzen Zeit beurteilen kann. Ich kenn sie ja erst seit heute. Warum?«

»Och ... nur so.«

»Ach so, nur so?«

»Wenn ich ein Mann wäre, ich wäre ganz narrisch nach ihr. Sie ist echt toll.«

»So so.«

»Ja. Vielleicht könnten wir morgen alle was gemeinsam unternehmen. Benny ist ja auch ein ganz süßer Junge und ...«

»Hanna?«, Max blieb stehen.

»Ja?« Ich ging weiter. Aber er folgte mir und hielt mich am Arm fest.

»Bilde dir bloß nicht ein, du kannst hier Kupplerin spielen! Hörst du?!« Sein Ton war plötzlich ziemlich scharf.

Oje. Das hatte ich nicht gerade geschickt angestellt. Ich musste sofort zurückrudern, sonst konnte ich es vergessen, die beiden jemals zusammenzubringen. Max würde sich von mir prinzipiell keine Frau aufschwatzen lassen und wahrscheinlich sogar Angelina Jolie oder Diane Kruger heimschicken, wenn ich sie ihm vorstellen würde. Naja, die beiden vielleicht nicht gerade, aber jede andere Frau vermutlich schon.

»Kupplerin? Schmarrn. Das hast du falsch verstanden.« Ich lachte bemüht munter.

»Na hoffentlich. Ich kann mir meine Frauen selber suchen.«

Seine Frauen? Fast hätte ich gelacht. Sehr viel getan hatte sich da aber in den letzten Jahren nicht. Bis auf Maria. Und dass er diese Streberin los war, fand ich sowieso besser.

Aber wie sollte ich es jetzt anstellen, dass er sich für Daniela interessierte? Die beiden wären wirklich ein tolles Paar. Oder? So ganz vorstellen, dass die beiden zusammen waren, konnte ich mir plötzlich doch nicht mehr. Aber wenn er mit Daniela beschäftigt wäre, würde ihn das bestimmt von mir und meinem Hochzeitsvorhaben abbringen. Nur wie konnte ich das Ruder jetzt noch herumreißen? Plötzlich kam mir eine Idee. Ich musste ihm nur einreden, dass ich sie absolut nicht für ihn geeignet hielt!

»Klar kannst du das selbst. Du hast mich eben auch völlig falsch verstanden. Erstens würde Daniela nie aufs Land ziehen. Zweitens steht sie mehr auf…«, ich überlegte krampfhaft, auf was Daniela stehen könnte, das er nicht war, »…deutlich jüngere Männer, als du es bist«, fiel mir glücklicherweise ein. Das stimmte zwar überhaupt nicht, aber es gefiel mir, dass er bei diesen Worten ein wenig zusammenzuckte.

»Und außerdem: Was sollte sie auch mit so einem Typen wie dir anfangen?«, setzte ich dem Ganzen noch die Krone auf.

»Wie meinst du das? Mit so einem Typen wie mir?« Seine grünen Augen blitzten gefährlich.

Ach du liebe Güte, jetzt hatte ich es übertrieben und mich in ein Gespräch verstrickt, das ich eigentlich gar nicht führen wollte.

»Lassen wir das doch. Komm, wir gehen ...«

»Nein. Ich will jetzt wissen, was du damit meinst.«

Manchmal hatte ich das Gefühl, dass Max in der Pubertät steckengeblieben war, so launisch wie er immer war. Wäre er eine Frau, ich würde alles darauf verwetten, dass er unmittelbar vor dem Besuch der roten Tante stand.

»Hey. Du bist nicht gerade Prince Charming in Person.«

»Als ob du das beurteilen könntest!«

»Zu mir bist du es jedenfalls nicht!«

»Zu dir will ich es auch gar nicht sein!«

Ach was? Das war mir bisher aber noch gar nicht aufgefallen!

»Dann lass mich doch einfach in Ruhe!«, schnaubte ich.

»Das kannst du gerne haben!«

Er stapfte in Richtung Scheune davon. Ich folgte ihm langsam.

Die Gäste hatten sich schon gefragt, wo wir so lange gewesen waren. Natürlich wollte ich den anderen nicht die Stimmung verderben. Deswegen bemühte ich mich, mir unseren Streit von eben nicht anmerken zu lassen. Er sah das wohl ähnlich, und so verlief der restliche Abend – oder ich sollte wohl besser sagen – die restliche halbe Nacht – doch noch ziemlich unterhaltsam. Max setzte sich jedoch demonstrativ möglichst weit von Daniela entfernt an den Tisch und unterhielt sich hauptsächlich mit Karl und Mike.

Irgendwann war der kleine Benny auf dem Tisch eingeschlafen. Willy trug den Jungen zu mir nach Hause, begleitet von Daniela,

Pauline und Fanny. Tante Luise und Onkel Alois verabschiedeten sich ebenfalls ins Bett, und am Ende saßen nur noch Lene und Karl, Max, Mike und meine Wenigkeit am Tisch.

»Was ist eigentlich aus dem süßen Typen geworden, den ich bei dir kennengelernt habe?«, fragte Lene irgendwann neugierig.

»Welcher Typ?«, kam es gleichzeitig von den drei Männern.

Lene kicherte. Sie war schon etwas angeheitert. Im Gegensatz zu ihrem Mann, der den undankbaren Job hatte, sie heute Nacht noch nach Hause zu fahren.

»Na, dieser ... Wie hieß er noch?«

»Alex«, half ich ihr auf die Sprünge. Ich freute mich, dass er auf sie so einen bleibenden Eindruck gemacht hatte.

»Ja, genau. Alex!«

»Was interessiert dich denn dieser Typ überhaupt?«, fragte Karl seine Frau misstrauisch.

»Er ist süß, und er wäre doch ein geeigneter Mann für Hanna!« Ich merkte, dass ich ein bisserl rot wurde vor Verlegenheit.

»Von einem Alex hast du mir noch gar nichts erzählt«, beschwerte sich Mike und nahm einen tiefen Schluck Bier. Er, der während der Arbeit in der Bar so gut wie nie Alkohol anrührte, ließ es heute ordentlich krachen.

»Wann denn auch?«

»Stimmt. Beim letzten Mal hat uns dein Beauty-Doktor-Ex unseren Plausch-Abend versaut«, erinnerte er sich. Ich hoffte nur, dass meinem Freund jetzt nichts über BeauCadeau herausrutschte, angetrunken wie er war.

»Das holst du aber morgen nach, Schätzchen. Ich will alles wissen.«

»Wirst du ihn heiraten?« Auch Lene ließ nicht locker.

»Ach. Wer weiß das schon ...«, versuchte ich es auf die unverbindliche Art. Ich wollte jetzt nicht mehr über das Thema sprechen.

Max wollte das scheinbar auch nicht. Er stand auf.

»Leute, ihr könnt gerne noch sitzen bleiben. Aber ich werde mich jetzt ins Bett verziehen.«

»Wir fahren jetzt auch«, sagte Karl und warf Lene einen deutlichen Blick zu. Doch statt zu protestieren, wie er es wohl erwartet hatte, lächelte sie ihn verliebt an und schmiegte sich an seine Seite.

»Gerne.«

Ich seufzte innerlich. Die beiden waren wirklich ein tolles Paar. Beneidenswert.

Bevor wir uns auf den Weg machten, halfen wir alle noch zusammen und brachten das restliche Geschirr und die Gläser in die Küche.

Dann schlenderten Mike und ich Arm in Arm nach Hause.

Alle freien Zimmer waren von meinen Gästen belegt. Bis auf das ehemalige Schlafzimmer von Oma. Ich wollte nicht, dass darin jemand schlief. Obwohl er protestierte, überließ ich Mike mein Bett und legte mich aufs Sofa ins Wohnzimmer. Und kaum hatte ich mich zugedeckt, war ich auch schon eingeschlafen.

kapitel 32

Mike und ich lagen gemütlich zusammengekuschelt in der Hängematte und erholten uns von einem opulenten späten Frühstück, bei dem wir die Reste des gestrigen Abends verputzt hatten. Ich trug das rote Kleid, das Daniela mir geschenkt und ich auf ihr Drängen anprobiert hatte. Es passte perfekt.

Nach dem Frühstück hatte Daniela meinen Wagen genommen und war mit den Kindern nach Passau ins Erlebnisbad gefahren. So hatte ich endlich Zeit und Ruhe, um Mike auf den neuesten Stand zu bringen.

Er hörte mir aufmerksam und geduldig zu, was sicherlich nicht leicht war. Denn als ich erst einmal angefangen hatte zu erzählen, sprudelte alles ungeordnet aus mir heraus.

»Tja. Und jetzt weiß ich überhaupt nicht mehr, was ich machen soll«, seufzte ich, als ich zum Schluss gekommen war.

»Es ist aber schon ziemlich crazy, dich mit einem Mann einzulassen, der dir noch nicht mal seinen vollen Namen gesagt hat.«

Jaja... Das brauchte er mir nicht zu sagen. Das wusste ich inzwischen selbst. Normalerweise war ich auch wirklich kein so naives Trutscherl.

»Ich kann gar nicht verstehen, dass ich mich so in ihm getäuscht habe.«

»Ich kenne den Typen zwar nicht, aber glaub mir, wenn er dir so wesentliche Dinge verschwiegen hat, dann stimmt was nicht mit ihm.«

»Verschwiegen hat er es ja eigentlich gar nicht. Ich habe ihn halt nie danach gefragt«, log ich Mike und mir selber was vor, denn Alex hatte mir ja tatsächlich nicht sagen wollen, wo sein Hof war. Doch irgendwie wollte ich Alex verteidigen. Vielleicht auch deswegen, weil ich selbst in Bezug auf meine Arbeit nicht ganz ehrlich zu ihm gewesen war.

»Er wirkte so... so richtig...« Tränen brannten plötzlich in meinen Augen. Blöde Flennerei! In letzter Zeit hatte ich wirklich nah am Wasser gebaut.

»Es treiben sich so viele Spinner auf dieser Welt herum. Und leider sieht man es den meisten nicht auf den ersten Blick an«, ermahnte mich Mike.

»Und was mach ich jetzt?«, schniefte ich und wischte die Tränen vorsorglich aus den Augen, bevor sie über meine Wangen kullern konnten.

»Hmmm... Dir schnell einen Mann suchen, den du heiraten kannst. Dein Erbe lässt du dir auf keinen Fall entgehen!«

Im Hof war plötzlich das Brummen eines Motorrades zu hören. Wahrscheinlich Willy, der das schöne Wetter ausnutzen wollte.

»Wenn es nur so einfach wäre, jemanden zu finden.«

Er grinste mich an.

»So richtig gesucht hast du ja noch gar nicht, oder?«

»Naja... wenn ich ehrlich bin nicht... Seit Alex...«, gab ich zu.

»Warum heiratest du eigentlich nicht Max?«, fragte Mike plötzlich.

»Max?« Ich lachte auf. »Entschuldige, Mike, aber Max ist mein Cousin!«

Mike zuckte mit den Schultern. »*So what?*«

»Ja und? Ich kann doch nicht meinen Cousin heiraten.«

»Hey. Das ist ja schließlich nicht verboten.«

»Verboten nicht... aber trotzdem. Nein... Außerdem würde ich Max nicht heiraten wollen und wenn er zehnmal nicht mit mir verwandt wäre.« Die Vorstellung von mir und Max vor dem Traualtar war völlig absurd. Obwohl – wenn ich ehrlich war, hatte ich mir als Kind manchmal vorgestellt, später einmal Max zu heiraten. Aber das war eher so gewesen, wie kleine Mädchen sich manchmal wünschen, den Papa zu heiraten, und in keiner Weise ernst zu nehmen.

»Zehnmal nicht?«, Mike lachte laut.

»Du weißt schon, was ich meine.« Ich stupste ihn in die Seite.

»Stopp! Du weißt genau, wie kitzlig ich bin!«

»Deswegen tu ich es ja.«

»Freches Huhn! Hör auf!«

Er packte meine Hände und hielt sie fest. Ich wehrte mich spielerisch. Die Hängematte schaukelte jetzt wild, und ich lachte vergnügt. Es tat so gut, mit ihm so ungezwungen herumzualbern. Es gab sie eben doch, die Freundschaft zwischen Mann und Frau ohne jegliche sexuellen Hintergedanken. Auch wenn das viele nicht glauben wollten.

»Wenn ich nicht schon verheiratet wäre, dann würde ich dich heiraten.«

»Das wäre die beste Idee überhaupt. Du müsstest nur vorher einen Landwirtschaftsschnellkurs besuchen«, kicherte ich.

»Ach, kein Problem. So ein wenig Kühe melken würde ich schon hinkriegen.«

Die Vorstellung, wie Mike am Euter einer unserer zotteligen Hochlandkühe zog, war zu komisch!

»Lach nicht. Ich kenn mich schließlich mit Getränken jeglicher Art aus.« Er zwinkerte mir zu. »Wir könnten ja hier eine Milch-Bar eröffnen.«

»Du hast echt super Ideen. Wie schade, dass wir das alles nicht machen können, weil du schon unter der Haube bist.«

»Ja. Und *wie* schade das ist!« Er zog einen Schmollmund.

»Wir hätten eine rauschende Hochzeit feiern und dann eine lange Hochzeitsreise nach New Orleans und auf die Bahamas machen können. Und danach dann eine tolle Scheidungsparty veranstalten.«

Plötzlich drückte er mich tief in die Hängematte und hielt meine Arme über den Kopf.

»Du denkst doch nicht, dass ich mich je wieder von dir scheiden lassen würde?«, fragte er aufgekratzt.

»Würdest du nicht?«

»Da wär ich ja verrückt…«

»Allerdings…«

Ich befreite meine rechte Hand, stupste ihn mit dem Zeigefinger in den Bauch, und wir lachten gemeinsam.

In diesem Moment sah ich ihn. Alex! In seiner Lederjacke, den Helm in der Hand. Er stand keine zehn Meter von uns entfernt und schaute mich mit starrem Gesicht an.

»Alex!«

»Hanna…?« Mike schaute mich verwundert an. Bemerkte dann jedoch Alex ebenfalls.

»Das ist Alex?«

Ich hörte ihm gar nicht zu. Oh mein Gott, was Alex sich jetzt wohl dachte?

Er drehte sich wortlos um und ging davon.

»Alex, warte!«, schrie ich, als er aus meinem Blickfeld verschwand. Ich versuchte aus der Hängematte zu kommen, aber durch das Gewicht von Mike, sank ich immer weiter nach hinten.

»Hilf mir doch!«, blaffte ich Mike ungeduldig an. Der schob mich schließlich aus der Hängematte, und ich rannte Alex barfuß hinterher.

»Bitte, warte doch!«

Als ich in den Hof kam, saß er schon auf seinem Motorrad und zog eben den Helm auf. Ich stellte mich vor ihn.

»Ich bin so froh, dass du da bist.« Mein Herz raste, teils vor Freude und teils vor Angst, dass er gleich wieder verschwinden würde.

»Ich habe gedacht, wir könnten heute einiges klären. Aber das ist jetzt wohl nicht mehr möglich.«

»Bitte, Alex, das ist nicht das, was du denkst …«

Er lachte bitter. Ich hätte auch gelacht, wenn mir das jemand in so einer Situation gesagt hätte. Oder geheult. Aber wie sollte man es denn sonst sagen, verflixt nochmal?

»Erspar mir bitte peinliche Erklärungen, Hanna. Das ist würdelos.«

»Würdelos? Nein … Ich … ich warte seit über zwei Wochen auf ein Lebenszeichen von dir. Und jetzt kommst du und siehst etwas, das gar nicht das ist, wonach es ausschaut.«

Er schaute mich von oben bis unten an. Und ich verfluchte dieses vermaledeite sexy rote Kleid, das ich trug.

»Vielleicht ist bei dir vieles nicht so, wie es aussieht.« Seine Lippen, die meine so leidenschaftlich geküsst hatten, verzogen sich zu einem bösen Lächeln.

»Was soll das denn bedeuten?«, fragte ich verwirrt.

»Ich weiß nicht, was du mit den Männern für Spielchen treibst.«

»Ich treibe keine Spielchen, Alex. Mike ist ein guter Freund…
wir haben nur herumgeblödelt…Und außerdem kenne ich noch
nicht mal deinen Familiennamen!«, setzte ich völlig aus dem Zusammenhang gerissen hinzu.

»Das spielt jetzt keine Rolle mehr, Hanna.«

»Doch. Und wie es das tut. Ich bitte dich, lass uns doch wenigstens in Ruhe darüber reden…«

»Sie ist wirklich nur eine gute Freundin«, mischte sich jetzt
plötzlich Mike ein.

»Schon gut, mein Freund…« Alex startete das Motorrad. Er
würde gleich wegfahren. Und ich hatte keine Ahnung, wie ich
das verhindern sollte. Ich konnte mich ja schließlich nicht vor das
Motorrad werfen. Warum war dieser Kerl nur so stur?

»Bitte Alex… Bleib.«

Er schaute mich mit einem Gesichtsausdruck an, den ich nicht
deuten konnte.

»Ein Rat für die Zukunft, Hanna. Lass die Finger von verheirateten Männern.«

Dann gab er Gas und fuhr vom Hof. Weg aus meinem Leben.
Es war, als ob mir jemand einen Pflock ins Herz getrieben hatte.
So musste Scarlett sich gefühlt haben, als Rhett Butler sie ver-
ließ in jener Nacht, als Melli starb. Doch Scarlett hatte wenigstens
Tara gehabt, das sie trösten konnte. Und ich? Ich hatte ein verflix-
tes Erbe am Hals, das mir nur Unglück brachte.

Mein Wunsch von letzter Nacht hatte sich erfüllt. Ich hatte
Alex wirklich sehr schnell wiedergesehen. Aber mit welchem Ausgang? Ob es daran lag, dass ich die Kerzen nicht ordnungsgemäß
ausgeblasen, sondern in Bier ertränkt hatte?

»Ich kenne den Mann«, sagte Mike nachdenklich. »Ich weiß
nur nicht, woher.«

Noch nicht einmal das konnte mich aufmuntern. Er war weg, ob ich nun seinen Namen kannte oder nicht.

»Und er muss mich auch kennen, sonst hätte er nicht gesagt, du sollst die Finger von verheiraten Männern lassen.«

»Weißt du was, Mike? Das ist mir gerade so was von egal!«

»Hey. Du brauchst jetzt nicht auf mich sauer zu sein. Ich kann nichts dafür!«, protestierte mein Freund.

»Bin ich doch gar nicht«, sagte ich und stapfte unglücklich ins Haus.

kapitel 33

Am Abend fuhren Daniela und Benny mit Mike gemeinsam zurück nach München.

Daniela hatte ich vor ihrer Abfahrt nichts von Alex' Auftauchen und Verschwinden erzählt. Ich konnte einfach nicht darüber reden. Noch nicht.

Um mich abzulenken, überredete ich Pauline, mit mir nach Passau zu fahren und ins Kino zu gehen. Doch ich hätte ihr nicht die Wahl des Filmes überlassen sollen. Wir schauten *The lucky one* und ich heulte wie ein Schlosshund. Eine hilfsbereite ältere Dame aus der Sitzreihe hinter uns erbarmte sich meiner und schenkte mir ein Päckchen Papiertaschentücher. Damit rettete sie nicht nur mich, sondern vor allem die übrigen Zuschauer vor meinem lauten Schniefen.

»Ooooh Mann, du warst voll peinlich!«, beschwerte sich Pauline nach dem Film.

»Tut mir leid«, sagte ich zerknirscht und hätte am liebsten schon wieder losgeheult.

»Ich will zu Fanny!«

»Ich dachte, wir wollten noch einen Burger essen?«

»Schon wieder was essen? Wir hatten doch einen großen Eimer Popcorn und vor dem Kino eine riesige Pizza.«

»Na und?« Ich hatte doch so Hunger.

»Wenn du Liebeskummer hast, hilft es bestimmt nichts, wenn du auch noch fett wirst.«

»Wieso Liebeskummer …?« Wie kam sie denn darauf?

Pauline verdrehte genervt die Augen. »Glaubst du ich bin blööhöd?«

»Nur eine Tüte Pommes!«, bettelte ich.

»Nichts da. Wir fahren jetzt heim!«, übernahm Pauline das Kommando.

Die nächsten beiden Tage verbrachte ich in einer Art körperlichen und geistigen Starre in meiner Hängematte. Da ich an gar nichts dachte, schaffte ich es sogar, so wenig wie möglich über Alex nachzudenken.

»Hanna, Telefon!«, rief Pauline, lief zu mir und hielt mir das Handy entgegen.

»Jetzt nicht«, sagte ich müde. Es konnte ziemlich anstrengend sein, nichts zu tun.

»Daniela ist dran. Es ist wichtig!«

Sie ließ nicht locker, und schließlich ging ich ans Telefon.

»Ja?«

»Hallo Hanna. Sag mal, hast du von Frank Cornelius schon wieder gehört?«

»Nein. Wahrscheinlich ist der immer noch im Dschungel unterwegs. Warum?«

»Wir müssen heute definitiv den Auftrag für das Segelboot erteilen, sonst geht es an einen anderen Interessenten. Ich hab die Leute schon so lange hingehalten, die brauchen jetzt eine verbindliche Ansage von uns.«

Ich betrachtete meine Beine, die in einer abgeschnittenen Jeans steckten. Jetzt waren sie leicht gebräunt und wirklich hübsch. Vielleicht das Hübscheste überhaupt an mir. Ich wackelte mit den großen Zehen. Vielleicht sollte ich mir einen Nagellack kaufen.

»Hanna?«

»Ja?«

»Ist was mit dir?«, fragte sie.

»Nein, gar nichts.«

»Gut ... Was soll ich denn jetzt machen wegen dem Segelboot?«

Ich überlegte kurz. Cornelius hatte ja quasi schon zugesagt.

»Mach es fix.«

»Wirklich? Aber was tun wir, wenn er sich dann doch für etwas anderes entscheidet?«

»Macht er bestimmt nicht. Es sind nur noch gut drei Wochen bis zum Geburtstag. Momentan haben wir sowieso keine Alternative.«

»Also gut ... Dann mach ich das. Puh. Meine erste Bestellung in so einer Größenordnung.«

Ich sah sie buchstäblich vor mir, wie sie aufgeregt an ihren Haaren zwirbelte.

»Toll. Ich muss jetzt los, Daniela. Hier wartet jede Menge Arbeit auf mich.« Zum Beispiel aus der Gefriertruhe ein Eis holen.

»Okay ... Oh, warte, nur noch kurz. Du hattest mich doch gebeten, wegen dieser einen Sache zu recherchieren. Stell dir vor, ich habe da eine Spur gefunden.«

Im Moment wusste ich zwar nicht, was sie damit meinte, aber ich hatte auch keine Lust nachzufragen. Mein Eishunger war einfach zu groß.

»Schön. Du machst das super, Daniela. Bis bald.«

Ich krabbelte aus meinem schwingenden Sofa. Doch da stand plötzlich Pit vor mir.

»Hallo, Hanna«, begrüßte er mich etwas verlegen.

»Hallo Pit.« Der kam mir jetzt so richtig ungelegen.

»Ich sollte doch kommen, damit wir reden können. Wegen der Arbeit…« Stimmt. Ich hatte völlig vergessen, das mit Willy zu besprechen. Im Moment war er auf dem Feld und ziemlich beschäftigt.

»Ach, weißt du was, Pit. Morgen kannst du wieder anfangen hier«, sagte ich, ohne noch weiter darüber nachzudenken. Wenn Pit wieder hier war, brauchte ich auch kein schlechtes Gewissen zu haben, wenn ich mir eine kleine Auszeit nahm.

»Wirklich?« Er schien nicht mit so einer schnellen Zusage gerechnet zu haben.

»Ja. Klar. Also dann, bis morgen.« Ich ging zum Haus.

»Danke!«, rief er mir hinterher.

»Schon gut…!«

»Ich habe das Gefühl, ich lebe mit einem fressenden Zombie zusammen«, schimpfte Pauline beim Abendessen.

Ich warf meine Gabel in die Schüssel, in der die letzten Reste knuspriger Bratkartoffeln in einer Ketchup-Pfütze badeten.

»Warum motzt du mich eigentlich ständig so an?«, fragte ich genervt. »Ich tu dir doch nichts.«

»Eben genau deswegen. Du tust überhaupt nichts mehr.«

»Du bist ja sowieso immer mit Fanny unterwegs.« Als sie ihren Namen hörte, wedelte Fanny freudig mit dem Schwanz.

Ich stand auf und holte mir aus dem Kühlschrank einen Becher Vanillepudding und einen Löffel. Noch immer hungrig schaufelte ich die süße Nachspeise in mich hinein.

Im Geiste machte ich eine Einkaufsliste. Die Süßigkeiten wurden knapp, und dann brauchten wir noch Brot und Butter. Und natürlich Käse und Chips.

»Ich fahr dann in den Supermarkt. Kommst du mit?«

»Schon wieder einkaufen?«

»Wir wollen ja schließlich was essen, oder?«, blaffte ich sie an.

»Vor allem du willst essen!«

Pauline stand abrupt auf und ging hinaus. Fanny schaute zwischen der Tür und mir hin und her.

»Los, geh schon mit Pauline.« Sie trottete folgsam nach draußen.

Ich trug das Geschirr in die Küche und räumte es in den Geschirrspüler.

Ich hatte meine Gedanken ausschließlich um das Thema Essen kreisen lassen und damit Alex und das Erbe erfolgreich verdrängt.

Gut so. Und auch jetzt würde ich nicht darüber nachdenken, sondern vielleicht einen Kuchen backen? Oder bei Tante Luise ein paar Erdbeeren im Garten stibitzen?

Mein Firmenhandy meldete sich plötzlich. Ich zögerte kurz. Doch dann sah ich, dass Cornelius am Telefon war und ging ran.

»Hallo!«, meldete ich mich.

»Bea! Gut dass ich Sie gleich erreiche.«

»Wie geht es denn? Hatten Sie eine tolle Zeit auf dem Rio Negro?«

»Hören Sie mir bloß damit auf! Eine Katastrophe war das.«

»Was ist denn passiert?« Langsam meldeten sich meine Lebensgeister neugierig zurück. Es gab doch noch eine Welt außerhalb meiner Küche.

»Dieses Boot war eine klapprige, schwimmende Todesfalle. Nach ein paar Tagen kamen wir dann auch noch in ein Unwetter, aber unser verrückter Bootsführer wollte nicht ankern. Oder konnte es nicht. Auf jeden Fall kenterte das Schiff, und wir mussten mit kleinen Kanus gerettet werden.«

»Haben Sie sich verletzt?«

»Nur ein paar Schürf- und kleinere Bisswunden von irgendwelchen Tieren.«

Oh Gott! Gab es in den südamerikanischen Flüssen nicht auch Krokodile und Piranhas? Oder schlimmer noch, diese kleinen Parasiten, die in die verschiedensten Körperöffnungen schlüpften und dort... Himmel! Bei dieser Vorstellung schüttelte es mich.

»Das hört sich ja ziemlich... abenteuerlich an.«

»Auf solche Abenteuer verzichte ich in Zukunft gerne. Bettina hatte sich danach auch noch einen bösen Darmvirus eingefangen und lag tagelang mit hohem Fieber und Durchfall in einer kleinen Krankenstation mitten im Dschungel.«

»Geht es ihr wieder besser?«, fragte ich besorgt.

»Ja. Jetzt schon. Morgen fliegen wir zurück.«

»Gott sei Dank!«

»Hören Sie, Bea. Das mit dem Segelboot können wir vergessen. Bettina hat geschworen, nie wieder einen Fuß auf irgendein Boot zu setzen.«

»Kein Segelboot?«, schlagartig fühlten sich meine Beine wie Wackelpudding an. Ich spürte, wie jegliche Farbe mein Gesicht verließ.

»Nein. Aber die Zeit drängt! Welche Vorschläge haben Sie noch auf Lager?«

Die Bratkartoffeln und der Pudding in meinem Magen schienen plötzlich eine Rauferei zu beginnen. Einer wollte wohl den anderen hinauswerfen.

»Bea?«

Erstaunlicherweise schien der Schock mein Gehirn freizublasen, und ich konnte endlich wieder klar denken.

»Bea? Hören Sie mich?«

»Herr Corneli...? allo... i... ka.. ni... hör..! Hall...!«, rief ich und sprach die Wörter nur abgehackt aus.

»Bea? Ich versteh Sie kaum mehr.«

»alloo!«

Dann legte ich auf und schloss die Augen, um mich kurz zu sammeln. Als gleich darauf das Handy wieder klingelte, drückte ich das Gespräch einfach weg und schaltete das Gerät aus.

Einen Sekundenbruchteil später wählte ich auf dem anderen Handy die Nummer von Daniela.

»Daniela, hast du den Auftrag schon durchgegeben?«, fragte ich ohne Begrüßung und tigerte dabei nervös in der Stube auf und ab.

»Hallo, Hanna! Ja! Alles fix und in trockenen Tüchern!«, rief sie, und ich konnte die Begeisterung über den Deal in ihrer Stimme hören. Bitte, bitte, lieber Gott, mach, dass das nicht wahr ist, flehte ich inbrünstig, ohne jedoch wirklich Hoffnung zu haben, dass mein Anliegen erfolgreich erhört werden würde.

»Und stell dir vor, ich konnte sogar noch zwei Prozent Rabatt aushandeln. Das sind bei einer Million immerhin...«

»Du musst das rückgängig machen. Sofort. Cornelius will das Boot nicht.«

»Das ist jetzt kein guter Scherz, Hanna.«

»Nein. Auch kein guter Witz oder ein gutes Späßchen. Es ist mein völliger Ernst.« Meine Stimme überschlug sich fast bei den letzten Worten.

Danach herrschte Stille in der Leitung. Absolute Stille.

»Daniela?«, fragte ich schließlich nach.

»Hanna, wir können diesen Auftrag nicht mehr rückgängig machen.«

»Das muss aber gehen. Wir haben das Geld nicht.«

»Jetzt hör mir mal zu. Die Firma hat heute dem anderen Interessenten abgesagt. Einem, der aus einem europäischen Königshaus stammt. Wir haben das Boot nur bekommen, weil ich denen den Namen von Cornelius auf den Tisch gelegt habe. Anscheinend haben sie mehr Vertrauen in sein Unternehmen als in die adeligen Finanzen. Wenn wir diesen Vertrag rückgängig machen, können die nicht einfach wieder zum Prinzen laufen und sagen: Hey, du kannst das Segelboot jetzt doch haben. Verstehst du das? Das würde ihre Reputation völlig ruinieren. Von unserer mag ich gar nicht erst reden.«

Ja. Ich verstand es. Aber es gab trotzdem keine Alternative für uns.

»Es muss aber sein, Daniela.«

»Kannst du den Cornelius nicht doch überreden, dass er …«

»Nein! Er will es auf keinen Fall!«

»Verdammt! Dann stecken wir jetzt ziemlich in der Scheiße.« Dass ausgerechnet Daniela so ein Wort benutzte, zeigte mir, dass wir uns tatsächlich mitten in einer Katastrophe befanden.

»Versuch es wenigstens«, bat ich schwach und ließ mich auf den Stuhl fallen.

»Hanna, hör zu. Lass uns ein paar Tage darüber nachdenken. Vielleicht finden wir eine andere Lösung.«

»Was für eine Lösung sollte das bitte sein?«, fragte ich, fast schon etwas hysterisch. Mal eben einen anderen Interessenten zu finden für ein 1-Million-Euro-Segelboot war nicht gerade so, als ob man Tickets für ein WM-Finalspiel Deutschland gegen England bei Ebay versteigerte!

»Ich weiß nicht … Aber lass mir noch ein paar Tage Zeit, bevor ich anrufe … Darauf kommt es jetzt auch nicht mehr an.«

Da hatte sie wohl recht. Darauf kam es jetzt sicherlich nicht mehr an. Ich strich meine Haare aus dem Gesicht.

»Na gut. Warten wir noch eine Woche. Aber wir brauchen auf jeden Fall noch andere Vorschläge für Bettina. Und das am besten schon gestern.«

»Okay. Ich mach mich an die Arbeit. Kommst du die Woche mal ins Büro?«

»Ja. Das werde ich.«

Ich hatte mein Geschäft lange genug schleifen lassen. Mein privates Gefühlstamtam hin oder her – ich musste mich jetzt wieder auf die Geschäftsfrau besinnen, die ich vor dem Tod meiner Oma gewesen war. Cornelius hatte mich wachgerüttelt, wenn auch auf ziemlich drastische Weise.

»Daniela?«

»Ja?«

»Es wird alles gut, oder?«

Die Antwort kam mit einigen Sekunden Verzögerung.

»Klar. Es wird alles gut!«

»Danke!«

Wir verabschiedeten uns.

»Ich komm doch mit in den Supermarkt«, verkündete Pauline, die plötzlich hinter mir stand.

»Dafür habe ich jetzt keine Zeit. Ich habe jede Menge zu tun.«

Sie schaute mich misstrauisch an. »Aber nicht in der Hängematte, oder?«

Auch wenn mein Leben momentan eine einzige Katastrophe war, musste ich bei ihren Worten plötzlich lachen.

»Nein. Nicht in der Hängematte!«

Wie sie so dastand, ein schlaksiges Wesen mit Wuschelkopf – noch keine Frau und auch kein Kind mehr – schien sie mir in diesem Moment ein vages Versprechen dafür zu sein, dass doch noch alles irgendwie gutgehen würde.

Kapitel 34

Für die nächsten Tage hatte ich einen detaillierten Schlachtplan ausgearbeitet.

Auch wenn es mir im Nachhinein völlig unüberlegt vorkam, dass ich Pit einfach wieder so eingestellt hatte, war ich nun froh, dass er Willy zur Hand ging. Der hatte versprochen, ein besonderes Auge auf ihn zu werfen. So hatte ich Zeit, mich um BeauCadeau zu kümmern.

Gemeinsam mit Daniela fand ich noch einen Alternativvorschlag für Bettina, mit dem ich allerdings noch immer nicht ganz glücklich war: Eine alte Bibel aus einem Privatnachlass. Das Einzelstück war von einem unbekannten Mönch im Mittelalter abgeschrieben und wunderschön illustriert worden. Das besondere daran waren die unzähligen in den goldenen Einband eigelassenen Edelsteine und Diamanten. Es wurde vermutet, dass dieses kostbare Stück einst das Geschenk eines hochrangigen Kirchenmitglieds für seine heimliche Geliebte gewesen war.

Doch ob Frank Cornelius diese Liebesgabe auch gefiel? Es war wirklich schwer einzuschätzen. Ich versuchte, mit ihm Kontakt aufzunehmen, doch da er sich auf der Rückreise befand, erreichte ich nur seine Mailbox. Ich schickte ihm Fotos per E-Mail und hoffte, dass er sich bald melden würde.

Für unser Problem mit dem Segelboot hatten wir natürlich noch keine Lösung gefunden. Jedes Mal, wenn ich daran dachte – und das war oft – zog sich mein Magen zusammen. Nach den Fressattacken der letzten Tage hatte ich es jetzt mit einer ausgewachsenen Appetitlosigkeit zu tun. Die jedoch nicht unbedingt schlecht für meine Figur war. Glücklicherweise hatte alles immer zwei Seiten. Und laut Karl Valentin noch eine dritte Seite, nämlich eine komische. Doch die konnte ich momentan nicht entdecken.

Die andere Sache, die ich jetzt sehr ernsthaft anging, war mein Hochzeitsprojekt. Mehr denn je war ich jetzt auf das Geld aus dem Erbe angewiesen. Im Notfall – und es sah ganz danach aus, dass er eintreten würde – müsste ich den Hof belasten, um das Geld für das Segelboot zu bekommen.

Meinen Traummann Alex hatte ich mir inzwischen abgeschminkt. Die Karten der Zacher Zenz hatten also recht gehabt. Ich würde keinen Mann heiraten, der sich auf mein Inserat gemeldet hatte. Dumm nur, dass sonst kein anderer zur Verfügung stand. Andererseits – ich glaubte ja nicht wirklich an diese Kartenlegerei und war überzeugt, dass die Sache mit Alex nur Zufall gewesen war. In Ermangelung weiterer Männer und vor allem in Ermangelung dringend nötiger Zeit, in der ich einen anderen Mann überhaupt hätte suchen können, setzte ich mich an meinen PC und ging endlich aufmerksam die E-Mails der Männer durch, die sich auf mein Inserat gemeldet hatten.

Zunächst kam mir natürlich Stefan in den Sinn. Aber ich war immer noch sauer auf ihn, dass er mir die Daten von Alex nicht verraten hatte. Wenn ich recht überlegte, war eigentlich Stefan schuld, dass Alex mich nicht mehr sehen wollte. Denn wenn er mir damals seinen Nachnamen verraten hätte, hätte ich versuchen können, Alex zu finden, bevor er mich fand – mit einem Mann in der Hängematte. Nein! Stefan war definitiv gestrichen!

Ich saß bis tief in die Nacht am Rechner, bis ich schließlich drei Kandidaten gefunden hatte, die ich anschrieb. Einer der Männer war schon einmal hier gewesen. Meine Wahl fiel allerdings nicht auf den Möchtegern-Toyboy Kevin, der immer noch nicht aufgegeben hatte, sondern auf diesen sympathischen Knuddelbär René Voiling. Er hatte mir damals so einen hübschen Strauß Tulpen mitgebracht.

Der nächste Mann war ein bereits zweimal geschiedener Landwirt aus dem Rottal. Auf eine dritte Scheidung würde es bei ihm jetzt auch nicht mehr ankommen.

Und dann schrieb ich noch einen fünfundzwanzigjährigen Schweinebauern an. Ja, ich weiß. Der Altersunterschied war schon sehr groß. Aber er war mit deutlichem Abstand der hübscheste von allen. Und warum sollte ich mir nicht auch etwas fürs Auge gönnen, wenn ich schon mal die Gelegenheit dazu hatte? Außerdem würde er womöglich nicht sehr darunter leiden, wenn wir uns nach der Hochzeit wieder trennten. Sicher fand der Schönling ziemlich schnell eine Trösterin.

Nachdem ich die letzte Mail abgeschickt hatte, machte ich mich müde auf den Weg ins Schlafzimmer.

Plötzlich kam mir Fanny im Flur entgegengeschossen und bellte aufgeregt. Im ersten Moment dachte ich schon, sie würde mich anfallen. Doch sie rannte an mir vorbei nach unten zur Haustür.

»Was ist denn los mit dir?«, fragte ich, als sie mit den Vorderpfoten an der Haustür kratzte und sich nicht mehr beruhigte. Zur Antwort knurrte sie nur böse.

Irgendjemand oder irgendwas musste da draußen sein und

ihr absolut nicht gefallen. Ich bekam eine Gänsehaut und richtig Angst. Glücklicherweise war Pauline nicht wach geworden. Sie hatte wirklich einen gesegneten Schlaf.

Als es plötzlich wild an der Tür klopfte, wäre ich vor Schreck fast an die Decke gesprungen.

»Hannerl! Mach auf! Hannerl!« Gott sei Dank, es war Willy. Zumindest war es seine Stimme.

Rasch drehte ich mit zitternden Fingern den Schlüssel um und öffnete die Tür. Bevor ich sie zurückhalten konnte, schoss Fanny in die Nacht davon.

»Um Himmels willen, was ist denn los?«, fragte ich ängstlich und registrierte nur am Rande, dass Willy einen gestreiften Pyjama trug, der aussah wie ein Sträflingsanzug.

»Keine Ahnung. Ich konnte nicht schlafen und wollte mir draußen ein Pfeifchen anzünden. Da sah ich plötzlich jemanden um den Hof schleichen.«

»Was?« Aus der Gänsehaut von vorhin wurden Wimmerl in der gefühlten Größe von Johannisbeeren.

»Zuerst dachte ich, du bist es.«

»Warum sollte ich mich in der Nacht um den Hof schleichen?« Er zuckte mit den Schultern.

»Ja, was weiß denn ich? Du warst es ja dann auch gar nicht.«

»Nein, ich war es nicht. Ich war ja hier.«

»Natürlich warst du hier!«

»Warum hast du denn dann gedacht, dass ich mich um den Hof schleiche?«

»Ich weiß doch auch nicht, warum ich das zuerst gedacht habe.«

Wir führten ein völlig sinnloses Gespräch. Oder vielleicht hatte es doch einen Sinn? Nämlich den, den Schrecken und die Angst mit Sinnlosigkeit zu verscheuchen.

»Auf jeden Fall muss es jemand anderes gewesen sein!«, brachte ich die Diskussion vorerst zum Abschluss.

»Hast du eine Taschenlampe hier?«, fragte Willy.

»Du willst da wirklich nochmal raus?«

Er nickte entschlossen.

Wir suchten den ganzen Hof und die Umgebung ab. Doch wir wurden erst mit Hilfe von Fanny fündig, die uns hinter die Scheune führte. Dort stand ein geöffneter Eimer mit gelber Farbe. Ein benutzter Pinsel lag einige Meter weiter entfernt am Boden. Und schließlich entdeckten wir ein großes gelbes V. Es war an die Bretterwand der Scheune gemalt.

»Was soll das denn bedeuten?«, rätselte ich verwirrt.

»Keine Ahnung.«

»Du hast den Schmierer unterbrochen, sonst könnten wir jetzt seine Botschaft lesen«, sinnierte ich und schaute mich um, ob sonst noch irgendwo ein Buchstabe zu finden war. Aber es blieb bei dem einen V.

»Sollen wir die Polizei anrufen?«

Ich überlegte kurz und schüttelte dann den Kopf. »Was sollte das bringen?«

»Naja… irgendjemand versucht, dich fertig zu machen. Oder denkst du, dass es ein Verehrer war, der *Verliebt in Hanna* auf das Tor schreiben wollte?«

»Es wär auf jeden Fall die schönste Erklärung dafür.« Aber ich glaubte selber nicht daran.

Fanny stand ganz dicht an mich gedrängt, und ich streichelte sie automatisch. Sie hob den Kopf und sah mich mit ihren treuen Augen so unglücklich an, dass ich das Gefühl hatte, sie wolle sich dafür entschuldigen, dass sie den Übeltäter nicht gefangen hatte.

Für mich stand es außer Frage, dass derjenige, der die Fallen gelegt hatte, auch für die heutige Aktion verantwortlich war. Fanny hatte ihn bestimmt am Geruch erkannt. Und weil der Geruch für sie mit den Fallen und den Schmerzen, die sie ihr verursacht hatten, verknüpft war, hatte sie so heftig reagiert.

»Denkst du, es war Pit?«, sprach ich endlich meine Befürchtung aus.

»Ehrlich gesagt, nein. Er war ja in den letzten Tagen hier, und Fanny war völlig normal. Nein. Pit war es nicht.«

Er war sich ziemlich sicher. Und ich eigentlich auch. Pit könnte womöglich uns überlisten, aber nicht Fanny.

Plötzlich überkam mich eine große Müdigkeit. Ich wollte nur noch schlafen und nicht mehr nachdenken müssen.

Kapitel 35

»Ich hab dir doch gesagt, du sollst mir sofort Bescheid sagen, wenn wieder etwas passiert auf dem Hof!« Max war ziemlich wütend, als er erst zwei Tage später von Willy erfuhr, was passiert war.

»Glaubst du, ich klingle dich mitten in der Nacht aus dem Bett?«

»Die Tageszeit ist mir völlig egal. Das nächste Mal holst du mich, hast du verstanden?« Er packte mich am Arm und schaute mich eindringlich an.

»Aua. Geht's vielleicht noch fester?«, beschwerte ich mich.

Er ließ mich sofort los.

»Tut mir leid. Aber es ärgert mich einfach, wenn ich sowas nur durch Zufall erfahre.«

»Okay. Nächstes Mal sag ich es dir gleich.«

Ich ging in die Küche und setzte Kaffee auf. Max folgte mir. Er war immer noch verärgert.

»War das der einzige Vorfall, von dem ich nichts weiß?«

Ich verdrehte die Augen. Auf der einen Seite war ich ja froh, dass er sich um mich sorgte, aber andererseits brauchte er sich nicht gleich so aufzuspielen.

»Jetzt sag schon, ich merke doch, dass du mir was verschweigst.«

Er würde sicher keine Ruhe geben, bis ich es ihm sagte.

»Es gab noch was …«, begann ich und ahnte, dass er gleich explodieren würde.

»Aha! Ich höre?« Er verschränkte die Arme und schaute mich mit verkniffener Miene an.

Ich erzählte ihm von dem Rosenstrauß. Und dem Juckreiz. Und er explodierte – wie erwartet. Ich ließ ihn erst einmal Dampf ablassen, bis er etwas ruhiger wurde.

»Jetzt reg dich nicht so auf. Willy und ich kommen schon klar hier mit allem.«

»Ich reg mich aber auf. Wer weiß, was noch alles passieren wird!«

»Das weiß ich auch nicht. Und es macht mir auch ein bisserl Angst«, gestand ich.

Plötzlich schossen mir Tränen in die Augen. Dass mich jemand fertigmachen wollte, setzte mir wirklich zu. Ohne dass ich etwas dagegen tun konnte, begann ich zu heulen wie ein kleines Kind. Ich konnte mich überhaupt nicht mehr beruhigen.

»Hey. Schon gut … Hanna … Komm!« Max legte einen Arm um mich und führte mich hinaus in den Garten zur Hängematte. Er legte sich mit mir hinein, und ich kuschelte mich ganz fest an seine Brust.

»Ich hab doch keinem was getan«, schluchzte ich unglücklich.

»Nein. Du kannst nichts dafür … und ich werde auf dich aufpassen.«

Er streichelte sanft über meine Haare und redete leise auf mich ein. Das leichte Schaukeln der Hängematte, seine vertraute Stimme und die Kraft, die von seinem Körper ausging, beruhigten mich endlich. Langsam löste ich mich von ihm und setzte mich auf. Mit einem Schlag war es mir schrecklich peinlich, dass ich mich vor ihm so hatte gehen lassen.

»Tut mir leid«, sagte ich und wischte verlegen die Tränen aus dem Gesicht.

»Was tut dir denn leid? Dass du mein Hemd nassgeheult hast?«, fragte er und grinste.

Ich stieg aus der Hängematte.

»Nein, ich …«

»Hey, schon gut.«

»Tja, ich …« Ich wusste gar nicht, was ich jetzt sagen sollte.

»Versprich mir einfach, dass du mich das nächste Mal sofort holst, wenn hier was passiert oder wenn dir etwas seltsam vorkommt.«

»Aber du kannst ja auch nichts dagegen tun«, meinte ich, »außerdem ist es meine Sache und nicht deine«, setzte ich hinzu, weil ich jetzt nicht mehr darüber reden wollte und weil mich seine Fürsorge plötzlich fast erdrückte.

»Es ist nicht nur deine Sache, Hanna. Schließlich geht mich der Hof genauso viel an wie dich!«, sagte er in sehr energischem Ton.

Ich verschränkte die Arme vor der Brust.

»Ach? Du bist dir ja ganz schön sicher, dass du das Erbe bekommst!«

»Ziemlich.« Er grinste plötzlich.

Dieses Gespräch hatten wir schon geführt, und ich wollte es nicht schon wieder tun. Heute ließ ich mich nicht mehr von ihm provozieren, dazu fehlte mir jetzt die Kraft.

»Wir werden es am Ende ja sehen«, sagte ich einfach.

Ich ließ ihn stehen und ging hinein ins Badezimmer, um mein verheultes Gesicht wieder zur restaurieren. Schließlich würde ich bald Besuch bekommen.

Als ich in die Küche kam, war er immer noch da.

»Musst du nicht irgendwas arbeiten?«, fragte ich, während ich Geschirr aus dem Schrank holte und es auf ein Tablett stellte.

»Gleich...«

Ich öffnete eine Kuchenhaube und schnitt den saftigen Nusskuchen mit Schokoüberzug an, den ich nach Tante Luises Rezept gemacht, aber ein bisserl abgewandelt hatte.

»Sag mal, wieso hast du dich eigentlich so aufgebrezelt?«, fragte Max plötzlich.

Ach! Das fiel ihm aber früh auf! Er war seit fast einer Stunde bei mir und hatte wohl gerade erst bemerkt, dass ich heute einen Jeansrock und ein blau-weiß gestreiftes T-Shirt trug, das ich mir von Pauline ausgeliehen hatte. Darüber eine rote Bluse und eine modische lange Kette. Außerdem war ich nach der Heulattacke wieder frisch geschminkt und trug meine Haare offen.

»Ich bekomme Besuch.«

»Dieser Alex?«, blaffte Max.

Schön wär's. »Nein. Nicht dieser Alex. Und jetzt würde ich hier gerne noch alles in Ruhe vorbereiten.«

»Du wirfst mich raus?« Er schnappte sich ein Stück Kuchen und biss ab.

»Ich habe jetzt einfach nur keine Zeit mehr für dich«, sagte ich bemüht ruhig. »Und ich verspreche dir, dich zu holen, wenn hier wieder was passiert.«

Da er sich nicht von selbst in Bewegung setzte, schob ich ihn entschlossen in Richtung Tür.

»Der Kuchen ist übrigens gut«, sagte er mit vollem Mund.

»Wenn etwas übrig bleibt, bringe ich ihn dir heute Abend noch vorbei... oder morgen früh«, setzte ich hinzu, da ich nicht wusste, ob ich am Abend überhaupt da sein würde.

»Und jetzt raus mit dir!«

Endlich war Max weg, und ich wurde einigermaßen nervös. Gleich würde mein erster Kandidat kommen: der geschiedene Landwirt. Pauline war mit Willy unterwegs. Ich hatte ihn nicht lange überreden müssen, mit meiner Schwester einen Tagesausflug in die Westernstadt Pullman City im nahen Bayerischen Wald zu machen. Pauline war Feuer und Flamme gewesen. Vor allem als sie erfuhr, dass man dorthin auch Hunde mitnehmen durfte.

Ich deckte den Tisch im Garten und stellte einen Sonnenschirm auf. Doch mein Besucher verspätete sich. Dafür hatte ich Verständnis, mir passierte das ja auch ständig. Nach fast einer Stunde schlich sich jedoch langsam ein Gefühl von Ärger ein. Wenn er sich noch mehr verspätete, würde er den ganzen Zeitplan für diesen Tag durcheinander bringen. Er war schließlich nicht der einzige Mann, den ich mir heute anschauen wollte.

Der Schokoladenüberzug auf dem Kuchen war inzwischen geschmolzen. Ich nahm den Kuchenteller und ging ins Haus, um ihn noch eine Weile in den Kühlschrank zu stellen.

Wo der Mann nur blieb? Vielleicht war ihm etwas dazwischengekommen, und er hatte eine Mail geschickt? Doch mein Handy zeigte keine Nachricht an.

Nach fast zwei Stunden klingelte endlich das Telefon. In wenigen Worten erklärte er mir, dass er doch nicht kommen würde, und sagte ganz offen, dass er noch andere Frauen kontaktiert hatte. Eine dieser Frauen interessierte ihn mehr als ich.

Na wunderbar. Und das hatte er am Tag vorher noch nicht gewusst? Oder heute Vormittag? Oder vor einer Stunde? Nicht ärgern, Hanna, sagte ich mir, das gibt nur unschöne Falten. Und die konnte ich jetzt nicht auch noch gebrauchen. Ich schaute auf die Uhr. Bis der Schweinebauer kam, hatte ich noch etwas Zeit. Ich nutzte die Pause, um mit Daniela zu telefonieren.

Wir vereinbarten, dass ich morgen nach München ins Büro kommen würde, um verschiedenes zu klären und auch die endgültige Vorschlagsliste für Simon zu erstellen. Im Gegensatz zu früher war dieser Mann momentan mein geringstes Problem.

Der Schweinebauer kam zu früh, und ich beendete das Telefonat rasch. Als er aus seinem alten, hellblauen Ford Focus Kombi stieg, bekam ich fast Schnappatmung. Dass er gut aussah, hatte ich ja auf dem Foto schon gesehen. Aber in echt sah er einfach umwerfend aus, wie ein Fotomodell! Sein fein modelliertes Gesicht, das mich etwas an den jungen Patrick Swayze erinnerte, wurde von hellbraunen, leicht lockigen Haaren eingerahmt. Er war groß, vielleicht 1,85, und um seinen Körper hätten ihn die griechischen Götter beneidet. Ich korrigierte meinen ersten Eindruck. Dieser Mann war kein Fotomodell, sondern ein Modell für einen antiken Bildhauer. Dabei schien er nicht eitel zu sein. Seine Garderobe bestand aus einer einfachen Jeans, einem schlichten weißen T-Shirt und Turnschuhen.

Kurz stand er da und schaute sich um. Als er mich entdeckte, strich er sich nervös durch die Haare. Meine Hände wurden feucht. Wahrscheinlich würde ich kein Wort herausbringen, wenn er vor mir stand. Schlagartig wurde mir mein Alter bewusst und mit erschreckender Deutlichkeit auch sämtliche Problemzonen, die es an meinem Körper gab. Und das waren nicht wenige! Ich schluckte.

Er lächelte und ging auf mich zu. Besser gesagt: Er stapfte. Seine Hände hingen dabei schlapp an den Seiten herab. Seine linkischen Bewegungen entzauberten seine Schönheit innerhalb einer Sekunde. Wie konnte das nur sein?

Als er vor mir stand und mir seine Hand entgegenstreckte, war er immer noch schön, aber der Zauber des ersten Moments war verpufft. Es war, als ob man ein leckeres Stück Torte vor sich hatte und beim ersten Bissen feststellte, dass der Zucker vergessen worden war.

»Hallo Marco«, begrüßte ich ihn freundlich. »Hast du gut hergefunden?« Meine Nervosität hatte sich in Luft aufgelöst.

»Ja«, sagte er und lächelte schüchtern.

»Wie wär's mit Kaffee und Kuchen?«

»Au ja. Ich habe ganz schön Hunger.«

Damit hatte er nicht untertrieben. Er stopfte den Nusskuchen in sich hinein, als wäre er seit Wochen auf Kohlehydrat-Entzug gewesen.

Ich beobachtete ihn. Er hatte noch etwas sehr Jugendliches an sich. Dabei schien er nicht dumm zu sein, nur etwas einfach gestrickt. Ich fragte ihn ein wenig aus. Langsam taute er auf und erzählte von sich. Er kam aus einem kleinen Dorf im Bayerischen Wald, war der zweitjüngste Sohn von neun Geschwistern und hatte schon sehr früh auf dem Hof seiner Eltern mithelfen müssen.

»Sind deine Geschwister auch so hübsch wie du?«, rutschte es mir plötzlich heraus.

Er lachte und schnappte sich noch ein weiteres Stück Kuchen. Bei so vielen Geschwistern war er wahrscheinlich sein Leben lang immer zu kurz gekommen und langte deswegen so ordentlich zu.

»Vater sagt immer, ich bin der Hässlichste von allen.«

Ich verschluckte mich fast an meinem Kaffee. Der Hässlichste? Entweder war sein Vater blind, oder diese Familie war optisch wirklich ganz außergewöhnlich.

»Ein Familienfoto hast du nicht zufällig dabei?«, fragte ich neugierig.

Er lächelte mich an. »Nein. Leider nicht.«

Schade. Das hätte mich jetzt wirklich interessiert.

Nach dem Essen zeigte ich ihm meinen Hof und die Gegend. Er war sehr neugierig, und ich merkte schnell, dass er sich in der Landwirtschaft gut auskannte. Ich konnte spüren, dass er tatsächlich ernsthaft daran dachte einzuheiraten. Er schien mich zu mögen, und auch ich fand ihn sehr... naja, nett. Sicher würde ich ihn zu einer raschen Hochzeit überreden können.

Doch bei dem Gedanken, mich danach gleich wieder von Marco scheiden zu lassen, bekam ich plötzlich Gewissensbisse. Es kam mir vor, als würde ich planen ein Kind zu adoptieren, das ich kurz darauf wieder ins Heim zurückschicken wollte. Trotzdem hielt ich mir die Möglichkeit offen, falls mein nächster Kandidat, Teddybär René, mich nicht rechtzeitig ehelichen wollte. Bevor Marco sich verabschiedete, vereinbarten wir, am Wochenende mal gemeinsam auszugehen.

»Ich freu mich sehr«, sagte er und gab mir nach kurzem Zögern einen feuchten Kuss auf die Wange.

Kaum war Marco weg, fuhr auch schon René auf den Hof. Dieses Mal hatte er einen Strauß Margeriten dabei, mit denen er wieder bei mir punktete. Er war noch größer, als ich ihn in Erinnerung hatte, und bewegte sich trotz seines Gewichts alles andere als schwerfällig. Er hatte eine wesentlich selbstbewusstere Ausstrahlung als Marco.

René schien überglücklich, dass ich ihn doch noch einmal eingeladen hatte. Er war ein sehr angenehmer Mann, und wir fanden sofort tausend Dinge, über die wir reden konnten. Das heikle Thema Hochzeit umgingen wir beide vorerst geflissentlich.

Ehrlich gesagt traute ich mich nicht, ihn darauf anzusprechen. Eigentlich hatte ich vorgehabt, den Männern erst kurz vor der

Heirat reinen Wein wegen der Scheidung einzuschenken. Oder am besten erst danach. Doch bei René wollte ich nicht verschweigen, warum diese Hochzeit so schnell stattfinden musste.

Nachdem ich ihm alles erzählt hatte, schaute er mich lange an.

»Das ist sehr schade«, sagte er schließlich. »Und du willst dich auf jeden Fall gleich wieder scheiden lassen?«

Ich nickte und fühlte mich in diesem Moment ziemlich mies. Doch es wäre nicht fair gewesen, ihm etwas vorzuspielen. Er war mir total sympathisch, aber meine große Liebe würde er niemals werden. Und verheiratet bleiben wollte ich nur mit dem Mann, den ich wirklich liebte.

»Dann tut es mir leid, Hanna. Ich würde dir gerne helfen, dein Erbe zu bekommen, aber wenn ich heirate, dann soll es fürs Leben sein. Ich möchte nur einmal im Leben heiraten und mit meiner Frau eine Familie gründen.« Er schaute mich bedauernd an.

»Das verstehe ich natürlich.«

»Aber es war schön, dich kennengelernt zu haben.« Er stand auf und verabschiedete sich. Ich schaute ihm nach, wie er aufrecht zu seinem Wagen ging und wegfuhr.

Somit blieb als Heiratskandidat doch nur noch der Schweinebauer Marco.

kapitel 36

»Und du hast dich wirklich entschieden?«, fragte Daniela aufgeregt.

»Ja. Es bleibt mir nichts anderes übrig. Marco weiß es zwar noch nicht, aber wenn ich am Wochenende mit ihm ausgehe, dann will ich ihm einen Heiratsantrag machen.«

Ich kam mir selber etwas seltsam vor, als ich das sagte, und Daniela kicherte.

»Und wie schaut er eigentlich aus?«, wollte sie wissen.

»Ich zeig ihn dir.« Ich rief am Rechner seine E-Mail auf und zeigte ihr das Foto, das er mir geschickt hatte.

»Ddd…das ist der Schweinebauer?«, fragte Daniela baff. »Wow. Der ist ja der absolute Wahnsinn!«

Ich lächelte. Es ging ihr genau wie mir, als ich sein Foto zum ersten Mal gesehen hatte.

»Und der will dich wirklich heiraten?«, rutschte ihr heraus.

Ich lachte. »Ich glaube schon.« Eigentlich war ich mir sogar ziemlich sicher.

»Wahnsinn!« Sie kriegte sich kaum wieder ein.

Ich versuchte gar nicht erst, ihr zu erklären, dass er in Wirklichkeit eine völlig andere Wirkung hatte. Sie würde es mir nicht glauben. Und vielleicht war das ja auch nur bei mir der Fall.

»Nach der Hochzeit kann ich den Kredit für das Segelboot aufnehmen.«

»Puh!«, sagte sie erleichtert. »Bin ich froh, dass ich nicht anrufen muss.«

»Wann ist die Rechnung fällig?«

»Eigentlich schon in den nächsten Tagen. Aber ich habe ein Zahlungsziel bis zwei Tage vor Ankunft im Hamburger Hafen ausgehandelt.«

Ich schaute sie kopfschüttelnd an. »Wie machst du das nur immer?«

Sie zuckte mit den Schultern. »Keine Ahnung. Aber es funktioniert!« Sie grinste. »Sobald wir das Schiff haben, werde ich mich diskret nach einem Käufer umsehen. Womöglich werden wir beim Verkauf aber etwas Verlust machen.«

»Das muss ich in Kauf nehmen. Aber jetzt warten wir mal ab. Ich bin mir sicher, du wirst jemanden finden, der gut dafür bezahlt.« Die Perspektive, Marco zu heiraten und das Erbe anzutreten, milderte den finanziellen Druck, der auf mir lastete, merklich. Mein Magen entspannte sich etwas.

»Ist die Liste für Simon jetzt fertig?«, fragte ich.

»Ja. Aber er will sich nächste Woche nochmal mit mir treffen und alles persönlich besprechen.«

»Der macht es aber kompliziert.«

»Ja. Und er versucht, mich anzubaggern«, gestand sie.

»Was? Dieser Mann ist echt zum … Naja, ich sag besser nichts dazu.«

In diesem Moment war ich zum ersten Mal wirklich glücklich darüber, dass Simon mich damals verlassen hatte.

»An mir beißt er sich sowieso die Zähne aus. Ich steh nicht so auf blondierte Männer«, sagte sie, und wir lachten.

Dann fiel mir ein, dass ich dringend noch etwas zu erledigen hatte.

»Ich versuche mal, Frank Cornelius zu erreichen.«

Ich nahm das Handy und wählte seine Nummer. Es klingelte zweimal, dann nahm er ab, sagte jedoch nichts.

»Hallo. Hier ist Bea... Hallo?«

Gleich darauf wurde aufgelegt. Ein ungutes Gefühl beschlich mich. Entweder hatte er nicht reden können, oder es war jemand anderes rangegangen. Was sollte ich jetzt machen? Nochmal anrufen? Oder besser abwarten, bis er sich selber meldete? Ich entschied mich, nicht noch einmal anzurufen, und musste auch nicht lange warten. Ein paar Minuten später klingelte das Handy.

»Hallo?«, meldete ich mich sicherheitshalber ganz unverbindlich.

»Bea? Haben Sie vorhin schon mal angerufen?«, fragte ein nervös klingender Frank Cornelius.

»Ja.« Seine Frage bedeutete, dass er vorhin nicht selbst am Apparat gewesen war.

»Hmm... Dann ist Bettina drangegangen. Haben Sie irgendwas gesagt?«

»Nein. Nur ›Hallo‹ und ›Hier ist Bea‹, dann wurde auch schon aufgelegt.«

»Okay... Wir müssen uns dringend unterhalten. Am besten heute.«

»Heute ist gut. Vielleicht in einer Stunde in der Himbeere?«

»Gut. Bis dann.«

Ich legte auf. Der Tonfall seiner Stimme hatte mir überhaupt nicht gefallen. Hoffentlich verlor ich diesen Auftrag nicht.

Hastig nutzten wir die Zeit bis zum Treffen, um noch zwei weitere Geschenkvorschläge aus dem Hut zu zaubern: eine kleine Karibikinsel samt Bungalow, die allerdings das Budget ein wenig überstieg, und eine weitgehend gut erhaltene Burg in Südtirol. Beides war nicht sonderlich originell, aber vielleicht hatten wir Glück und trafen seinen Geschmack.

»Die Vorschläge sind in Ordnung, aber noch immer nicht das, was ich mir vorstelle.« Seine Stimme klar vorwurfsvoll, und ich konnte es ihm nicht verdenken. Jetzt musste ich alles auf eine Karte setzen.

»Ich habe noch eine Idee im Kopf. Aber ich muss mir dafür erst nochmal ein genaueres Bild von Ihrer Frau machen. Ich muss sie sehen.«

»Welche Idee?«, fragte er nach.

Tja. Welche Idee? Wenn ich das nur wüsste. Aber ich musste ihm jetzt glaubhaft machen, dass ich einer Sache auf der Spur war. Nur so konnte ich noch Zeit herausschinden. Eine innere Stimme sagte mir, dass ich sie kennenlernen musste, um herauszufinden, womit ihr Mann ihr wirklich eine Freude machen konnte. Diese Ahnung gab mir eine gewisse Sicherheit. Außerdem hatte ich als Bea noch nie versagt. Und würde es auch in diesem Fall nicht tun. Ich setzte mich noch etwas gerader hin.

»Das kann ich noch nicht sagen. Aber ich verspreche Ihnen, dass ich alles tun werde, damit Ihre Frau das Geburtstagsgeschenk nie vergessen wird.«

Er schaute mich durch die Sonnenbrille eine Weile an. Ich hielt seinem Blick stand. Dann nickte er.

»Am besten gehen Sie ins Fitness-Studio. Dort ist sie regelmäßig zweimal in der Woche. Am Montagnachmittag und am Donnerstagabend. Da fallen Sie am wenigsten auf.«

»Gut.« Ich stand auf. »Dann werde ich am Montag dort sein. Und machen Sie sich keine Gedanken. Sie weiß nicht, wer ich bin, und wird es auch nie erfahren.«

Kapitel 37

Ich war früh aufgestanden, um einen längst fälligen gründlichen Hausputz zu machen. Pauline half mir widerwillig dabei. Um für die nötige Motivation zu sorgen, legte ich laute Musik auf. Den Staubwedel zu den Klängen von Gossip oder den Ärzten zu schwingen machte beinahe Spaß.

Ich dachte über den kommenden Abend nach. Marco und ich würden in Passau ausgehen. Er schien sich wirklich sehr darauf zu freuen. Seit unserer Begegnung hatte er täglich E-Mails geschickt und mir kleine Geschichten von seinen Schweinen, Eltern und Geschwistern – in genau dieser Reihenfolge – erzählt. Während ich seine E-Mails las, stellte ich überrascht fest, dass er sich schriftlich viel besser ausdrücken konnte als mündlich. Es war sogar richtig unterhaltsam, seine Nachrichten zu lesen.

Am Nachmittag blitzte und blinkte das Haus, und ich war zufrieden. Ein aufwändiger Hausputz kostete mich zwar zuerst immer große Überwindung, aber nach getaner Arbeit fühlte ich mich wunderbar.

Danach lag ich gemütlich in der Badewanne und dachte über die Hochzeit selbst nach. Zum ersten Mal. Es würde eine einfache Zeremonie auf dem Standesamt sein. Hinterher könnten wir in Passau essen gehen und dann… Dann stand die Hochzeitsnacht an. Besser, ich dachte darüber jetzt nicht nach. Himmel! Es war alles so verzwickt. Sollte ich es Marco vorher doch noch sagen oder gleich nach der Trauung? Oder ein paar Wochen warten und dann einen Streit provozieren, der zu einer Trennung führte? Irgendwie gefiel mir keine dieser Varianten.

Vielleicht würde ich heute Abend eine Antwort finden, nachdem er meinen Heiratsantrag angenommen hatte. Ich zweifelte nicht daran, dass er ihn annehmen würde. Mir war klar, dass ich nicht seine große Liebe war. Aber ich hatte den Eindruck, dass er unbedingt raus wollte aus seinem Elternhaus, um auf eigenen Beinen zu stehen. Ich servierte ihm quasi einen Top-Bauernhof auf dem Silbertablett. Womöglich sah er sogar eine Chance, hier in Zukunft ebenfalls seine geliebten Ferkel großzuziehen. Das war zumindest meine Theorie. Ob sie stimmte, würde ich heute Abend herausfinden.

Was würde ich auf der Hochzeit überhaupt tragen? Ein richtiges Hochzeitskleid wäre wohl eher eine Farce. Hm… Trotz allem wollte ich eine schöne Braut sein, wenn ich schon mal heiratete. Plötzlich kam mir ein Gedanke.

Ich stieg aus der Wanne, trocknete mich ab, wickelte ein Handtuch um meine nassen Haare und schlüpfte in einen Bademantel.

Kurz darauf war ich auf dem Dachboden und öffnete den uralten Kleiderschrank, der im hintersten Eck des riesigen Raumes stand. Darin hatten Tante Luise und ich nach dem Tod von Oma einige besondere Kleidungsstücke verstaut.

Geschützt in durchsichtigen Plastikhüllen hingen hier außerdem einige alte Anzüge meines Großvaters und vermutlich sogar meines Urgroßvaters und einige weitere auf altmodische Art sehr schöne Gewänder. Und – trara – die Hochzeitskleider der Gruber-Frauen! Sorgsam holte ich die Kleider samt ihren Hüllen heraus und nahm sie mit nach unten in mein Zimmer.

»Was hast du denn da?«, fragte Pauline neugierig und schleckte an einem Schokoladeneis. »Sind das Brautkleider?«

Ich nickte lächelnd. »Ja!«

»Coool.«

»Fass bitte nichts an mit deinen Schokoladenhänden!«

»Ich bin doch kein Kindergartenkind mehr«, maulte Pauline.

Ich holte meine schönste weiße Spitzenunterwäsche aus der Wäscheschublade und zog sie an. Wenn ich schon in diese Kleider schlüpfte, dann musste auch das Darunter stimmen.

Dann befreite ich das erste Kleid aus der Hülle. Ich kannte es von Fotos. Es war das Hochzeitskleid meiner Mutter. Vorsichtig schlüpfte ich hinein. Es war ein richtiges Prinzessinnenkleid aus Satin mit viel Schnickschnack und Rüschen. Der Duft eines blumigen Parfüms setzte sich nur schwach gegen den modrigen Geruch durch, den das Kleid im Laufe der Jahre auf dem Dachboden angenommen hatte.

»Machst du mal zu?«, bat ich Pauline, die inzwischen mit ihrem Eis fertig war. Sie wischte sich die Finger an ihrer Jeans ab und zog den Reißverschluss an meinem Rücken hoch. Es passte. Und zwar wie angegossen – es war mir sogar ein kleines bisserl zu weit. Ich konnte es kaum fassen. Denn seit ich mich erinnern konnte – und das war immerhin schon eine ganze Weile –, war meine Mutter immer sehr schlank gewesen. Sie trieb regelmäßig Sport und achtete akribisch auf ihr Gewicht.

Irgendwie freute es mich, dass sie auch einmal meine Figur gehabt hatte. Denn oft genug hatte ich mir wenig schmeichelhafte Bemerkungen zu meinen überflüssigen Pfunden von ihr anhören müssen.

»Willst du das zur Hochzeit anziehen?«, fragte Pauline mit leichtem Entsetzen in der Stimme. »Das ist ja grääässlich …«

Ich schmunzelte. Für den heutigen Geschmack war es das wohl. Ich schaute in den Spiegel. Es war ein seltsamer Anblick, mich mit einem Handtuch um den Kopf gewickelt in einem Hochzeitskleid zu sehen. In dem Kleid meiner Mutter.

Plötzlich war mir mein Vater ganz nah. Er hatte dieses Kleid damals berührt, als er meine Mutter zum Traualtar geführt hatte, als er sie umarmt, als er mit ihr getanzt hatte. Und vielleicht hatte er es meiner Mutter in der Hochzeitsnacht auch eigenhändig ausgezogen. Vorsichtig strich ich über den glatten Satinstoff. Es war das Kleid der Liebe meiner Eltern. Und das sollte es auch bleiben.

»Bitte mach es wieder auf«, sagte ich heiser und mit brennenden Augen.

»Gott sei Dank, ich dachte schon, du willst es wirklich anziehen.«

Ich schlüpfte aus dem Kleid und verpackte es wieder sorgsam. Ich schaffte es plötzlich nicht mehr, auch in das Brautkleid meiner Oma zu schlüpfen, und brachte beide wieder zurück auf den Dachboden.

Vor lauter Hochzeitskleidern hatte ich völlig die Zeit vergessen. Ich schaute auf die Uhr und erschrak. In einer halben Stunde würde Marco kommen, und ich rannte immer noch im Bademantel und mit feuchten Haaren herum.

Rasch flitzte ich ins Bad und föhnte meine Haare. Sie waren noch nicht mal zur Hälfte trocken, da klopfte Pauline an der Tür. Ich schaltete den Föhn ab.

»Ja?«

»Da ist jemand für dich!«

»Marco?«

»Wenn Marco der schönste Mann ist, den ich außer Robert Pattinson je gesehen habe, dann ja.«

Er war schon wieder zu früh gekommen. Ob das ein generelles Problem von ihm war? Ich kicherte.

»Ja. Das kann nur er sein. Biete ihm was zu trinken an, ich beeil mich«, rief ich durch die Tür.

»Musst du nicht!«, rief sie zurück.

Lächelnd schüttelte ich den Kopf und föhnte mich rasch fertig. Ich schminkte mich nur sehr wenig. Irgendwie hatte ich das Gefühl, dass Marco das gar nicht so wichtig war.

Dann flitzte ich ins Schlafzimmer und riss die Schranktür auf. Was zog man denn heutzutage zu einer Verabredung mit einem fünfundzwanzigjähren Mann an, dem man einen Heiratsantrag machen wollte? Ich griff nach dem roten Kleid. Beim letzten Mal hatte es mir zwar wenig Glück gebracht, aber das konnte es ja heute wieder gutmachen. Inzwischen war ich ziemlich aufgeregt.

Als ich in die Stube kam, war Pauline allein. Sie stand am Fenster und schaute hinaus.

»Wo ist denn Marco?«, fragte ich verwundert.

»Draußen. Er redet mit Max.« Sie wandte den Blick nicht von ihm ab.

Ich stürzte sofort ans Fenster. Tatsächlich. Die beiden standen neben Marcos Wagen und unterhielten sich. Ein ungutes Gefühl machte sich in meinem Magen breit. Ich musste hinaus. Sofort. Doch bevor ich mich umdrehte, sah ich, wie Max dem schönen jungen Mann freundschaftlich auf die Schulter klopfte. Gleich darauf stieg Marco in den Wagen. Er würde doch nicht wegfahren?

Rasch eilte ich hinaus. Doch ich konnte nur noch kurz das Heck sehen, dann bog der Wagen ab und war verschwunden.

»Marco!«, rief ich laut hinterher, obwohl es völlig sinnlos war.

»Servus, Hanna!«, rief Max winkend und schlenderte auf mich zu.

»Wo fährt Marco denn hin?«, fragte ich.

»Zurück nach Hause.«

»Wie bitte?«

»Ich sagte, zurück nach …!«

»Das hab ich schon verstanden«, unterbrach ich ihn scharf. »Aber warum fährt er nach Hause?«

»Weil ich es ihm gesagt habe.«

Wütend packte ich ihn am Arm. »Was genau hast du ihm gesagt?«, fragte ich drohend, und meine Augen waren nur noch schmale Schlitze.

»Wenn ich es dir sage, wirst du dich wahrscheinlich mächtig aufregen!«

»Ich werde mich so oder so mächtig aufregen. Also sprich!«

Max trat einen Schritt zurück, so als ob er einen Sicherheitsabstand zwischen uns bringen wollte.

»Naja… ich habe ihm erzählt, dass der Hof ziemlich verschuldet ist, und ihn gefragt, ob er genug Kapital hat, um ihn vor der Zwangsversteigerung zu retten.«

Es verschlug mir komplett die Sprache. Und das kam nicht oft vor. Ich versuchte zu verstehen, was es bedeutete, dass der einzige noch in Frage kommende Heiratskandidat weg war. Es gab nur ein Wort dafür: Katastrophe!

Damit hatte Max mir finanziell das Genick gebrochen. Ich spürte, wie jegliche Farbe aus meinem Gesicht wich und meine Beine zitterten. Dann wurde es dunkel um mich herum.

Langsam kam ich wieder zu mir. Ich lag mit hochgelagerten Füßen auf dem Sofa im Wohnzimmer und spürte einen kühlen

Waschlappen auf meiner Stirn. Als ich die Augen öffnete, sahen mich Max und Pauline sorgenvoll an.

»Hanna!... Gott sei Dank!«, sagte der Mensch, der eben mein Leben zerstört hatte.

»Verschwinde!« Ich sagte es leise, aber in einem Ton, der ihn zurückweichen ließ.

»Bitte hör mir zu, ich muss dir etwas Wichtiges sagen«, bat er, und ich merkte ihm an, dass er tatsächlich ein schlechtes Gewissen hatte.

»Geh!«

»Ich will dir aber ...«

Ich setzte mich auf, und dabei rutschte der Waschlappen herunter. Immerhin hatte der Ärger meinen Kreislauf wieder in Schwung gebracht.

»Geh! Ich will dich nie, nie wieder sehen!«

»Ich sehe, es geht dir wieder besser. Ich komme dann morgen vorbei und ...«

»Raus!«, schrie ich, und er erkannte, dass es für ihn wirklich am besten war jetzt zu gehen.

Kapitel 38

Nachdem Max verschwunden war, wollte Pauline unbedingt wissen, was los war. Zuerst versuchte ich sie abzuwimmeln, schließlich musste ich meine kleine Schwester nicht mit meinen Problemen belasten.

»Schon gut, Pauline«, sagte ich mit bemüht fester Stimme.

»Quatsch mit Soße. Nix ist gut. Sag mir jetzt sofort, was los ist!«

»Hör mal, du bist noch viel zu jung…«

»Ooooh meiin Goooottt. Ihr Erwachsenen… echt ey. Glaubt ihr denn wirklich, wir könnten uns zu reifen Menschen entwickeln, wenn ihr uns ständig von allem, was blöd ist, verschont? Ich will nicht in Watte gepackt werden. Und schon gar nicht, wenn ich sehe, dass es dir schlecht geht. Konflikte und Probleme gehören zu unserer Entwicklung dazu!«

Ich war baff, solche Worte aus dem Mund einer Dreizehnjährigen zu hören.

Und womöglich hatte sie recht. Natürlich mussten Kinder nicht alles wissen, aber trotzdem sollte man ihnen nicht vorspielen, dass alles in Ordnung war, wenn das nicht stimmte. Das spürten sie. Womöglich verunsicherte man sie dadurch und schadete ihnen viel mehr, als man es mit der Wahrheit tun würde.

»Na gut…«, sagte ich und erzählte ihr die ganze Geschichte.

Pauline hörte aufmerksam zu. Als ich fertig war, holte sie einen karierten Block und einen Stift.

»Okay. Das ist blöd gelaufen. Jetzt machen wir eine Liste.«

»Eine Liste?«

»Ja. Es gibt immer irgendeine andere Lösung.«

»Du hast recht«, stimmte ich ihr zu, »es gibt immer eine andere Lösung.«

Es war unglaublich. Meine kleine Schwester hatte mich soeben aus einer tiefen Verzweiflung gezogen. Vielleicht sollte sie später einmal Psychologin werden? Sie schien sich gut in andere Menschen hineinversetzen zu können.

Eine halbe Stunde später hatten wir tatsächlich eine Lösung parat.

Ich trug immer noch das rote Kleid, als ich in den Wagen stieg. Inzwischen war es schon dunkel geworden. Fanny rannte mir hinterher und wollte unbedingt mit. Und das, obwohl Pauline nicht mitfahren würde. Ich fühlte mich geschmeichelt, dass sie mich heute Pauline vorgezogen hätte.

»Nein, Fanny, du bleibst hier«, sagte ich trotzdem. »Los, geh zu Pauline.«

Doch Fanny gehorchte nicht. Na gut. Vielleicht war es ja nicht verkehrt, sie mitzunehmen. Ich ließ sie in den Wagen springen und fuhr los. Im Rückspiegel sah ich meine Schwester, die unter der Hoflampe stand und beide Daumen nach oben hielt. Neben ihr Willy, den ich gebeten hatte, auf sie aufzupassen.

Als ich auf dem Parkplatz beim Brunnenwirt ankam, sah ich, dass im Biergarten noch ziemlich viel Betrieb war. Kein Wunder, es war eine laue Frühsommernacht.

»Du wartest jetzt besser im Wagen«, sagte ich zu meiner Begleiterin, und Fanny machte es sich auf dem Rücksitz bequem.

In der Gaststube selbst waren keine Gäste. Stefan stand an der Theke und ließ routiniert Bier aus dem Zapfhahn in die Gläser laufen.

»Servus, Stefan«, grüßte ich ihn.

»Hanna!« Er lächelte erfreut.

»Hast du Zeit? Ich würde gerne mit dir reden.«

»Das ist jetzt grad nicht so günstig. Draußen ist die Hölle los, und ich hab nur eine Bedienung heute«, sagte er, während er mit wenigen Handgriffen eine Weinflasche entkorkte.

»Es ist aber wirklich sehr wichtig. Und es dauert auch nicht lange.«

Stefan überlegte kurz. Dann stellte er die Getränke auf ein Tablett, platzierte sie für die Bedienung auf die Theke und wischte sich an einem Tuch die Hände trocken.

»Na gut. Aber wirklich nur ein paar Minuten.«

Wir setzten uns an einen kleinen Tisch in der Ecke des Gastzimmers. Ich redete gar nicht lange um den heißen Brei herum.

»Du weißt, dass ich heiraten muss, damit ich das Erbe bekomme.«

Er nickte. »Klar.«

Eigentlich hatte ich ihn ja als Kandidaten aus dem Rennen genommen, weil er mir den Namen von Alex verschwiegen hatte. Aber jetzt war er wirklich meine letzte Hoffnung geworden, und Pauline hatte nicht locker gelassen.

»Ich mache dir einen Vorschlag: Wir beide heiraten und lassen uns nach kurzer Zeit wieder scheiden. Du bekommst 50 000 Euro dafür, und jeder kann danach wieder seiner Wege gehen.«

Ich fand, das war ein fairer Vorschlag. Sicherlich musste er viele Halbe Bier ausschenken und Sülzen und Wurstsalate machen, damit ihm am Ende so viel Geld übrig blieb.

Er schien ein bisschen überrumpelt zu sein. Er wischte sich mit einem Taschentuch über die schwitzende Stirn. Plötzlich lächelte er.

»Na gut. Einverstanden.«

Einverstanden? Puh… Ich hatte nicht gedacht, dass es so einfach gehen würde, und machte innerlich einen Luftsprung – so hoch, dass ich mir den Kopf an der Decke angestoßen hätte – wenn ich tatsächlich gesprungen wäre.

»Aber ich habe eine Bedingung«, fügte er plötzlich noch dazu, und ich blieb auf halbem Weg in der Luft hängen.

»Äh, ja?«

»Wir werden ein halbes Jahr warten, bis wir die Scheidung einreichen.«

Ich plumpste zu Boden. Was? Also, das hatten Pauline und ich uns aber so nicht ausgedacht.

»Ach komm, Stefan. Bis die Scheidung durch ist, dauert es ohnehin eine Weile«, versuchte ich ihn von dieser Idee abzubringen.

»Entweder ein halbes Jahr Ehe oder wir lassen es bleiben«, sagte er bestimmt und stand auf. »Du kannst es dir überlegen.«

Doch da gab es nicht viel zu überlegen. Es blieb mir nichts anderes übrig, als seine Bedingungen zu akzeptieren.

»Na gut«, sagte ich. Er lächelte plötzlich breit und hielt mir seine Hand entgegen. Ich schlug ein. Obwohl mir das halbe Jahr etwas zu schaffen machte, atmete ich erleichtert auf. Ich hatte es doch noch geschafft, einen Mann zum Heiraten zu finden. Max würde platzen, dachte ich zufrieden und sah sein wütendes Gesicht schon vor mir.

»Du musst mir aber versprechen, dass du es dir von Max nicht ausreden lässt«, stellte auch ich jetzt noch eine Bedingung.

»Von Max? Auf keinen Fall! Komm, darauf trinken wir einen Schnaps!«, sagte mein Zukünftiger.

Den konnte ich jetzt tatsächlich gut gebrauchen.

Als ich wieder zum Wagen ging, waren aus dem einen Himbeergeist insgesamt drei geworden. Autofahren wollte ich jetzt nicht mehr, auch wenn der Weg noch so kurz war. Ich würde mit Fanny zu Fuß nach Hause gehen und den Wagen morgen abholen.

Ich öffnete die Autotür. Noch bevor ich sie an die Leine nehmen konnte, sprang Fanny heraus und rannte bellend auf einen der Tische im Biergarten zu.

»Fanny! Platz!«, rief ich energisch hinterher, aber der Hund war nicht zu bremsen. Einige Leute schrien erschrocken, andere sprangen ängstlich auf, und eine Mutter hob rasch ihre kleine Tochter auf den Arm. Ich hetzte hinter meinem Hund her.

Fanny stand jetzt vor einem Tisch und bellte böse die Gäste an.

»Kannst du nicht auf deinen Köter aufpassen?«, rief eine der Frauen am Tisch. Bevor ich sie sah, hatte ich sie auch schon an ihrer Stimme erkannt: Verena.

Ich hielt Fanny am Halsband fest und hängte sie an die Hundeleine.

»Aus jetzt!«, rief ich energisch, und endlich hörte sie auf zu bellen. Dafür knurrte sie leise.

»Es tut mir leid, das hat sie noch nie gemacht«, entschuldigte ich mich. Es war mir total peinlich, wie der Hund sich gerade aufführte.

»Man sollte die Polizei rufen«, beschwerte sich die Mutter, die immer noch ängstlich ihre kleine Tochter an sich drückte.

»Alle möglichen Deppen müssen Hunde haben und sind zu blöd, damit umzugehen«, keifte ein älterer Mann.

Ich war inzwischen knallrot im Gesicht geworden. Am besten sollte ich jetzt schleunigst verschwinden. Und mit Fanny würde ich daheim ein ernstes Wörtchen reden müssen. Ich kam mir vor wie eine Mutter, die auf dem Spielplatz miterleben musste, wie ihr geliebter Sprössling einem anderen Kind mit Absicht eine Sandschaufel über den Kopf zog.

»Hanna. Komm, ich begleite dich zum Wagen«, sagte mein Verlobter, der plötzlich neben mir stand, ruhig. Und zu seiner Bedienung rief er. »Gabi, bring mal eine Runde Obstler für unsere Gäste auf den Schrecken. Und den Kindern ein Eis.«

Dann hakte er mich unter und ging mit mir und meinem missratenen Ungetüm zum Parkplatz.

»Es tut mir schrecklich leid, Stefan, norlman … normalerweise mache ich sowas nie.« Die Wirkung des Schnapses hatte inzwischen ihren Höhepunkt erreicht.

»Ich hab dich auch noch nie bellen gehört, Hanna«, Stefan grinste und zeigte dabei sein Grübchen.

»Bellen? Nein, ich mein doch …« Oh Gott. Ich strich mir fahrig durch die Haare. Dieser Teufelsschnaps hatte es in sich.

»Ich glaube, es ist keine gute Idee, wenn du noch fährst«, sagte er fürsorglich.

»Ich wollte sowoso zu Fuß gehen.« Buchstaben konnten nach Alkoholkonsum mitunter sehr zickig sein.

Plötzlich packte er mich und zog mich an sich. Und bevor ich überhaupt wusste, wie mir geschah, gab er mir einen Kuss.

Tags darauf trafen Stefan und ich uns noch einmal, um ein wenig ausführlicher über die geplante Hochzeit zu sprechen. Ich hatte noch zehn Tage Zeit, bis ich offiziell unter der Haube sein musste. Da ich am Montag nach München fahren würde, um Bettina Cornelius im Fitness-Center zu beobachten, vereinbarten Stefan und ich, am Tag darauf gemeinsam in die Gemeindeverwaltung zu gehen, um dort den Termin für die Hochzeit zu vereinbaren.

Als wir uns verabschiedeten, versuchte er schon wieder, mich zu küssen. Diesmal wich ich ihm geschickt aus. Da ich ihn nicht verärgern wollte, bevor der Standesbeamte alles besiegelt hatte, verschwieg ich ihm vorerst, dass es nach der Hochzeit keine weiteren Küsse und schon gar keine Hochzeitsnacht geben würde. Notfalls müsste ich in der nächsten Zeit ein Pflaster über meine Oberlippe kleben und Herpes vortäuschen. Ich fand das weder berechnend noch boshaft. Schließlich wusste Stefan ganz genau, dass ich diese Ehe nur einging, um an das Erbe zu kommen. Und er bekam dafür auch noch eine ganze Menge Geld. Wenn man es genau überlegte, war eigentlich er derjenige, der die Situation jetzt ein bisserl ausnutzen wollte. Da durfte ich mir auch so ein kleines Pflasterchen aufkleben.

Der Sonntag war auch der Tag des Abschieds von Pauline. Die Ferien waren vorüber, und Mutter und Dieter holten sie auf der Rückfahrt aus Südfrankreich ab.

Da ich keine Lust auf eine Diskussion mit Mama hatte, versuchte ich, keine Sekunde mit ihr alleine zu sein. Doch sie waren ohnehin schon sehr in Eile, wieder zurück nach München zu kommen.

Kaum waren sie abgefahren, kam Max auf den Hof geradelt. Eigentlich hatte ich ihm ja gesagt, dass ich ihn nie wieder sehen wollte. Aber es war zu verlockend, ihm unter die Nase zu reiben, dass ich Stefan heiraten würde.

»Servus, Hanna!«, begrüßte er mich freundlich, als ob nichts gewesen wäre.

»Hallo, Max!«, grüßte ich zuckersüß zurück und lächelte breit. Das schien ihn etwas zu verunsichern. Wahrscheinlich hatte er erwartet, dass ich ihn mit der Mistgabel vom Hof jagen würde.

»Du, es tut mir wirklich total leid wegen gestern ... Geht es dir wieder besser?«, fragte er scheinheilig.

Von wegen, es tat ihm total leid! Das glaubte er doch selber nicht!

»Nicht nur besser, sondern hervorragend«, flötete ich.

»Hör mal, ich möchte, dass du verstehst ...«

»Du brauchst mir überhaupt nichts zu erklären, Max. Ich verstehe dich bestens.«

»Dieser junge Hüpfer wäre doch überhaupt nichts für dich gewesen ...«

»Da hast du recht. Stefan ist ein viel besserer Ehemann für mich.«

Ich registrierte zufrieden, wie ihm bei diesen Worten die Kinnlade herunterklappte.

»Stefan?«

»Ja. Wir haben schon alles abgesprochen und werden am nächsten Freitag heiraten. Ich hätte dich ja gerne gefragt, ob du mein Trauzeuge sein magst, aber vermutlich liegt dir das nicht so, oder?«

Er sah aus wie ein begossener Pudel. Ach, es tat gut, ihn so zu sehen!

»Du wirst Stefan nicht heiraten!«, sagte er plötzlich bestimmt.

Aber das brachte mich nicht aus der Ruhe. Er mochte einen naiven, jungen Mann wie Marco verjagen können, aber Stefan war ein gestandenes Mannsbild und ließ sich von Max nicht sagen, was er zu tun und zu lassen hatte.

»Oh doch, das werde ich«, flötete ich vergnügt. »So, und jetzt ist es Zeit für mein Beautyprogramm. Ich will ja schließlich gut aussehen in meinem Brautkleid.«

Ohne mich noch einmal umzudrehen ging ich ins Haus. Und um jeglichen Eventualitäten vorzubeugen, versperrte ich sorgfältig die Tür.

kapitel 39

Mit einer kleinen Sporttasche in der Hand betrat ich am nächsten Tag das exklusive Fitness-Studio in der Münchner Innenstadt. Da man hier nur als VIP oder auf besondere Empfehlung reinkam, hatte Cornelius' Sekretärin mich unter dem Namen Britt Lambert angemeldet. Beim Bezahlen der Tageskarte musste ich schlucken. Der Betrag war so hoch, dass eine fünfköpfige Familie locker eine Woche lang davon hätte leben können. Cornelius hatte die Kosten leider nicht übernommen. Hoffentlich würde das Finanzamt diesen Betrag als Geschäftsausgabe anerkennen.

Ich schaute auf meine Armbanduhr. Kurz vor vierzehn Uhr. Sie müsste eigentlich schon hier sein.

Auf dem Weg zum Umkleideraum sah ich mich neugierig um. Nicht wenige Frauen hatten mehr Make-up aufgelegt als ich zur Hochzeit von Natascha und Benjamin, und alle trainierten in sichtlich teuren Sportklamotten. Ich schämte mich fast ein wenig für meine einfache graue Jogginghose und das schwarze T-Shirt.

Als ich meine Turnschuhe anzog, öffnete sich die Tür und Bettina Cornelius kam herein, gefolgt von einer etwas jünger aussehenden Frau. Ihre Freundin, wie ich gleich erfahren sollte. Ich tat völlig unbeteiligt, band meine Schnürsenkel und machte mir einen festen Pferdeschwanz.

»Denkst du wirklich, das Training ist schon etwas für dich?«, fragte die Freundin, anscheinend nicht zum ersten Mal an diesem Tag. Sicher spielte sie damit auf die Viruserkrankung in Südamerika an.

»Ja, Petra!«, kam es etwas genervt von Bettina. »Wie oft denn noch? Es geht mir wieder gut! Ich muss mich endlich mal wieder auspowern.«

Ich ließ mir Zeit, meine Straßenkleider in den Spind zu räumen. Als die beiden Frauen umgezogen waren, folgte ich ihnen unauffällig nach draußen.

Zuerst ging es auf die Crosstrainer. Ich ergatterte ein Gerät in ihrer Nähe und konnte unauffällig ihrer Unterhaltung zuhören. Um nicht als Anfängerin aufzufallen, begann ich sofort, fest zu trainieren.

Zunächst war die Unterhaltung nicht sonderlich hilfreich für mich. Petra beschwerte sich über ihre boshafte Schwiegermutter, die ihr ständig vorwarf, sich nicht genug um den Haushalt zu kümmern.

Bettina lachte. »Hast du ihr immer noch nicht gesagt, dass du schon längst eine Haushälterin beschäftigt hast?«, fragte sie grinsend.

Die Freundin schüttelte den Kopf. »Um Himmels willen, nein! Dann müsste ich mir ja auch noch anhören, wie ich das schwer verdiente Geld ihres Sohnes aus dem Fenster schmeiße …«

Probleme mit Schwiegermüttern kannte ich bisher nur vom Hörensagen. Das Singledasein hatte durchaus auch seine Vorteile, wenn man es von allen Seiten betrachtete.

Während sich die beiden unterhielten, stellte ich überrascht fest, dass sie nicht aus der Puste kamen. Im Gegensatz zu mir. Ich bekam schon nach wenigen Minuten kaum noch Luft. Das Display des Crosstrainers meldete, dass mein Puls bereits auf über 140 Schläge angestiegen war, und ich spürte, wie rot mein Kopf von der ungewohnten Anstrengung geworden war. Ich musste künftig definitiv mehr für meine Kondition tun. Die Spaziergänge mit Fanny reichten offensichtlich nicht aus.

Ich verlangsamte mein Tempo, damit ich noch einige Minuten durchhielt. Dabei beobachtete und belauschte ich die beiden Frauen weiter. Ihre Unterhaltung drehte sich nur um Belanglosigkeiten. Es gab nichts, das mir half, Bettina Cornelius besser einzuschätzen. Doch dann machte sie eine Bemerkung, die mich aufhorchen ließ.

»Manchmal frage ich mich, ob er mich noch so liebt wie am Anfang…«

Petra sah sie erstaunt an. »Wie kommst du denn darauf? Dieser Mann vergöttert dich.«

»Ja. Das tut er, aber weißt du…«, begann sie.

»Was?«

Ich vergaß fast, meine Beine zu bewegen, so sehr konzentrierte ich mich auf das Gespräch.

»Ach… nichts… Wann kommt Peter denn jetzt von seiner Geschäftsreise zurück?«, lenkte sie vom Thema ab.

Schade. Das hätte jetzt vielleicht interessant werden können. Wie sie nur darauf kam, dass ihr Mann sie weniger lieben könnte? In Erwartung, dass ich doch noch etwas erfahren würde, hielt ich tapfer durch, bis die beiden sich endlich genug aufgewärmt hatten. Gott sei Dank hatte ich das überstanden!

Aber ich hatte mich zu früh gefreut oder meine körperlichen Kräfte deutlich überschätzt. Als ich vom Crosstrainer stieg, gaben plötzlich meine Beine nach. Ich knickte ein und landete bäuchlings auf dem Teppichboden. Na toll!

»Hast du dich verletzt?« Bettina kniete neben mir und schaute mich besorgt an.

Ich schüttelte den Kopf und rappelte mich mühsam wieder auf. »Nein«, sagte ich keuchend. »Alles gut.« Mehr brachte ich nicht heraus.

Jetzt stand ich direkt vor ihr und sah, dass die außergewöhnliche Schönheit ihrer Gesichtszüge von keinerlei Make-up hervorgehoben wurde. Sie war wirklich eine beeindruckende Frau, und ich konnte immer mehr verstehen, warum ihr Mann so verrückt nach ihr war. Wäre ich ihr Mann, wäre ich auch verrückt nach ihr. Und nicht nur wegen ihres Aussehens. Mit ihrer Ausstrahlung zog sie einen unwillkürlich in ihren Bann.

Sie reichte mir lächelnd eine Flasche Wasser. »Ich hab noch nicht davon getrunken.«

»Danke!« Ich nahm einen tiefen Schluck. Tat das gut. Wie hatte ich nur vergessen können, mir Wasser mitzubringen?

»Bist du das erste Mal hier?«, fragte sie interessiert.

Ich nickte. Langsam kam ich wieder etwas zu Atem.

»Ja. Ich habe wohl ein wenig übertrieben«, gestand ich und war froh, wieder einen ganzen Satz sagen zu können.

»Das kenne ich von mir. Aber anders macht es keinen Spaß, nicht war?«

»Absolut nicht!«, stimmte ich ihr zu.

Wir lächelten uns an.

»Ich besorg dir eine neue Flasche Wasser.«

»Ach. Musst du nicht«, winkte sie ab.

»Oh doch!«

»Gleich fängt unser Yoga-Kurs an. Hast du Lust mitzukommen?«

Eigentlich hatte ich mich zwar völlig unauffällig verhalten wollen, aber dazu war es jetzt zu spät. Egal, Bettina würde mich ohnehin nach diesem Tag nie wiedersehen, und wenn ich direkten Kontakt zu ihr hatte, konnte ich sie vielleicht tatsächlich etwas näher kennenlernen.

»Sehr gerne, Bettina!«, sagte ich und bemerkte sofort meinen Fehler.

»Du kennst mich?«, fragte sie.

Jetzt musste ich schnell die Kurve kriegen.

»Wer kennt dich nicht?«, sagte ich und lächelte.

»Alle kennen sie«, bestätigte ihre Freundin »Aber mich nicht. Ich heiße Petra«, ergänzte sie, und wir schüttelten uns die Hand.

»Britt«, stellte ich mich vor, und es gefiel mir gar nicht, dass ich wieder einmal lügen musste.

Ich ließ an der Theke eine Flasche Wasser auf meinen Namen schreiben. Ich vermutete, dass sie mehr kostete, als ein Zehnjähriger monatlich als Taschengeld bekam. Ich folgte den beiden Frauen mit dem kostbaren Getränk in einen kleineren Sportraum. Dort saßen bereits einige Leute auf Sportmatten und warteten geduldig auf den Yogalehrer, der gleich nach uns den Raum betrat.

Da ich vor Jahren auf Drängen meiner Mutter mit ihr einige Kurse belegt hatte, blamierte ich mich hier nicht völlig. Als ich merkte, wie gut es mir tat, nahm ich mir fest vor, wieder regelmäßig Yoga zu machen, sobald das ganze Hochzeitstamtam vorüber war.

»Ich glaub, ich mache noch bei Zumba mit. Habt ihr auch Lust?«, fragte Bettina, während wir unsere Matten wegräumten.

Die Frau war wohl ein Sportaholic. Aber ohne Grund hatte man mit knapp vierzig eben auch nicht so eine phantastische Figur.

»Ich mach lieber noch ein paar Kraftübungen«, erklärte Petra. »Treffen wir uns hinterher in der Sauna?«

»Klar!«

»Ich komm zum Zumba mit. Das wollte ich schon immer mal ausprobieren«, sagte ich, und weil ich mich von Anfang an als Newcomerin geoutet hatte, durfte ich mich offiziell auch ein wenig blöd anstellen dabei.

»Schön, das wird dir gefallen, Britt!«

Super! Somit war ich mit Bettina alleine, und mit etwas Glück würde ich irgendetwas in Erfahrung bringen, das mir weiterhalf.

Doch von wegen! Es gab kaum Gelegenheit, ein Wort zu wechseln. Zu südamerikanischen Klängen von Shakira und Co. versuchte ich, in die rhythmische Choreografie zu finden. Es war nicht ganz einfach, trotzdem machte es mir richtig Spaß. Doch bis zum Schluss hielt ich das Tempo nicht durch. Ich winkte Bettina zu und verzog mich nach draußen. Es dauerte eine Weile, bis sich mein Puls langsam wieder normalisierte. Ich nahm eine lange lauwarme Dusche, trocknete mich ab und machte mich eingewickelt in ein Badetuch auf den Weg in den Saunabereich.

Ich war alles andere als eine passionierte Saunagängerin. Das letzte Mal war Jahre her. Und in einer gemischten Sauna war ich noch nie gewesen. Ich versuchte, mir nicht anmerken zu lassen, dass ich mich nicht sonderlich wohl fühlte.

Ich öffnete die Tür und betrat die Saunakabine. Sofort schlug mir die Hitze entgegen, und ein Duft nach Holz und irgendwelchen Kräutern zog in meine Nase.

Meine Herren, war das heiß hier! Puh! Lange würde ich das sicher nicht aushalten. Ich legte mein Handtuch auf die mittlere Bankreihe und setzte mich kerzengerade und mit eingezogenem Bauch darauf. Gegenüber auf der obersten Holzstufe lag ein grauhaariger Mann, und ich konnte sehen, wie ihm das Wasser nur so über den Körper lief.

»Du bist ja schon hier«, sagte Bettina, die mit Petra jetzt die Kabine betrat.

»Ja. Muss mich doch ein bisschen aufwärmen«, versuchte ich zu witzeln. Sie lächelten.

Der Grauhaarige hatte inzwischen wohl genug Wasser gelassen – durch die Haut natürlich! Er setzte sich auf, wartete kurz und verließ dann mit einem Gruß die Sauna. Am liebsten wäre ich ihm gefolgt.

»Hat sie nicht eine traumhafte Figur?«, seufzte Petra an mich gewandt und meinte damit natürlich Bettina.

»Allerdings«, pflichtete ich ihr bei und zog meinen Bauch noch stärker ein.

»Meine beiden kleinen Monster haben mich ruiniert«, brummte Petra und umfasste eine kleine Speckrolle an ihrem Bäuchlein. Gott, immer diese Gespräche über die Figur! Dabei war ich hier die Dickste.

»Ich hätte gerne ein paar Röllchen um den Bauch, wenn ich dafür deine kleinen Monster haben könnte.« Es sollte sich wie ein Spaß anhören, aber Bettinas Augen waren eine Sekunde lang von Traurigkeit überschattet.

»Das glaubst du doch selbst nicht!« Petra lachte auf. »Du und Kinder? Das kann ich mir überhaupt nicht vorstellen!«

»Hast du Kinder, Britt?«, fragte Bettina, ohne auf Petra einzugehen.

»Nein«, antwortete ich und legte eine Hand auf meinen Bauch, »auch wenn es so ausschaut.« Hier half nur die Flucht nach vorne.

»Unsinn. Du hast halt eine weibliche Figur.«

Eine freundliche Umschreibung für *ein wenig pummelig*.

Bettina Cornelius erstaunte mich. Sie war richtig nett und absolut offen. Damit hatte ich nicht gerechnet.

»Naja… in letzter Zeit habe ich einfach zu wenig Sport gemacht.«

»Willst du mal Kinder?«, mischte sich Petra ein.

»Ja!«, kam es wie aus der Pistole geschossen, und in diesem Moment wurde mir klar, dass ich wirklich unbedingt eine Familie wollte. Allerdings nicht mit Stefan.

»Ich habe zwei Stiefsöhne aus der ersten Ehe meines Mannes. Aber die sind schon erwachsen und studieren beide«, sagte Bettina. »Wir sehen sie leider nicht sehr oft.«

Ach. Das wusste ich ja gar nicht! Diese Information hatte mir Cornelius verschwiegen. Oder besser gesagt, ich hatte ziemlich schlecht recherchiert.

»Wolltest du keine eigenen Kinder?«, rutschte es mir heraus.

Sie schaute mich plötzlich etwas misstrauisch an. Vielleicht fragte sie sich in diesem Moment, warum ich das wissen wollte. Sicherlich war sie in Anbetracht ihrer früheren Berühmtheit vorsichtig gegenüber Fremden. Andererseits fragten die beiden Frauen auch mir fast ein Loch in den Bauch.

Ähnliches schien Bettina auch durch den Kopf zu gehen. Plötzlich lächelte sie mit einem leichten Anflug von Wehmut im Blick.

»Zuerst nicht. Und mein Mann war sehr froh darüber… Bist du verheiratet?«, beendete sie plötzlich das Kinderthema.

»Ich heirate am Freitag«, erzählte ich, damit die beiden sahen, dass auch ich Persönliches preisgab.

»Wow!«, rief Petra.

»Herzlichen Glückwunsch!«, sagte Bettina.

Ich hatte Mühe, bei ihren Worten erfreut zu lächeln. Die Hochzeit war in meinem Fall tatsächlich kein Grund zum Lächeln. Trotzdem war es etwas anderes, das mir so abrupt die Fröhlichkeit verschlagen hatte: Ich hatte endlich den sehnlichsten Wunsch von Bettina Cornelius herausgefunden. Und ich würde ihn nicht erfüllen können.

Es würde egal sein, was Frank ihr schenkte. Sie würde sich für alles bedanken und vorgeben, sich mächtig zu freuen. Aber letztlich waren ihr Schmuck, Antiquitäten, Häuser, Jachten oder gar Inseln egal.

»Tut mir leid, aber ich muss jetzt raus«, sagte ich und wedelte mir mit der Hand Luft zu, was natürlich nicht wirklich half.

»Mir reicht es auch für heute«, sagte Petra, und auch Bettina erhob sich langsam.

Nach einer kurzen kalten Dusche tauchten wir in ein Bassin mit eiskaltem Wasser. Ich zuckte nicht einmal mit der Wimper, so sehr war ich mit Bettina beschäftigt. Der Gewissenskonflikt, in dem ich mich befand, war gewaltig.

Im Ruheraum tat ich so, als ob ich eingeschlafen wäre, damit ich mich nicht mehr unterhalten musste. Ein paar Minuten, nachdem die beiden aufgestanden waren, ging ich in die Dusche, wo ich ziemlich herumtrödelte. Als ich in den Umkleideraum kam, waren die beiden schon draußen. Ich zog mich an und band meine Haare zu einem einfachen Pferdeschwanz. Dann nahm ich meine Tasche und ging in Richtung Theke, um das Wasser zu bezahlen. Bettina und Petra saßen an einem kleinen Tisch und tranken Kaffee.

»Sechs fünfzig«, verlangte die Bedienung, und ich war positiv überrascht über den unerwartet günstigen Preis.

Als ich mich wieder umdrehte, erstarrte ich. Bettina umarmte sehr innig einen Mann. Und dieser Mann war nicht Frank Cornelius. Es war der Mensch, den ich hier als Allerletztes erwartet hätte: Alex!

Tausend Gedanken schossen gleichzeitig durch meinen Kopf

und machten es unmöglich, auch nur einen davon zu Ende zu denken. Ich begann zu zittern und wäre am liebsten zurück in die Umkleidekabine geflüchtet.

Bettina und Alex hatten sich inzwischen voneinander gelöst, und jetzt hatte Alex auch mich entdeckt. Es schien ihm ähnlich zu gehen wie mir. Er starrte mich an. In diesem Moment wurde mir wieder schmerzlich bewusst, wie gut aussehend er doch war. Allerdings verbarg sich hinter dieser schönen Fassade ein Mensch, der offensichtlich ein falsches Spiel spielte.

»Alex, das ist Britt. Wir haben uns heute kennengelernt«, stellte Bettina uns vor.

»Freut mich … Britt«, kam es gepresst aus seinem Mund.

Mir war übel. Ich vermied es, ihn anzuschauen.

»Mich auch. Muss leider jetzt los«, murmelte ich und deutete auf meine Uhr.

»Natürlich. Die Hochzeitsvorbereitungen! Ich hoffe, wir sehen uns hier bald wieder«, sagte Bettina strahlend. Sicher war Alex der Grund für ihre tolle Laune.

»Alles Gute!«, rief auch Petra mir hinterher.

Ich brummte eine unverbindliche Antwort und verließ fluchtartig das Fitness-Studio.

kapitel 40

Die unerwartete Begegnung mit Alex hatte mich aus der Bahn geworfen. In meinem Auto brauchte ich erst einmal eine Weile, bis ich mich wieder einigermaßen unter Kontrolle hatte. Ich war völlig verwirrt. Was hatte Alex mit Bettina zu tun? War er etwa ihr Geliebter? Aber woher konnten sich die beiden überhaupt kennen? War er gar kein Landwirt, sondern hauptberuflich Casanova? Womöglich las er sich regelmäßig die Kontaktanzeigen durch und suchte sich so seine Opfer aus. Dabei war er auch auf mich gekommen. Bei seinem Aussehen war es sicher kein Problem, die jeweilige Frau ins Bett zu bekommen. Bei mir hatte es ja auch geklappt, dachte ich bitter. Aber was wollte er mit einer verheirateten Frau? Sicher der Jagdtrieb! Bei Bettina ging es ihm wahrscheinlich nicht ums Geld, sondern um den Reiz. So ein Schweinehund!

Das Handy riss mich aus meinen Gedanken. Frank Cornelius war am Apparat und wollte wissen, wie die Begegnung mit seiner Frau verlaufen war.

»Wissen Sie jetzt endlich, welche Idee als Geschenk passt?« Er klang ungeduldig. Und ich konnte ihn verstehen.

»Ich weiß das richtige Geschenk. Ist es möglich, dass wir uns jetzt sehen?«, fragte ich, plötzlich ganz ruhig. Ich hatte meine Entscheidung getroffen.

»Sie wünscht sich *was*?«, fragte Cornelius eine halbe Stunde später auf einer Parkbank im Englischen Garten.

»Sie wünscht sich ein Kind«, wiederholte ich ruhig. Es war mir klar, dass ich damit meine Provision vergessen konnte. Zehn Prozent des Budgets für ein Baby waren nicht errechenbar.

»Aber wieso ein Kind... Ich meine, sie wollte doch nie eines...« Er schien völlig aus der Fassung geraten zu sein.

»Ich kann Ihnen nicht sagen, warum. Aber es ist so.«

»Das ist doch kein Geschenk zum Geburtstag!«, rief er plötzlich aufgebracht.

»Es tut mir leid, Herr Cornelius. Ich weiß kein besseres für Ihre Frau.« Dann stand ich auf.

»Aber das geht so nicht!«, protestierte er.

»Tut mir leid«, wiederholte ich müde.

Ich wollte weg, aber es brannte mir noch etwas auf der Seele. Ich wusste nicht, ob und wie ich es ihm sagen sollte. Aber Alex durfte diese wunderbare Ehe nicht kaputtmachen! Dafür würde ich sorgen.

»Es gibt einen Mann, der Ihre Frau anmacht. Er war heute im Fitness-Studio. Lassen Sie das nicht zu.«

Damit ging ich rasch weg.

Im Büro bei Daniela heulte ich mich zunächst einmal richtig aus. Und in diesem Fall durfte ich das. Ich hatte mich in einen Mann verliebt, der es nicht wert war. Ich hatte einhunderttausend Euro Provision in den Sand gesetzt, saß auf Schulden für ein Segelboot im Wert von einer Million Euro fest und würde einen Mann heiraten, den ich nicht liebte. Gab es bessere Gründe?

Alex versuchte ein paarmal, mich zu erreichen, aber ich ging nicht ans Handy und löschte seine Nachrichten, ohne sie gelesen oder abgehört zu haben. Mit diesem Mann wollte ich nie wieder etwas zu tun haben!

»Hanna. Bitte sieh jetzt nicht zu schwarz. Du bekommst das Erbe, und damit können wir erst einmal das Segelboot bezahlen«, versuchte Daniela, mich zu trösten.

Natürlich war das Erbe in finanzieller Hinsicht eine große Erleichterung. Aber trotzdem…

»Es geht doch nicht nur darum«, schniefte ich unglücklich.

»Das weiß ich doch. Aber wegen diesem einen Mann brauchst du doch nicht…«

»Wegen diesem *einen* Mann?«, fiel ich ihr ins Wort. Ich lachte bitter. »Es geht doch nicht nur um Alex. Anscheinend glauben alle Männer, dass sie mich wie einen Spielball benutzen können. Mein eigener Cousin gönnt mir das Erbe nicht, und Stefan setzt mich unter Druck. Und angefangen hat alles mit der Welt größtem Egoisten Simon. Seither ziehen sich die Idioten wie ein Fluch durch mein Leben!«, schimpfte ich, und es tat gut, meine Wut rauszulassen.

»Um Himmels willen! Simon! Ich hab ja gleich den Termin mit ihm!«, rief Daniela plötzlich und sprang auf.

»Am liebsten würde ich diesem Mistkerl einen Denkzettel verpassen, den er so schnell nicht vergisst!« Inzwischen war ich so aufgebracht wie eine Löwin, der man ein saftiges Steak vor die Nase gehalten und dann wieder weggenommen hat.

»Mensch, Hanna! Das ist es! Das ist es!« Daniela zwirbelte wie wild an ihren Haaren und grinste mich dabei an, als ob sie eben eine Million im Lotto gewonnen hätte.

Ohne dass sie es mir sagen musste, wusste ich plötzlich, was ihr eben durch den Kopf gegangen war. Und jetzt zog auch über mein Gesicht ein breites Lächeln. Man konnte eine Million auch woanders gewinnen als im Lotto.

Es war fast wie ein Déjà-vu, nur dass ich diesmal Fanny nicht dabei hatte. Ich betrat eilig Mikes Bar. Meinem Freund war die Überraschung ins Gesicht geschrieben.

»Hanna. Was machst du denn hier?«, fragte Mike erstaunt.

Ich beugte mich über den Tresen und gab ihm links und rechts ein Küsschen auf die Wangen.

»Ich bin als Bea hier«, flüsterte ich ihm ins Ohr.

»Dort drüben sitzt dein Ex!«, warnte er mich leise.

»Ich weiß. Und falls es etwas laut werden sollte, denk dir nichts.«

»Was hast du vor?«, fragte er neugierig.

»Wirst du schon sehen. Wie schau ich aus?«

Er betrachtete mich von oben bis unten. Da ich mit dieser Begegnung heute nicht gerechnet hatte, trug ich nur eine Jeans und eine leichte beige Sommerbluse darüber. Die einfache Kleidung hatten wir im Eiltempo mit etwas Lippenstift und farbigem Modeschmuck aufgepeppt. Meine offenen Haare hatten sich meiner Stimmung angepasst und bildeten eine wilde Mähne.

»Zum Anbeißen und auch etwas gefährlich!«, sagte er und zwinkerte mir zu.

»Das ist gut!«

Simon saß wieder mit dem Rücken zu mir an dem Tisch ganz außen. Ich ging auf ihn zu.

»Ist hier noch ein Platz frei?«

Er drehte sich um und schaute mich überrascht an. Ohne eine Antwort abzuwarten setzte ich mich ihm gegenüber.

Das falsche Blond seiner Haare hatte er durch ein sattes Rotbraun ersetzt, das nicht weniger kitschig an ihm aussah.

»Hanna! Erstaunlich, dass wir uns hier schon wieder begegnen.«

»Nicht wahr!« Ich lächelte ihn an.

»Nur leider habe ich gleich eine Verabredung …«, sagte er bedauernd.

»Ich weiß.«

Das irritierte ihn.

»Wie? Du weißt …?«

Ich nickte.

»Ich weiß, dass du eine Verabredung mit Bea hast.«

Falls er erschrak, verbarg er es geschickt hinter einer lächelnden Miene. Schauspielern konnte er schon immer gut.

»Darf ich fragen, wie du zu dieser Information gekommen bist?«, fragte er, und sein Blick wurde stechend.

»Ich weiß es, weil ich Bea bin!« Ich hielt seinem Blick stand.

»Du? … Ich verstehe …« Zumindest lächelte er nicht mehr. Da er alles andere, aber nicht dumm war, wusste er jetzt auch unsere erste Begegnung hier richtig einzuschätzen.

»Es hat mich kaum überrascht, dass du Geschenke für zwei Frauen brauchst, Simon.«

»Ich darf doch davon ausgehen, dass du Geschäftsfrau genug bist, diese Information diskret zu behandeln?«

Er bekam Angst. Und ich freute mich darüber. Denn das bedeutete, dass mein Vorhaben gelingen konnte.

»Ich war bisher noch nie indiskret.«

»Und du wirst es auch diesmal nicht sein!« Der Ton seiner Stimme war eisig.

»Ja. Das habe ich vor … Allerdings plagt mich bei diesem Auftrag ein wenig das schlechte Gewissen … Ich weiß, dieses Gefühl ist dir unbekannt. Aber deine junge Ehefrau scheint ein sehr zart besaitetes Persönchen zu sein. Und sie hängt sehr an dir.« Ich kam mir vor wie eine Katze, die mit einer Maus spielte. Oder vielleicht eher mit einer Ratte.

»Du hast es immer noch nicht verkraftet, dass ich dich damals nicht mehr wollte!« Er konnte sogar in dieser Situation gemein sein.

»Du meinst, dass du mich nicht mehr wolltest, als all das Geld aus meinem Erbe aufgebraucht war? Ach, das habe ich schon lange verschmerzt.«

»Was willst du?«

»Nichts. Ich bin rein beruflich hier, um dir Vorschläge für Geschenke zu machen.«

Er sah mich misstrauisch an. »Und welche Vorschläge?«

Ich holte eine Mappe aus meiner Tasche und öffnete sie.

»Das hier ist eine goldene Armbanduhr aus dem Nachlass von Romy Schneider«, erklärte ich und zeigte ihm ein Foto des Schmuckstücks.

»Hübsch, nicht wahr?«

»Ja. Hübsch.« Sein Gesicht war nur noch eine Maske. Er wusste, dass ihn etwas erwartete, das ihm gar nicht gefallen würde.

»Und das andere Geschenk ist ein Luxus-Segelboot.«

Ich blätterte um zu den Fotos des Bootes.

Er schaute gar nicht mehr auf die Mappe, sondern starrte mich böse an.

»Wie viel wird mich deine Diskretion kosten?«, fragte er.

»Bei der Uhr liegen wir ziemlich genau im vorgegebenen Budget von zehntausend. Nur beim Segelboot sind wir etwas drüber.«

»Wie viel?«

»Es kostet eine Million.«

»Was?« Er sprang erregt auf.

Ich freute mich, dass ich ihn endlich einmal so richtig aus der Reserve gelockt hatte.

»Bist du völlig übergeschnappt?«

Als ihm bewusst wurde, wo er sich befand, setzte er sich rasch wieder hin.

»Der Preis ist absolut in Ordnung für dieses Luxus-Objekt. Und weil ich dich nie im Leben ausnutzen würde, verlange ich noch nicht mal einen Cent Provision von dir. Es ist quasi ein reiner Freundschaftsdienst. Um der alten Zeiten willen.«

Seine Augen verengten sich zu schmalen Schlitzen, und seine operierten Nasenflügel hätten sich vor Wut aufgebläht – wenn sie gekonnt hätten.

»Treib es nicht zu bunt!«, sagte er leise.

»Welche deiner Frauen du mit welchem Geschenk bedenkst, liegt natürlich bei dir. Ich weiß ja nicht, wie du die Prioritäten derzeit setzt. Aber sicherlich freuen sich beide sehr, dass sie so einen großzügigen und aufmerksamen Ehemann oder Liebhaber haben.«

Ich hatte den Eindruck, dass er mir in diesem Moment am liebsten an die Gurgel gegangen wäre. Aber dann entspannten sich seine Züge plötzlich. Anscheinend hatte er realisiert, dass ihm keine Gefahr mehr drohte, wenn er sich auf meinen Vorschlag einließ. Und das Geld würde er verschmerzen.

»Du hast dich sehr verändert in den letzten Jahren«, stellte Simon fest.

»Ja. Gott sei Dank habe ich das.«

Wobei sich die größten Veränderungen wohl erst in den letzten Wochen beziehungsweise Tagen ergeben hatten, fügte ich für mich hinzu. Ich stand auf.

»Ach ja. Das Angebot gilt nur bis morgen. Ich hoffe, du bist entscheidungsfreudig?«

»Ja!« sagte er nur.

Ich lächelte zufrieden und ging.

kapitel 41

Wegen einer Fahrplanänderung der Bahn kam Rosi Fischer einen Tag später aus ihrem Rügen-Urlaub zurück als geplant. Sie war heute die Erste und sperrte das Geschäft am Hintereingang auf. Rosi war froh, wieder in ihren geliebten Supermarkt zu kommen, in dem sie schon mehr als die Hälfte ihres Lebens beschäftigt war. Der Urlaub mit ihrem Mann war wieder einmal eine einzige Katastrophe gewesen. Ständig hatte Robert irgendetwas zu meckern gehabt. Rosi schämte sich dafür, wie er sich aufführte. Für sie waren die gemeinsamen Urlaube immer die schlimmste Zeit des Jahres. Insgeheim hatte sie gehofft, dass Robert in diesem Jahr darauf verzichten würde, weil die Kinder zum ersten Mal nicht mehr mitfahren wollten. Aber das Gegenteil war der Fall. Statt zwei Wochen hatte er sogar drei gebucht!

Doch jetzt wollte sie nicht mehr daran denken. Die wohltuende Routine ihrer geliebten Arbeit hatte sie wieder. Sie stellte ihre Handtasche im kleinen Personalraum ab und zog sich die Schürze mit dem Schriftzug des Einkaufsmarktes an. Dann betrat sie den Laden. Hier war sie in ihrer Welt und begann sofort mit ihrer Arbeit.

»Du bist ja schon hier!«, rief Martina und zog sich rasch um. Sie war froh, dass ihre Kollegin endlich wieder zurück war. Die letzten Wochen mehr oder weniger alleine im Laden waren anstrengend gewesen.

»Ja. Und ich hab uns auch noch einen selbst gebackenen Kuchen mitgebracht«, sagte Rosi strahlend.

»Den mit Eierlikör?«

»Genau den!«

Martina freute sich jetzt schon auf die Kaffeepause. Aber nun mussten sie sich beeilen, denn in wenigen Minuten würden sie den Laden für die Kunden aufsperren. Martina machte sich auf den Weg zum Lagerraum, um das Obst und Gemüse zu holen.

»Sag mal, da liegt ein Päckchen auf dem Fensterbrett. Warum ist das nicht zugestellt?«, rief Rosi ihr hinterher.

Martina blieb stehen und drehte sich um. Richtig! Das Päckchen! Ob Rosi die Person, an die es adressiert war, von früher kannte?

»Ferdinand konnte mit dem Empfänger nichts anfangen. Und es stand kein Absender drauf, so dass wir es nicht wieder zurückgehen lassen konnten«, erklärte sie ihrer älteren Kollegin.

»Das glaub ich, dass der Ferdi die nicht kennt«, sagte Rosi und lachte. »Aber ich weiß, wer das ist!«

»Das ist ja super!« Martina freute sich. Sie konnte Ferdinand – die Abkürzung Ferdi fand sie einfach nur peinlich – heute Mittag die gute Nachricht überbringen. Er würde bestimmt froh darüber sein. Und vielleicht… vielleicht würde er sie sogar zum Dank auf einen Kaffee einladen? Martina war ganz aufgeregt.

»Hörst du mir überhaupt zu?«, fragte Rosi laut und wedelte mit der Hand vor ihrem Gesicht.

»Was?« Martina hatte tatsächlich nicht aufgepasst, was ihre Kollegin eben gesagt hatte.

»Ich bringe es heute in der Mittagspause hin.«

Wohin nochmal? Martina ärgerte sich, dass sie wieder mal nicht richtig zugehört hatte. Aber das war ja eigentlich auch egal. Das Päckchen konnte zugestellt werden, und das war die Hauptsache.

kapitel 42

Ich lag immer noch im Bett und schaute lustlos aus dem Fenster. Es war ein strahlend schöner Tag, trotzdem würde ich ihn am liebsten im Bett verbringen. Ich war müde und fühlte mich wie zerschlagen. Fanny schien Verständnis dafür zu haben, denn sie war vorhin aus dem Schlafzimmer verschwunden, und seither hatte ich nichts mehr von ihr gehört.

Eigentlich durfte ich nicht so niedergeschlagen sein. Ich hatte das große Problem mit dem Segelboot gelöst und Simon dabei noch eine Lektion erteilt. Zumindest hoffte ich das.

Außerdem hatte ich einen Mann gefunden, der mich nicht nur rechtzeitig heiraten würde, sondern auch mit der dazugehörigen Scheidung einverstanden war. Ich würde das Geld und den Hof bekommen, und meine finanziellen Probleme hatten sich damit in Luft aufgelöst. Warum konnte ich mich nicht einfach ein wenig freuen?

Lag es daran, dass ich immer noch nicht wusste, was ich eigentlich nach der Hochzeit machen würde? Sollte ich meine Zelte in München abbrechen und mein Leben hier auf dem Hof ganz neu aufbauen? Oder sollte ich meine Firma weiter behalten und Beau-Cadeau von hier aus betreuen mit Daniela im Münchener Büro? Wollte ich überhaupt noch weiterhin die Wünsche anderer Frauen ergründen, um damit ein Geschäft zu machen?

Oder hatte meine schlechte Laune vor allem damit zu tun, dass ich keine Ahnung hatte, was Alex für ein Spiel trieb. Was mich – wenn ich ehrlich war – rasend machte. Ich hatte das Gefühl, so richtig ausgenutzt und verschaukelt worden zu sein. Das war umso schlimmer, weil ich mich tatsächlich in ihn verliebt hatte.

Der Ärger über Alex gab mir den nötigen Elan, um aufzustehen. Zumindest dachte ich das. Doch als ich mich aus dem Bett schwingen wollte, waren meine Schenkel schwer wie Blei. Und jetzt erkannte ich auch, warum ich mich so zerschlagen fühlte. Ich hatte einen ausgewachsenen Muskelkater, vor allem in den Waden und Oberschenkeln. Stöhnend stand ich auf und schlurfte langsam ins Badezimmer.

Als ich gerade unter die Dusche gehen wollte, klingelte es an der Haustür. So schnell es mir in meinem angeschlagenen Zustand möglich war, schlüpfte ich in den Bademantel, ging in mein Zimmer und öffnete das Fenster.

Unten stand Stefan! Er klingelte nochmal. Oje! Ich hatte ganz vergessen, dass wir heute gemeinsam zur Gemeindeverwaltung gehen wollten wegen der Hochzeit.

»Stefan! Hiiier!«, rief ich.

Er schaute nach oben.

»Guten Morgen, Hanna! Hast du verschlafen?«

»Mehr oder weniger.«

»Wie lange brauchst du denn?«, fragte er freundlich. Es gefiel mir, dass er nicht ärgerlich auf mich war.

»Eine halbe Stunde?«

»Gut. Dann fahr ich noch schnell zum Metzger wegen der Bestellung fürs Wochenende und hol dich danach ab.«

»Danke!« Kompliziert schien Stefan jedenfalls nicht zu sein.

Als wir später vor dem Standesbeamten saßen, klebte ein kleines Pflaster über meiner Oberlippe. Es störte mich zwar etwas beim Sprechen, zeigte aber zu hundert Prozent Wirkung. Stefan war sogar einen Schritt zurückgetreten, als ich ihm auf Nachfrage erzählte, dass ich Herpes an der Lippe hatte. Gut so. Vielleicht würden die Bläschen ja ungewöhnlich hartnäckig sein und die nächsten sechs Monate auf meinen Lippen verrückt spielen? Ein genialer Gedanke!

Der Standesbeamte erklärte uns, dass unsere Unterlagen vollständig waren und wir theoretisch schon heute heiraten könnten.

Heute schon? Eine verlockende Idee – doch nur für einen Moment. Irgendwie wollte ich meinen Hochzeitstag noch ein bisserl hinauszögern. Und auch wenn es nur eine Vernunftehe oder besser gesagt eine hmmm… naja… Scheinehe war, wollte ich doch ein passendes Kleid tragen.

Auch Stefan kam eine sofortige Hochzeit nicht so ganz gelegen. Für den Mittag hatte sich eine große Reisegruppe aus der Steiermark im Wirtshaus angesagt. Er musste noch an die hundertfünfzig Knödel machen und die Soße für den Sauerbraten, der unter der Aufsicht seiner Küchenhilfe bereits im Ofen vor sich hin schmorte.

Vor dem Standesamt verabschiedeten wir uns.

»Also dann bis Freitag«, sagte er.

»Ja. Bis Freitag.« Ich trat auf ihn zu und wollte ihn umarmen, aber Stefan ergriff eilig die Flucht. Mühevoll unterdrückte ich ein Lachen. Mein Plan funktionierte wunderbar.

Auf dem Nachhauseweg zupfte ich das Pflaster weg. Ich war in wesentlich besserer Laune als am Morgen. Allerdings nicht besonders lange. Als ich auf den Hof fuhr, sah ich den Wagen einer Bio-Metzgerei aus Passau, der vor dem Haus parkte. Willy und ein älterer Mann mit Halbglatze standen daneben. Fanny lag im Schatten unter der Hausbank und hielt ein Nickerchen.

Ich stieg aus dem Wagen und ging auf die beiden zu.

»Grüß Gott, Frau Gruber.« Der Mann streckte mir seine Hand hin, und ich schüttelte sie.

»Grüß Gott.«

»Rudi wird heut abgeholt«, erklärte Willy, und ich brauchte nicht lange zu überlegen, was das bedeutete.

Tränen brannten in meinen Augen, die ich zu unterdrücken versuchte. Natürlich waren unsere Hochlandrinder nicht nur dafür da, dass sie auf den Weiden ein sorgloses Leben führten. Wir züchteten die Tiere, um das hochwertige Fleisch zu verkaufen. Es war das erste Mal, seit ich wieder in Halling war, dass eines der Tiere abgeholt wurde.

»Er hatte fast drei wunderschöne Jahre hier«, sagte Willy, als der Wagen aus dem Hof fuhr. Auch ihm fiel es sichtlich schwer.

Ich nickte, konnte aber nichts mehr sagen. Es tat mir unendlich leid, aber ich war vernünftig genug einzusehen, dass das der Gang der Dinge bei uns war. Pit kam mit dem Traktor vom Feld.

»Die Frühkartoffeln sind bald soweit«, informierte er mich.

»Jetzt schon?«, fragte ich nach, obwohl es mir eigentlich egal war. Rudi ging mir nicht aus dem Kopf.

»Ja. In ein paar Tagen können wir mit der Ernte beginnen.«

»Sehr schön«, sagte ich und ging auf die Haustür zu. Da fuhr schon wieder ein Wagen in den Hof. Was war denn heute hier los?

Eine Frau stieg aus, die ich aus dem Supermarkt kannte. Sie hatte mir schon als Kind Bonbons und Eis verkauft. Rosi Fischer hieß sie, wenn mich nicht alles täuschte. Pit machte sich rasch aus dem Staub. Anscheinend hatte er keine Lust, mit seiner ehemaligen, wenn auch nur kurzfristigen Kollegin aus dem Supermarkt zu plaudern. Frau Fischer hatte ein Päckchen in der Hand. Sie kam auf mich zu, und wir begrüßten uns.

»Hanna? Du bist doch die Tochter von der Hermine, nicht wahr?«, fragte sie.

Ich nickte. »Ja.«

»Ich habe hier ein Päckchen für sie.«

»Wer schickt denn hierher Post für meine Mutter?«, fragte ich verwundert.

»Die Sache ist ein bisserl seltsam. Das Päckchen ist noch an die Adresse deiner Großeltern gerichtet.«

»Aber die sind doch schon längst tot.«

Ich schaute verdutzt auf den Aufkleber: Hermine Gratzl. Das war der Mädchenname meiner Mama, den sie seit Jahrzehnten nicht mehr trug! Aber das Päckchen sah neu aus, und auch die Anschrift war klar und leserlich und schien erst vor Kurzem darauf geschrieben worden zu sein. Das war ja wirklich seltsam.

»Ja sowas…«

Auch Willy war inzwischen neugierig geworden und kam zu uns herüber.

»Könntest du mir die Adresse von Hermine geben, dann leite ich es weiter?«, bat Frau Fischer.

»Sie können es gerne hier lassen, dann gebe ich es ihr«, bot ich an.

Sie druckste ein wenig herum. Doch dann reichte sie mir das Päckchen.

»Na gut. Ich weiß ja, dass du ihre Tochter bist. Du gibst es ihr sicher, nicht wahr?«

»Ja freilich. Sie können sich darauf verlassen.«

Was sollte ich denn schon damit machen?

»Schau, da ist ja noch die alte Postleitzahl drauf«, sagte Willy. Tatsächlich. Jetzt war ich aber schon sehr neugierig geworden.

Rosi Fischer verabschiedete sich, und ich trug das Päckchen in die Stube. Inzwischen war Fanny wach geworden und folgte mir gähnend. Ich griff nach dem Telefon und wählte die Nummer meiner Mutter.

»Hallo, Mama. «

»Hanna … Ich bin grad auf dem Weg zum Gericht.«

»Schon gut, ich möchte dich gar nicht aufhalten. Aber hier ist ein Päckchen angekommen, das ist noch an deinen Mädchennamen und die alte Anschrift adressiert … Soll ich es dir schicken?«

»Ach, das ist bestimmt irgendwas wegen einem Klassentreffen oder so … Schau doch einfach rein, und ruf mich heute Abend an.«

»Soll ich …«

»Sei mir nicht böse, Hanna, aber ich bin spät dran …«, unterbrach sie mich.

»Schon gut. Dann mach ich es auf und melde mich später.«

Als ich den Deckel des Päckchens öffnete, spürte ich plötzlich ein seltsames Kribbeln im Nacken. Ich rechnete fast damit, dass etwas aus dem Paket herausspringen würde. Doch ich war umsonst einen Schritt nach hinten getreten. Kein Springteufel kam mir entgegengeflogen.

Eingebettet in Zeitungspapier lagen eine Brotbox, eine zerkratzte Sonnenbrille, an der ein Bügel fehlte, und darüber ein zusammengefalteter Zettel. Wie seltsam! Ich nahm den Zettel und faltete ihn auf:

Diese Dinge haben wir in einem alten Rucksack am Watzmann gefunden. LG, Lisa und Andi.

Lisa und Andi? Wer war das denn? Und was hatte Mama mit einem Rucksack zu tun, den irgendjemand am Watzmann gefunden hatte? Hatte sie den irgendwann einmal dort verloren?

Ich nahm die Butterbrotdose. Plötzlich begannen meine Hände zu zittern. Etwas hielt mich davon ab, sie zu öffnen, und ich legte sie wieder zurück. Ich würde das ganze Päckchen einfach bei nächster Gelegenheit nach München bringen, und meine Mutter konnte selbst nachschauen, was da drin war. Jetzt würde ich erst einmal nach Passau fahren, um mir ein hübsches Kleid zu kaufen. Jawohl! Ich schloss den Deckel und stellte das Päckchen auf meinen Schreibtisch im Büro.

Nachdem ich noch eine kleine Runde mit Fanny gegangen war, duschte ich mich und stieg in abgeschnittenen alten Jeans und einem weißen Top in den Wagen. Es war brütend heiß geworden. Auf dem Weg nach Passau fand ich es auf einmal schade, dass ich alleine unterwegs war. Wie schön wäre es gewesen, eine Freundin dabeizuhaben! Aber Daniela konnte nicht ständig zwischen München und Niederbayern hin und her pendeln. Am Freitag würde sie ohnehin herkommen, um meine Trauzeugin zu sein. Plötzlich musste ich an Lene denken. Mit ihr würde es sicherlich Spaß machen, ein Kleid zu kaufen.

Rasch fuhr ich an den Straßenrand und wählte ihre Nummer.

»Hallo, Lene, hier ist Hanna.«

»Hanna! Wie schön von dir zu hören. Alles klar bei dir?«

»Ja, danke. Du, ich weiß, es ist ziemlich kurzfristig, aber du hast nicht zufällig Lust und gerade Zeit, mit mir in Passau ein Kleid für meine Hochzeit auszusuchen?«

»Es klappt also mit der Hochzeit? Wie toll!«

Wenn sie das sagte, hörte es sich nach etwas ganz Besonderem an. Dabei war es ja nur eine Art Fake-Hochzeit.

»Ja … ist alles etwas verrückt …«, sagte ich deswegen mit eher nüchterner Stimme.

»Ich würde gerne mit dir kommen, aber eigentlich habe ich versprochen, dass ich Karl …«

»Schon gut. Das war auch nur so eine spontane Idee gerade«, unterbrach ich sie. Ich wollte ihr keine Umstände machen.

»Ach was … Warte mal kurz.«

Anscheinend hielt sie jetzt die Sprechmuschel des Hörers zu. Auch wenn ich nicht jedes Wort verstand, hörte ich dumpf, wie sie mit Karl eine kurze Diskussion führte.

»Alles klar«, meldete sie sich dann zurück. »Treffen wir uns in Passau?«

»Ich kann dich gerne auch abholen«, bot ich an. »Ich bin ganz in deiner Nähe.

»Toll. Dann zieh ich mich schnell um. Bis gleich.«

Die Hubers hatten einen sehr modernen und gleichzeitig idyllisch gelegenen Hof. Als ich aus dem Auto stieg, kam Karl mir mit einem älteren, noch sehr gut aussehenden Mann entgegen. Er stellte ihn mir als Lenes Vater Bertl Koller vor.

»Lene kommt gleich«, informierte Karl mich. »Möchtest du noch was trinken?«

»Nein danke«, lehnte ich freundlich ab.

Herr Koller verschwand in den Stall, und ich schaute mich ein wenig um.

»Bin schon da!«, rief Lene und kam eilig aus der Haustür. Sie trug ein hübsches hellblaues Kleid, und ihre vollen rotbraunen Haare hingen offen über ihren Rücken. Jetzt ärgerte ich mich, dass ich mich so leger angezogen hatte. Na toll. Ich sah aus wie Aschenputtel neben Schneewittchen.

Lene reichte ihrem Mann den Empfänger eines Babyphones.

»Maxl schläft noch tief und fest.«

»Sehr gut. Viel Spaß euch beiden!«, sagte Karl und steckte sich das Gerät an seinen Hosenbund. »Vielleicht findest du für dich ja auch was Hübsches, Schatz!«

»Mal schauen. Heute geht es um Hanna!«, sagte sie lächelnd.

Als ich den bewundernden Blick sah, den Karl seiner Frau hinterherwarf, als sie zu mir in den Wagen stieg, spürte ich einen kleinen Stich in der Magengegend.

Während der Fahrt nach Passau erklärte ich Lene kurz die Lage.

»Du heiratest nicht diesen Alex?«, fragte sie verblüfft. Natürlich war sie überhaupt nicht auf dem Laufenden.

»Nein.« Mehr sagte ich dazu nicht. Lene war taktvoll genug, um nicht nachzufragen.

»Du findest es schlimm, oder? Ich meine, dass ich nur wegen dem Erbe heirate?«, fragte ich sie plötzlich.

Sie lächelte. »Nein. Ich kann das schon verstehen. Schlimm finde ich, dass deine Oma dir das aufgebürdet hat…«

Puh, es tat gut, das zu hören. »Danke!«

»…und dass du nicht rechtzeitig den Mann gefunden hast, den du aus Liebe heiraten willst.«

Ich schluckte. Eigentlich hatte ich ja gedacht, dass ich ihn gefunden hätte. Aber das war reines Wunschdenken gewesen.

»Ach, was soll's.« Ich zuckte mit den Schultern. »Heutzutage werden so viele Ehen geschieden, da kommt es auf die eine mehr auch nicht an. Und Stefan ist sicher kein Unmensch.«

Die Marseillaise erklang. Ich warf kurz einen Blick auf das Display. Frank Cornelius. Dafür hatte ich jetzt keinen Nerv.

»Soll ich für dich rangehen?«, fragte Lene hilfsbereit. Ich schüttelte den Kopf.

»Nein danke. Das ist jetzt nicht wichtig«, sagte ich und schaltete das Handy ab.

Etwas später schlenderten wir durch die belebte Fußgängerzone in Passau.

»Tut mir leid, wenn ich so langsam gehe, aber ich habe es gestern ein bisserl übertrieben mit Sport und habe heute einen ziemlichen Muskelkater«, entschuldigte ich mich bei Lene für meinen langsamen Gang.

»Ach, das macht nichts. So lange wir es noch vor Ladenschluss in das Geschäft schaffen.«

»Ich versuche mein Bestes«, versprach ich.

Bei dem herrlichen Sommerwetter waren viele Menschen unterwegs. Ein junger Straßenmusikant unterhielt einige Passanten mit einer sehr eigenwilligen Interpretation von *Don't Cry for Me, Argentina* und begleitete sich selbst auf einem Hackbrett. Es gefiel mir, was er da zum Besten gab. Ich holte aus meiner Tasche eine Zwei-Euro-Münze und warf sie in den kleinen Plastikblumentopf, den er vor sich aufgestellt hatte. Auch Lene warf einige Münzen hinein. Obwohl er total in seine Musik vertieft schien, nickte er uns zu.

Wir bogen in eine ruhigere Seitenstraße ein.

»Da hinten gibt es eine kleine Boutique. Die haben zwar keine so große Auswahl, dafür aber ganz besondere Stücke«, erklärte Lene. »Ich habe hier schon oft was gefunden. Und glaub mir, das ist bei meiner Oberweite nicht immer einfach.«

Ich lachte und fand es erfrischend, wie ungeniert sie mit diesem Thema umging.

Tatsächlich fand ich in dem Laden sogar zwei Kleider, die mir sehr gut gefielen. Es waren zwar keine Brautkleider, und sie waren auch nicht weiß, aber für eine standesamtliche Trauung waren sie auf jeden Fall geeignet.

Das eine war ein hellgraues kurzärmeliges Etuikleid mit schwarzen Spitzenverzierungen an den Schultern. Und das andere ein eher verspieltes Sommerkleid mit V-Ausschnitt und angedeuteter Wickeloptik. Es hatte einen warmen Bronzeton, der wunderbar mit meinen dunklen Augen harmonierte, wie die Verkäuferin nicht müde wurde zu betonen.

Ich stand in dem bronzenen Kleid vor dem Spiegel und hielt mir das graue Gewand vor den Körper.

»Was meinst du denn, Lene?«, fragte ich unsicher. »Soll ich das nehmen... oder lieber das andere?« Ich nahm das graue Kleid weg. Mir gefielen beide gut.

»Hmm... Schwer zu sagen!«

»Ich finde das, was du gerade anhast, steht dir ganz wunderbar!«, kam es plötzlich von hinten.

Wir drehten uns um. Max stand da und grinste.

»Was machst du denn hier?«, fragte ich völlig verblüfft.

Ich hatte doch niemandem gesagt, dass ich nach Passau fahren würde.

»Max?«, rief auch Lene überrascht.

»Ich habe in Passau einiges zu erledigen, und da habe ich ganz zufällig...«

»Denkst du, ich glaub noch an den Osterhasen?«, unterbrach ich ihn. »Von wegen zufällig!«

»Nun ja...« Er grinste, beließ es aber dabei.

Da ich Max nicht zutraute, dass er heimlich Frauenkleider kaufte, und er auch nicht so verwirrt war, dass er zufällig in eine kleine Damenboutique in einer Seitengasse geraten war, konnte es nur einen geben, der ihm gezwitschert hatte, wo wir waren: sein

Freund Karl. Auch Lene schien das in diesem Moment klar zu werden, und sie setzte einen strengen Blick auf.

»Warum müssen Männer nur immer solche Klatschweiber sein?«, fragte sie, ohne auf eine zufriedenstellende Antwort zu hoffen.

»Hey, das hat sich ganz zufällig ergeben. Karl und ich haben telefoniert, weil ich …«

»Spar dir die erlogenen Worte, mein lieber Cousin, sonst musst du sie nur wieder beichten. Also, was tust du hier? Willst du alle Kleider in Größe vierzig aufkaufen, damit ich keines mehr bekomme?«

Der Verkäuferin schien diese Idee zu gefallen, wie ihr Blick andeutete.

»Warum regst du dich denn immer gleich so auf, Hanna?«, fragte er und tat dabei so, als ob ich eine hysterische Ziege wäre, die ihm völlig grundlos böse Unterstellungen machte.

Ich atmete tief ein. »Ich reg mich nicht auf. Ich will nur in Ruhe einkaufen. Kannst du jetzt bitte gehen? Du hast doch sicherlich genug Arbeit auf deinem Hof!«

Er setzte sich auf einen Stuhl, der so fragil ausschaute, dass ich Angst hatte, er würde unter seinem Gewicht zusammenbrechen, und schlug lässig seine langen Beine übereinander. Der Stuhl hielt stand. Leider!

»Ich bleib hier ganz still sitzen und mach keinen Mucks mehr.« Er lächelte.

Er lächelte! Und das gefiel mir gar nicht. Normalerweise müsste er stinksauer sein, weil er mir am Ende das Erbe doch nicht wegschnappen konnte. Sicherlich hatte er irgendetwas vor. Nur was?

»Wenn du es nicht lassen kannst!«

Ich drehte mich wieder zum Spiegel und sah darin, wie Lene

fragend zwischen uns hin und her schaute. Was sie sich wohl dachte? Wir benahmen uns wie die kleinen Kinder. Obwohl... Das stimmte nicht ganz. Als Kinder hatten wir uns nicht so kindisch benommen.

»Ich nehme das hier«, sagte ich und hielt der Verkäuferin das graue Etuikleid entgegen. Ich hätte lieber das andere gehabt, aber Max sollte auch nicht recht haben!

»Schön!« Die Verkäuferin nahm das Kleid und ging damit zur Kasse.

Ich verschwand in der Umkleidekabine.

»Schade!« rief Max mir hinterher. »Das andere steht dir viel besser!«

Ich zog den Vorhang ein Stück zur Seite und streckte ihm die Zunge heraus. Das war zwar wieder kindisch, tat aber trotzdem gut. Lene lachte.

Als wir später in einem Straßencafé saßen, tauchte er schon wieder auf, kaum dass wir unsere Bestellung aufgegeben hatten. »Einen Espresso, bitte!«, rief er der jungen Bedienung hinterher.

»Sag mal, merkst du nicht, dass du störst?«, fragte ich völlig genervt.

»Ich gehe ja gleich«, meinte er gut gelaunt. »Ich trinke nur schnell meinen Espresso, dann bin ich auch schon weg.«

»Okay.«

Ich hoffte, dass die Bedienung schnell kommen würde. Lene erzählte inzwischen einige Geschichten über ihren Sohn und lenkte uns damit ein wenig ab. Doch in mir brodelte es. Max verhielt sich total ungewöhnlich. So lange am Stück so gut gelaunt kannte ich ihn nur aus unserer Kindheit. Er hatte bestimmt irgendetwas vor. Plötzlich hielt ich es nicht mehr aus.

»Hast du dich jetzt doch damit abgefunden, dass ich Stefan am Freitag heiraten werde?«

Die Bedienung kam mit unserer Bestellung, und Max lächelte ihr freundlich zu.

»Danke! Damit brauche ich mich nicht abzufinden, weil Stefan und du nicht heiraten werdet«, sagte er gelassen.

Lene schaute mich besorgt an. Sie hatte wohl Angst, dass ich ihm hier vor allen Leuten an die Gurgel gehen würde. Ich versuchte ruhig zu bleiben. Er bluffte doch! Ich war erst heute Vormittag mit Stefan auf dem Standesamt gewesen. Seitdem hatte Max ihn sicher nicht umgestimmt. Oder etwa doch?

Ich holte mein privates Handy aus der Tasche und wählte die Nummer meines Zukünftigen.

»Ja hallo, Stefan, ich bin's. Ich wollte nur fragen, wie es dir geht«, flötete ich ins Telefon.

»Hanna! Hier ist alles gut. Und bei dir?« Er schien sich über meinen Anruf zu freuen.

»Auch alles gut. Ich freue mich auf Freitag.« Was nicht völlig gelogen war.

»Ja. Ich mich auch. Jetzt muss ich hier weitermachen. Bis dann.«

»Bis dann!«

Ich schaute grinsend zu Max.

»Stefan freut sich schon sehr auf die Hochzeit!«

»Der weiß ja auch noch nicht, dass er dich nicht heiraten wird.« Max grinste zurück.

Ich rückte ganz nah an ihn heran.

»Wage es ja nicht, ihn irgendwie von mir fernzuhalten«, giftete ich ihn an.

»Du solltest es mal mit einer Anti-Aggressions-Therapie versuchen«, riet er.

»Und du … du …« Mist. Mir fiel nichts ein.

Lene hielt sich inzwischen den Bauch vor Lachen.

»Ich glaub, ich geh jetzt lieber«, sagte Max und stand auf.

»Ja! Tu das!«, stimmte ich mit knirschenden Zähnen zu.

Er zog seine Geldbörse aus der Hosentasche und hielt Ausschau nach der Bedienung.

»Ich zahl schon. Aber bitte geh!«

»Oh danke, Hanna! Aber übernimm dich finanziell nicht zu sehr. Bald ist das Geld von der Oma für dich weg.«

Bevor ich darauf antworten konnte, war er lachend in der Menschenmenge verschwunden.

Lene versuchte, ein ernstes Gesicht zu machen, aber das misslang ihr gründlich. Sie prustete los. Und plötzlich musste ich mitlachen.

kapitel 43

Ich wälzte mich die halbe Nacht von einer Seite auf die andere.
Ständig ging mir die Frage im Kopf herum, was Max wohl aus-
geheckt hatte. Es war etwas im Busch. Das spürte ich so deutlich
wie die vermaledeite Mücke, die sich in meinem Zimmer einquar-
tiert hatte und sich, kaum machte ich das Licht aus, auf mich
stürzte.

Ich schaltete das Licht wieder an und schaute mich um. Doch
das Biest blieb ruhig. Und lachte mich wahrscheinlich aus. Ich
knipste das Licht wieder aus und wartete. Keine Minute später
hörte ich sie wieder um meinen Kopf surren. Ich wartete ab, bis
ich spürte, dass sie sich auf meine Stirn gesetzt hatte. Na warte,
du kleines Miststück, dachte ich, gleich geht's dir an den Kragen.
Ich holte aus und schlug mir mit der flachen Hand fest auf meine
Stirn. Batsch! Juhu! Ich hatte sie! Ich ging ins Badezimmer und
wusch den roten Fleck auf meiner Stirn weg. Dieser gierige Sauger
hatte mich doch tatsächlich schon angezapft!

Um keine weiteren stechwütigen Gäste ins Zimmer zu bekommen schloss ich das Fenster. Doch in der Hitze war es so kaum
auszuhalten. Also stand ich wieder auf und öffnete es. Inzwischen
fühlte ich mich total zerschlagen. Die Biester ließen mich einfach
nicht zur Ruhe kommen. Überall an meinem Körper juckte es,

und hinter meinem Ohr hatte ich eine richtige kleine Beule. Sofort morgen früh würde ich ein Fliegengitter am Fenster anbringen!

»Verdammt!«, schimpfte ich und quälte mich endgültig aus dem Bett. Ich schnappte mein Kissen und eine Decke und ging nach unten ins Wohnzimmer. Ich legte mich aufs Sofa und schaltete den Fernseher an. Auf einem Privatsender lief eine Dokusoap, die mich innerhalb weniger Minuten in den Schlaf beförderte.

Allerdings nicht lange. Ich wachte sehr zeitig auf und sinnierte über mein Leben, die Männer und das Erbe. Mein Hirn kam einfach nicht zur Ruhe. Schließlich hielt ich es nicht mehr aus. Ich musste mich ablenken. Ich ging ins Büro, um ein wenig zu arbeiten. Als ich mich setzte, fiel mein Blick wieder auf das rätselhafte Päckchen. Gestern Abend hatte ich völlig vergessen, meine Mutter deswegen nochmal anzurufen. Aber sie schien sich auch nicht sonderlich dafür zu interessieren, sonst hätte sie sich bestimmt selbst gemeldet.

Wieder bekam ich ein seltsames Prickeln im Nacken. Ich öffnete das Päckchen und holte die Brotzeitdose wieder heraus. Vielleicht sollte ich sie doch aufmachen? Mutter hatte mir ja quasi den Auftrag dazu erteilt. Ohne nochmal weiter darüber nachzudenken, hob ich den Deckel ab. Die Dose war mit ein wenig Zeitungspapier ausgepolstert, von derselben nur wenige Wochen alten Ausgabe, mit der schon das Päckchen selbst gefüllt war. Zwischen dem Papier lagen ein Taschenmesser, ein abgebrochener Bleistift und eine angelaufene silberne Kette mit einem schwarzen Anhänger. Ich holte die Sachen heraus und legte alles auf den Schreibtisch. Unten lag noch ein zusammengefaltetes Blatt Papier mit dem Mädchennamen und der alten Adresse meiner Mutter.

Eine seltsame Scheu überkam mich, das Blatt aufzufalten und den Brief, um den es sich vermutlich hier handelte, zu lesen.

Lange starrte ich auf das Papier, bis ich es schließlich auseinanderfaltete.

kapitel 44

Noch nie hatte ich für die Fahrt nach München so lange gebraucht wie heute. Zweimal musste ich auf Rastplätzen anhalten, weil ich völlig neben mir stand und mich kaum auf den Verkehr konzentrieren konnte. Einmal hatte ich sogar schon angesetzt zu überholen, als ich in der letzten Sekunde bemerkte, dass links neben mir bereits ein Fahrzeug fuhr.

Der Fahrer hinter mir hatte wild gehupt und aufgeblendet. Daraufhin drosselte ich das Tempo drastisch. Fanny lag auf dem Rücksitz und gab keinen Mucks von sich.

Der Inhalt des Briefes hatte mir den Boden unter den Füßen weggezogen. Ich war in einem Zustand, den ich nicht beschreiben konnte. Ich hatte bis jetzt keine einzige Träne geweint. Dazu war ich viel zu schockiert.

Nach langen drei Stunden fuhr ich den Wagen endlich in die Einfahrt zum Haus meiner Mutter. Fanny hob den Kopf und winselte.

»Brave Süße«, sagte ich und stieg langsam aus. »Komm mit.«

In meiner Tasche hatte ich das Päckchen und vor allem den Brief. Ich hoffte, dass meine Mutter entweder hier oder in ihrem Büro ganz in der Nähe war und keinen Gerichtstermin hatte. Ich musste sie sehen. Und zwar sofort!

Fanny trabte neben mir zur Haustür. Sie schaute immer wieder zu mir nach oben und stupste mich an der Hand. Ich wusste, dass sie spürte, wie sehr ich mitgenommen war. Und ich wusste auch, dass sie mich trösten wollte. Ich war froh, dass sie dabei war, und streichelte über ihren Kopf. Dann drückte ich meinen Finger auf die Türglocke.

Mutter war tatsächlich daheim und öffnete die Tür.

»Hanna! Was machst du denn hier?«, fragte sie überrascht.

»Ich muss mit dir reden!«

»Also, was ist los?«, fragte sie, nachdem sie mir ein Glas Wasser eingeschenkt hatte. Sie saß auf dem Sofa im Wohnzimmer und schaute mich besorgt an. Ich suchte nach den richtigen Worten und ging unruhig auf und ab. Doch es gab keine richtigen Worte. Ich holte das Päckchen aus der Tasche und stellte es vor ihre Nase.

»Ich möchte, dass du mir das erklärst«, sagte ich plötzlich.

»Ist das dieses Päckchen, wegen dem du mich gestern angerufen hast?«

Ich nickte.

Sie öffnete es und starrte hinein. Als sie die Kette und das Messer sah, wurde sie schlagartig bleich im Gesicht. Sie griff vorsichtig nach dem Schmuckstück und zog es langsam und mit zitternden Fingern heraus.

»Bitte lass mich einen Moment allein!«, sagte sie, und das war keine Bitte.

Meine Mutter verlor nur selten die Fassung, eigentlich nie, doch jetzt war so ein Moment. Auch wenn mir unendlich viele Fragen auf der Zunge und vor allem auf dem Herzen lagen, erhob ich mich und ging hinaus in den Garten. Fanny folgte mir. Ich wusste, was meine Mutter jetzt lesen würde. Ich hätte den Brief auswendig aufsagen können. Die Worte, die darin standen, hatten sich für immer in mein Gedächtnis eingebrannt:

Ich habe Mist gebaut, Minni, und wahrscheinlich bist du ziemlich wütend auf mich.

Als du mir erzählt hast, dass du schwanger bist, fühlte sich das an, als ob du mir mein Leben und meine Freiheit wegnehmen wolltest. Deswegen bin ich weg. Ich wollte reisen, die Welt ansehen, mich nicht an die Kette legen lassen. Wie absurd und dumm von mir! Jetzt sitze ich hier, gefangen in meiner Freiheit, und wünsche mir nur eines: Bei dir zu sein! Du bist meine Freiheit und jetzt mehr noch mein Leben, als ich es mir hätte vorstellen können. Du trägst mein Kind in dir. Unsere gemeinsame Ewigkeit.

Ich habe Angst. Eine verdammte Angst, dass ich es nicht schaffe. Dass ich nie mehr in deinen wundervollen Augen ertrinken kann. Und ich nie das erste Lächeln meiner Tochter oder meines Sohnes erleben werde.

Minni, du wirst eine phantastische Mutter sein. Erzähl unserem Kind von mir, und dass ich es schon jetzt so sehr liebe, dass mein Herz dabei brennt. Und erzähle ihm von unserer Liebe! Ich hoffe, dass du diesen Brief nie lesen musst, denn wenn ich es schaffe, zu dir zu kommen, werde ich dir immer zeigen, wie sehr ich dich liebe.

Dein Wolfgang

Und dann als Zusatz in einer total krakeligen Schrift:

Ich schaffe es nicht, Minni. Schenk unserem Kind die Kette und meine Liebe. Mein einziges Erbe… Love you!

Es war die längste halbe Stunde, die ich je in meinem Leben gewartet hatte, bis sie mich wieder hinein rief. Der Brief lag geöffnet auf dem Tisch. Ihre Augen waren rot und geschwollen. Sie hatte geweint, und es war, als ob eine andere Frau im Raum wäre. Noch nie hatte ich diesen Blick in ihren Augen gesehen. Noch nicht einmal damals, als mein Vater, … nein, als Lorenz gestorben war, der Mann, den ich für meinen Vater gehalten hatte. Und der es auch immer für mich gewesen war und sein würde.

Mutter stand wie ein Häufchen Elend da und verschränkte die Hände so fest ineinander, dass die Knöchel weiß hervortraten.

Sie würde mir jetzt noch nichts sagen können. Ich spürte es. Sie war zu erschüttert. Aber sie konnte etwas anderes tun.

»Zeig mir ein Foto«, bat ich sie leise. Sie nickte und ging aus dem Zimmer. Ein paar Minuten später kam sie zurück. Sie setzte sich neben mich und reichte mir ein Bild, das schon ziemlich zerdrückt war. Es sah fast so aus, als ob sie es zerknüllt und danach wieder glattgestrichen hatte. Ich nahm das Foto mit zitternden Fingern und betrachtete zum ersten Mal das Gesicht meines Vaters.

Ein gut aussehender junger Mann mit längeren hellbraunen Haaren und braunen Augen lächelte mir entgegen. Also hatte ich diese dunkle Farbe nicht nur von meiner Mutter geerbt, wie ich bisher immer gedacht hatte. Sein Gesicht war markant und hatte fast ein wenig arrogant wirkende Züge – und trotzdem vermeinte ich eine große Sensibilität darin zu entdecken.

»Es war sein zwanzigster Geburtstag, kurz vor dem Abi.« Die Stimme meiner Mutter war brüchig.

Ich legte einen Arm um sie und bemerkte erst jetzt, wie schmal sie in den letzten Wochen geworden war. Und schlagartig ging mir durch den Kopf, dass das mit dem Erbe meiner Oma und meinem

Vater zu tun hatte. Oder besser gesagt, mit meinen beiden Vätern. Wahrscheinlich war mit dem Erbe bei ihr eine alte Wunde wieder aufgebrochen.

»Du wirst es mir vielleicht nicht glauben, aber bisher war ich immer davon ausgegangen, dass Wolfgang noch irgendwo auf dieser Welt lebt.«

»Dass er noch lebt?«, fragte ich ungläubig.

Sie nickte. Und dann setzten wir uns, und sie erzählte mir ihre Geschichte.

»Wir hatten uns ein halbes Jahr vor dem Abi bei der Geburtstagsfeier eines Freundes kennengelernt. Es war Liebe auf den ersten Blick gewesen, wie man so schön sagt. Wolfgang lebte noch bei seinen Eltern in Passau. Zumindest mehr oder weniger. Die meiste Zeit war er irgendwo bei seinen Freunden. Trotzdem war er sehr ehrgeizig und hatte sich gründlich auf das Abi vorbereitet. Weißt du, er wollte unbedingt Germanistik und Philosophie studieren und Schriftsteller werden«, sie lächelte wehmütig bei diesen Worten.

»›Minni, du wirst sehen, ich werde mal ein ganz Großer‹, hat er immer gesagt, und ich war mir sicher, dass er das wirklich werden würde. Er war so voller Energie, dass… Ich weiß nicht, wie ich es beschreiben soll, aber mein Leben wurde durch ihn bunter, die Musik melodischer, und sogar das Essen schmeckte besser… Alles wurde intensiver und schöner durch ihn… Nach dem Abi wollten wir zuerst durch die Welt reisen und dann gemeinsam nach München gehen und dort studieren.«

Sie unterbrach ihre Geschichte, erhob sich und ging auf und ab.

»Und dann wurdest du schwanger«, sagte ich leise.

Sie nickte. »Ich war so glücklich und erzählte es ihm sofort…

Ich dachte, er würde sich ebenso freuen wie ich. Aber er schaute mich nur an und ... und schüttelte den Kopf ... ›Was ist mit unseren Reisen? Unseren Träumen?‹, fragte er. Ich versuchte ihm zu erklären, dass wir das auch noch später machen könnten, aber ich hatte nicht bedacht, wie wichtig ihm seine Freiheit war ... Er küsste mich noch nicht einmal, als er an diesem Abend ging. Und danach hörte ich nichts mehr von ihm.«

Es fiel ihr schwer, die Fassung nicht zu verlieren.

»Aber hast du denn nicht nach ihm gesucht?«, fragte ich ziemlich aufgewühlt.

»Nein. Ich dachte wirklich, dass er in ein anderes Land gegangen war, um dort seine Träume zu verwirklich. Ohne dass er mich mit dir als Klotz am Bein hatte. Auch seine Eltern dachten das anfangs. Später habe ich den Kontakt zu ihnen abgebrochen. Sie wissen nichts von dir.«

»Warum?«

Sie lächelte traurig. »Ich war so verletzt, dass er einfach gegangen war. So unendlich verletzt und wütend, dass er mich im Stich gelassen hatte. Er, meine große Liebe!«

Ich sah ihr an, wie furchtbar schwer es ihr fiel, das zu sagen. Sie brauchte einige Sekunden, bis sie weitererzählen konnte.

»Der einzige Mensch, dem ich mich anvertrauen konnte, war Lorenz. Wir waren immer schon gute Freunde gewesen, und ich wusste, dass ich mich auf sein Schweigen verlassen konnte. Nachdem ich ihm alles erzählt hatte, gestand er mir, dass er mich schon seit langem liebte, und machte mir einen Vorschlag: Er würde sich als dein Vater ausgeben und mich heiraten.«

»Aber warum hast du dich darauf eingelassen? Du hast ihn doch nicht geliebt, oder?« Es tat mir weh, diese Frage zu stellen.

»Es war keine Liebe, aber ich mochte ihn sehr. Er wusste das und nahm es als Preis in Kauf. Und als ich sah, wie liebevoll er sich um dich kümmerte, wurde aus meiner Zuneigung eine Form von Liebe. Ich schätzte ihn sehr.«

Jetzt wurde mir schlagartig vieles klar. »Oma wusste es, nicht wahr?«

Mutter nickte. »Ja. Lorenz hatte es ihr als Einziger gesagt. Es war ein großer Fehler, und er bereute es hinterher sehr. Sie wollte unbedingt verhindern, dass wir heiraten. Erst als Lorenz ihr drohte, den Hof zu verlassen, riss sie sich zusammen.«

Erschöpft ließ Mutter sich in einen Sessel fallen. Es gab noch so viele Fragen, auf die ich eine Antwort suchte. Aber jetzt musste ich ihr erst ein wenig Ruhe gönnen. Ich stand auf. Doch eines musste ich jetzt noch wissen.

»Hättest du es mir jemals gesagt?«

Sie schüttelte den Kopf. »Ich musste es Lorenz versprechen.«

Sie sagte es so bestimmt, dass kein Zweifel blieb, auch wenn ich mir eine andere Antwort gewünscht hätte.

»Kann ich dich alleine lassen?«, fragte ich, weil ich mir Sorgen um sie machte.

»Ja. Ich brauche jetzt ein wenig Zeit für mich … Hanna, nimm die Kette. Mehr brauche ich dir nicht zu sagen, denn du hast den Brief gelesen.«

Ich griff nach dem Schmuckstück und umschloss es vorsichtig mit meiner Hand. Dann ging ich zu meiner Mutter, kniete mich neben den Sessel und umarmte sie lange.

kapitel 45

Ich hatte es eilig, den Brunnenwirt zu verlassen. Stefan folgte mir und hielt mich auf.

»Hanna. Warte doch…«

Eben hatte ich ihm mitgeteilt, dass unsere Hochzeit nicht stattfinden würde, ohne ihm dafür einen Grund zu nennen.

»Bitte, Stefan, ich kann es dir jetzt nicht erklären…«, sagte ich erschöpft.

»Musst du auch nicht… Aber du sollst eines wissen. Ich würde dich auch ohne dieses Erbe heiraten.«

Seine ohnehin schon geröteten Wangen wurden bei diesen Worten dunkelrot.

Ich versuchte zu lächeln. »Danke, Stefan…«

Ich ging zum Parkplatz und stieg ins Auto. Fanny hatte ich vorher schon nach Hause gebracht. Sie war heute genug unterwegs gewesen.

Ich war froh, dass ich das Gespräch mit Stefan hinter mir hatte. Doch die Hochzeit abzusagen war ein Kinderspiel gegen das, was mir jetzt bevorstand.

Die Haustür stand offen, und ich hörte Musik aus der Küche.

»Darf ich reinkommen?«

»Hanna!«, rief Tante Luise. Oder einfach nur Luise, ohne Tante, nachdem, was ich jetzt wusste. »Da musst du doch nicht fragen!«

Sie walkte einen Batzen Teig auf der großen hölzernen Arbeitsplatte in der Mitte des Raumes.

»Ich muss mit Max sprechen. Ist er da?«, fragte ich und versuchte gute Laune vorzuspielen. Sie schien es mir abzunehmen.

»Der ist gerade eben zum Baumarkt. Müsste aber bald wieder da sein. Magst du einen Kaffee?«

Kaffee wäre jetzt sicher nicht verkehrt.

»Gerne.«

Sie wusch sich die Hände, drehte das Radio aus und schenkte aus einer gläsernen Kanne ein.

»Den habe ich vorhin frisch aufgebrüht.«

Sie wusste, dass ich ihn immer schwarz trank, und reichte mir den Kaffeebecher.

»Danke.«

Ich nahm die Tasse in die Hand und atmete das milde Aroma ein, das mich sofort belebte. Die Küche von Tante ... von Luise war ein Ort, an dem ich mich schon immer wohl gefühlt hatte. Und auch jetzt merkte ich, wie die Anspannung der letzten Stunden ein wenig nachließ. Der lichtdurchflutete Raum war groß und mit hellen Möbeln eingerichtet, die ländlich, aber nicht zu rustikal wirkten. An den Fenstern hingen sonnengelbe Vorhänge, und in der Mitte des Fensterbretts standen Töpfchen mit Kräutern, die vor allem der Dekoration dienten, da es auf dem Hof ein großes Gewächshaus für Gemüse, Salat und alle möglichen Kräuter gab.

»Heute gibt es Zwetschgenstrudel, nach dem Rezept deiner Oma«, erklärte Luise und machte sich wieder an die Arbeit.

Meiner Oma? ... Tja. Inzwischen wusste ich, warum Berta mich nie leiden mochte. Irgendwie war es eine Erleichterung, dass ihre Antipathie mir gegenüber in der fehlenden biologischen Vaterschaft ihres Sohnes und nicht an mir persönlich lag. Ich ging sogar davon aus, dass sie mich gemocht hätte, wenn ich die echte Tochter ihres Sohnes gewesen wäre. Zumindest wünschte ich es mir.

»Mit eingeweckten Zwetschgen?«, fragte ich höflich, weil ich merkte, dass Luise auf meine Reaktion wartete.

»Ja. So wie sie ihn immer gemacht hat. Es sind die letzten Gläser vom vergangenen Jahr«, erklärte Luise und nickte in Richtung der zwei großen Weckgläser auf der Anrichte. »Da war sie noch am Leben.«

Es war tatsächlich ein besonderes Rezept, bei dem es sich eigentlich um einen Zwetschgen-Rahmstrudel handelte. Nur eben nicht mit frischen, sondern mit eingelegten Früchten.

»Soll ich dir helfen?«, fragte ich plötzlich. Irgendwie hatte ich das Bedürfnis, etwas zu tun, bei dem ich nicht nachdenken musste.

»Gerne … du kannst ein paar Äpfel schälen. Du weißt ja …«

»… dass Max keine Zwetschgen mag«, beendete ich den Satz für sie, und wir lächelten uns wissend an.

Luise füllte für ihren Sohn immer einen Strudelteig mit hauchdünn geschnittenen Äpfeln und setzte ihn in die Mitte der Bratraine. Während Luise den Teig auswalkte und ihn dann vorsichtig so dünn auseinanderzog, dass man dadurch fast die Zeitung hätte lesen können, schnippelte ich die Äpfel in eine Schüssel.

»Freust du dich auf deine Hochzeit mit Stefan?«, fragte sie mich plötzlich.

Ich hielt kurz inne und war versucht, ihr mein Herz auszuschütten. Aber dann ließ ich es. Ich wollte jetzt nicht darüber reden müssen. Außerdem sollte Max es zuerst erfahren.

»Naja«, sagte ich deswegen unverbindlich.

Luise schaute mich an. »Stefan ist nicht verkehrt.«

Mehr sagte sie nicht. Natürlich ahnte auch sie, dass die Ehe – wenn sie denn am Freitag geschlossen werden würde – nicht von Dauer sein würde.

»Was ich die ganze Zeit vergessen habe, Tante Luise«, sagte ich, und das Wort Tante rutschte mir mit der Macht der Gewohnheit heraus, »herzlichen Dank für die tolle Überraschungsparty zu meinem Geburtstag. Das war wirklich total lieb von dir.«

»Schön, dass es dir gefallen hat, Hanna. Aber das war Max' Idee, und er hat sich bis auf den Kuchen um alles gekümmert.«

»Max hat das gemacht?«, fragte ich völlig perplex.

»Ich dachte, du wusstest das«, sagte sie.

»Nein. Das wusste ich nicht.« Nach dem ganzen Streit in der letzten Zeit hätte ich nicht damit gerechnet, dass Max mir so eine Freude bereiten wollte.

Wir arbeiteten schweigend weiter. Sie verrührte süße Sahne, Zucker, frisches Vanillemark, zwei Eier, etwas Milch und sauren Rahm und goss die Mischung über die gefüllten Strudelblätter. Dann setzte sie ein paar Butterflöckchen und den restlichen sauren Rahm darauf – schließlich konnte das Ganze immer noch ein paar mehr Kalorien vertragen – und schob die Bratreine in den Backofen. In diesem Moment fuhr ein Auto in den Hof.

»Oh. Jetzt ist der Max da«, sagte Luise und lächelte. Dann tat sie etwas, das mir schließlich doch für einen Moment die Tränen in die Augen trieb. Sie streichelte mit ihrem Handrücken über meine Wangen und sagte leise: »Bestimmt wird alles gut!«

»Ja«, sagte ich nur und schluckte. Rasch drehte ich mich um und ging nach draußen.

»Max!« Er war auf dem Weg in die Scheune.

Überrascht drehte er sich um. »Hanna?« Er blieb stehen.

»Ich muss mit dir sprechen.«

»Wenn du mich bitten willst, dass ich das Hochzeitsauto fahre, dann kann ich dir nur wieder sagen, dass die Hochzeit nicht stattfinden wird.« Er sah mich provozierend lächelnd an.

»Du hast recht. Wird sie nicht.«

Er lächelte immer noch und schien auf etwas zu warten.

»Können wir irgendwo in Ruhe reden?«, fragte ich.

»Du meinst das im Ernst?«, fragte er, und sein Lächeln verschwand.

»Ja.«

»Stefan hat kalte Füße bekommen?«

»Hat er nicht. Wo können wir reden?« Ich versuchte immer noch, ganz ruhig zu bleiben, aber langsam kroch mir der Ärger im Nacken hoch.

Er ging zur Scheune, und ich folgte ihm.

»Jetzt bin ich aber gespannt«, sagte er und schaute mich neugierig an.

»Der Hof gehört dir!«

»Das sag ich doch schon die ganze Zeit«, sagte er grinsend.

»Ich meine, ich werde nicht mehr darum kämpfen. Nicht mehr heiraten. Er gehört heute schon dir.« Und hat dir immer schon gehört, setzte ich in Gedanken dazu.

Natürlich hätte ich die Sache mit meinem Vater verschweigen und Stefan heiraten können, um das Erbe anzutreten. Aber ich hätte mir im Spiegel nicht mehr ins Gesicht schauen können. Max war Bertas einziger richtiger Enkel und somit der rechtmäßige Erbe. Warum sie das nicht gleich im Testament geregelt hatte, konnte ich mir nur dadurch erklären, dass sie mich und vor allem wohl meine Mutter damit über ihren Tod hinaus ärgern wollte.

»Warum gibst du auf?«, fragte er und schien richtig enttäuscht zu sein.

Was war denn das jetzt? Ich hatte gedacht, er würde sich freuen!

»Das ist es doch, was du wollest!«, fauchte ich ihn an. Ich war plötzlich wütend geworden.

»Nein! Das wollte ich nicht!«

Ich stemmte die Hände in die Hüften und schaute ihn an.

»Wer bitte versucht denn seit der Testamentseröffnung alles, damit ich von hier verschwinde? Hast du vielleicht einen Zwillingsbruder, von dem ich nichts weiß?«

»Ich habe nie versucht, dich von hier zu vertreiben. Und jetzt sag mir sofort den Grund, warum du so plötzlich deine Meinung geändert hast!«, forderte Max mich auf, ohne auf meine Frage einzugehen.

»Das geht dich gar nichts an!«, giftete ich, obwohl ich ihm genau das eigentlich erklären wollte. »Und dass du es weißt, ich habe mir etwas Geld von Omas Konto genommen für meine Firma in München. Ich werde dir aber alles auf Heller und Pfennig wieder zurückzahlen. Ich brauche nur ein wenig Zeit!«

Und ein kleines Finanzwunder – setzte ich in Gedanken hinzu. Vielleicht konnte ich mich ja irgendwie unter den Euro-Rettungsschirm schummeln?

»Für welche Firma?«, fragte er verblüfft.

Stimmt. Verdammt, jetzt hatte ich mich auch noch verplappert. Doch das war jetzt auch schon egal, und mehr würde er jetzt auch nicht mehr erfahren.

»Das spielt jetzt keine Rolle. Du kriegst dein Geld.«

Er packte mich plötzlich am Arm. »Hanna. Schau mich an und sag mir jetzt sofort, warum du auf das Erbe verzichtest!«

Ich schüttelte seinen Arm ab. »Erst wenn du mir sagst, warum du jetzt so tust, als ob du es gar nicht möchtest.«

Ich war wirklich irritiert. Eigentlich hatte ich mich innerlich gegen seine Selbstgefälligkeit und seinen Spott gewappnet. Und jetzt so etwas?

»Dir ist es jetzt also wirklich ernst damit, das Erbe nicht anzunehmen?«, fragte er, als ob er noch immer damit rechnete, dass mein Verzicht bloß ein Trick war.

»Soll ich es mir auf dir Stirn tätowieren lassen?« Irgendwie tat es mir gut, mich mit ihm so zu fetzen.

Er lachte plötzlich. »Es reicht, wenn du ein Schild hochhältst!«

»*Max bekommt das Erbe und Hanna geht leer aus* oder wie?«

»Hanna geht nicht leer aus!«

»Stimmt. Fanny werde ich behalten!«, sagte ich und verschränkte entschlossen die Arme vor meiner Brust.

»Ich hatte nie vor, das Erbe anzunehmen«, sagte er plötzlich sehr ernst.

Hatte er gerade gesagt, dass er das Erbe nie angenommen hätte?

»Bin ich jetzt im falschen Film oder wie?« Ich verstand überhaupt nichts mehr. »Du hast jeden Mann verprellt, den ich heiraten wollte!«

»Ja. Weil ich nicht wollte, dass du nur wegen des Erbes irgendeinen dahergelaufenen Typen heiratest.«

»Weil du nicht wolltest, dass ich das Erbe bekomme.«

»Ich hätte es dir am Ende sowieso überlassen.« Er lächelte bei diesen Worten.

»Was?« War das Max, der da vor mir stand? Oder hatte ein Alien von ihm Besitz ergriffen?

»Ich fand die Bedingungen im Testament von Anfang an einfach nur gemein.«

Ich starrte ihn mit offenem Mund an. »Aber warum hast du dich dann nicht auf meinen Deal eingelassen, dass wir uns das Erbe teilen?«, fragte ich fassungslos.

»Ach komm. So einfach wollte ich es dir auch nicht machen. Es hat mich interessiert, wie du dich schlagen würdest. Außerdem wärst du nicht drei Monate auf dem Hof geblieben, wenn wir das gleich geklärt hätten.«

»Aber du wolltest sogar Stefan die Hochzeit ausreden!«

»Das wäre nicht nötig gewesen, ich hätte es dir einen Tag vor der Hochzeit gesagt. Denkst du wirklich, ich hätte dich einfach so einen Mann heiraten lassen, den du nicht liebst? Ich hab mir allerdings schon Sorgen gemacht, dass du mittendrin heiraten würdest, ohne dass ich es rechtzeitig verhindern könnte. Zugetraut hätte ich es dir!«

Ich war hin- und hergerissen zwischen dem Wunsch, ihm an die Gurgel zu gehen, und dem Drang wahlweise laut loszulachen oder zu heulen. Er hatte mich die ganze Zeit nur ärgern wollen! Ich wollte am liebsten gar nicht mehr darüber nachdenken, was ich alles getan hatte, um das Erbe zu bekommen. Und jetzt bekäme ich es einfach so – und ich konnte es nicht mehr annehmen. So verrückt war die Welt. Oder war ich es?

»Hanna?«

»Ja?«

»Warum wolltest du auf das Erbe verzichten?«

Jetzt war die Stunde der Wahrheit gekommen. Und es fiel mir unendlich schwer, dieses Geheimnis zu lüften, von dem so lange Zeit nur ganz wenige Menschen gewusst hatten. Und das ich selbst erst seit wenigen Stunden kannte.

»Es gibt einen Grund, warum Berta mich nie mochte… Das Erbe steht nur dir alleine zu. Ich kann es nicht annehmen. Mein Vater… also Lorenz, war nicht mein richtiger Vater.«

Er schaute mich an, und ich sah in seinen Augen, dass diese Nachricht für ihn keine Überraschung war. Und das war eine weitere Überraschung für mich.

»Du hast es gewusst?«, fragte ich ihn fast tonlos.

Er zögerte kurz und nickte dann.

»Seit wann?«

»Hanna, hör mir zu… Ich muss dir da etwas erklären.«

»Wie lange weißt du es schon?«

»Es… es war an deinem zwölften Geburtstag. Ich hatte zufällig einen Streit zwischen Oma und Onkel Lorenz mitbekommen.«

Das konnte jetzt nicht wahr sein, oder?

»Du weißt es schon so lange und hast es mir nie gesagt? Du warst damals mein allerbester Freund!«, rief ich empört. Dass meine Mutter es mir nicht gesagt hatte, tat schon weh genug, aber dass Max es mir verschwiegen hatte, konnte ich ihm nicht verzeihen.

»Ich wollte es dir sagen, aber ich wusste nicht, wie… und dann…«

»Wer weiß es noch?«, unterbrach ich ihn.

»Ich habe es niemandem erzählt. Wirklich! Ich bin froh, dass du es jetzt weißt. Es gibt viel, über das wir reden müssen, Hanna.«

Ich wich zurück. »Wir müssen gar nichts. Ich fahre nach Hause und packe. Und dann verschwinde ich von hier.«

»Nein, das wirst du nicht…«

»Und ob. Ich habe genug von Menschen, die mir etwas vormachen. Mein ganzes Leben lang haben mich alle nur belogen!«

»Hanna, bitte! Es gibt noch so viel zu klären…« Er versuchte mich festzuhalten.

»Lass mich! Und wage es nicht, wieder irgendwie rumzutrick-sen!«

Ich drehte ihm den Rücken zu und ging aus der Scheune. Keine Sekunde zu früh, denn so konnte er die Tränen nicht sehen, die jetzt ungehindert über meine Wangen kullerten.

Kapitel 46

Ich packte den Wagen so voll, dass hinten nur noch wenig Platz für Fanny blieb. Trotzdem passte nicht alles hinein, was ich mit nach München nehmen wollte. Ich würde zweimal fahren müssen. Inzwischen war es dunkel geworden. Da ich keine Kraft hatte, heute noch irgendwem etwas zu erklären, würde ich Willy später eine SMS schicken, dass ich dringend nach München musste. Jetzt war es auch nicht mehr notwendig, die Nacht auf dem Hof zu verbringen. Wer immer das kontrollierte, konnte mir den Buckel runterrutschen.

Als ich losfahren wollte, merkte ich, wie erschöpft ich war. Sicher war es nicht verkehrt, eine heiße Dusche zu nehmen und einen Kaffee zu trinken, bevor ich mich ans Steuer setzte. Eine Dreiviertelstunde später war ich frisch geduscht und durch das Koffein wieder einigermaßen fit. Ich sperrte das Haus ab und ging in der Dunkelheit zum Wagen.

»Komm, Süße! Steig ein!«, rief ich nach Fanny. Doch der Hund begann plötzlich zu bellen.

»Was ist denn? Jetzt komm schon, ich will los!«

Doch sie hörte nicht auf mich und rannte wie der Blitz in Richtung Obstgarten.

»Komm zurück!«

Sie ließ sich nicht aufhalten.

»Aua! Geh weg, du Mistvieh!«, hörte ich plötzlich eine schrille Frauenstimme, die mir auf unangenehme Weise sehr vertraut war.

Ich rannte zum Obstgarten. Verena stand ängstlich mit dem Rücken an einen Apfelbaum gedrängt. Vor ihr stand Fanny und knurrte sie böse an.

»Fanny, sitz!«, befahl ich streng, und sie gehorchte, wenn auch zögernd.

»Diesen Köter sollte man einschläfern!«, forderte Verena ängstlich.

»Was hast du hier zu suchen?«

»Ich … ich wollte zu Pit«.

»Mitten in der Nacht? Lüg mich nicht an!«

»Tu endlich deinen Hund weg.«

»Das werde ich nicht. Ich werde ganz was anderes machen, nämlich die Polizei anrufen.«

»Spinnst du? Die Polizei?«, schrie sie aufgebracht, und es tat fast weh in den Ohren.

»Du bist diejenige, die sich hier ständig rumschleicht, Fallen legt und meine Rinder vergiften wollte.«

»Bist du deppert? Wovon redest du überhaupt?« Sie wollte sich davonmachen, aber Fanny knurrte sie böse an.

»Und die vergifteten Blumen hast du auch vor die Haustür gelegt!«

Ich war mir sicher, dass sie es war, und ärgerte mich, dass ich nicht schon früher darauf gekommen war. Fanny wusste es schon lange, ich hatte nur nicht auf sie gehört.

»Warum sollte ich irgendwelche Rosen vergiften?«

»Ich habe nicht gesagt, dass es Rosen waren.«

»Ich dachte nur …«

»Was hattest du heute vor?«

Sie versuchte, eine kleine Tasche hinter dem Baum zu verstecken.

»Nichts … gar nichts …«

Ich riss ihr die Tasche aus der Hand und fand eine Rolle mit dünnem Draht.

»Was wolltest du damit machen?«

»Nichts!«

»Fanny gefällt es gar nicht, wenn du mich anlügst.«

Als ob er es verstanden hätte, begann der Hund wieder böse zu knurren.

Plötzlich schlug Verena die Hände vors Gesicht und begann zu heulen. Das hörte sich mit ihrer hohen Stimme schauderhaft an. Sie sollte sich im Fegefeuer als Seelenquälerin bewerben, dachte ich grimmig. Da könnte sie mit dieser Stimme sicher eine tolle Karriere machen.

»Sei still!«, rief ich, und sie hörte tatsächlich auf.

»Du bist doch selbst schuld daran«, begann sie plötzlich und schaute mich hasserfüllt an.

»Ich bin schuld?«

»Ja! Immer schon hast du mir die Jungs vor der Nase weggeschnappt.«

Wie bitte? Ich hatte was getan?

»Du hast schon ganz richtig gehört. Wochenlang habe ich Stefan damals kleine Zettelchen geschrieben und ihm Bonbons auf seinen Stuhl gelegt. Und dann?«

»Und dann?«, fragte ich, weil ich jetzt selbst neugierig war, was für einen Unsinn sie mir da auftischen wollte.

»Dann habt ihr euch hinter der Turnhalle geküsst!«

Naja, geküsst war jetzt doch etwas übertrieben. Es war eher ein Busserl gewesen.

»Verena, ich wusste doch gar nicht, dass du auf Stefan …«

Doch sie ließ mich gar nicht ausreden.

»Und Max hat mich sogar ausgelacht, als ich ihm ein gehäkeltes rotes Herz geschenkt habe.«

»Und da bin ich jetzt auch schuld oder wie?«

»Ja, freilich!«

»Du spinnst doch, Verena. Max ist mein Cousin!« Ähm … zumindest war er es damals. Also, er war es zwar auch damals nicht gewesen, aber wir dachten, dass er es war. Also zumindest die Leute, die nicht wussten, dass Lorenz nicht mein Vater war.

»Na und! Trotzdem wollte er immer nur was mit dir unternehmen.«

»Vielleicht stand er einfach nicht auf gehäkelte rote Herzchen?«

»Ich hatte mir schon überlegt, meine Haare blond zu färben, damit er mich endlich mal zur Kenntnis nehmen würde!«

»Wieso blond?«, fragte ich irritiert.

»Er hat sich immer nur welche ausgesucht, die dir ähnlich gesehen haben!«

Ich lachte laut auf. »Du bist doch nicht mehr ganz dicht!«

»Und dann hast du Pit geküsst.«

»Eher er mich!«

»Du nimmst mir immer die Jungs weg! Ich will keine abgelegten Männer von dir.«

Ich konnte es nicht glauben. Hier stand eine zutiefst verletzte, rachsüchtige Frau, die mir die Schuld daran gab, dass es mit den Männern in ihrem Leben bisher nicht geklappt hatte. Natürlich war es für sie einfacher, die Schuld bei mir als bei sich selbst zu suchen. Seltsamerweise tat sie mir plötzlich leid. Außerdem war ich so erschöpft von diesem Tag, dass ich keine Kraft mehr hatte, mich mit ihr auseinanderzusetzen.

»Was war das für ein Zeugs auf den Rosen?«, fragte ich müde.

»Juckpulver«, antwortete sie kleinlaut.

Juckpulver? Wenigstens war es keine giftige Substanz gewesen. Ich nahm Fanny am Halsband und hielt sie fest.

»Geh nach Hause, Verena!«

»Aber der Hund…«

»Ich halte sie, bis du weg bist.«

»Ja, und die Polizei?«

»Die wird heute nicht mehr kommen…«

Endlich schien sie zu realisieren, dass ihr nichts passieren würde, und sie verschwand in der Dunkelheit. Ich starrte ihr hinterher.

»Hat Verena etwas angestellt?«, hörte ich Pit plötzlich fragen.

Ich drehte mich um und fragte mich, wo er jetzt so spät noch herkam.

»Zumindest wollte sie das«, antwortete ich.

Er schaute mich betreten an. »Ich hatte mir schon gedacht, dass sie es war. Aber ich wollte sie irgendwie nicht hinhängen. Tut mir wirklich leid«, sagte er mit betretener Stimme.

»Schon gut… Aber was willst du um diese Zeit noch hier?«

»Hanna, ich muss dir auch etwas gestehen… Äh… Die Durchsage im Weinzelt… Das habe ich angezettelt. Weil ich mich so über dich geärgert hatte. Dabei war es ja meine Schuld. Wenn du mich jetzt rauswerfen willst, dann kann ich das verstehen.«

Ich schaute ihn an und bemerkte, dass es ihm wirklich ernst war. Jetzt hatten sich alle Fragen für mich gelöst. Max hatte wirklich nichts damit zu tun gehabt.

»Nein. Ich schmeiß dich nicht raus, Pit.«

Dann ging ich langsam zu meinem Wagen und machte mich auf den Weg nach München.

Kapitel 47

Es war mitten in der Nacht, als ich in meiner kleinen Wohnung ankam, die in den letzten drei Monaten ein ziemlich verwaistes Dasein geführt hatte. Ich war nur selten hier gewesen. Und wenn, dann nur kurz, um etwas zu holen oder nach der Post zu schauen. Eine Nachbarin hatte sich freundlicherweise um die wenigen Zimmerpflanzen gekümmert und ab und zu gelüftet.

Fanny schnüffelte an den Möbeln und schaute sich neugierig um. Ob sie spürte, dass das hier jetzt ihr neues Zuhause sein würde? Ich würde viel mit ihr nach draußen gehen müssen, damit sie genug Auslauf bekäme. Aber ich hatte ja noch Pauline. Und wie ich meine kleine Schwester kannte, würde sie oft hier sein, so dass ich mir keine allzu großen Sorgen um den Hund machen musste. Über die Option, Fanny in Halling zu lassen, wollte ich gar nicht nachdenken. Das käme nicht in Frage. Fanny gehörte jetzt zu meinem Leben. Egal wo das stattfinden würde.

Ich fiel völlig erschöpft ins Bett und war wie versteinert. Zu viel war passiert an diesem Tag. Ich konnte jetzt nicht mehr über meine beiden Väter nachdenken. Trotzdem war ich mir sehr bewusst, welche Konsequenzen ich aus all dem, was ich heute erfahren hatte, würde ziehen müssen. Finanziell gesehen stand ich jetzt um einiges schlimmer da als an dem Tag, an dem ich vom

Tod meiner Oma erfahren hatte. Ich musste schnellstmöglich Geld auftreiben, um Max den Betrag zu ersetzen, den ich von Omas Konto für die Steuerschulden genommen hatte. Doch wie ich das schaffen sollte, war mir in diesem Moment schleierhaft. Überhaupt Max. Sein Verhalten war ein völliges Rätsel für mich. Und ich musste morgen mit Luise sprechen und ihr alles erklären und außerdem… Es gab so viel zu regeln und zu besprechen. Ich fühlte mich wie vor einem riesigen Gebirge, das ich überschreiten musste. Doch die Erschöpfung verschaffte mir erst einmal eine Verschnaufpause und trug mich in einen tiefen, traumlosen Schlaf.

Als ich am nächsten Tag aufwachte, fand ich einen Gast in meinem Bett. Fanny hatte sich an das Fußende geschlichen, was sie bisher noch nie getan hatte. Blinzelnd schaute ich auf die Uhr. Es war kurz nach acht! Als mir wieder einfiel, was gestern alles auf mich eingeprasselt war, wäre ich am liebsten im Bett geblieben. Aber Fanny sprang schon neben mich und stupste mich an.

»Klar, Süße, ich komm schon!«

Ich stand auf, schlüpfte in eine Hose und ein T-Shirt und ging rasch eine Runde mit ihr um den Block. Die frische Luft tat mir gut, und ich fühlte mich etwas besser. Auf dem Rückweg nahm ich frische Brezeln mit.

Obwohl ich zuerst dachte, ich bekäme keinen Bissen hinunter, langte ich beim Frühstück ordentlich zu. Danach ging ich unter die Dusche und ließ das Wasser so lange und so heiß auf mich herabprasseln, wie ich es aushalten konnte. Dann stellte ich auf lauwarm und schließlich auf kalt.

Mein Körper prickelte und war krebsrot, als ich mich abtrocknete. Dann föhnte ich mich und schlüpfte in ein einfaches dunkelblaues Sommerkleid, das ich schon länger nicht mehr getragen hatte und das vermutlich etwas aus der Mode gekommen war. Aber wen interessierte das schon? Mein Blick fiel auf die Kette von Wolfgang, die auf der Kommode lag. Es fiel mir noch schwer, an ihn als meinen Vater zu denken. Ich war für einen kurzen Moment versucht, sie anzulegen. Doch ich war noch nicht bereit dafür. Zuerst musste ich noch einiges in meinem Leben regeln.

Mein Firmenhandy klingelte. Ich holte es aus meiner Tasche und schaute aufs Display: Frank Cornelius. Obwohl ich mich vor dem Gespräch fürchtete, wusste ich, dass ich es ihm schuldig war, ranzugehen.

»Hier BeauCadeau«, meldete ich mich mit fester Stimme.

»Bea! Na endlich gehen Sie dran.«

»Tut mir leid, Herr Cornelius, aber ich hatte ...«

»Hören Sie. Ich muss Sie sprechen! Augenblicklich«, unterbrach er mich.

»Ich kann verstehen, dass Sie ziemlich sauer auf mich sind«, gestand ich, »und es tut mir unendlich leid, dass ich Ihnen nicht geholfen habe.«

»Können Sie jetzt zu mir ins Büro kommen?«, fragte er ohne auf mich einzugehen.

»Ja.«

Es war das Mindeste, dass er mich von Angesicht zu Angesicht zur Schnecke machen konnte. Er hatte sich auf mich verlassen, und ich hatte versagt. Ich legte auf.

»Du bleibst schön hier. Ich bin bald wieder zurück, Fanny.«

Die Sekretärin führte mich in das Allerheiligste von Frank Cornelius, doch ich hatte kaum einen Blick dafür, wie edel, geschmackvoll und zweifellos teuer sein Büro eingerichtet war.

Frank saß an seinem Schreibtisch, und neben ihm stand seine Frau Bettina. Sie trug wie ich ein blaues Kleid. Allerdings entsprach ihres der neuesten Mode und sah an ihr um einiges schöner aus als meins an mir. Ich hatte geahnt, dass sie ebenfalls hier sein würde.

War es wirklich erst zwei Tage her, seit ich sie im Fitness-Club kennengelernt hatte? Es kam mir vor wie eine Ewigkeit.

»Hallo, Bea«, begrüßte Frank mich.

»Hallo, Britt«, kam es von Bettina.

»Guten Tag«, sagte ich kleinlaut.

»Setzen Sie sich doch«, bot er mir einen Platz in einem bequem aussehenden, cremefarbenen Ledersessel an.

Ich wäre zwar am liebsten stehen geblieben, doch ich setzte mich brav hin.

»Kaffee? Oder lieber Tee?«, fragte Bettina.

Ein Schnaps wäre mir jetzt am liebsten gewesen.

»Nein, danke«, lehnte ich beides höflich ab. Und bevor ich es mir anders überlegen konnte, sprudelte es auch schon aus mir heraus.

»Ich weiß. Ich habe versprochen, dass ich das beste Geschenk für Ihre Frau finden würde, das man für eine Million bekommen kann. Und ich kann Ihnen gar nicht sagen, wie leid es mir tut, dass ich es nicht geschafft habe.«

So. Und jetzt konnten die beiden auf mich losschimpfen.

»Eine Million wolltest du für mich ausgeben?«, Bettina warf einen amüsierten Blick auf ihren Mann.

»Nun ja ... mindestens«, sagte er und lächelte etwas schräg.

»Oh Gott. Das hätte ich jetzt gar nicht sagen dürfen«, stammelte ich und ahnte, dass ich mit meinem Gerede alles nur noch schlimmer machen würde.

»Bea ...«, setzte Cornelius an.

»Ich heiße Hanna! Hanna Gruber.« Ich war erleichtert, dass ich endlich meinen Namen preisgeben konnte.

Die beiden lächelten.

»Ich weiß«, sagte Bettina.

»Woher?« Jetzt war ich völlig irritiert. Von Alex konnte sie meinen Namen doch nicht erfahren haben, oder?

»Ich glaube, wir dürfen sie nicht mehr länger auf die Folter spannen, Frank.«

»Nein. Bitte spannen Sie mich nicht mehr länger auf, sondern beginnen Sie mit dem Auspeitschen, damit ich es endlich hinter mir habe«, sagte ich mit einem letzten Rest Galgenhumor.

Die beiden lachten laut auf.

»Entschuldigen Sie, Hanna.« Cornelius räusperte sich amüsiert.

»Du hast zwar am Montag noch ein ziemliches Durcheinander ausgelöst, aber letztlich war es das beste Durcheinander, das Frank und ich jemals hatten«, sagte Bettina lächelnd.

»Wieso habe ich ein Durcheinander ausgelöst?«

»Nachdem Sie mir gesagt hatten, dass ein anderer Mann meine Frau anbaggert, bin ich schnurstracks zum Fitness-Club gefahren und habe Bettina zur Rede gestellt.«

Oh, oh! Das wird Alex aber nicht gefallen haben!

»Er hat mich fast geschüttelt und wollte unbedingt wissen, wer dieser Mann war. Ich wusste überhaupt nicht, was er wollte. So eifersüchtig hatte ich ihn noch nie erlebt.«

»Entschuldige, Liebling, ich war außer mir«, sagte Frank zerknirscht.

»Schon gut … Auf jeden Fall konnte ich ihm nichts sagen, weil es ja keinen anderen Mann gibt. Da schnappte er sich Alex und nahm ihn in die Mangel, um etwas rauszufinden.«

Er fragte Alex? Was? Wieso fragte er Alex?

»Aber mein lieber Schwager drehte plötzlich den Spieß um und warf mir vor, dass ich eine Affäre mit einer Prostituierten hätte, die sich Bea nennt.«

Schwager? Prostituierte? Mir schwirrte der Kopf.

»Damit bestätigte mein Bruder, was ich die ganze Zeit befürchtet hatte.«

Jetzt machte es endlich pling. »Alex ist dein Bruder?«, fragte ich und war fassungslos.

Bettina nickte lächelnd.

»Ja, ich hatte ihn vor ein paar Wochen gebeten, ein Auge auf meinen Mann zu werfen, weil Frank sich so seltsam verhielt. Immer wieder ertappte ich ihn dabei, wie er heimlich telefonierte, und dann fand ich in seinem Kalender auch noch eine Notiz: *Treffen mit Bea!* Entschuldige, Hanna, aber ich dachte, Bea wäre eine Nutte.«

»Als ob ich zu einer Prostituierten gehen würde!« Frank schüttelte den Kopf.

»Aber ... aber ...« Ich wusste nicht, sollte ich lachen oder weinen?

Alex war der Bruder von Bettina und hatte mich heimlich beobachtet? Und er dachte, ich sei eine Nutte? Was käme denn noch alles an Überraschungen? Vielleicht wusste ich ja immer noch nicht alles? Und war in Wahrheit die Tochter von Angela Merkel, die Wolfgang, der eigentlich ein amerikanischer Geheimagent war, damals auf seiner Wanderung am Watzmann getroffen hatte. Wolfgang hatte Angela verführt, und sie wurde schwanger. Der Geheimdienst hatte mich ihr sofort nach der Entbindung weggenommen und mich Berta, die für den Mossad arbeitete, vor die Haustür gelegt. Die hatte meiner angeblichen Mutter Hermine K.-O.-Tropfen eingeflößt und ihr hinterher eingeredet, dass ich ihr Kind sei. Wahrscheinlich war ich überhaupt nicht ich?!

»Hanna, ist alles okay?«, fragte Bettina, da ich nichts sagte.

Ich nickte. Frank erklärte weiter.

»Er ist mir damals gefolgt in die Himbeere und hat Sie gesehen. Doch als er Ihnen hinterher wollte, verlor er Sie im Münchner Verkehr.«

Vielleicht war auch Alex ein Geheimagent, der mich beobachtete, weil ich die Tochter von Angela Merkel war?

»Doch als er uns zum Flughafen gebracht hatte, bist du ihm wieder aufgefallen. Und dann hat er sich an deine Fersen geheftet und ist dir bis nach Niederbayern gefolgt«, erklärte Bettina weiter.

Den Rest konnte ich mir selbst zusammenreimen. Wenn ich jetzt mal davon ausging, dass ich nicht die Tochter von Frau Merkel und Alex kein Geheimagent war. Er war nicht wegen meines Inserats gekommen, sondern er war mir nach Halling gefolgt. Und hatte sich in mein Leben gedrängt, um herauszufinden, was ich mit dem Mann seiner Schwester zu schaffen hatte.

Bis dahin konnte ich es sogar verstehen. Aber dass er so weit gegangen war, auch noch mit mir ins Bett zu springen? Hatte er das getan, weil er dachte, ich sei eine Prostituierte? Ich spürte, wie meine Wangen sich langsam aber sicher röteten.

»Hanna, hören Sie. Bettina und ich haben uns endlich ausgesprochen. Sie war noch nicht einmal böse, dass ich jemanden beauftragt hatte, ein Geschenk für sie zu finden.«

»Aber ich habe versagt«, murmelte ich. Und zwar auf ganzer Linie.

»Nein«, sagte Bettina sanft und lächelte. »Du hast ihm genau das gesagt, was ich mir von Herzen wünsche. Ich hätte mich nicht getraut, es zu tun. Was im Nachhinein gesehen ziemlich dumm von mir war.«

»Ja. Jeder von uns beiden dachte, der andere will kein Kind mehr.«

Cornelius schob einen Scheck über den Schreibtisch.

»Hier ist die versprochene Provision. Vermutlich werden wir mehr als eine Million ausgeben, bis unser Kind selbst seine Brötchen verdient. Und ob dieses Kind jemals zur Welt kommen wird, steht sowieso noch in den Sternen. Aber ich werde mein Bestes dafür tun.« Er zwinkerte seiner Frau vergnügt zu.

Ich starrte auf den Scheck. Einhunderttausend Euro! Ich war sprachlos.

Es klopfte an der Tür.

»Herein!«

»Chef, ihr Termin im Besprechungszimmer ist schon etwas ungeduldig.«

»Gut, ich muss los.« Er stand auf, und ich tat es ihm nach.

Er streckte mir die Hand entgegen.

»Ich danke Ihnen, Bea … äh, Hanna!«

»Ich danke Ihnen, Herr Cornelius.«

»Und wir werden die Identität von Bea natürlich für uns behalten«, setzte er noch abschließend hinzu.

»Versprochen!«, sagte auch Bettina.

Als wir hinausgingen, drückte sie mir einen Zettel in die Hand.

»Die private Telefonnummer meines Bruders. Falls du es dir mit deiner Hochzeit am Freitag doch noch anders überlegst.«

»Das habe ich schon«, rutschte es mir heraus, und sie lächelte.

kapitel 48.

Als ich mein Büro betrat, war ich voller zaghaftem Optimismus. Das Geld von Cornelius machte es mir möglich, meine Schulden zu bezahlen und noch ein kleines Polster aufzubauen. Damit war meine Existenz zumindest eine Weile lang nicht mehr gefährdet. Daniela war überglücklich, als ich es ihr erzählte. Sie wusste allerdings noch nichts von dem restlichen Dilemma.

Und es fiel mir schwer, es zu erzählen. Aber nachdem ich einmal losgelegt hatte, merkte ich, dass es mich erleichterte, ihr mein Herz auszuschütten. Diesmal vergaß sie sogar, an ihren Haaren zu zwirbeln, so gebannt hörte sie mir zu.

»Es tut mir so leid für dich, Hanna«, sagte sie, und ihre Augen schimmerten feucht.

»Ach, ich kann jetzt sowieso nichts mehr ändern und …«

»Grüß Gott!«, sagte Daniela zu jemandem hinter mir.

Ich drehte mich um.

»Alex!« Wie war der denn hierher gekommen?

»Das ist Alex?« Daniela zwirbelte wild an ihren Haaren.

»Ja. Hallo. Der bin ich.« Er lächelte kurz in ihre Richtung.

»Hast du mich wieder verfolgt?«, rutschte es mir heraus.

»Eine andere Möglichkeit gibt es ja nicht, wenn man mehr über dich erfahren möchte.«

»Ach ja?«

»Hanna, können wir reden?«, fragte er und wirkte dabei etwas angespannt.

»Ja. Das können wir.«

»Soll ich kurz rausgehen? … Ich meine, natürlich soll ich das«, stotterte Daniela plötzlich. »Ich glaube, ich geh mal eine rauchen …«

»Aber du rauchst doch gar nicht!«, bemerkte ich überrascht.

»Ach, weißt du … so mal eine …«

Sie stand hastig auf und verließ das Büro. Was war denn in Daniela gefahren? So kannte ich sie gar nicht.

»Macht ihr das Büro zu zweit?«, fragte er neugierig.

»Eigentlich ist BeauCadeau mein Baby. Aber ohne Daniela würde das sicher nicht so gut laufen.«

»Nachdem ich jetzt weiß, was du machst, finde ich das eigentlich ziemlich spannend.«

»Danke … Aber setz dich doch. Möchtest du etwas zu trin…«

»Nein, ich möchte nichts.«

Aber er setzte sich.

»Bettina hat gesagt, du heiratest nicht. Stimmt das?«

Ich nickte.

»Hör mal, Hanna. Ich weiß gar nicht, wie ich das alles erklären soll. Ich dachte, du hast was mit Frank, und Bettina wollte unbedingt, dass ich herausfinde …«

»Das hat mir deine Schwester schon alles erklärt.«

»Als du dann plötzlich im Fitness-Club warst und dich als Britt ausgegeben hast, bekam ich Angst, dass du etwas gegen Bettina im Schilde führst.«

»Das hast du wirklich von mir gedacht?«, fragte ich, und es verletzte mich ein wenig, dass er mir so etwas zutraute.

»Versetz dich doch mal in meine Lage«, sagte er.

»Dachtest du, ich bin eine Prostituierte, als du mit mir geschlafen hast?« Diese Frage brannte mir auf der Seele.

»Wie kommst du denn jetzt darauf?«

»Sag es mir!«

»Ich wusste am Anfang überhaupt nicht, was ich von dir halten sollte. Ja... Vielleicht dachte ich das, als ich dich beim ersten Treffen mit Frank gesehen hatte. Aber dann, in Halling, da hattest du mit einer Hure so wenig gemeinsam wie ein Vegetarier mit einer Fleischfachverkäuferin...«

Das war doch mal ein Vergleich! Hmm. Ich wusste nur nicht, ob es als Kompliment gemeint war.

»Eine Frau wie dich hatte ich noch nie kennengelernt. Und diese Geschichte mit der Hochzeit und dem Erbe war auf eine verrückte Art so realistisch, dass ich plötzlich dachte, das mit dir und Frank müsse doch harmlos sein...«

»Warum hast du mich nicht einfach gefragt?«

»Weil du mir jedes Mal ausgewichen bist, wenn ich dich auf deine Arbeit angesprochen habe. Das hat mich dann auch wieder misstrauisch gemacht. Aber trotzdem habe ich gemerkt, dass ich...« Er hörte plötzlich auf zu sprechen.

»Was hast du gemerkt?«

»Dass ich mich sehr zu dir hingezogen fühlte. Und nein, ich habe nicht gedacht, dass du eine Hure bist, als wir miteinander geschlafen haben.«

Meinte er etwa damit... »Ich war dir nicht gut genug im Bett?«, sprach ich meine Gedanken laut zu Ende.

Er lächelte.

»Doch. Das warst du. Aber eine Professionelle hätte sicher an ein Kondom gedacht.«

Oh.

»Es war wundervoll mit dir, Hanna. Aber danach habe ich gehört, wie du heimlich im Bad mit Frank telefoniert hast. Du hast gesagt, er solle ja vorsichtig sein, dass Bettina nichts merkt. Dann hast du dich aus dem Zimmer geschlichen … und naja, da dachte ich dann schon …«

»Aber das war doch alles rein geschäftlich!«, rief ich empört.

»Ja, jetzt bin ich auch schlauer!«

Durfte ich ihm deswegen böse sein? Eigentlich war ich doch selbst schuld an der ganzen Misere. Hätte ich ihm früher gesagt, was ich mache, dann wäre alles gar nicht so weit gekommen. In diesem Moment fragte ich mich ganz ernsthaft, ob ich wirklich weiterhin einen Job machen wollte, den ich vor meinen Mitmenschen verheimlichen musste. Was sollten meine Kinder denn später einmal in der Schule über mich erzählen? Müsste ich sie wegen meiner Arbeit zum Lügen animieren? Gut, dieses Thema stand noch nicht sonderlich dringend an und konnte für den Moment vernachlässigt werden.

»Was machen wir denn jetzt?«, fragte ich und schaute ihn fragend an.

»Jetzt stelle ich mich erst einmal ganz offiziell vor. Mein Name ist Alexander Zabel …«

Natürlich! Betty Zabel war ja der Name, unter dem Bettina früher bekannt war.

»… und ich leite eine Werbeagentur hier in München. Ich habe von der Arbeit eines Landwirts keinen blassen Schimmer. Ich bin seit vier Jahren geschieden, habe keine Kinder und …«

»Entschuldigung. Hanna, wir müssen unbedingt reden!«

Ich hob den Kopf. Max!? »Wie kommst du denn hierher?«

»Deine Mutter und Pauline haben es mir verraten.«

Na wunderbar. Jetzt könnten wir hier bald einen Tag der offenen Tür veranstalten.

»Hör mal, ich führe hier gerade ein Gespräch mit Hanna...« protestierte Alex.

»Das kann sicher warten. Bitte, Hanna, nur kurz. Es ist wirklich wichtig. Und ich muss auch bald wieder zurück. Morgen kommen die polnischen Helfer für die Gurkenernte, und es ist noch viel vorzubereiten.«

»Moment...« Ich strich mir über die Schläfen. Wem sollte ich denn nun als Erstes zuhören?

»Alex... könntest du uns bitte kurz alleine lassen?«, bat ich schließlich.

Das schien ihn nicht zu freuen. »Na gut«, sagte er trotzdem, »melde dich später, dann reden wir heute Abend über alles.«

Ich nickte.

Die beiden Männer schauten sich nicht gerade freundlich an, als Alex das Büro verließ.

»Danke«, sagte Max und ging auf mich zu. Mir fiel jetzt erst auf, dass seine Haare über den Sommer etwas länger geworden waren, was ihm sehr gut stand.

Er hielt ein großes Kuvert in der Hand, das er nervös zu einer Rolle zusammendrehte.

»Was willst du, Max?«

»Ich muss dir einiges erklären... Das bin ich dir schuldig. Weißt du, Hanna. Als ich es damals erfuhr... das mit deinem Vater, da erschrak ich natürlich im ersten Moment. Aber dann... dann freute ich mich.«

»Du hast dich darüber gefreut?«, fragte ich ungläubig.

»Ja. Denn das bedeutete, dass wir nicht Cousin und Cousine waren.«

Er schaute mich mit einem intensiven Blick an, und jetzt löste sich auch das letzte Rätsel für mich.

»Du...« Ich schluckte.

»Ja... Ich war schon damals in dich verschossen. Frag mich nicht, warum, denn du warst manchmal eine ziemlich anstrengende Göre.« Er grinste und versuchte die Situation zu überspielen, wurde aber gleich wieder ernst. »Ich wollte es dir sagen, das mit deinem Vater. Aber ich traute mich nicht, wegen der Familie. Du weißt ja, wie Oma war...«

»Oh ja!«

»Und dann kam dieser Idiot Stefan und hat dich hinter der Turnhalle geküsst...«

Anscheinend hatten wir damals mehr Zuschauer, als wir ahnten.

»...und ich merkte, wenn ich nicht bald alles auf den Tisch legen würde, dann war es vielleicht zu spät. Ich wollte es dir sagen, kurz nach deinem dreizehnten Geburtstag. Aber dann passierte das mit Onkel Lorenz... Wie hätte ich es dir antun können, dir danach die Wahrheit zu sagen? Du hast damals genug gelitten. Es war zu spät. Und dann seid ihr weg nach München.«

Meine Augen brannten bei seinen Worten. Ich war nicht fähig, ein Wort zu sprechen.

»Ich möchte, dass du weißt, wie schwer es mir gefallen ist, dich die ganzen Jahre anzulügen. Hanna... Hier...«, er reichte mir das Kuvert. »Das sind die Papiere, die dir den Hof und das Geld übertragen. Auch wenn du nicht seine biologische Tochter warst, so hast du Lorenz alles bedeutet. Er war dein Vater. Es ist nur in seinem Sinne, wenn du alles bekommst. Ich habe das auch mit meinen Eltern besprochen. Sie wissen Bescheid und sind beide ebenfalls meiner Meinung.«

»Aber...«, protestierte ich schwach.

»Wenn du das Erbe nicht annimmst, dann verschenke ich den Hof an Pit«, drohte er, nur halb im Scherz.

Das musste nun auch nicht sein. Ich nahm das Kuvert.

»Ich wünsche dir alles Gute, Hanna«, sagte er leise. Dann drehte er sich um und ging.

Ich starrte lange auf den Umschlag, ohne einen einzigen klaren Gedanken fassen zu können.

»Hanna?«, fragte Daniela vorsichtig. »Alles gut bei dir?«

»Naja…« Gut war anders. Tausend Gedanken und Bilder schossen gerade wild durch meinen Kopf.

»Was wollte Max denn von dir?«, fragte sie neugierig.

Ich hielt ihr das Kuvert entgegen.

»Er hat mir das Erbe von Berta geschenkt«, erklärte ich heiser.

»Oh. Aber das ist doch wundervoll!«

Darüber musste ich später erst einmal nachdenken. Im Moment fühlte ich mich alles andere als wundervoll.

»Alex hat mir draußen seine Nummer gegeben, und ich soll dich erinnern, dass du ihn unbedingt anrufst wegen heute Abend.«

»Kannst du das bitte für mich machen?«, bat ich sie, weil ich momentan selbst nicht dazu fähig war, ein Telefonat zur führen.

»Klar!«

»Ich muss jetzt in meine Wohnung. Fanny wird schon auf mich warten.«

»Moment bitte noch kurz. Ich habe endlich etwas herausgefunden in dieser einen Sache«, sagte sie und lächelte.

»In welcher Sache?« fragte ich irritiert.

»Na wegen Willy! Hast du das vergessen?«

Das hatte ich tatsächlich! Es war schon Wochen her, seit ich sie darum gebeten hatte, etwas über seine verschollene Frau herauszufinden.

»Und du hast wirklich was gefunden?«, fragte ich und war jetzt fast ein wenig aufgeregt.

»Du kennst mich doch. Ich finde immer alles.«

»Das stimmt!«

Kapitel 49

Fanny erwartete mich schon ganz ungeduldig, als ich daheim ankam.

»Ja, gleich gehen wir Gassi, meine Süße«, begrüßte ich sie und streichelte über ihr weiches Fell.

Inzwischen hatte sich das schöne Wetter verzogen, und dunkle Wolken kündigten baldigen Regen an. Ich öffnete den Einbauschrank im Flur und suchte nach einem Regenschirm. Da fiel mein Blick auf eine alte Schuhschachtel, die am Boden des Schrankes stand. Ich nahm sie heraus und öffnete den Deckel. Die Schachtel war bis obenhin gefüllt mit alten Postkarten und Briefen, die ich im Laufe meines Lebens bekommen hatte. Ganz obenauf lag eine Karte mit einem Weihnachtsmotiv. Ich nahm sie heraus. Sie war von Max. Wie die meisten übrigen auch.

Bevor ich sie las, ging ich noch rasch mit Fanny eine Runde. Dann setzte ich mich mit der Schachtel auf mein Bett und begann nach und nach alle Karten zu lesen. Es war nicht ganz einfach, denn Max hatte wirklich eine ziemliche Sauklaue. Das war auch ein Grund gewesen, warum ich die Karten eigentlich immer nur kurz überflogen und nie richtig gelesen hatte.

Er hatte zu allen möglichen Anlässen geschrieben. Zu meinen Geburtstagen, zu Weihnachten, Ostern und zum bestandenen

Abi. Er hatte Urlaubsgrüße von den Reisen geschickt, die er in den letzten Jahren gemacht hatte. Ab und zu waren auch kleine Geschenke dabei gewesen: Bücher, CDs oder witzige Kalender.

Nach dem, was ich heute von ihm erfahren hatte, erkannte ich jetzt, dass es sich um lauter kleine, versteckte Liebesbriefe gehandelt hatte. Er hatte mir Botschaften geschickt, die ich nicht verstanden hatte. Und auch nicht verstehen hatte können.

Max hatte sich immer um mich gesorgt, mich aufgemuntert – zum Beispiel als ich wegen meines Blinddarms im Krankenhaus gelegen hatte. Mit den Karten hatte er mir zeigen wollen, dass er an mich dachte und wie wichtig ich für ihn war. Doch ich hatte es nicht erkannt.

Inzwischen war mir auch klar geworden, dass es richtig gewesen war, mir zu verschweigen, dass Lorenz nicht mein Vater war. Ich hätte ihn damals dafür gehasst, weil er mir damit meinen Vater ein zweites Mal genommen hätte.

Ich blickte auf die Uhr. Es war spät geworden. Bald musste ich mich fertig machen für das Treffen mit Alex.

Ausnahmsweise war ich heute zu früh dran, als ich die Bar betrat. Ein weiteres Mal hatte ich Fanny heute alleine in der Wohnung lassen müssen. Eine gut gefüllte Bar am Abend war nicht der richtige Ort für einen Hund.

Es war schon viel los im Laden, aber ich bekam einen guten Platz an der Theke. Mike freute sich sehr, mich zu sehen, und drückte mich fest an sich.

»Endlich sehe ich dich hier mal wieder nach Sunset«, meinte er lächelnd.

»Ja. Ich darf die Nacht wieder verbringen, wo immer ich will.«

»Du siehst toll aus. Das Kleid steht dir!«

»Danke.« Ich trug das graue Kleid, das ich mir für die Hochzeit mit Stefan gekauft hatte. Es hatte einen gewissen Symbolcharakter, deswegen hatte ich es für diese Begegnung ausgesucht.

»Und wer ist der Glückliche, mit dem du dich heute triffst?«

»Alex!« Ich lächelte.

»Echt? Dann hat sich inzwischen doch noch alles geklärt?«, fragte er amüsiert.

»Ja. Es hat sich geklärt.«

»Ich versuche immer noch herauszufinden, woher ich ihn kenne. Es macht mich ganz verrückt, dass mir das nicht einfällt.«

In dieser Frage konnte ich meinen Freund endlich erlösen. »Vielleicht hast du ihn ja schon mal in Begleitung seiner Schwester gesehen? Betty Zabel, die jetzige Bettina Cornelius.«

»Mensch! Na klar! Alex Zabel ist das! Er hat diese große Werbeagentur. Dass ich da nicht selbst drauf gekommen bin!«

»Bei den vielen Gesichtern, die du täglich siehst, ist das doch kein Wunder.«

In diesem Moment kam der Mann ins Lokal, über den wir uns gerade unterhielten. Er sah wirklich verdammt gut aus in seiner lässigen Jeans und dem schwarzen T-Shirt. Nicht wenige Frauen starrten ihn ungeniert an.

»Viel Glück, Darling!«, flüsterte Mike mir zu und kümmerte sich dann wieder um die anderen Gäste. Ja, Glück konnte ich gebrauchen.

»Hanna!« Alex lächelte mich an und gab mir zur Begrüßung links und rechts einen Kuss auf die Wange.

Als ich den Duft seines Rasierwassers einatmete, wurde ich schlagartig an die Nacht beim Brunnenwirt erinnert. Ich schluckte.

»Schön, dass du da bist«, sagte ich, und wir blickten uns an.

Er lächelte, und plötzlich beugte er seinen Kopf und gab mir einen kurzen, aber intensiven Kuss auf den Mund. Ich löste mich von ihm und schaute etwas verlegen zur Seite. Der Kuss war schön gewesen – aber mehr nicht. Er hatte keine Achterbahnfahrt mehr in Gang gesetzt.

»Nehmen wir den Tisch da hinten?«, fragte er und deutete auf einen der wenigen freien Tische.

Ich schüttelte den Kopf.

»Nein. Bleiben wir lieber hier stehen.«

»Wie du möchtest ... Ich bestelle uns gleich einmal ...«

»Nein«, unterbrach ich ihn. »Ich möchte nichts. Danke.«

Jetzt schaute er mich verwundert an.

»Nicht?«

»Alex, ich bin froh, dass du heute gekommen bist, aber ...«

»Hm. Ich weiß nicht, ob der Anfang dieses Gespräches mir wirklich gefällt«, unterbrach er mich und schaute mich fragend an.

Ich versuchte zu lächeln. Vermutlich würde ihm der Mittelteil und das Ende des Gespräches noch weniger gefallen. Vielleicht sollte ich mich einfach so kurz wie möglich fassen und gar nicht lange um den heißen Brei herum reden.

»Alex. Mir ist heute etwas klar geworden. Das mit uns beiden ... kann nichts werden.«

»Weil?«

»Ich weiß, es gab viele Missverständnisse auf beiden Seiten, und wir hätten beide reden müssen.«

»Allerdings.«

»Aber wenn wir uns nicht zufällig in diesem Fitness-Studio begegnet wären, hätte ich dich womöglich nie wiedergesehen. Du hättest es zugelassen, dass ich heirate. Egal ob nun für kurz oder für immer ... Irgendwie zeigt mir das, dass ich dir nicht wirklich so viel bedeuten kann. Und das ist für mich keine gute Basis für eine glückliche Beziehung.«

»Du weißt doch, dass ich dachte…«

Ich fiel ihm ins Wort. »Wenn ich dir wirklich wichtig gewesen wäre, hättest du die Karten auf den Tisch gelegt und mir gesagt, wer du bist. Und wir hätten darüber reden können.«

»Aber du hast mir doch auch nicht gesagt, dass du Bea bist«, warf er ein.

»Ich dachte, du bist ein Landwirt, der einfach nur auf der Suche nach einer Frau ist. Wie hätte ich ahnen können, dass mein Beruf für dich eine Rolle spielte?«

»Ich wollte ja mit dir reden, aber dann habe ich dich in dieser Hängematte gesehen mit…« Er blickte zu Mike an der Bar »…ihm.«

»Wenn man jemanden wirklich liebt, dann versucht man, ihn von der Hochzeit mit jemand anderem abzuhalten. Findest du nicht?«

Er überlegte einige Sekunden. »Vielleicht hast du recht, Hanna«, gab er schließlich zu.

Wir schauten uns an, und ich verspürte einen winzigen Hauch von Wehmut. Ich war wirklich in ihn verliebt gewesen. Aber für das, was ich mir wünschte von einer Liebe, war es zu wenig. Womöglich war ich auch deshalb so schnell in ihn verschossen gewesen, weil er mir für mein Hochzeitsdilemma als sehr attraktive Lösung erschienen war. Aber egal was es war, heute waren bei unserer Begegnung alle Schmetterlinge davongeflogen. Plötzlich lächelte er und öffnete seine Arme. Ich ließ mich umarmen, und wir drückten uns freundschaftlich.

In diesem Moment sah ich Simon die Bar betreten. Zusammen mit seiner jungen Ehefrau. Als er mich erkannte, schien er kurz zu erstarren. Dann drehte er demonstrativ den Kopf mit frisch schwarz gefärbten Haaren zur Seite und steuerte mit seiner Frau ans andere Ende des Lokals. Ich lächelte. Und löste mich dann von Alex. Ich spürte, dass meine Entscheidung richtig war, denn meine Verliebtheit war endgültig verschwunden. Und auch bei ihm konnte es nicht so weit her gewesen sein, sonst hätte er wenigstens jetzt um mich gekämpft. Es war gut so, wie es war.

»Darf ich dich noch um einen Gefallen bitten?«, fragte ich ihn, bevor ich ging.

»Versuch es einfach.«

»Ich werde BeauCadeau aufgeben. Aber erst dann, wenn ich für Daniela eine wirklich gute Stelle gefunden habe. Du könntest sie nicht zufällig mal bei dir vorsprechen lassen?«

Er setzte eine geschäftsmäßige Miene auf.

»Ich nehme nur ausgezeichnete Leute«, sagte er.

»Dann ist Daniela für dich genau die Richtige.«

»Okay. Sie soll mit meiner Sekretärin einen Termin vereinbaren. Ich werde sie mal genau unter die Lupe nehmen.«

kapitel 50

Auf der Fahrt nach Niederbayern war der Wagen wieder ziemlich vollgestopft mit meinen Sachen. Fanny saß auf dem Rücksitz und schaute hellwach aus dem Fenster. Sie ahnte bestimmt, dass es wieder nach Hause ging. Heim nach Halling. Ich drehte das Radio laut auf, als Stefan Dettl sein Lied *Summer of Love* sang, und wünschte mir, dass dieser Sommer auch für mich ein Sommer der Liebe werden würde.

Bevor ich nach Halling fuhr, machte ich einen Abstecher nach Passau. Ich hatte noch etwas Wichtiges zu erledigen.

»Ich war vor ein paar Tagen hier und habe ein Kleid anprobiert, und das möchte ich gerne kaufen«, erklärte ich der Verkäuferin in der kleinen Boutique. Sie erkannte mich sofort wieder.

»Tut mir leid, aber das Kleid wurde noch am selben Tag verkauft«, sagte sie bedauernd.

»Wirklich?« Ach wie schade. Dabei wollte ich es unbedingt heute anziehen. Auch dieses Kleid hatte Symbolcharakter.

»Haben Sie es vielleicht eine Nummer größer?«

Sie schüttelte bedauernd den Kopf.

»Nur noch in 38.«

»Na gut … dann geben Sie mal her.«

Fanny konnte es kaum erwarten, aus dem Auto zu springen und in den Obstgarten zu rennen. Dort tollte sie vergnügt herum. Sie schien glücklich zu sein, dass sie wieder daheim war. Und ich war es auch.

»Hannerl«, rief Willy, der aus dem Geräteschuppen kam. »Da bist du ja wieder! Kannst du mir mal sagen, was jetzt mit dem Hof passiert? Überall hört man die wildesten Gerüchte.«

»Ich erkläre es dir heute Abend in Ruhe. Es ist alles gut... aber ich hab was für dich«, sagte ich und nahm ein Kuvert vom Beifahrersitz.

»Was denn?«, fragte er neugierig.

Ich konnte es gar nicht abwarten, sein Gesicht zu sehen, wenn ich ihm gleich sagen würde, was sich in dem Umschlag befand.

»Es ist eine Nachricht an dich.«

»Von wem?«

»Von Lan.«

Es dauerte einen Moment, bis er realisierte, was ich gerade gesagt hatte.

»Von Lan?«, fragte er leise und schaute plötzlich ziemlich erschrocken aus der Wäsche.

»Ja. Auf einem Datenstick.« Ich grinste breit. »Hier! Du kannst sie dir auf dem PC im Büro anschauen.« Ich reichte ihm das Kuvert.

»Sie lebt, oder?«

»Natürlich lebt sie. Denkst du, ich habe Nachrichten aus dem Jenseits?« Ich lachte.

Plötzlich steckte er das Kuvert in seine Tasche und packte mich. Er hob mich hoch und drehte sich mit mir wild im Kreis.

»Du bist unglaublich, Hannerl!«, rief er, und nachdem er mich wieder hinuntergelassen hatte, sah ich Tränen in seinen Augen.

»Daniela hat sie gefunden. Bei ihr kannst du dich bedanken.«

»Das werde ich. Aber du hast die Sache in die Hand genommen, nachdem ich dir davon erzählt habe. Und deshalb danke ich dir.«

Plötzlich drehte er sich um und ging ohne ein weiteres Wort ins Haus.

Ich wusste, was er auf dem Datenträger sehen würde. Es würde ihn bestimmt traurig machen. Aber trotzdem würde die Freude, dass Lan noch lebte, überwiegen.

»Fanny!«, rief ich meinen Hund. »Komm rein, es gibt Futter!«

Und dann würde ich mich umziehen und zu Max fahren.

Ich stand mit eingezogenem Bauch vor dem Spiegel in meinem Schlafzimmer und versuchte verzweifelt, den Reißverschluss am Rücken zuzuziehen.

»Verdammt. Im Geschäft ging es doch auch!«, rief ich ungeduldig und renkte mir fast die Arme aus. Doch endlich klappte es. Gut, dass ich durch all die Aufregung in den letzten Tagen nur sehr wenig gegessen hatte. Das Kleid saß zwar eng wie eine Wurstpelle um meine Taille und Hüften, aber es ging mir gar nicht darum, dass es perfekt aussah.

Ich warf noch einen kritischen Blick in den Spiegel und war einigermaßen zufrieden, wenn ich mich nur auf meinen Kopf konzentrierte. Die Haare waren offen und schimmerten in einem hellen Goldton. Meine dunklen Augen leuchteten vor Aufregung.

Rasch schlüpfte ich in die Schuhe und ging nach unten.

»Fanny, du bleibst schön daheim.«

Sie schien nichts dagegen zu haben. Müde gähnend lief sie in

Richtung Wohnzimmer. Die letzten Tage waren auch für sie aufregend genug gewesen.

Bevor ich mich auf den Weg machte, ging ich in den Obstgarten und schritt auf den Baum zu, den ich in den letzten Wochen stets gemieden hatte.

Der Zwetschgenbaum trug in diesem Jahr viele Früchte, die jedoch noch nicht reif waren.

»Berta. Ich weiß, dass du mich nicht leiden konntest. Aber wie wär's, wenn wir heute Frieden schließen?«, fragte ich leise. »Ich glaube, du hast uns lange genug dafür bestraft, dass das Leben bei dir nicht so gelaufen ist, wie du es dir vorgestellt hattest. Okay, ich bin nicht wirklich deine Enkeltochter, aber das ist egal, weil Lorenz mich liebte und ich ihn. Ich bin seine Tochter, und er ist mein Vater! Ob dir das nun gefällt oder nicht! Und wenn das auch dort oben« – ich schaute hinauf in den blauen Himmel – »nicht in deinen Dickkopf geht, dann tut es mir leid.«

Ich wartete kurz ab, aber es geschah nichts. Keine unreife Pflaume plumpste auf meinen Kopf, und auch kein plötzlicher Windstoß fuhr durch die Blätter am Baum.

»Was hältst du von einem Deal? Wenn heute alles gut geht, dann geh ich davon aus, dass du mir geholfen hast. Und dann sind wir beide irgendwie quitt.«

Ich legte meine Hand kurz an den Baumstamm und schloss für einen Moment die Augen. Dann machte ich mich auf den Weg zum Wagen.

»Hannerl!«

»Ja?« Ich drehte mich um.

Willy kam auf mich zu. Er war ziemlich blass um die Nase.

»Ich trau mich nicht alleine … Könntest du bitte …« Er sprach nicht weiter. Ich konnte ihn verstehen. Und auch wenn ich es nicht mehr erwarten konnte, zu Max zu kommen, wollte ich Willy in dieser Situation nicht auf den Abend vertrösten.

»Ich komm mit«, sagte ich und ging mit ihm ins Büro.

Willy saß auf dem Stuhl und startete mit zitternden Fingern die Videobotschaft. Ich stand hinter ihm – sitzen ging nicht gut in dem engen Kleid – und hatte meine Hand auf seine Schulter gelegt.

Ich spürte, wie ein Ruck durch seinen Körper ging, als er Lan sah. Auch an ihr war natürlich das Alter nicht spurlos vorüber gegangen. Die adrett geschnittenen dunklen Haare waren von weißen Strähnen durchzogen. Doch sie schaute sehr lebendig und gleichzeitig auch nervös in die Kamera.

»Willy. Ich bin so glücklich, dass du nach mir gesucht hast.« Ihr Deutsch war erstaunlich gut. Aber wahrscheinlich hatte sie den Text aufgeschrieben und abgelesen. »Und ich bin so froh, dass es dir gut geht. Aber ich habe auch Angst, dass du mich hassen wirst. Deswegen habe ich mich damals nicht mehr bei dir gemeldet ... Als ich bei meiner Mutter hier ankam, stellte ich fest, dass ich schwanger war. Ich freute mich so und wollte bald zu dir zurück. Aber dann gab es einen Unfall, und ich verlor das Baby.«

Willy saß bewegungslos da und hörte mit starrem Gesicht zu. »Und dann bekam ich Fieber und wurde krank. Die Ärzte sagten, ich kann keine Kinder mehr bekommen. Doch du wolltest immer Kinder. Und deswegen gab ich dir deine Freiheit für eine andere Frau. Bitte hasse mich nicht, Willy. Ich hoffe, du hast dein Glück gefunden und eine Familie bekommen.«

Dann sagte sie noch ein paar Worte des Abschieds, und das Video war zu Ende.

Willy begann plötzlich zu schluchzen, und ich drückte ihn fest.

Wir sprachen beide kein Wort. Denn es gab nichts dazu zu sagen. Nach einer Weile beruhigte er sich, und seine Tränen versiegten. Er putzte sich geräuschvoll die Nase. Dann schaute er mich an, und ein zaghaftes Lächeln erschien auf seinem Gesicht.

»Denkst du, dass du eine Weile lang ohne mich auf dem Hof auskommen wirst?«, fragte er.

Ich nickte.

»Na klar. Das krieg ich schon hin.«

»Gut, denn ich muss da unbedingt etwas mit meiner Frau klären.«

Ein paar Minuten später verließ ich ihn und ging zu meinem Wagen. In diesem Moment fuhr ein Auto in den Hof. Das Auto meiner Mutter. Und neben ihr auf dem Beifahrersitz saß meine kleine Schwester Pauline.

Oh nein! Ich musste doch jetzt unbedingt zu Max! Am liebsten wäre ich einfach in den Wagen gesprungen und losgefahren. Doch ich konnte sie jetzt nicht hier stehen lassen.

»Wo ist denn Fanny?«, fragte Pauline statt einer Begrüßung, und ich schickte sie ins Haus.

»Mama. Was machst du denn hier?«

»Hanna. Ich muss unbedingt mit dir reden.« Sie schaute mich kritisch von oben bis unten an.

»Was willst du denn in diesem engen Kleid? Das sieht ja schrecklich aus.«

»Das erkläre ich dir später. Können wir nicht heute Abend reden?«

Sie schüttelte den Kopf und griff nach meiner Hand.

»Es tut mir alles so leid, Hanna. Wir hätten es dir von Anfang an sagen müssen.«

»Ja. Das wäre sicherlich besser gewesen.«

»Ich muss zu Wolfgangs Mutter fahren und ihr Bescheid geben, was passiert ist. Bitte komm mit mir mit. Ich brauche dich zur Unterstützung.«

Sie schaute mich mit einem flehenden Blick an. Ich kannte diesen Blick in abgeschwächter Form. Damit hatte sie mich als Kind immer dazu gebracht, Oma aus dem Weg zu gehen und besonders brav zu sein. Inzwischen war mir klar geworden, dass meine Mutter damals alles versucht hatte, damit ich für Oma so unsichtbar wie möglich war.

»Mama. Ich werde ganz bestimmt bald zu Wolfgangs Mutter fahren.« Zu meiner richtigen Oma. Ich schluckte. »Aber nicht heute. Das ist ganz allein deine Aufgabe. Dein Geheimnis hat mir und einigen anderen Menschen das Leben nicht gerade einfach gemacht. Heute möchte ich das in Ordnung bringen. Ich denke, ich habe ein Recht dazu.«

Sie schaute mich betroffen an. Doch dann lächelte sie plötzlich.

»Ja. Du hast recht. Wenn du etwas in Ordnung bringen kannst, dann tu es.«

»Du schaffst das auch alleine«, ermutigte ich sie und umarmte sie.

Dann ging ich zum Wagen und stieg ein.

»Und du willst es dir wirklich nicht anders überlegen und dich vielleicht doch noch umziehen?« Mama konnte es einfach nicht lassen.

»Nein«, antwortete ich, obwohl ich Angst hatte, dass die Nähte beim Sitzen gleich aufplatzen würden.

»Wie du meinst.« Auch sie stieg in ihr Auto.

Ich schloss die Fahrertür und drehte den Zündschlüssel um. Das Auto gab keinen Mucks von sich.

»Himmel nochmal!«, rief ich und schlug mit der Hand auf den Lenker. Hatte sich denn heute alles gegen mich verschworen? Ich probierte es nochmal. Nichts. Wütend stieg ich aus. Mutter war inzwischen vom Hof gefahren. Was sollte ich denn jetzt machen? Für einen Spaziergang war die Strecke bis zu den Gurkenfeldern ein bisserl zu weit. Außerdem hatte ich es jetzt wirklich eilig.

Plötzlich kam mir eine Idee.

kapitel 51

Ich saß auf dem kleinen alten Traktor und fuhr den Feldweg entlang. Es war ein herrlicher Tag heute. Die Sonne schien von einem fast wolkenlosen blauen Himmel. Links und rechts am Weg blühten blaue Kornblumen und roter und rosafarbener Klatschmohn. Was war das für eine wundervolle Gegend, in der ich leben durfte! Meine Heimat!

Endlich entdeckte ich ihn. Max stand neben seinem Wagen am Rand eines der riesigen Gurkenfelder, über den langsam ein Gurkenflieger mit Arbeitern fuhr. Ich wusste, dass es schwierig war, für diese Arbeit einheimische Helfer zu finden, deshalb kamen die meisten Erntehelfer aus Osteuropa.

Max telefonierte. Als er den Traktor hörte, drehte er sich um. Er schien völlig überrascht zu sein, als ich neben ihm anhielt.

»Hanna!«, rief er aus.

»Kannst du noch zwei Hände zum Gurkenpflücken brauchen?«, fragte ich.

Er vergaß scheinbar, dass er noch mitten in einem Gespräch war, und steckte das Handy in die Hosentasche.

»Hast du nicht gerade mit jemandem telefoniert?«

»Oh!«, rief er und holte das Handy wieder raus. »Jetzt ist er weg. Macht nichts. Das erledige ich später.«

Es amüsierte mich, dass er ein wenig fahrig wirkte. Ich versuchte, vom Traktor zu steigen, aber das war überhaupt nicht einfach in dem verdammten Kleid. Vielleicht hätte ich doch besser auf meine Mutter hören sollen.

»Kannst du mir mal helfen?«, bat ich schließlich.

»Natürlich.« Er reichte mir die Hand und half mir nach unten.

Als er mich berührte, jagte ein Stromstoß durch meinen Körper. Ich bekam plötzlich wildes Herzklopfen.

»Und was ist jetzt? Kannst du mich brauchen?«, fragte ich fast ein wenig atemlos.

»In diesem Kleid? Lieber nicht. Da würden die Arbeiter vor Lachen vom Gurkenflieger fallen«, sagte er schmunzelnd. Doch gleich darauf runzelte er die Stirn.

»Wieso hast du überhaupt das Kleid an, das kann doch gar nicht sein … Und warum ist es heute so eng?«

Ich freute mich total, dass er sich an das Kleid erinnerte. »Es hat dir doch so gefallen. Deswegen wollte ich es anziehen. Aber leider war die richtige Größe schon weg.«

»Klar. Weil ich das Kleid gekauft habe.«

»Du?«

»Ja. Du hast darin ziemlich gut ausgesehen. Ich hatte vor, es dir zu schenken, an dem Tag, an dem ich dir alles erklärt hätte …«

Ich schluckte. Dieser Mann war einfach immer für eine Überraschung gut.

Plötzlich fühlte ich mich befangen. Ich wollte ihm so viel sagen, aber ich wusste nicht, wie ich anfangen sollte.

»Möchtest du ein bisserl gehen?«, fragte Max, der wohl merkte, dass ich mich unsicher fühlte.

Ich nickte. »Ja.«

»Wenn du meine Hilfe auf dem Hof brauchst, dann weißt du, dass du dich einfach nur melden brauchst, oder?«, bot er an.

»Danke… Ich äh… Max… Ich, ich muss dir auch was erklären…«

»Ja?

Ich holte tief Luft. »Weißt du, als Kind hatte ich immer das Gefühl, dass etwas nicht ganz richtig mit mir war. Ich weiß nicht, wie ich es erklären soll, aber ich dachte immer, ich müsse ganz besonders brav sein, damit Mama und Oma mit mir zufrieden sind. Jetzt weiß ich natürlich, warum das so war.«

»Oma war nie mit etwas zufrieden«, bemerkte Max und lächelte verständnisvoll.

»Vor allem nicht mit mir. Nur bei Papa konnte ich so sein, wie ich war. Wenn ich mit ihm zusammen war, dann fühlte ich mich wohl. Und mit dir auch. Da war immer alles gut. Bis du dann irgendwann anfingst, mich dumm anzureden und mich auszuschließen.«

»Ich wusste plötzlich nicht mehr, wie ich mit dir umgehen sollte, nachdem ich erfahren hatte, dass mein Onkel nicht dein Vater war.«

»Das hab ich ja alles verstanden. Aber ich…«

Er seufzte und unterbrach mich. »Ich weiß schon, du willst mir sagen, dass ich mich da in etwas verrannt habe und dass wir gute Freunde bleiben können.« Er grinste schief.

»Dann hätte ich mich bestimmt nicht in dieses Kleid reingequetscht«, sagte ich leise.

Er schaute mich belustigt an.

»Stimmt… Und was willst du mir jetzt damit sagen?«

»Ich… ich… naja, dass ich schon damals die Frau beneidet habe, die dich einmal als Mann bekommen würde. Zumindest so lange, bis du mich vor deinen Freunden eine greisliche Plunzn genannt hast.«

»Aber das war doch nicht so gemeint.«

»Aber du hast es gesagt.«

»Moment, hast du eben gesagt, dass du die Frau beneidet hast, die ich mal heiraten würde?« Er grinste breit.

»Ja …«

»Das gefällt mir … Und weiter?«

»Also damals, wenn ich mir im Fernsehen Sissy angeschaut habe, hab ich mir oft gedacht, wenn die Sissy ihren Cousin Franzl hatte heiraten dürfen, dann müsste das doch eigentlich auch bei anderen Leuten möglich sein.«

»Naja, eigentlich ist es ja auch möglich, wenn auch nicht unbedingt sehr üblich«, sagte er, und seine Stimme war jetzt etwas leiser.

»Ja. Aber als du mich dann so schikaniert hast, war mir das dann wieder egal. Ich war mir nämlich sicher, dass du mich nicht mehr leiden mochtest.«

Er fasste nach meiner Hand und blieb stehen.

»Gibt es auch irgendeine Kurzfassung von dem, was du mir sagen möchtest?«

»Meinst du die kürzeste Kurzfassung?«

»Genau die.«

Ich holte tief Luft, legte meine Hände etwas fahrig um seinen Nacken und stellte mich auf die Zehenspitzen. Mein Herz schlug, als würde es gleich zerspringen. Es war ein total verrücktes Gefühl. Aufregender noch als jede Achterbahnfahrt. Ich hob meinen Kopf. Er lächelte mich mit seinen grünen Augen etwas ungläubig, aber auch erwartungsvoll an. Plötzlich ließ ich ihn los und ging einen Schritt zurück.

»Ich trau mich nicht«, sagte ich kleinlaut.

»Hey! Kneifen gilt jetzt nicht mehr!«, sagte er mit rauer Stimme. Er zog mich an sich und beugte seinen Kopf zu mir. Und dann küsste er mich. Es fühlte sich unglaublich an, ihm so nah zu sein. Seine weichen Lippen zu spüren und seinen Duft einzuatmen. Der Duft, der zu Max gehörte und der mir so vertraut war. Der Duft nach Sommer und Sonne. Ich hielt mich an seinem starken Körper fest und genoss diesen gleichzeitig zärtlichen und doch so leidenschaftlichen Kuss, der irgendwie war wie Luises Überraschungstorte. Die immer phantastisch schmeckte, auch wenn man vorher nicht wusste, was genau einen erwartete. So stellte ich mir auch das Leben mit Max vor. Vertraut und doch immer wieder neu und voller Überraschungen.

Als unsere Münder sich nach einer Weile voneinander lösten, hatte ich total weiche Knie. Er schaute mich eindringlich an, als ob er es immer noch nicht glauben konnte, dass ich in seinen Armen lag.

»Passiert das jetzt wirklich?«, fragte er und streichelte sanft über mein Gesicht.

Ich nickte. »Sieht ganz danach aus.«

»Und, war's schlimm?« Er lächelte zärtlich.

Ich lächelte ebenfalls. »Schrecklich schlimm.«

»Das beruhigt mich.« Plötzlich grinste er frech.

»Ich finde es total süß, dass du dich für mich in dieses Kleid gezwängt hast, aber ich kann es kaum erwarten, dir das enge Ding später auszuziehen.«

Bei diesen Worten spielte alles in mir verrückt, und ich hörte plötzlich in meinem Kopf das Lied der Klaus Lage Band *Tausendmal berührt – tausendmal ist nix passiert… Tausend und eine Nacht, und es hat Zoom gemacht…* Nichts hätte besser beschreiben können, was eben in mir vorging.

Hier war er, der Mann, mit dem ich mein Leben verbringen wollte. Das war mir endgültig klar geworden, als ich gestern seine Briefe und Karten gelesen hatte. Ich wusste jetzt, dass er mich schon lange so sehr liebte, dass er aus Rücksicht auf mich und die Familie sogar sein eigenes Glück zurückgestellt hatte. Und ich spürte, wie sich meine Gefühle für ihn endlich aus dem Korsett befreiten, in dem sie jahrelang eingesperrt gewesen waren. Vielleicht würde es noch eine Weile dauern, bis ich aussprechen konnte, dass ich ihn liebte. Aber ich wusste, dass er mich in diesem Moment auch ohne Worte verstand.

Ich hob meinen Kopf kurz zum Himmel. *Danke, Berta!* sagte ich in Gedanken und fühlte mich endlich mit ihr versöhnt.

Jetzt musste ich aber noch etwas loswerden.

»Max... es gibt noch etwas, worüber wir reden müssen. Ich nehme das Erbe von Berta nur an, wenn ich dir die Hälfte davon schenken darf. Und da besteh ich drauf!«

Er grinste. »Du bist ein Sturkopf. Aber ich denke, da finden wir eine Lösung.«

Er nahm mein Gesicht zwischen seine Hände.

»Gibt es noch etwas?«, fragte er leise.

»Eine ganze Menge«, murmelte ich.

»Können wir das vielleicht wieder zusammenfassen?«

»Ganz bestimmt«, antwortete ich und schaute ihn verliebt an, als er sich über mich beugte, um mich wieder zu küssen. Und ich hatte endlich das Gefühl, das gefunden zu haben, wonach ich mich ein Leben lang gesehnt hatte.

kapitel 52

Drei Frauen aus drei Generationen standen gemeinsam am Fuße des Watzmann und hielten Blumen in der Hand.

Hanna, die jüngere der Frauen, trug eine silberne Kette mit einem schwarzen Anhänger um den Hals. Sie warf einen besorgten Blick auf die älteste des Trios: Irmgard Sagmeister. Die Vierundachtzigjährige war die Mutter des Mannes, der hier am Watzmann vor knapp vierunddreißig Jahren zu Tode gekommen war. Was damals genau passiert war, würde jedoch für die drei Frauen immer ein Geheimnis bleiben, da man Wolfgang Sagmeister nie gefunden hatte.

Hanna griff nach der Hand ihrer Großmutter, die sie erst seit wenigen Tagen kannte und die sie inzwischen sehr ins Herz geschlossen hatte. Irmgard war das Gegenteil von Berta Gruber. Sie war liebevoll und herzlich und freute sich unendlich, dass sie mit Hanna noch ein weiteres Enkelkind bekommen hatte. Und dass ihr Sohn damit nicht ganz für sie verloren war.

Die mittlere der Frauen nahm einen Brief aus ihrer Tasche und legte ihn in eine kleine Mulde. Darüber häufte sie Steine. Hermine hinterließ einen ganz persönlichen Abschiedsgruß an ihre große Jugendliebe, in dem sie ihr all das geschrieben hatte, was ihr auf der Seele lag.

Dann legten die drei Frauen die Blumen neben die Steine und gingen nach einer Weile gemeinsam weg.

Epilog

Bei unserem Kuss auf dem Gurkenfeld hatten Max und ich eine heimliche Beobachterin: die Altmannseder Vroni samt Dackel. Sie hatte natürlich nichts Besseres zu tun gehabt, als die Nachricht sofort in Halling zu verbreiten. Einer der ersten Leute, die daraufhin zu uns auf den Hof kamen, um zu gratulieren, war Pfarrer Brenner. Er wusste durch die Beichte der betroffenen Schäfchen natürlich schon lange um das Geheimnis und war froh, dass endlich alles aufgeklärt war.

Die Zacher Zenz kam ebenfalls vorbei, und ich musste anerkennen, dass sie mit ihrem Blick in die Karten und damit in meine Zukunft in jeder Hinsicht recht behalten hatte. Als sie mich fragte, ob sie noch einmal die Karten für mich legen sollte, lehnte ich höflich, aber entschieden ab. Ich wollte mich lieber unvoreingenommen vom Leben und der Liebe überraschen lassen.

Willy machte sich nur zwei Wochen nachdem er das Video gesehen hatte auf den Weg nach Vietnam zu seiner Lan. Und konnte sie nach langen Gesprächen schließlich überreden, mit ihm gemeinsam die restlichen Jahre in Niederbayern zu verbringen.

Pit blieb uns auf dem Hof als fleißiger Mitarbeiter erhalten. Er hatte vergeblich versucht, doch noch mal bei Verena zu landen.

Ich hoffte sehr, dass die verbissene Frau irgendwann einen Mann kennenlernen würde, mit dem ich bisher noch nichts zu tun gehabt hatte. Und da gab es ja Gott sei Dank um die dreieinhalb Milliarden auf dieser Erde, unter denen genügend Singles im heiratsfähigen Alter waren.

Pauline war absolut nicht traurig, dass ich von München ganz nach Niederbayern zog. So hatte sie hier ihr privates Wochenend- und Ferienparadies – zumindest bis die Jungs in ihrem Alter für sie spannender wurden als die Ausflüge nach Halling.

Nach einem Vorstellungsgespräch bei Alex weigerte Daniela sich ganz überraschend, die Stelle, die er ihr anbot, anzunehmen. Sie überredete mich, ihr BeauCadeau zu überlassen, und ich unterstützte sie mit einem großzügigen Startkapital, das sie sich redlich verdient hatte. Auf Vermittlung von Bettina Cornelius nahm sie jetzt auch Geschäftsfrauen als Auftraggeber an und baute so BeauCadeau erfolgreich weiter aus. Alex schien ihre Eigenständigkeit zu imponieren, und ich erfuhr von Mike, dass sich die beiden ab und zu in seiner Bar trafen. Es dauerte jedoch eine Weile, bis Daniela selbst mir davon erzählte.

Simon wurde wider Erwarten ein treuer Kunde bei BeauCadeau und sorgte für ordentliche Provisionen.

Bettina Cornelius wurde nach einigen Monaten schwanger, und das Ehepaar war überglücklich. Damit hatte ich auch diesen Auftrag noch erfolgreich abgeschlossen.

Nachdem sich für meine Mutter das Geheimnis um das Verschwinden von Wolfgang gelöst hatte, wurde sie zunehmend lockerer. Es entwickelte sich eine neue Art von Mutter-Tochter-Beziehung zwischen uns, die uns beiden gut tat.

Max machte mir bald einen Heiratsantrag – und zwar in unserer Hängematte. Und ich willigte verliebt ein.

Aus Tante Luise würde somit bald Schwiegermutter Luise werden, und ich hätte mir keine bessere wünschen können.

Von ihr erfuhr ich auch, wer die Person war, die kontrolliert hatte, ob ich auch jeden Tag auf dem Hof übernachtet hatte. Und ich war ziemlich erstaunt, dass es sich dabei um Onkel Alois handelte, oder korrekt gesagt um meinen zukünftigen Schwiegervater.

Max bat Karl Huber, sein Trauzeuge zu sein, und Lene half mir tatkräftig bei den Hochzeitsvorbereitungen. Meine Trauzeugin war Daniela.

Natürlich trug ich zur standesamtlichen Trauung das Kleid, das Max mir gekauft hatte.

Zur kirchlichen Hochzeit zwei Wochen später kam ich wieder mal ein paar Minuten zu spät. Diesmal war Fanny schuld daran, die mich unbedingt begleiten wollte. Es brach mir fast das Herz, dass sie nicht mitdurfte. Doch Pfarrer Brenner blieb in diesem Fall unerbittlich.

Dafür gab es jede Menge neuer Verwandtschaft, die diesen besonderen Tag mit mir teilte. Mein richtiger Vater Wolfgang hatte vier Geschwister gehabt, die alle noch lebten und jede Menge Kinder hatten. Insgesamt elf Cousins und Cousinen samt Anhang waren zur Hochzeit gekommen.

Die Hochzeitsfeier fand im Brunnenwirt statt, und Stefan ließ es sich nicht nehmen, uns eine große Hochzeitstorte zu schenken.

Nach dem offiziellen Hochzeitstanz am Abend stahlen Max und ich uns heimlich davon und machten uns auf zum Flughafen. Nur unsere Eltern wussten davon. Und noch nicht einmal die kannten das Ziel unserer Hochzeitsreise.

Begriffserklärungen aus dem bairischen:

Auszogne – Schmalzgebäck, Krapfen (S. 236)

Erdäpfelkäs – Kartoffelkäse: pikanter Brotaufstrich (S. 239)

greisliche Plunzn – unschöne dicke Person (S. 26)

Ratschkattl – sehr geschwätzige Frau (S. 196)

Sacherl – kleines bäuerliches Anwesen (S. 61)

Schmarrn – Unsinn, auch Mehlspeise (S. 70)

Trutscherl – sehr naiver Mensch, meist weiblich (S. 245)

Wimmerl – Pickel (S. 269)

Zwiderwurzn – missgelaunte, oft auch boshafte Frau (S. 23)

rezepte

Kochen – auch nach Rezepten – ist immer eine sehr
individuelle Angelegenheit. Deswegen scheuen Sie sich
nicht, nach Ihren Erfahrungen und nach Ihrem Geschmack
(kleine) Änderungen vorzunehmen.

Erdäpfelkäse

(Erdäpfelkäse)

Zutaten:

Gut 1 kg Kartoffeln
200 g Sahneschmelzkäse
100 g saure Sahne
200 g süße Sahne
reichlich frischer Schnittlauch
Salz, Pfeffer und etwas gemahlener Kümmel

Zubereitung:

Kartoffeln mit der Schale in Salzwasser oder im Kartoffeldämpfer weich kochen, schälen und noch heiß durch eine Kartoffelpresse drücken. Mit den anderen Zutaten vermischen und mit den Gewürzen abschmecken.

Schmeckt toll auf Bauernbrot oder Baguette und ist auch zum Grillen eine leckere Sättigungsbeilage.

tante luises überraschungstorte

(Tante Luises Überraschungstorte)

Boden:

3 Eier
150 g weiche Butter
150 g Zucker
200 g Mehl
1 TL Backpulver

Eier, Butter und Zucker verrühren, dann Mehl und Backpulver dazu. In einer großen Springform ca. ½ Stunde bei 175 Grad backen. Abkühlen lassen.

Windbeutel:

250 ml Wasser
125 g Butter
1 Prise Salz
150 g Mehl
4 Eier

Das Wasser mit der Butter und dem Salz aufkochen, kurz vom Herd ziehen, sofort das Mehl dazugeben und so lange rühren, bis der Teig sich leicht vom Boden löst.

Die Masse etwas abkühlen lassen. Dann nacheinander die Eier unterziehen und gut durchrühren.

Auf ein mit Backpapier ausgelegtes Backblech kleine Häufchen (am besten geht das mit der Spritztülle) geben und bei knapp 200 Grad ca. 35–40 Minuten backen.

Sofort aufschneiden und abkühlen lassen.

Füllungen:

Bei den Füllungen sind der Phantasie keine Grenzen gesetzt. Hier kann man sich nach Geschmack und vorhandenen Zutaten austoben. Dies hier sollen nur einige Vorschläge sein.

Eierlikörsahnecreme:
100 g Frischkäse

100 g Schmand

3–4 EL Zucker

1 kl. Fläschchen Eierlikör (ca. 100 ml)

200 g Sahne

2 EL Zucker

Sahnesteif

Frischkäse, Schmand und Eierlikör mit 3–4 Esslöffeln Zucker verrühren. Die Sahne mit 2 Esslöffeln Zucker und etwas Sahnesteif aufschlagen und vorsichtig unterheben.

(Der Eierlikör kann auch durch Mandel-, Haselnusslikör, Kokoslikör oder andere Geschmacksrichtungen ersetzt werden. Hiervon jedoch eventuell etwas weniger nehmen.)

Vanille-Sahne-Schmand:

100 g Schmand mit Zucker nach Geschmack (ca. 1–2 Esslöffel) und Mark von 1/3 Vanilleschote verrühren. 200 ml Sahne, etwas Zucker und Sahnesteif schlagen, die Schmandcreme unter die Sahne heben.

Fruchtige Füllungen:

Erdbeeren in kleine Stücke schneiden, zuckern und in etwas Rum oder Wodka ein paar Stunden einlegen. Abtropfen lassen und in die Windbeutel füllen. Selbstverständlich auch ohne Alkohol möglich.

Geeignet sind auch andere Beeren, Kirschen, Bananen, Ananas, Pfirsiche oder Rumtopffrüchte.

Lecker sind auch Sahne-Kreationen mit Zitronen- oder Orangengeschmack oder mit kaltem Espresso oder Kakaopulver und etwas scharfem Chili für den besonderen Kick. Eine weitere tolle Variante ist »karibisch« mit Kokoslikörcreme und exotischen Früchten.

Wenn man mehrere unterschiedliche Füllungen macht, die Mengen anpassen, damit nicht zu viel übrig bleibt, bzw. die übrig gebliebenen Windbeutel damit füllen.

Sahne-Quark für den Überzug der Torte:

250 g Magerquark

4 EL Zucker

3 Blatt Gelatine

500 ml Schlagsahne

etwas Zucker

1 Päckchen Sahnesteif

Quark mit dem Zucker gut verrühren. Gelatine nach Packungsanleitung auflösen und unter den Quark ziehen. Sahne mit Zucker und Sahnesteif sehr steif schlagen und unter die Quarkmischung ziehen.

So bastelt man die Torte zusammen:

Tortenboden mit etwas Sahne-Quark bestreichen (am besten im Tortenring) und die unterschiedlich gefüllten Windbeutel dicht nebeneinander daraufsetzen.

Restlichen Sahne-Quark in die Zwischenräume und auf den Windbeuteln verstreichen. Oben dürfen die Kuppeln der Windbeutel noch ganz leicht zu sehen sein.

Ab in den Kühlschrank und ein paar Stunden gut kühlen lassen. Und dann überraschen Sie Ihre Gäste damit.

(Wenn es einmal schnell gehen muss mit der Überraschungstorte, kann man auch einen fertigen Biskuitboden und fertige Windbeutel nehmen.)

Willys Kesselgulasch

(Willys Kesselgulasch)

(Für 3–4 Personen)

Kann natürlich auch in einem normalen Topf auf dem Herd gekocht werden.

Zutaten:

1 kg Rindfleisch in größeren Würfeln

1 kg Zwiebeln, gehackt

½ kleine Sellerieknolle

2 Paprikaschoten (gelb und rot), gewürfelt

1 kl. Chilischote, fein gehackt

2–3 Zehen Knoblauch

¾ Flasche Rotwein

500 g passierte Tomaten oder geschälte Tomaten (Dose)

2 Lorbeerblätter

4 TL Paprikapulver edelsüß

1 TL Paprikapulver scharf

Salz, Pfeffer, Zucker, evtl. gem. Kümmel

Schmand, gehackte Petersilie

Zubereitung:

Fleischwürfel in einem sehr großen Topf mit heißem Öl gut anbraten. Mit Salz, Pfeffer und 1 Teelöffel süßem Paprikapulver würzen. Gehackte Zwiebeln, Sellerie, Paprika, Chilischote und Knoblauch dazugeben und mit anbraten. Weitere 3 Teelöffel süßes und 1 Teelöffel scharfes Paprikapulver sowie die Lorbeerblätter dazugeben. Mit dem Rotwein aufgießen und die Tomaten dazugeben. Auf kleiner Hitze so lange köcheln lassen, bis das Fleisch sehr weich geworden ist. Das dauert ca. 1 1/2 bis 2 Stunden. Evtl. noch mit etwas Wasser aufgießen. Mit etwas Zucker, Salz, Kümmel- und Paprikapulver abschmecken und nochmal kurz ziehen lassen.

Auf dem Teller mit einem Klacks Schmand servieren und etwas fein gehackte Petersilie darüberstreuen. Dazu passt frisches Brot oder Baguette, Nudeln, Kartoffeln oder Reis.

Auch sehr lecker schmeckt das Kesselgulasch, wenn man es mit einem großen Schuss süßer Sahne verfeinert und mit einem Semmelknödel serviert.

bertas zwetschgen-apfel-rahmstrudel

(Bertas Zwetschgen-Apfel-Rahmstrudel)

Zutaten:

Teig und Füllung:
400 g gesiebtes Mehl
1 Prise Salz
1 Ei
1 EL Sonnenblumenöl
ca. 1/8 l lauwarmes Wasser
Äpfel, geschält und in feine Scheiben geschnitten
Zwetschgen, entsteint (auch eingelegte oder vollständig
aufgetaute TK-Zwetschgen sind geeignet)
Zucker, Zimt und etwas Rum für die Früchte
200 ml süße Sahne
200 g saure Sahne
1 EL Zucker

Guss:
2 Eier
200 ml süße Sahne
½ Becher saure Sahne
80 g Zucker

1 Päckchen Vanillezucker oder Mark einer halben
frischen Vanilleschote
250 ml Milch

Zubereitung:

Für den Teig das Mehl mit dem Salz, dem Ei, dem Sonnenblumenöl und dem lauwarmen Wasser zu einem glatten Teig kneten.
Kurz ruhen lassen.

Inzwischen die Äpfel schälen, in feine Scheiben schneiden und
mit etwas Zucker und Zimt vermischen. Zwetschgen entsteinen
und ebenfalls mit Zucker und Zimt bestäuben. Nach Geschmack
auch mit etwas Rum beträufeln.

Den Teig in drei gleichmäßig große Stücke teilen und jeweils
sehr dünn ausrollen. Am besten noch zusätzlich mit der Hand
vorsichtig auseinanderziehen.

Süße und saure Sahne mit 1 Esslöffel Zucker mischen und auf
die Teigfläche streichen. Dann je nach Geschmack mit Äpfeln
und/oder Zwetschgen belegen und vorsichtig zu drei Strudelrollen drehen. Nebeneinander in eine gebutterte Bratreine legen.

Die Zutaten für den Guss gut vermischen und in einem Topf
unter Rühren langsam etwas erwärmen. Nicht aufkochen! Warm
über die drei Strudelrollen gießen. Noch ein paar Butterflöckchen
und die restliche saure Sahne (1/2 Becher) daraufsetzen und bei ca.
180 Grad in den vorgeheizten Ofen geben.

Wenn der Strudel oben schön knusprig goldbraun ist (nach ca.
1 Stunde), herausholen und etwas abkühlen lassen.

Mit etwas Puderzucker bestreuen und noch lauwarm mit Vanilleeis servieren.

(Tante Luises Schoko-Nuss-Kuchen)
(von Hanna ein bisserl abgewandelt)

Zutaten:

150 g weiche Butter
3 große Eier
150 g brauner Zucker
1 Päckchen Vanillezucker
150 g Vollkornmehl
1 TL Backpulver
1 TL Zimt
2 EL Milch
100 g gemahlene Haselnüsse
oder Mandeln
½ Tafel grob gehackte Schokolade

Zubereitung:

Butter mit Eiern, Zucker und Vanillezucker gut verrühren. Vollkornmehl, Backpulver, Milch und Zimt dazugeben und unterrühren. Nüsse/Mandeln dazu und ganz am Schluss die Schokostücke unterheben.

In eine Kastenform oder kleine Gugelhupf-Form geben. Im

vorgeheizten Backofen bei ca. 175 Grad gut eine Stunde backen.

Entweder mit Schokoglasur oder mit Puderzucker-Rum-Glasur
überziehen.

viel spass beim nachkochen
und an guadn!

Danksagung

»Im normalen Leben wird einem oft gar nicht bewusst, dass der Mensch überhaupt unendlich viel mehr empfängt, als er gibt, und dass Dankbarkeit das Leben erst reich macht.«

Dietrich Bonhoeffer

In diesem Sinne möchte ich mich als Erstes bei Christina Gattys bedanken. Sie ist die weltbeste Agentin und hat in jeder Lebenslage immer ein offenes Ohr für mich. Und ganz nebenbei fungiert sie auch noch sehr erfolgreich als mein spezieller Diätcoach!

Mein von Herzen kommender Dank gilt jedem einzelnen Mitarbeiter des Teams von Blanvalet. Ihr seid alle großartig, und es ist wirklich ein großes Geschenk, dass ich mit euch zusammenarbeiten darf!

Ein besonderes Dankeschön geht dabei an die Verlagsleiterin Nicola Bartels und an Andrea Vetterle, die sich als meine Lektorin mit Herzblut und unglaublichem Engagement für meine Geschichten einsetzt.

Vielen Dank an Vertrieb, Presse und Werbung, insbesondere Bernhard Fetsch und Verena Christoph, Dr. Berit Böhm, Inge Kunzelmann und Sebastian Rothfuss sowie Hendrik Balck und Claudia Winklmeier.

Sabine Cramer hat das Buch ganz wunderbar redaktionell bearbeitet, und die Zusammenarbeit hat sehr viel Spaß gemacht.

Danke, Liz, für die interessanten Schilderungen über Bauernhöfe und auch für unsere jahrzehntelange Freundschaft. Danke, Carolin, für landwirtschaftliche Informationen und natürlich auch wieder fürs Testlesen und die tollen Fotos. Danke, Michael, für deine Infos über Segelboote. Danke, Markus, für das tolle Lesecoaching.

Mama, Felix und Elias – für eure Liebe und all eure Unterstützung danke ich euch sehr!

Und zuletzt, aber nicht weniger herzlich, möchte ich mich bei all meinen Leserinnen und Lesern bedanken.